中国近现代中医药期刊续编

第三辑

医学扶轮报 现代国医（一）

王咪咪　侯酉娟◎主编

2022年度北京市优秀古籍整理出版扶持项目

北京科学技术出版社

图书在版编目（CIP）数据

医学扶轮报；现代国医：全二册 / 王咪咪，侯西娟主编. — 北京：北京科学技术出版社，2023.11
（中国近现代中医药期刊续编. 第三辑）
ISBN 978-7-5714-3354-3

Ⅰ. ①医… Ⅱ. ①王… ②侯… Ⅲ. ①中国医药学—医学期刊—汇编—中国—民国 Ⅳ. ①R2-55

中国国家版本馆CIP数据核字(2023)第206621号

策划编辑： 侍　伟　吴　丹
责任编辑： 吴　丹　杨朝晖　刘　雪
文字编辑： 王明超　刘雪怡　李小丽　毕经正
责任校对： 贾　荣
图文制作： 北京艺海正印广告有限公司
责任印制： 李　茗
出 版 人： 曾庆宇
出版发行： 北京科学技术出版社
社　　址： 北京西直门南大街16号
邮政编码： 100035
电　　话： 0086-10-66135495（总编室）　0086-10-66113227（发行部）
网　　址： www.bkydw.cn
印　　刷： 北京捷迅佳彩印刷有限公司
开　　本： 787 mm × 1092 mm　1/16
字　　数： 1 353千字
印　　张： 73.75
版　　次： 2023年11月第1版
印　　次： 2023年11月第1次印刷
ISBN 978 – 7 – 5714 – 3354 – 3

定　　价： **1780.00元（全二册）**

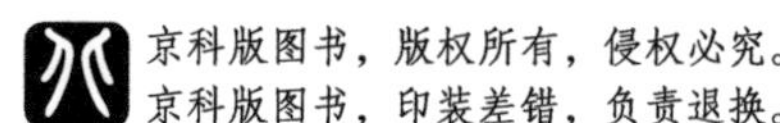

《中国近现代中医药期刊续编·第三辑》编委会名单

主　编　王咪咪　侯酉娟

副主编　解博文　田　甜

编　委　王咪咪　田　甜　刘思鸿　李　兵
李　敏　李　斌　李莎莎　邱润苓
郎　朗　郝思岚　段　青　侯酉娟
徐丽丽　董　燕　覃　晋　解博文

序

2012年，上海段逸山先生的《中国近代中医药期刊汇编》（下文简称“《汇编》”）出版，在中医界引起了广泛关注。这部汇集了众多中医药期刊的著作为研究近代中医药发展提供了宝贵的学术资料。在《汇编》的影响下，时隔7年，中国中医科学院中国医史文献研究所的王咪咪研究员决定仿照《汇编》的编纂模式，尽可能地将《汇编》中未收载的中华人民共和国成立前的中医药期刊进行搜集、整理，并将其命名为《中国近现代中医药期刊续编》（下文简称“《续编》”）。

尽管《续编》所收载期刊的数量与《汇编》的相当，但其总页数仅为《汇编》的1/4，约25 000页。《续编》中绝大部分内容为中医期刊及一些纪念刊、专题刊、会议刊。除此之外，还收录了1915—1949年《中华医学杂志》（合计35卷，近300期）中与中医发展、学术讨论等相关的200余篇学术文章，其中包括6期《医史专刊》的全部内容。值得注意的是，《续编》还收录了1951—1955年、1957年、1958年出版的《医史杂志》。尽管这与整理中华人民共和国成立前期刊的初衷不符，但是段逸山先生已将1947年、1948年（1949年、1950年《医史杂志》停刊）的《医史杂志》收入了《汇编》。王咪咪等编者认为，将这7年的《医史杂志》全部收入《续编》，将使《医史杂志》初期各种学术成果得到更好的保存和利用。我认为这将是对段逸山先生《汇编》的一次富有学术价值的补充与完善，对中医近现代的学术研究，以及对中医的整理、继承、发展都是有益的。医学史的研究范围不只是中国医学史，还包括世界医学史，医学各个方面的发展史、疾病史，以及从史学角度探讨医学与其关系等。《续编》中收载的文章虽有些出自西医学家之手，但提出来的问题对中医发展具有极大的推进作用。例如，陈邦贤先生在《中国医学史》的自序中指出："世界医学昌明之国，莫不有医学史、疾病史、医学经验史……岂区区传记遽足以存掌故资考证乎哉！"陈先生将他所研究内容分为三大类："一关于医家地位之历史，一为医学的知识之历史，一为疾病之历史。"医学史的研究具有连续性。例如，在中华人民共和国成立初期，《医史杂志》登载了一系列具有开创性和历史性的文章，无论是陈邦贤先生对医学史料的连续性收集，还是李涛先生对医学史的断代研究，都对医学史的研究做出了重要贡献。范行准先生的《中国预防医学思想史》《中国古代军事医学史的初步研究》《中华医学史》等，具有极高的学术价值，自出版以来未曾被超越。 这些文献多距今已近百年，能保存下来的十分稀少。今天能把这样一部分珍贵文献用影印的方式保存下来，是对这一研究领域最大的贡献。此外，将1951—1958年期间的《医史杂志》也纳入收载范围，完整保留医学史学科在20世纪50年代的研究成果，这很好地保持了学术研究的连续性，故而我对主编的这一做法表示支持。

《续编》借鉴了段逸山先生《汇编》的编纂思路，旨在更为全面地保存和整理中华人民共和国成立前的中医及相关期刊。愿中医人利用这丰富的历史资料更深入地研究中医近现代的学术发展、临床进步、中西医汇通实践、中医教育改革等，以更好地继承、挖掘中医药这一伟大宝库。

李经纬 九十老人

2019年11月于中国中医科学院

前 言

《汇编》主编段逸山先生曾总结道，中医相关期刊文献凭借时效性强、涉及内容广泛、对热门话题反应快且真实的特点，如实地记录了中医发展的每一步，展现了中医人为中医生存而进行的每一次艰难抗争，是记录中医近现代发展的真实资料，更是我们今天进行历史总结的最好参考资料。因此，中医药期刊不但具有很高的文献价值，还对当今中医药发展具有很强的借鉴意义。

本次出版的《续编》具40余册之规模，主要收载了段逸山先生《汇编》中未收载的中华人民共和国成立前50年间的中医相关期刊，以期为广大读者进一步研究和利用中医药近现代期刊提供更多宝贵资料。

《续编》所收载期刊的时间跨度主要集中在1900—1949年。之所以不以1911年作为界限，是因为《绍兴医药学报》《中西医学报》等一批在社会上具有深远影响力的中医药期刊是在1900年之后才陆续问世的。这些期刊开始关注并讨论中医的改革、发展等相关话题，是承载那段岁月的重要历史载体。

在历史的长河中，50年或许很短暂，但在20世纪上半叶的50年却是中医曲折发展并产生深远影响的50年。随着西医东渐，中医在中国社会上逐渐失去了主流医学的地位，学术传承面临危机，以至于连中医是否能名正言顺地保存下来都变得不可预料。因此，能够反映这50年中医发展状况的期刊便成为重要的历史载体。据不完全统计，这批文献有1 500万～2 000万字，包括3万多篇涉及中医不同内容的学术文章。虽然这50年间所发生的事件都已成为历史，但当时中医人所提出的问题、争论的焦点、未完成研究的课题一直在延续，促使今天的中医人要不断地回溯过去，思考答案。

中医究竟是否科学？如何改革才能使中医适应社会需要并有益于其发展？120年前，这些问题就已经在社会上引发广泛讨论。在现存的近现代中医药期刊中，有关这类主题的文章不下3 000篇。

关于中医基础理论的学术争论仍在继续：阴阳五行、五运六气、气化的理论要怎样传承？怎样体现中国古代的哲学精神？在这50年间涌现出不少相关文章，其中有些还是大师之作，对延续至今的这场争论具有重要的参考价值。

像章太炎这样知名的近代民主革命家，曾对中医的发展有过重要论述，并发表了近百篇的学术文章。他是怎样看待中医的？他的观点可以在这些期刊中找到答案。

最初的中西医汇通、结合、引用对今天的中西医结合有什么现实意义？中医如何在科学技术高度发达的现代社会中建立起完备的预防、诊断、治疗系统？这些文章可以给我们以启示。

为适应社会发展，中医院校应该采取何种办学模式？中医教材应该具备哪些特点？在收集期刊的过程中，我们发现仅百余种期刊中就有50余位中医前辈所发表的20余类80余种中医教材。以中医经典的教材为例，有秦伯未、时逸人、余无言等大家在不同时期从不同角度撰写的《黄帝内经》《伤寒论》《金匮要略》等教材20余种，它们在学术性、实用性上堪称典范。然而，由于当时的条件所限，这些教材只能在期刊上登载，无法正式出版，因此很难保存下来。看到秦伯未先生所著《内经生理学》《内经病理学》《内经解剖学》《内经诊断学》中深入浅出、引人入胜的精彩章节时，联想到现在许多中医学生在读了5年大学后，仍不能深知《黄帝内经》所言为何，一种使命感便油然而生。我们真心希望尽可能地将这批文献保存下来，为当今的中医教育、中医发展尽一份力。

中华人民共和国成立前这50年也是针灸发展的一个重要阶段，在理论和实践上都有很多优秀论文值得被保存下来。除承淡安主办的《针灸杂志》专刊外，其他期刊上也有许多针灸方面的内容是研究这一时期针灸发展状况的重要文献。

在中医的在研课题中，有些学者在做日本汉方医学与中医学的交流及相互影响的研究，而这一时期的期刊中保存了不少当时中医对日本汉方医学的研究成果。但如今这些最原始、最有影响的重要信息载体却面临散失的危险，保护好这些文献可以为相关研究提供强有力的学术支撑。

在这50年中，以期刊为载体，一门新的学科——中国医学史诞生了。中国医学史首次作为独立学科出现在世人面前，为研究中医、整理中医、总结中医、发展中医，把中医推向世界，再把世界的医学展现于中医人面前，做出了重大贡献。创建中国医学史学科的是一批中医专家和一批虽出身于西医却热爱中医的专家，他们潜心研究中医医史，并将其成果传播出去，对中医发展起到了举足轻重的作用。《古代中西医药之关系》《中国医学史》《中华医学史》《中国预防医学思想史》《传染病之源流》等学术成果均首载于期刊中，作为对中医学术和临床的提炼与总结，这种研究将中医推向了世界，也为中医的发展坚定了信心。这些医学史文章大都较长，因此在期刊上发表时大多采用连载的形式进行刊登。此外，这类文章也需要旁引很多资料。为了帮助读者更全面、连贯地了解医学史初期的演变过程，以及该学科对中医发展的重要作用，我们决定将《医史杂志》的收集范围定为1958年之前刊行的内容。《医史杂志》创刊于1947年，在此之前一些研究医学史的专家利用西医刊物《中华医学杂志》发表文章，从1936年起《中华医学杂志》不定期出版《医史专刊》。（《中华医学杂志》是西医刊物，我们已把相关的医学史文章及1936年后的《医史专刊》收录于《续编》之中。）这些医学史文章的学术性很强，但其中大部分只保存在期刊上，一旦期刊散失，这些宝贵的资料也将不复存在，如果我们不抢救性地加以保护，可能将永远看不到它们了。

此外，值得一提的是，近现代期刊中的这些文献不只是资料，更是前辈们智慧的结晶，我们应该尽最大的努力把这批文献保存下来。这50年的中医期刊、纪念刊、专题刊、会议刊等，都为我们提供了一段回忆、一个见证、一种警示、一份宝贵的经验。这批1 500万～2 000万字的珍贵中医文献已到了需要保护、研究和继承的关键时刻，它们大多距今已有百年，那时的纸张又是初期的化学纸，脆弱易老化，在百年的颠沛流离中能保留至今已属万分不易，若不做抢救性保护，就会散落于历史的尘埃中。

段逸山先生、王有朋先生等一批学术先行者们以高度的专业责任感，克服困难领衔影印出版了《汇编》，以最完整的方式保留了这批期刊的原貌，最大限度地保存了这段历史。《汇编》收载的48种期刊的遴选标准为中华人民共和国成立前保留时间较长、发表时间较早、内容较完备，其体量是中华人民共和国成立前中医药期刊的2/3以上，但仍留有近1/3的期刊未被收载出版。正如前面所述，每多保留一篇文献就是在多保留一点历史痕迹，故对《汇编》未收载的近现代中医药期刊进行整理出版有着重要意义。

北京科学技术出版社有限公司秉持传承、发展中医的责任感与使命感，积极组织协调《续编》的出版事宜。同时，在该出版社的大力支持下，《续编》入选北京市优秀古籍整理出版扶持项目，为其出版提供了可靠的经费保障。这些都让我们十分感动。希望在大家的共同努力下，我们能尽最大可能保存好这批珍贵期刊文献。

近现代中医可以说是对旧中医的告别，也是更适应社会发展的新中医的开始，从形式上到实践上都发生了巨大的改变。这50年中医的起起伏伏、学术的争鸣、教育的改革、理论与临床的悄然变革，都值得现在的中医人反思回顾，而这50年的文献也因此变得更具现实研究意义。

《续编》即将付梓之际，我代表全体编委向曾给予本书出版大量帮助和指导的李经纬、余瀛鳌、郑金生等研究员表示最诚挚的感谢。

王咪咪

2023年2月

内容提要

本书是《中国近现代中医药期刊续编》第一辑、第二辑的延续之作，又为收官之作，收录了包括《医学扶轮报》在内的文献 11 种。

本书所收录的期刊除来自江浙一带外，尚有广东、山东、四川等地方性中医期刊。受环境和经费等因素的限制，地方性期刊通常存续时间较短、存留期数有限，能够保存至今实属不易。本次将有较高学术价值、历史意义且保存比较完整的地方性中医药学术期刊整理、影印出版，不仅有助于完善近代中医药发展脉络，而且可以间接反映出一些地区近代中医药发展情况，让更多人看到近代地方中医工作者为了传承和发扬中医所做出的努力与贡献。

《医学扶轮报》

中西医汇通报刊，1910 年创刊，月刊，发起人为吴鹤龄，扬州南河下中西医学研究会发行，现存 1 ~ 6 期（1910 年）。

此刊在第 1 期的发刊词中详细介绍了办刊宗旨：“世界医学开化以吾中国为最先，秦汉以后虽见退化，然犹代有贤豪，如孙思邈之裒集古方，许叔微之传记方案，张子和之发明三法，李东垣之发明脾胃……倘能举中国古今来固有之医学与今日东西洋之学说，合一炉而熔冶之，取其精华，弃其糟粕，实事求是，锐志图存，安见吾中国医学不能驾东西洋而上哉！”这是出版此刊的初衷，也是目标。

此刊内容既有中医学术，也有西医学知识。当时西医东渐对中医学的发展具有重大影响，此刊第 1 期第 1 篇文章即陈邦贤先生的《中西医学分科相同论》，第 2 期则有袁焯的《论今日医学界急宜扩张其势力以图自存》，可见此刊编者对中医结合西学非常重视。此刊所载文章学术水平较高，其中《心理疗病法》《切脉为传声之学说》《脑与心互为功用说》《痘科明辨》《察舌辨证法》等文章有很高的临床价值。另外，此刊还引录了许多优秀医案，如《扁仓医案合解》《勉吾轩医案》《春泽堂医案》《春在寄庐医案》《杏雨草堂医案》等。

《现代国医》

中医学术期刊，1931 年创刊，月刊，谢利恒主编，上海市国医公会发行，现存第 1 卷 1 ~ 6 期、第 2 卷 2 ~ 7 期（1931—1932 年）。

此刊编委会成员均为中国近代名中医，包括丁仲英、蒋文芳、陆士谔、吴克潜、张赞臣、陈存仁、秦伯未等。此刊设有医事杂评、言论、专著、学说、医案、方剂、纪载、案牍等栏目。在第 1 卷第 1 期的医事杂评中，谢利恒先生写道：“吾今不辨国医之是否不合科学，独问国医之是否不适于现代社会？从国内观之，西医之不能战胜国医，固成绩昭著。即从国外观，德美之赞美中药，日本之复兴汉医……不在国医学术之本身上，而在国医之缺乏时代精神耳。”从这段杂评可以看出将此刊定名为《现代国医》的初衷。

此刊内容丰富，涉及中西汇通、中医办学相关内容。此刊第 1 卷第 1 期就刊登有商复汉的《中西医治疗之比较》、聂崇宽的《中西医之科学观》、严苍山的《中西医之门户见》、胡树百的《中西医之脏燥病比观》等多方面阐明对中西医学汇通看法的文章。首刊刊登了秦伯未的《医校之教材问题》一文，此文提出了当时中医发展迫切需要解决的关键问题。此刊第 2 卷第 2 期特别设立了“中国医学院专号”，专门刊登医学院教师职工的中医研究论文及中医学生的研究成果，以增加中医院校在社会上的影响力。此刊还刊登了有关中医发展问题的文章，如日本富士川游的《日本医学之变迁与中国医学及西洋医学》、郑守谦的《各国趋重中医学说》、李怀仁的《中国医药研究之法门》、姜子房的《中医与中药同时改进说》、陆士谔的《论国医》、俞大同的《中央国医馆与振兴中医药具体方案》等，对中医的发展和改革提出了多种可期的设想。

此刊收录了诸多学术水平较高的名家论述，如朱懋泽的《伤寒温病之我见》和《气病概论》、胡安邦的《伤寒以六方提纲论》和《书阴阳应象大论后》、王辉中的《外感成温与伏气成温的研究》等。此刊亦登载了一些知名医家的医案，如《一瓢砚斋医案》《碧荫书屋新医案》《潜庐医案》《澄斋医案》《尤在泾晚年医案》等。

此外，需要说明的是，在第 2 卷第 2 期封面上清晰地标注着“第二卷第二期”字样，但其目录页却标为“第二卷第八期”，此期又为“中国医学院专号”，其目录与正文内容完全相符，故目录中的“第八期”为误。这种文字错误在第 2 卷第 7 期也出现了。第 2 卷各期出刊时间均为民国二十一年（1932 年），第 2 卷第 7 期却注为“民国二十年（1931 年）”。此刊各期也并非完全按月出刊，如第 2 卷第 3 期出刊时间为 1932 年 1 月，但第 2 卷第 4 期的出刊时间是 1932 年 8 月。故读者应以各期实际内容为准，注意时间标注即可。

《中国医学月刊》

中医学术期刊，1928 年创刊，不定期，现存 1 ～ 11 期（1928—1931 年）。

此刊有一篇很有特色的发刊词，提出中医应勇于革新，向西医学习，指出中医不能“只知抱残守缺，凭借特效之方药以自足，绝不思极深研几，以求学理至当……急起整理，力谋发新，焉可墨守旧说，划地自限，不事创作……抑集思广益以求迈越于西医乎！由前之说，则必尽弃其学，醉心欧化，如戴季陶先生所言，近时青年对于五十年前读物便不肯寓目，是直丧心病狂，自暴自弃，既显示我国无一学术可以独立，尚能免除劣等民族之恶谥乎，此则一国人民之奇耻大辱，非仅医学本身问题而已也……为谋人类健康问题、生命问题，关系至重，本极艰难困苦，而在个人，则有学术之兴趣，引人入胜，不能自已者也。现在受环境压迫，既不能望有力者之提倡，惟凭借社会之信仰，勉自支撑，若再不从学术根本上谋其发展，吾恐数千年圣哲相传无尽藏之义蕴，皆将自吾而斩。医学亦随此潮流而汩没不复矣。故就医论医，吾人应急起直追，以冷静态度，做忍耐工夫，出之以敏锐之视察力，绵密之思考力，精微之判断力，以引动其日新月异自得之兴趣，为中国医学放一异彩，开一新纪元”。

20 世纪 20 年代末正是中医发展最艰苦之时，此发刊词不仅体现了办刊宗旨，更反映出当时的中医人对中医改革的强烈愿望。当时的中医人坚信“吾国固有宝藏，得以由整理而尽泄，俾出陈而发新”，并且对中医的改革发展有着明确的目标和长期奋斗的思想准备。此发刊词鼓舞着新一代中医人不断前进。

此刊发刊地为上海，现存的部分没有关于主编、编委会组成的介绍，但从所载文章可知此刊主编应为民国著名医家陆渊雷。此刊 1 ～ 7 期连载了陆渊雷先生的《改造中医之商榷》一文（其中第 6 期无刊载），这篇数万字的文章中讲到了改造中医之动机、医药的起源是单方、《内经》学说之由来、病理学说与治疗方法之不相应、中西学派之不同、中国的科学趋势、唐宋以后的医学、伤寒之外没有温热、中医方药对于证有特效对于病无特效、中医不能识病却能治病、中医有吸收科学之必要、科学头脑与中国学术的柄凿、细菌原虫非绝对的病源等，这些内容对中西汇通初期一些存在争议的问题明确地提出了自己的观点，吸引着当时的中医人投身到中医继承、改革的队伍中来。陆渊雷先生的这篇文章不仅是几十年前有关中医改革问题的宝贵历史资料，而且对今天的中医发展具有借鉴意义。

此外，此刊还刊有研究医经及临床疾病的70余篇学术论文，这些论文充分体现了此刊的学术价值。

《卫生杂志》

中医学术期刊，1932年创刊，月刊，张子英主编，中医书局发行，现存第1～2卷1、2、5、6、8及13～20、22～24期，第3卷5～6期，以及第4卷1～5期（1932—1935年）。

此刊在“编辑大意”中描述了创刊目的：“我国卫生问题太不讲究，死亡率来得很高……使人人都知道卫生问题的紧要，同时发扬我国医药的精华……非但不反对西药，不攻讦西医，又共同联络研究。”刊中有多幅名人题词，如谢利恒先生的“吾道干城”、蒋文芳先生的“养生宝筏”及钱今阳先生的“康强之道”等。

此刊不仅载有常见病防治方面的文章，如《冬日滋补问题》《皮肤病与血液之关系》等，还收录了《痢疾商榷》《肺结核之超早期诊断》《疟疾经验谈》《喉痧与白喉之别》等涉及传染病防治内容的文章。同时，此刊还设立有特别专刊，对日常多见疾病的相关知识加以普及。例如，“性病专号”收录了有关性病、白带、男女之阴阳痿病等的文章；“服装专号”收录了有关服装与疾病关系等的文章。

另外，此刊也收录了有关学术讨论、医案验方等的论文，如《内科病理治疗大要》《六气致病之原理》《骨蒸的病原和证状》《国医三焦通义》等；同时还收录了一些具有前瞻性的文章，如《中西医学术之趋向解》《中西医药优劣平议》《中医学理是否合乎科学平议》《国医以维护同道改进学术为先务》《关于医药之空间性的讨论》等。

《大众医学月刊》

中医学科普期刊，1932年创刊，月刊，杨志一主编，大众医刊社发行，现存第1卷1～12期（1932年）。

此刊可谓是中西医汇通临床应用的百科全书。其内容十分广泛，包括卫生常识、胃病指南、吐血概论、四季时症、精神病学、肺病讲义、脑病研究、大众医药顾问、小药囊等。此刊所载文章的作者有杨志一、时逸人、张山雷、宋大仁、尤学周、蔡济平等，他们都是当时的名医大家。

在此刊第 3 期中宋大仁写道："伤风……最初为呼吸郁闷，其次为鼻炎，鼻流清涕，发热咳嗽。其在消化器之病，为口中无味，食欲不振，或则腹痛，或下痢，或则为春温诸病，久咳则延成肺痨……通用金沸草散、川芎茶调散加减。有虚体受风，屡感屡发，形气病气俱虚者，又宜顾正解肌，亦不可专泥发散。正气益虚，腠理益疏，病反增矣。李士材曰：风邪伤人，必从俞入，俞皆在背，故背常固密，风弗能干。已受风者，常曝其背，使之透热，则默散潜消矣。"第 4 期中则有一篇探讨食补、药补的文章，该文章提到："食补之原素，一为炭水化物，二为蛋白质，三为脂肪质，四为无机物质，五为维他命，凡此种种，多混合于谷畜果蔬之中。药补之功能，一为温补，能使神经活泼，局部血行畅利，加增脏腑阳气，二为凉补……食补为日常所需要，药补为一时所需要。"此刊还设有"小药囊"栏目，以西医学科对所列各药进行分类，并以中医知识对其进行解说。

由以上内容可以看出，当时中医学者对西医理论的接受程度很高，且西医理论已得到一定的普及。因此，此刊在当时具备了较高的科学性与实用性，同时具有时代价值，值得后世研究。

《幸福杂志》《丹方杂志》

《幸福杂志》：中医验方验案期刊，1933 年创刊，月刊，朱振声主编，上海幸福书局发行，现存 1 ~ 8、11 ~ 12 期（1933—1934 年）。

《丹方杂志》：中医验方期刊，1935 年创刊，月刊，朱振声主编，上海幸福书局发行，现存 1 ~ 12 期（1935—1936 年）。

《幸福杂志》每期列有 10 ~ 12 个专题，其重要内容会在多期中连载，如"胃病研究""吐血概论"等。此刊还载有"长篇专著"，向读者介绍优秀的中医著作，最大程度地向读者普及医学知识，介绍各类疾病的治疗方法。

《幸福杂志》内容全面、浅显易懂。此刊重视养生，所载文章观点独特。如有文章提出要养成良好的卫生习惯，不要吸烟；吃饭要细嚼慢咽，不使脾胃受损；要注意食品卫生、居室卫生、个人卫生等。此刊收载了有关各类人群精确细致的养生方法的文章。

如有文章认为健忘大多由精神衰弱引起，健忘者在生活中要保护与保养脑力，不要过多刺激，勿用脑过度；小儿要注意睡眠卫生；女性要注意月经卫生、孕期卫生、产褥卫生、女子阴部卫生等；要从环境、心理、饮食等多方面对病人进行调理。

此刊的撰稿人多为当时的临床名家，他们所撰有关各种常见病的文章都具有较强的实用性，可称得上是当时的常见疾病手册。例如，尤学周的《脾胃虚弱之简治法》《胃气痛》《胃酸过多》，丁仲英的《胃病与失眠》《胃口不开》，陈存仁的《吐血治疗大要》，严苍山的《便血之研究》，张锡纯的《因凉而得之吐血治法》等。由于这些文章为读者提供了许多疾病的防治知识，因此，此刊成为20世纪30年代具有较大社会影响力的刊物。

1935—1936年，为扩大影响力，《幸福杂志》更名为《丹方杂志》，专门收载有关民间丹药验方之应用研究的文章。尤学周在《丹方杂志》的序中写道："今有《丹方杂志》之刊行，探秘搜奇，深入民间，将灵方妙药尽量披露，介绍于人群，不特为病者谋幸福，而国医药前途亦发见不少光明，实堪钦佩。"张赞臣则在序中表示："今朱君有鉴于此，搜集古来丹方，以为骨干，下及近世丹方，旁及乡村丹方，秘及私家丹方，而为之五官百骸，编为杂志，非其体，达其用，以为苍生。"另外，此刊主编在自序中写道："而于无意中发见不少治病之法，今之所谓丹方者，即道家所赠遗之品也。道家推千其教义，深入民间，同时为人治病，以眩其术，以坚人信仰，丹方亦传入民间，书中偶有记载，皆由道听途说，偶然录下者。关于单方之专书，则少有所见，鄙人于丹方之应用，往往发见不可思议之效力，对于丹方之信力甚坚，故有本刊之发行。"此刊12期共登载了约千首治疗临床各科疾病的方剂，其价值有待后人进一步挖掘。

《中国医药杂志》

中医学术期刊，1934年创刊，月刊，赵恕风主编，中国医药研究社发行，现存第2卷1～12期（1935年）。

此刊为地方性中医药期刊，内容广泛。此刊设有学说、临床各科、医案、验方、来函等栏目，并且非常重视学术讨论，如刊登了唐映书的《瘟疫与温病不同说》、姚肃吾的《春令流行性时疫的病因和治法》、单生文的《中医学理之科学观》、梁惠群的《湿温病与伤寒少阳病异同之点》、林志生的《论气血与风》等。

此刊实用性较强，较为重视验方和医案。除刊登了《隔食症验方》《治疗淋病的效方》《经过实验的喉病奇方》等验方类文章外，还刊登了《治验笔记》《诊伤寒笔记》《论瘟疫之症治》《咳嗽论治》等医案类文章，并引录《植林医庐笔记》《也是斋随笔》及邢锡波的《怀葛斋医案》等。另外，此刊也连载了一些有实用价值的书籍，如《张五云痘疹书》。

综上所述，此刊在一定程度上起到了传播和推广地方中医药的作用。

《医药改进月刊》

中医学术期刊，1941 年创刊，月刊，本刊编审委员会主编，现存第 1 卷 1 ～ 12 期（1941—1942 年）。

此刊发行于四川成都，为地方性中医药期刊。此刊第 1 期的发刊词阐明了创刊宗旨：“本社有鉴于此，乃联合同志创办社刊，特辟学术论文、学术研究、整理珍闻等各栏，意在以科学之方法，发皇古医之奥义，且整齐同一步调，一致向前，务使古圣之遗意无余，中西之各美兼备，而我国医之伟迹长留于万世，始可稍尽本社同人之素志。”为体现创刊宗旨，此刊第 1 卷第 1 期便刊载了具有针对性的论文，如《我们对于国医科学化的意见》《为什么要改进中医》。第 2 期《中医管理权》一文指出：“我们主张西医应该研究中医学术，中医也应该研究西医医理，两者融会贯通，自不难产生新的医术，为世界医学放一异彩。”此刊连续数期刊登的评论文章《对于建设中国本位医学的意见》对当时中医的改革与发展具有较大影响。

此刊比较注重经方的学习与应用，除刊登一般性中医学术研究文章外，每期都刊登有关于经方的文章，如《桂枝十九方合论》《甘草干姜汤》《芍药甘草汤》《三承气汤麻仁丸》《大青龙汤》《四逆十一方合论》《理中九方合论》《泻心十一方论》等，非常值得经方研习者及临床医生研究学习。

从以上内容可以看出，此刊学术水平很高，是近代中医期刊中的上乘之作。

《广东医药旬刊》

中医学术期刊，1943 年创刊，旬刊，吴粤昌主编，广东医药旬刊社发行，现存第 2 卷 1 ～ 8 期（1943 年 7—11 月）。

此刊是地方性中医药期刊，内容丰富，有较强的理论性与学术性，连载了较多理论性文章，如梁荫天的《中医学术源流》、梁乃津的《略论中西医学之特质及中西汇合问题》、曾天治的《整理中国医学之我见》、蔡适季的《现阶段中医进修问题》等。

其中，《现阶段中医进修问题》具有很强的前瞻性与实用性，其内容包括中医进修的意义、步骤、原则、条件、方式及方法等，对当时乃至现在的中医药发展都有很强的指导意义。

此刊保留了许多具有全局性的中医学术文章，如姜春华的《伤寒新论》及《中医基础学》、钟春帆的《近世内科学》、梁乃津的《霍乱》、缪俊德的《疾病之本相与现象》、袁鉴韬的《中国物理医学之针灸》等。

另外，此刊还刊登了《本草塍识》《中医应用处方集》《实用方剂学总论》《药物各论》等长篇文章，这些文章展现了当时一批致力于研究、发展中医的学者们的学术思想，虽然数量有限，但值得被保存和研究。

《医药卫生专刊》

又名《济世日报佑仁医药卫生》，中医学术期刊，1947 年创刊，周刊，施今墨主编，济世日报社发行，现存 1 ～ 15 期（1947 年）。

此刊的办刊宗旨是“建医、强种、救国”，即“不攻击西医，也不攻击中医，我们一心一德，把中西各方真实的医药卫生常识，介绍给水深火热中的同胞，同时提供有心沟通中西学术的朋友，及贤明当局，作为参考的资料”。

此刊与报纸类似，没有栏目分类，每期 20 余页。每期都有相当篇幅的普及卫生知识的内容，如《细菌常识》《为什么会发炎》《蛔虫的生活史》《如何避孕》等。此刊既收录有《伤寒质难》《国药性赋》《法定传染病概说》等学术文章，同时也向读者普及医学器材的知识，如介绍什么是注射器、显微镜等，具有一定的学术性和科普性。

另外，此刊还载有用通俗易懂的语言探讨中医发展的文章，如《中医为什么要争管理权》，强调中医机关“不但要负管理的责任，还要负规划中医药教育方针的责任”，提出科学化的中医仍是中医。

目　录

医学扶轮报……………………………………………………………………………… 1
现代国医……………………………………………………………………………… 149

中国近现代中医药期刊续编·第三辑

医学扶轮报

医学扶輪报

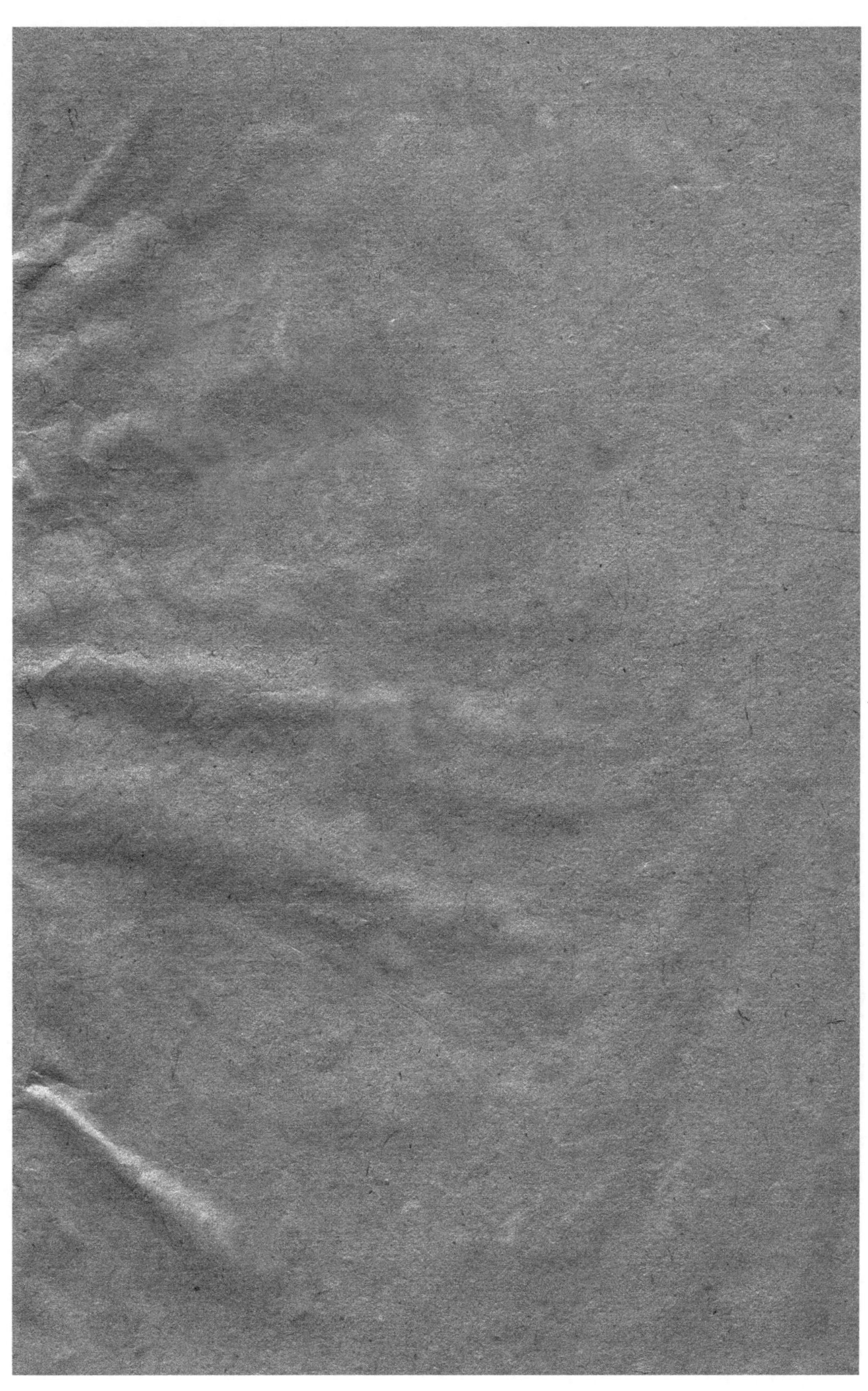

宣統二年十月初十日第一期

醫學扶輪報

發行所　揚州南河下中西醫學研究會
鎮江小街底醫學研究會

本社啟事

本社同人組織醫報辱蒙海內同志熱心贊助惠贈祝詞著述不勝紉感惟限於篇幅未能悉登擬於下期補錄以副　雅誼尚乞諒之

醫學扶輪報

發刊辭

袁焯 桂生

烏虖國醫學之發見於東亞也四千餘年於茲矣胚胎於三代以前昌明於成周之際降至今日一蹶不振匪惟見絀於歐西亦且古人之不及竊嘗考之其由來遠矣周禮醫師掌於冢宰國人有疾令醫師分治之歲終則稽其事而制其食十全爲上十失一次之十失二三次之十失四爲下隱然與今日東西各國之制相同其重視醫學爲何如哉降及後世此制寖廢洎范蔚宗作後漢書且列醫家於方技之門宋代儒家至目醫爲賤役致志士裹足不前於是醫學一科竟爲士大夫所齒冷矣而況教育之不興學風之頹敗以不士不農不工不商之廢人降而學醫以五色五味五運五行之瞽說奉爲秘訣化學不知幾何未習惟憑診脉以斷症徒誦湯頭之歌訣甚至靈藥仙方乞命土偶鬼符神咒流毒人間如華陽曾科進氏之言者而欲與今日東西洋之醫學家相見於地球之上其能逃天演淘汰優勝劣敗之公例也耶

夫學以講而益明業以精而效著彼泰西醫學至千六百年以後始大發明日本醫學

本報刊行原欲與我國醫林商榷學理藉收切磋之益海

亦至于八百六十年。始派國民留學和蘭英法等國。迄於今僅數百年數十年耳。而進步之神速。成效之卓著。既已爲全球所稱許。吾國民對之。其亦有怦然動於中者乎。矧世界醫學開化。以吾中國爲最先。秦漢以後。雖見退化。然猶代有賢豪。如孫思邈之裒集古方。許叔微之傳記方案。張子和之發明三法。李東垣之發明脾胃。劉河間之發明熱病。朱丹溪之發明陰虛溼熱。吳又可之發明溫疫。喻嘉言之發明肺燥。張隱庵柯韻伯之發明傷寒。魏柳洲之發明肝病。聶久吾葉天士之發明痘科。王洪緒徐靈胎之發明外科。王孟英之發明霍亂。其中精理名言。良方美意。往往爲東西洋醫書所未有。倘能舉中國古今來固有之醫學。與今日東西洋之學說。合一鑪而鎔冶之。取其精華。棄其糟粕。實事求是。銳志圖存。安見吾中國之醫學。不能駕東西洋而上哉。顧以壁封蠹蝕。闡發無人。而舉世亦遂尠有能知者矣。嗚呼噫嘻。豈不恫哉。豈不恫哉。顧亭林曰。天下興亡。匹夫雖賤。與有責焉。本社同人。久懷斯願。爰刊學報。以冀與海內賢豪商量學理。採東西列邦之鴻寶。揚吾國固有之粹言。命曰扶輪。蓋本斯旨。所願通人志士。扶掖

而匡正之是則本社同人之厚幸也夫

祝電一

恭祝

醫學扶輪報萬歲

上海中西醫學研究會拜祝

祝電二

神州闇闇　醫界沈沈

誰爲喚醒　惟我扶輪

無錫丁福保仲祜

祝電三

昏曠世界　藥石誰箴

幸倡醫學　震古鑠今

興化趙光遠伯輝

論文

揚州中西醫學研究會頌詞

余霖 織江

歲戊申。溥陽尙書憫中國醫術之蕪陋。特試醫士於南洋。給憑者凡百數十人。是爲近時醫界一瞥之現影。厥後海上醫報。越中醫藥學報。賡續改良。而京師大學亦設醫學專科。於是神洲醫學始稍稍有改進之望。今年夏江都袁君桂生等組合同志。發起中西醫學研究會於揚州。袁君亦南洋所取最優等士也。會既成。復議輯醫學扶輪報。月一發行。將以貢諸世界。與我國有志斯學者相磨礱攻錯。蘄斯學之日昌。以謀社會之福。不可謂非今日之要務矣。因樂贊其成而爲之頌曰。

醫學蕪晦。聱說徬徨。歐化東漸。彼實有長。解剖生理。途徑康莊。我患不學。不患不良。邗江諸子。急起直追。學惟眞理。不恥相師。調劑歐亞。一爐冶之。具此毅力。日進何疑。開幕伊始。聊貢蕪詞。

中西醫學分科相同論

陳邦賢 也愚

嗚呼。中國非所謂世界開化最早之國耶。文物之盛。物產之富。地土之博。人民之衆。殆將莫與比倫。即醫學一科。往古時代。亦以中國爲最著。時至今日。乃竟有腐敗極點之聲。轟傳遐邇。而中醫舊說。乃更有不復保存之勢。其故何哉。說者謂西醫於人身臟腑之氣含炭養也。血蘊鐵蛋白也。骨腦吸取碘燐也。筋肉收放鈔鎂鉀鈉鈣也。靡不考求而藥學一科。且有化分化合之別。動物植物鑛物之分。診斷一科。亦有寒暑針量氣尺。聞聲筒照骨鏡。以神其用。是以精也。余謂此特西醫之專長耳。孰知中醫專長之處。亦甚繁博。顧以腎爲肝母。木旺土虛。五行生尅。司天運氣。諸謬說糅雜。其中不能顯其長耳。又孰知中西醫學。多有可以會通。可以互證者。顧以中西醫家各執己見。不善溝通會合而採用之耳。吾以爲環球各國。無論其爲中國也。德日也。歐美也。均同爲方趾同是圓顱。同具全體。同有腦筋。雖有寒帶熱帶溫帶之殊。然斷不能逃表裏虛實寒熱之理之外。故未有表證虛證寒證。用攻下劑。苦寒劑者。亦未有裏證用發表劑。實證用強

收爲荷　　本社謹啟

壯劑。熱證用辛燥劑者。西醫病理學中。雖未明有表裏虛實寒熱之分。而療法實已畧具雛形。猶之中國醫學之分科。曰大方脉。曰小方脉。曰傷寒科。曰婦人科。曰瘡瘍科。曰鍼灸科。曰眼科。曰齒科。曰喉科。曰痘疹科。雖未條分縷晰。如西學之所謂解剖學。生理學。衞生學。病理學。診斷學。藥物學。內科學。外科學。婦科學。兒科學。眼科學。花柳病學。而內科外科婦科兒科之中。實已具有解剖生理衞生病理診斷藥物諸科之要義。特名詞不同。說法不同。著書之體裁不同而已。舍此亦何歧異之有哉。

槪論之。西醫研究骨肉皮膚內臟之部位形狀構造者。曰解剖學。研究骨骼之支持筋肉之運動。皮膚之感覺。以及臟腑腦筋等之生活現象者。曰生理學。研究人身增進抵抗力。以保人體健全者。曰衞生學。如中國靈樞明臟腑之功用。素問載養生之理。由此卽中國之解剖生理衞生學也。如素問曰。肺者臟之長也。爲心之蓋也。靈樞曰。胃大一尺五寸。長二尺六寸。橫屈。此豈非中國之解剖學歟。又如素問曰。諸髓皆屬於腦。諸血皆屬於心。諸氣皆屬於肺。靈樞曰。咽喉者。水穀之道也。喉嚨者。氣之所以上下也。會厭者。聲音之戶也。又靈蘭秘典論曰。大腸者。傳道之官。變化出焉。小腸者。受盛之官。化物出焉。膀胱者。州都之官。津液藏焉。氣化則能出矣。素六節藏象論曰。心者。生之本。肺者。氣之本。靈本輸曰。大腸者。傳道之府。小腸者。受盛之府。胃者。五穀之府。腎合膀胱。膀胱。津液之府也。素陰陽應象曰。心生血。决氣篇曰。中焦受氣取汁。變化而赤。是謂血。若是者。豈非中國之生理學歟。素問曰。飲食有節。起居有常。不妄作勞。故能形與神俱。而盡其天年。又曰。恬淡虛無。眞氣從之。精神內守。病安從來。又曰。聖人不治已亂。治未亂。上工不治已病。治未病。若是者。豈非中國之衛生學歟。（此稿未完）

學說

心理療病法

陳澤 瑞辰

藥物者。醫所恃以攻病之具也。然攻病之具。雖在藥。而疾病所以得愈之理。則不僅在藥何則人身氣血本具有天然却病之能力藥之爲用實祗爲驅除疾病之補助品耳蓋人之所以生存者元氣之力也氣盛則强氣衰則弱氣盡則死氣有障礙則爲病及其病也則抵抗之力不足而却病之功不顯於是藥物得以收其補助之效此藥物所以有治病之能也古人知其然故其於病也有用藥物者則如方藥療病是已有不用藥物者則此編所述心理療病是也雖與用藥治病之法不同而其理則實可以一貫且發人深省啟人悟機實有非方藥之理所能及者願與同志商榷焉

華陀治一郡守篤病久陀以爲盛怒則瘥乃多受其貨而不加功無何棄去又留書罵之太守果大怒令人追殺陀不及因瞋恚吐黑血數升而愈

凡物不遇接觸則抵抗之力不生惟人亦然郡守所患之病血既瘀着不行而正氣又不足以運之若用藥物攻補均有不便故激之使怒令其忿爭上逆血隨而出則病去而正不傷其便利於藥物多矣

張子和治一女子恒笑不休求診問生平所愛何衣令著之使母與對飲故滴酒沾其

裙。女大怒。病遂瘥。

按此乃奪情法也。凡人不遇得意之事。則不笑。此則故污其衣。所以令其失意耳。

集驗方云。一婦人產子舌出不收。醫有周姓者。令以硃砂末傅其舌。仍令作產子狀。以二女掖之。乃於壁外潛累盆盎。置危處。墮地作聲。聲聞而舌收矣。

按此乃內經所謂恐則氣下之意也。其以硃砂塗心。雖云舌為心苗。硃砂可以安心。而其效則在於墮地一響。

（此稿未完）

切脈為傳聲之學說

葉澤華 子實

客有談新學者。謂中醫之切脈無憑。不若西醫之聞症筒有據也。筒以革製。聲即以革傳。置筒於病人胸間。傾耳聽之。凡病人氣上下聲。血流動聲。心跳躍聲。肺張翕聲。痰聲水聲。腸胃轉輸聲。甚至胎兒吸血心動聲。無不徹。問中醫之切脈能若是乎。僕囅然曰。切脈之道。非徒揣其象。實聽其聲也。非徒持其指。實聽以心也。脈之浮沉。別乎位。遲數。紀其數。大小長短滑濇。辨其形。虛實強弱。驗其力。緊緩代促結牢濡散等脈。審其勢與氣不曰聽脉而曰切脉者以言聽不足以賅其用也然切脉斷自聽入脉爲氣血流行之道抨之固有形聽之却有聲洪則聲大微則聲細數則聲急遲則聲徐弦緊則聲聚濡弱則聲散凡輕舉不得者浮部無聲也按之尋之必聞其聲然後形可辨數可紀力可驗勢與氣可審也正不獨雀啄屋漏魚翔蝦游如春如喘釜沸霹靂諸怪脉有聲可聽耳客曰耳司聽指亦司聽乎僕曰此正傳聲之學也客曰聞閱聲學諸書於空氣傳聲流質傳聲定質傳聲則嘗聞之矣未聞手指傳聲也僕曰子知手指之爲物乎人身經絡十二三陰三陽手足各占其六心肺大小腸心包三焦以手名經者其井滎俞經合等穴氣血流行終始於手也獨不思聲學云流質含鹽類水者傳聲最速定質惟鐵最速人血味鹹則含鹽類水可知血乾似鐵西人每以鐵酒補血則血含鐵質又可知脉以氣血鼓動有聲手指爲血脉流行起止之會安在不能傳聲乎且切脉取乎三指者中指端中衝穴屬心包絡固能傳聲於心食指端商陽穴屬大腸大腸之脉絡肺肺系連心無名指關衝穴屬三焦三焦之脉散絡心包故皆能傳聲於心耳聽有聲之聲

指聽無聲之聲非指神於耳也以心聽脉藉指以傳也設心不在雖耳可聽者亦聽而不聞矣經云持脉有道虛靜爲寶蓋心虛則聲之入也曲以達心靜則聲之變也得其間古人於望聞問外繼之以切有能洞見隱微如呼肺臟相語者豈偶然哉以筒聽病傳聲也以脉聽病傳聲實不啻傳神也夫傳聲與傳神果孰精孰粗乎客曰西醫云心止發血並無知覺人身知覺皆腦氣筋爲之子謂以心聽脉得毋故神其說乎僕曰人之記憶屬腦思慮則屬心經云心藏神凡以神會者皆心之妙用也如心無知覺講西學者何以謂心固最靈物正思慮所以養心乎且端典人查出念與身體相關之理謂思念有改則遍體隨之五臟六腑無不即改思念善則俱善亂則俱亂試以畏懼論如父母或經畏懼之事其兒未生以前已受此感動生後即多畏懼其縮壓不長身即隨之中弱西學又以愛念最有益於身常人心不平安即因愛字欠缺如本心有愛之人無論遇何人何事皆發愛念則四周之人俱以愛心應之故西人講求愛力試問心無知覺畏念愛念從何生乎猶得謂以心聽脉爲故神其說乎客默然無以應爰記其說

於篇。

腦與心互爲功用說

吳鶴齡 子周

醫林改錯一書謂小兒初生時腦未全顖門軟目不靈動耳不知聽鼻不知聞舌不言週歲腦漸生顖門長耳目鼻舌亦漸能用所以小兒無記性者腦髓未滿高年無記性者腦髓漸空此言人之記性屬腦誠爲特識按倉頡造字之義於古文思字從囟從心心火照應腦髓故腦能記憶心能運想腦與心互爲功用在古人已發明此理或謂中醫不知腦之爲物亦豈未觀靈素乎靈樞曰頭爲天谷以藏神又曰天谷元神守之自眞素問曰腦爲髓之海髓海有餘則輕勁多力不足則腦轉耳鳴脛痠眩冐目無所見考內經之說雖不若西醫詳載腦筋之備然於官骸所係未嘗不重西醫論人之知覺運動皆本腦筋則由解剖而得不知生人之靈寄於太虛惟心爲虛亦惟心爲靈故凡記憶往事必閉目上瞪而思索之然當其記憶之先必先有動於中而後閉目上瞪心居於中則知記憶之力屬於腦而發起記憶之用者實屬於心也又如有人於此思想

無窮種種幻情種種幻境千奇百怪任其心之所到而無事於閉目上瞪思之不得乃窮而返之於顱此固神經作用而心臟實與有力焉蓋腦雖主知覺不得心血以養之則亦何能有此功用譬諸燈與燭然腦猶油也心猶火也無油不明無火則明且不生故內經曰天谷藏神又曰心藏神由是以言記性靈機貯於腦而發於心腦爲體而心爲用固已確無疑義特僅以心爲循環器而無關於知覺則不能合虛實而兼到吾故明其說

痢疾忌吸鴉片說

金鼇 韜閒

痢疾古名滯下又名腸澼每發於夏秋之間總由溼熱積滯壅遏腸胃所致與傷寒三陰之下利不同日本法律認爲傳染病之一種故於衛生行政法之豫防法內有特別之規定薛一瓢曰痢由溼熱之邪內伏太陰阻遏陽氣健運疏達失其常度蒸溼熱鬱釀爲敗濁膿血下注肛門氣壅不化故後重裡急數至圊而不能便偏傷於氣則下白偏傷於血則下赤若氣血兩傷則赤白相兼葉香巖曰氣滯不行火氣逼迫於肛門則

爲後重滯於大腸則爲腹痛故仲景用下藥通之河間丹溪則用調氣和血之法此醫門痢無止法之戒所由來也每見痢疾投補太早錮塞邪熱在內及誤以泄瀉爲比例而妄用溫固酸濇（如訶子粟殼之類）以致邪結中宮致成痛痺譬諸賊進關門雖欲清而攻之亦莫可挽救若誤用升陽（如升麻柴葛之類）辛散（如桂枝羌獨活之類）則必陰液枯涸孤陽上冒變端蜂起竟致於死此皆理之所必然者今年夏秋之交揚城之因痢而殞其生命者實繁有徒其由於誤治者固多而誤於鴉片者尤夥考鴉片氣味酸澁溫有毒主治瀉痢脫肛不止能澁丈夫精氣宜於脾虛久痢泄瀉等症若裏急後重未除溼熱鬱遏不行之痢疾而用之則如抱薪救火資寇兵而齎盜糧矣奈世人多狃於俗見以鴉片爲統治百病之良方而患痢者更目爲止瀉之簡便妙法於是有癮者吸之必較平時爲多無癮者欲求速效亦皆吸之不已詎知溼熱錮結之痢得此酸澁溫燥之品輕者重而重者危矣可憫孰甚今幸
朝命禁烟然去十年禁絕之期尚遠其貽禍於無辜者尚不可勝數爰抒管見警告同

胞。庶幾知所戒懼。未始非衞生之一助也。

醫案

勉吾軒醫案

陳澤 瑞辰

南河下李姓子。年十一歲。秋夜得病。壯熱增寒。呌呼不寐。次早令其穿衣下床。則手足拘攣。拳縮而不能動。其父母駭極。抱來請醫。且曰、昨日薄暮。猶與諸兒於門外坐地作要。今忽若此。豈爲邪風所吹。鬼物所擊耶。余切其脉。則絞急不柔。察其舌。則白薄而滑。捫其肌。則燥熱無汗。而疼痛。乃曰。此風寒深入筋節。乃痺症也。病雖暴。尚無恐。以桂枝湯加蜜炙生烏頭一枚。獨活防已各一錢五分。蠶沙三錢。與之。次日其父扶其子來謝。述昨方服後。即得汗安睡而愈。先生之方眞神矣。其實此爲仲景成法。不足奇也。古云。瘦人多火。須顧其陰。肥人多溼。毋傷其陽。以身形之肥瘦。定治法之標準。似頗確當然亦有不可泥者。則如許君令室之體。又難一概論矣。許君令室體素肥。向有頭患。洋參麥冬等甘寒之品。一日不服。則非頭痛。即牙疼。以故類於甘寒。如梨藕枇杷瓜果等物。恒不能缺。此殆其體過肥。脂豐富。而亦易於生熱也。病者於今年春間患心膈疼痛。痛時即欲大解。解後而疼即止。雖飲食起居如常。然痛發數次。即便數次。困苦異常。乃召余治。許君曰。痛多屬寒。況又便利。此病殆由多服寒涼之咎歟。余曰。此正熱鬱膈間而下。迫於大腸。仲景所謂下利。肺痛之症也。設使胸中有寒。則必胸痞而飲食不欲。不但下利。且必嘔吐清水。今諸候皆無。而脈象澁滯。舌苔黃乾。其爲熱鬱無疑。與清中湯（梔子三錢香附三錢撫芎六分黃芩一錢黃連四分麥芽三錢金橘葉十片枇杷葉二片紫菀錢半）二服而愈

（未完）

春澤堂醫案

袁焯 桂生

張姓婦。年四十餘。素患白帶。於今年秋間臥病。服藥不效。遂延余治。病者煩躁不安。徹夜不寐。稍進湯飲。則嘔吐不已。臍左有動氣。白帶頻流。自覺燒熱異常。捫其身涼如平

人。脉亦弦小不數。舌紅赤光。毫無苔垢。問其家人。病者性情素躁。已產育十二胎。遂斷。爲血。液。虧。耗。陽熱。偏盛。神不。守。舍。之病。以黃連阿膠湯。加沙參。麥冬。熟地棗仁茯神牡蠣。龍齒珍珠母硃砂塊。磁石。蔞仁。芩連祗用數分。熟地阿膠等。則用三錢。以鷄子黃一枚生沖和。服一劑煩躁止。能安睡。二劑後眠食俱安。惟精神疲憊。遂以前方去芩連加蓯蓉。枸杞填補數日而痊。

孀婦葉氏於今年二月初旬抱病。數日後。其子來邀余診。述病甚危險。某先生已推手。余聞此言。遂冒雨偕往。見堂中案上新寫一方。內有邪氣內陷。另請高明字樣。即入房診視。病人面色萎淡。神色大衰。手冷額冷。時出冷汗。心慌頭暈。精神不支。脉息小弱。蓋陽。氣。大。虛。亡。陽。在。即。之。危。候。也。急書四逆湯。加黨參。黃芪。白朮。棗仁。白芍。紅棗。薑。附各用錢許。芪朮等用三錢。立命其子購藥。急煎服後。汗止手溫。神氣亦定。能進稀粥。以原方去附子。接服兩日。遂停藥。以飲食調補而瘳。

已上二症。皆得藥則生。不得則死。此等治法。皆爲西醫書所未有。而吾先民已於數千年前發明其理。至今用之。而其效猶如鼓之應桴。甚矣可貴也。自記。

附錄

醫學扶輪報簡章

(甲)宗旨　本報以灌輸新學發明舊學造成完全之醫學爲宗旨

(乙)體例　一論文　二學說　三譯稿　四醫案　五雜錄　六問答

(丙)發行　每月先出一期初十日出版

(丁)發行所　揚州南河下中西醫學研究會鎮江小街底醫學研究會

發起人　吳鶴齡　金鰲　韓鼐　孫功輔　陳邦賢

陳澤　楊燧熙　卜世良　孔慶銓　賈贊卿

葉澤華　沙獻庭　郭子玉　袁焯

編輯員　陳澤　吳鶴齡　孫功輔　陳邦賢
葉澤華　金鰲　韓蘅　袁焯

揚州中西醫學研究會名譽贊成員

兩淮候補鹽大使舉人余霖
兩江優級師範分類科畢業生師範舉人姚鈞門
農工商部主事通州特設國文專修科齋務長單毓元
兩淮候補鹽大使前浙江鎮海縣學教諭舉人陸寶銘
花翎同知銜候選鹽大使祁世傑
南洋考取最優等內科醫士上海中西醫學研究會發起人丁福保
花翎同知銜候選道庫大使宋禮裕
仙女鎮醫學研究會會長韓蘅
南洋大臣考取最優等內科醫士實業學堂畢業生葉銘

安亭旅滬同鄉會會長馬壽亞

兩淮小學堂[illegible]員江都附生符懋祖

蘇省存古學堂學員興化附生趙光遠

東台醫學研究社發起人歲貢葉澤華

仙女鎮醫學研究會發起人韓鼎

南洋考取優等內科醫士韓蕭

鎮江醫學研究會會長舉人吳士琦

南洋兩淮考取最優等內科醫士優增生楊寶善

京師優級師範學堂畢業生美國密切甘大學學生符宗朝

四品銜升用知府咨調安徽候補通判附生曹振常

花翎同知銜河南即補直隸州州判拔貢曹振飛

江都附生秦榮甲

揚州法政學員自治公所調查員秦煥南

兩江優級師範學堂分類科畢業生史楫

兩淮候補鹽大使舉人陳銓衡
兩淮候補庫大使舉人費寅
祥符監生內科醫士程錫祚
州同銜內科醫士崇錫綬
南洋考取優等醫士盧則鍾
揚州法政學員安徽旅揚公學教員符節
揚州法政學員江甘自治公所諮訪員附生王繼恩
上海美術學校畢業生丁鈞
江甯審判養成所官班畢業學員江都附生陶震甲
日本早稻田大學法政畢業生直隸候選知縣王松壽
鎮江商團體育會會長江蘇諮議局候補議員任璪
日本東洋大學畢業生唐懋祖
鎮江法政學員教育會調查員附生李正學
丹徒附生談鈺英

蘇省簡字師範最優等畢業學員上海新醫學講習社社員陳邦賢

函授新醫學講習社簡章

報名處在上海新馬路昌壽里八十一號中西醫學研究會

第一條　仿實業函授學校之例。以通函教授法。教授各科淺近普通新醫學。故定名爲函授新醫學講習社。

第二條　函授期限定爲一年。仿嚴有陵先生等發起之師範講習社之例。一年期滿。舉行通信試驗。及格者給予證書。

第三條　學科以解剖學、生理學、病理學、藥物學、內科學、外科學、眼科學、婦人科學、衛生學爲範圍。所編之講義。凡廿餘種。皆淺近易曉。爲門徑中之門徑。階梯中之階梯。

第四條　寄上之講義。及選定之書籍。倘有疑義。可通函質問。

第五條　西藥實驗談一書。大都皆特效之方。屢試屢驗者。方內所引用之藥品。可由敝處代購寄上。其如何用法服法。均詳載無遺。學者如已有此藥。則不寄。凡毒藥一概不寄。

第六條　無特效藥之疾病、及疑難險症。用函授法。殊多隔膜。概從删削。

第七條　程度以漢文清順者爲合格。年齡概不限制。

第八條　學費每月二元。講義費七角。郵費三角。每月合計三元。一律按月先繳。書籍費藥費。臨時按原價照算。

第九條　學者試習一月。或以此法爲不善。或毫無心得。或別有事故。均可隨時退學。

第十條　每月寄講義、書籍、藥品。或一次。或二次。隨時酌定。本章程他日如有增删。再行奉告。

無錫丁福保仲祜謹擬

函授新醫學講習社廣告

一本社以五月下旬爲開辦之期。屆時即以講義、及選定之書籍、寄上。苦學之人。費學減半。

一解剖、生理、衛生等各科。皆用已印成之書籍。不復另編講義。

一講義費學費每月三元。如未先交講義。恕不奉上。

宣統二年十一月初十日第二期

醫學扶輪報

發行所 揚州南河下中西醫學研究會
鎮江小街底醫學研究會

校勘記

上期發刊辭第二行見絀於歐西五字與下句古人之不及顚倒

切脉爲傳聲之學說第二十四行瑞誤端　查出下脫一思字　二十六行壓縮不長

醫學扶輪報　宣統二年十一月　第二期

上脫一心字

勉吾軒醫案第十行脂字下脫一肪字

春澤堂醫案第六行眠字誤作　字

本社啟事一

本報刊行原欲與我國醫林商量學理俾收切磋之益倘有醫林鉅子著述專家以其大著作新發明惠贈本報轉迪醫林者本社極爲歡迎謹當擇尤登錄尚望惠而好我不吝金玉是爲至盼

本社謹啟

本社啟事二

本社通信處揚州新城蔣家橋陳瑞辰君　鎮江小街底衛生醫院吳子周君　又鎮江三善巷本報編輯事務所袁桂生君凡惠稿定報寄欵各函件均請直寄通信處爲荷

本社謹啟

本社啟事三

本社近承丹徒楊霽青先生惠贈莫枚叔研經言全稿刊登本報以廣流傳又承江都葉仲經先生贊助書籍並慨允擔任筆墨葉君爲吾揚醫學大家所藏中外醫書極富其尊翁子雨先生所著醫書亦甚多今幸得兩先生鼎力贊助想本報前途之發達定可翹足而待特此佈告並鳴謝忱

本社謹啟

論文

論今日醫學界急宜擴張其勢力以圖自存

袁焯 桂生

爲虞。吾國醫學之不振。利權之損失。至今日已極矣。醫院、醫士、需外人。醫學校、教師、需外人。而通商大埠之醫院、藥房、亦皆由外人、剏設。而某國人之賣藥於吾國者、復遍布各省、府、廳、州、縣。奪我利權。戕我國脉。於商戰外。又樹一敵。想望前途。能不懼哉。能不懼。

哉吾醫學界而不欲圖存於今日競爭之時代則亦已矣若欲圖存則非急謀擴張其勢力不可擴張之道奈何試條列如次

一擴充學識以爲自立之根本也今日之世界學術競爭之世界也優勝劣敗天演公例故欲擴張勢力必先自擴充學識始吾國醫學自周漢以來代有名家其理精其法密其效神雖不免一二闕略訛誤而名言至理妙法良方實已不可勝用視西醫表裏虛實寒熱眞僞之不辨者實占優勢此固天下有識者所共知而非吾一人之私言也西醫治病但知以寒治熱以熱治寒以瀉治實以補治虛而不知中國且有寒因寒用熱因熱用通因通用塞因塞用以及隔一隔二隔三之治法西醫治病但知頭疼醫頭脚疼醫脚而不知中國且有下病上取上病下取中病傍取以及攻補兼施寒熱互用先表後裏先裏後表之治法西醫謂黃連補胃大黃消食而不知中國之本草經名醫別錄久已言之西醫以冷水浴治熱病爲其新發明而不知華元化徐嗣伯久已用之西醫以痲醉藥安眠而不知血虛腦弱心腎不交之不寐症用之則劇西醫以灌腸法

通大便而不知津虛便秘及產後便難者用之則死西醫以手冷汗多爲無法可治之脫症而不知中國有參附回陽之法西醫以石膏犀角爲無用之品而不知其有清熱解毒之功此中西醫學得失之大概然而西醫之解剖學生理學病理學黴菌學衛生學外科學眼科學與夫特效之藥物亦實有當採取者然則欲求學識之擴充非精究中國古今來固有之醫書棄其瑕而存其瑜更博採東西洋之新法其道末由孫子曰知彼知己百戰百勝中庸曰好學近乎智雖愚必明子輿氏曰動心忍性增益其所不能吾同志勉乎哉

一設法製造藥水藥粉以挽回利權也今日東西醫之藥水藥粉充斥於吾國境內致吾醫藥界之利權日漸損失而國中之談醫學者又多提倡西藥以爲新奇殊不知利權日損則吾醫藥界且不足以自存尚何振興之可言況中國藥品之功亦實不讓西藥而外人所製之藥且多取用中國之藥料乎又況今日肆中所售之藥多有奸商僞造以爲欺人攫利之計吾醫學界顧可習焉不察謨然置之乎欲救此弊則宜自製藥

水藥粉以治尋常病卒暴病方則古人之方藥則中國之藥其有液體濃質骨角之方不便製造藥水藥粉及疑難病與已經誤治之病非藥水藥粉所能盡合者則仍用煎法以救治之蓋仲景湯液之法實爲中國醫學固有之特長而藥水藥粉亦卽古人飲方散方之遺意（如甘露飲清心蓮子飲五苓散平胃散之類）然則湯液也藥水也藥粉也固可相需相濟並行而不悖者也誠如是則匪惟利權可挽且免僞藥害人之弊一舉而數善備焉

未完

按余撰此篇未脫稿而滬上檢查鼠疫之風潮已喧傳各報工部局定章至有中國醫生遇有鼠疫不報告工部局者罰金十元之一條幸而滬上紳商界醫界之顧全主權者竭力爭回由中國醫家自行檢查於是居民始得安枕雖然履霜堅冰來日方長願吾醫界不可一日忘此事淬勵精神發憤自立俾無失吾國民之生命權則幸甚

中西醫學分科相同論（續上期）

陳邦賢　也愚

西醫研究病因及變化之原理者。曰病理學。研究內部之生理。欲以藥物使其復元者。曰內科學。如中國素靈之所謂風。寒。暑。溼。燥。火。喜。怒。哀。樂。恐。懼。痿。痺。瘧。痢。水。腫。欬。喘。與仲景傷寒金匱千金外台病原之所謂傷寒。中風。溫病。疫癘。脹滿。蠱。隔。反胃。痰飲。結胸。胸痺。霍乱。痙。癇。及金元以來諸子百家著書立說。或發明病理。或編纂內科。若是者。豈非中國之病理學內科學歟。西醫研究外部生炎須用外治法者。曰外科學。中國如金匱千金外台秘要。瘍醫大全。瘍科選粹。外科正宗。外科全生集。外科金鑑等書。條分縷晰。詳載靡遺。而華元化之醫法。如庖丁解牛。動中肯綮。若是者。豈非中國之外科學歟。西醫因男子與女子生殖器不同。於是設婦科學。又因小兒與成人之生理不同。於是設兒科學。中國自內經金匱及唐宋以來諸書。未有不講婦科兒科之病理治法者。至於眼科花柳病科。西醫特分一門。中國則附於各書之內。若夫研究病情之疑似而斷定其為某病者。西醫曰診斷學。即中醫之所謂四診。望聞問切是也。若內經難經傷寒金匱脉經脉訣證治準繩張氏醫通。其中診斷之學理。皆極精確。西醫所用之寒暑針猶中醫辨病症之寒熱西醫所用之聞聲筒猶中醫聞聲之法西醫診脈辨血液流行之遲速猶中醫辨脉之遲數也難經有云望而知之謂之神聞而知之謂之聖問而知之謂之工切脉而知之謂之巧昔扁鵲見齊侯望而知其病在腠理又五日而知其病在血脉又五日而知其病在腸胃又五日而知其病在骨髓此皆中國固有之診斷學也至若研究礦物植物動物之性味作用者西醫曰藥物學中國則本經別錄藏器拾遺本草綱目等書收羅至二千餘種辨其性質詳其功用若是者豈非中國之藥物學歟西醫所謂麻醉藥即鬧羊花草烏頭之類所謂興奮藥即香附木香之類所謂解熱藥即黃芩知母之類所謂防腐消毒藥即降香明礬之類所謂驅蟲藥即使君子檳榔之類所謂金質藥即水銀輕粉之類所謂强壯藥即黃芪白朮之類至其餘之汗藥吐藥下藥收歛藥則更與中國之舊說相同嗚呼中西醫學分科之法其相同也如是其可以融會貫通也如是然此猶就淺近者言之至其用藥治病之相同者則更有非筆舌所能罄其然乎其不然乎敢以質諸當世

學說

心理療病法（續上期）

陳澤 瑞辰

張子和治息城司侯。聞父死於賊。乃大悲哭之。罷。便覺心痛。日增不已。月餘成塊。狀若杯覆。而大痛不住。藥無功。議用燔針炷艾。病人患之。乃求於張。張至、適巫者坐其旁。乃學巫者。雜以狂言。以謔病者。至是大笑不可忍。回面向壁。一二日心下結塊。皆散而病自此愈矣。

按、生之謂性。發則為情。是以情性之病。古人謂皆由心起者。此也。今聞父死而悲。則心中苦悶甚矣。然不知自節而太過。則心氣益加鬱閉不舒。初覺心痛。只其氣不利於胸膈耳。繼即成塊。是不利者。已將結而成積矣。淮南子云。憂悲多恚。病乃成積。此病何以異焉。治之以喜。雖本內經喜能勝憂之旨。然人喜、則氣和志達。胸膈通暢。故

能舒其鬱而散其結不僅取其以喜相勝也

先達李其性世爲農家癸卯獲雋於鄉伊父以喜故失聲大笑及春舉進士其笑彌甚歷十年擢諫垣遂成痼疾初猶間發後宵旦不能休大諫甚憂之從容與太醫某相商因得所授命家人紿乃父云大諫已歿乃父慟絕幾殞如是者十日病漸瘳佯而爲郵語云趙大夫治大諫絕而復甦李因不悲而病永不作矣蓋醫者意也喜則傷心濟以悲而乃和技進乎道矣(兩浙名賢錄)

按此與上條病因治法均皆兩兩相對比而觀之其理益可悟矣內經云恐勝喜張子和曰恐可治喜以迫遽死亡之言怖之蓋人於洋洋自得之時而驟聆遑遽危亡之語鮮有不自失者故內經謂爲相勝即此理也然此案治法不以恐而以悲者何故蓋細察其用意奪其心之所愛而令其悲傷自失殆與怖以死亡之意不殊也

張子和治一富家婦人傷思過慮二年不寐無藥可療其夫求張治之張曰兩手脉俱緩此脾受之脾主思故也乃與其夫約以怒激之多取其財飲酒數日不處一法而去

婦大怒出汗是夜困眠如此者八九日不寤自是食進脉平而安

此即華陀用治郡守之法也但郡守之病爲血瘀血瘀者則與生氣離絕治法非助其氣以運之不可故激之發怒令其橫暴奮決而血即因以出即易所謂鼓之以雷震是也此婦不寐之病由於思慮太過思則神專志凝慮則火鬱氣結若用方藥雖安神清火舒氣開鬱不乏其品而終不能獲效何者以其病屬情志也今亦以怒激之則橫暴奮決足以解其凝而破其結洩其氣而發其火卒之汗出困眠如故其效視諸用藥不誠大哉

此稿未完

百斯篤預防法

陳邦賢 也愚

急性傳染病有八百斯篤其一也今聞上海虹口等處已發見矣又聞山陽等處有罹斯患者嗚呼斯疫之害人也大矣考此症西洋自古有之光緒二十年間曾發見於香港二十二年復起於印度遍傳歐美幾及全球由一國傳染至五十餘國實爲傳染病之最劇者也百斯篤因由鼠虱而傳染者故名鼠疫因頸及股之橫側部生惡核若似

瘰癧若似横痃故名核子瘟因此病死後屍體黑色且屍體皮膚出血爲暗紫色故十四紀時定名爲黑死病斯病也大概分爲二種曰肺百斯篤曰腺百斯篤肺百斯篤患十人則十人不治腺百斯篤患十人尚可治八人得病之由乃因一種極小之黴菌入於血液之内攪亂其生理機能血受其毒化生極速甚至於死黴菌之來由於染疫之鼠當疫氣盛行之際鼠身虱數頓增虱以吸鼠血爲生故病鼠身上之虱一時皆染其毒一旦襲入人身人受其嚙遂亦傳染每於吸血之後即由腹中吐其毒汁塗於所吸之處於是鼠疫之黴菌而入於人身血肉百斯篤菌入於人身血肉有從皮膚之創傷侵入者有從口鼻咽喉陰部侵入者一入人身血受其毒周廻全身約七日内即起强熱變脉性舌黑乾發譫語呼吸困苦胸内鬱悶大小便俱少滿身悉核疼痛異常及至三日往往心臟痲痺而死考腺起於何處即可知此黴菌從何部侵入

腺百斯篤　自足創入内者則沿腿中之腺而行起腺腫自手入内體者則腋下生腺腫自顔頸口鼻等粘膜入體内者則頸之周圍生腺腫

肺百斯篤　呼吸時黴菌直接入肺以起肺炎者

既知疫由鼠而生藉鼠虱而傳染於人是則預防之法滅鼠爲第一要義先期滅鼠猶居室之防火患警察之防盜賊不然居室之有棲鼠不啻火藥庫旁置以引火之品偶一不愼不獨災及全身卽一家一方鮮有不受其害考滅鼠之法約有三端

驅鼠　畜貓最善而貓之口爪亦足爲鼠虱之媒介宜愼之居家宜通空氣透日光又宜用鹼或洋油洗淨室內牆壁地板什物細罅小洞塞以灰土或用石炭酸水塞鼠穴以杜鼠子有藏身之地

捕鼠　以雀膠塗板上黏之或用鐵籠鐵鋏以陷之

捕斃鼠　斃鼠不可手觸必以箸類挾取之可用石炭酸水消毒後以火焚之

預防之法捕鼠固矣而公共衛生個人衛生亦當注意也公共衛生如大將個人衛生如兵士設大將行軍令而兵士不武勇必不能勝敵故二者當相輔而行

察舌辨症法

南洋考取優等醫士 京口駐防生員 劉恒瑞 吉人

舌苔原理

舌爲胃之外候。以輸送食物入食管胃脘之用。其舌體之組織。係由第五對腦筋達舌。其功用全賴此筋運動。舌下紫青筋二條。乃少陰腎脉上達。名曰金津玉液二穴。所以生津液。以濡潤舌質。袢化食物者也。中醫以舌苔辨症。其苔現於表面。易於辨認。此理不明。則必有毫釐千里之誤。夫舌之表面。乃多數極小乳頭鋪合而成。乳頭微點。殊不易見。非顯微鏡不能窺其形。如芒刺。摸之棘手。或隱或現。或大或小。或平滑或高起。隨時隨症。變易不定。苔即胃中食物腐化之濁氣。堆於乳頭之上。此舌苔所由生也。常人一日三餐。故苔亦一日三變。謂之活苔。無病之象也。其所以能變者。因飲食入胃時。將腐濁遏抑下降。故苔色一退。至食飲腐化。濁氣上蒸。苔色又生。胃中無濁。則苔薄而少。有濁則苔多而厚。此常理也。至論其色。則以黃色爲正。白爲肺色。胃中陽氣被飲食抑遏。胃中正色不能直達而上。故有暫白之時。青爲絕色。青綠之色見於舌上。其人命必危。此外尚有似黃非黃。似白非白。各類間色。條分於後。以供參考。

此稿未完

痘科明辨

吳鶴齡 子周

緒言

痘症不見於內經。豈其時無痘症歟。抑其時有痘症而未發明歟。年湮代遠。古書之殘缺難稽。吾據其可考者而言之。漢建武二十五年。伏波征武陵蠻。將兵從壺頭進攻。時値盛暑。士卒盡亡於痘疫。援亦傳染。當日諸醫計議。咸遵內徑諸瘍瘡癢。皆屬心熱。爲治痘之要領。不知諸瘡未成形。可消散。已成形。可攻破。痘則異焉。是痘症之名。發起於漢。而痘症之治療法。尚未發明於漢。耳後之劉河澗。錢仲陽。立方多用寒涼。以解毒爲主。張潔古王海藏宗之。其意謂痘本於心火。故用寒涼以泄火。迨陳文仲力矯其偏。專主溫補。然溫補祇宜於虛寒。而不宜於實熱。當時又或矯陳氏之弊。而用錢氏之長。主解毒和中安表。其實仍拘泥內徑心火之說也。本朝黃西邱著順險逆三圖。謂順症不必用藥。逆症雖勉强用藥。亦屬不治。凡論逆症。有三十。朱純嘏著痘痳定論。謂不可治之逆症。實有十三圖。其餘十七證。經驗得生。改定逆症十三條。此爲特識。他如保赤全書。醫林改錯。皆不能無偏弊。王肯堂五種症治詳悉。獨於痘科一門。荒誕不經。後人謂當時痘家附會之書。非先生手筆。或不誣也。他如金鏡錄。痘痳正宗。痘痳心要。痘痳會編。痘疹心法。痘疹集成。痘疹全書。痘疹輯要。宗派各異。非無一方之妙。一節之長。然或擇焉不精。語焉不詳。未能無缺憾也。惟聶久吾者。著活幼心法一書。集痘痳之大成。啟幼科之卓見。論理精。辨證確。用藥當。不偏於寒。不偏於熱。庶幾中正之旨歟。

痘者豈也。形相似也。豈爲腎穀。而痘之根源。亦起於腎。其義亦相同也。而其爲症變動速。形勢幻。兼症多。故治痘者。必辨虛實寒熱之異。氣血盈虧之理。且必究夫循行之脉道。脉道者何。心包絡是也。包絡一臟。主血主脉。遍行週身。惟痘毒從陰出陽。由下而上。冲擊心包。從心包而走經脉。從經脉而出皮膚。夫冲擊心包。故先發驚搐。從經脉而出皮膚。故續出而不驟。從心包而走經脉。故化血成漿。凡若此者。出之有漸。痘雖稠密。亦必收功。是爲順證。若不從心包之脉道而出。隨三焦之氣以走肌腠。從肌腠而出皮膚。則是出之無漸。不能化血爲膿。必至肉腫而痘不腫。氣至而血不至。根巢不斂。界限不分。或扁大空倉。或碎雜紫黯。或陰寒灰白。則爲逆矣。然後知痘從脉道而出爲順。不從脉道而出爲逆。此高士宗之言。所爲獨具卓識者也。

痘有感疫癘之氣而發者。沿門逐戶。傳染不息。其氣由口鼻而入氣管。由氣管達於血管。內與胎毒相搏。受之重者。毒攻臟腑。煉灼其血。血受煉灼。其血必凝。血凝色紫。血死色黑。使其毒不得從皮膚而出。遂生各臟逆症。醫者苟於人身經脉氣血之道陰陽交會之理。昧然罔察。而見驚悸。則曰心經痘。欬嗽。則曰肺經痘。扁大。則曰脾經痘。紅潤圓綻。則曰肝經痘。灰紫不起。則曰腎經痘。攻發虛其肌表。寒凉亂其經脉。而不知某經所現之逆痘。乃某經所受之疫毒。痘之順逆。在受疫之輕重。治痘之緊要。在除疫之方法。疫毒不除。痘雖少而必死。疫毒果除。痘雖多而可生。理固然也。假令治胎毒而不知治疫毒。或知治疫毒而不知其毒之巢穴在血。則亦令痘之順者重。重者危。危者死。要而論之。胎毒痘症之本。觸疫而發痘症之因。治其所因。則其本不待治而自治。前人言胎毒重。出痘必逆。愚竊以爲未信。胎毒之痘。有順而無逆。痘之逆症。實爲時令疫氣侵犯。

使然故當明乎陰陽氣化鼓舞兩間其中有清濁邪正之分乘其清正之氣得清正之痘乘其濁邪之氣得濁邪之痘尤不可以不辨者也

夫兒科專科也痘科又兒科之專科也昔葉天士爲一代醫宗其用力則自痘科始誠以痘症爲嬰兒大刼人生自幼而壯而老莫不過此危險之機關方獲成人否則殤焉夭焉耳故必於平日讀書時息心靜氣參觀考証辨其是非明其得失求宗一是一旦臨症乃能了然無疑非然者鮮不殺兒也嗟乎誰非父母誰無子女操是業者漫意爲之忍乎不忍吾甚望海內醫學家勿以醫爲小技更勿以痘醫之技爲最小則天下蒼生之福也

醫案

記怪胎

葉澤華 子實

㓜侍先嚴側。見一婦來診者。皤其腹。蹙其眉。面色赤白不定。身反側不安。呻吟之聲不絕於口。先嚴於稠人中提診之。觀其腹。知爲胎也。聆其聲。知其痛也。問經阻幾時。才四月。耳痛幾時。才月餘耳。病者云腹初不大。自三月後暴太暴痛。或竄或攪。變動幾不可測。每平旦至日中。則加劇。屢易醫而不效。先嚴奇之。令入內室復診。察其面若有異光。詢其業。則漁家婦也。令解衣視兩乳下。隱隱起鱗紋。先嚴曰。此怪胎也。當下之。汝以船爲家。得毋感水族之異氣乎。若非怪胎。焉有妊娠四月。而腹大如斯者乎。時先嚴負盛名。病者越數百里來。但求止痛。胎弗顧。先嚴審其體壯。以峻劑攻之。產一物。狀類蛇。痛頓解。光緒丙午秋七月。邑之東窰王氏妻就余診。孕甫五月。其腹驟大而痛。與漁婦等。面色慘白。氣粗喘。足腫。小便不利。乳下無鱗紋。與漁婦異。脉大小不調。按之頗實。舌苔滑白。中邊俱有缺痕。初未敢遽云怪胎也。以定喘利水法治之。越數日喘平溺暢腫消。而痛未已。病者云。前月夜間曾有一物出陰中。狀若手。嗣後陰蝕而腫。腫日甚。痛乃日劇。余念夏間大水。伊以造磚瓦爲業。恒坐赤地中。或感異氣。遂亦以怪胎斷之。令服峻

攻藥斯夜痛不能生產二物而痛始解一人形首不全一蛙形肢長身黑首有角聲如犬

春在寄盧醫案

金鼇 誦聞

甲辰春仲僕僑寓金陵有碑亭巷呂宅延診病者係四十餘之孀婦遍身刺痛皮色不變亦不腫痛無定處四肢均不能運動屢經諸醫診治無效延數月日益劇出示各方案有曰血虛不能榮筋者有曰寒溼阻於隧道者有曰痛風有曰脚氣者所用之方無非活血祛風溫通經絡亦有主用大活絡丹小青龍湯及荆防敗毒等法診其脈則沉細絃數觀其舌則乾絳無苔問其兼證則有頭暈自汗納食作嘔夜不安寐大便艱解小溲短少諸現象臆見以爲血虛肝旺絡中有熱肺經受戕以致治節失序經所謂肺葉熱焦則生痿躄是也病者曰先生論症深中肯綮余稟質肝旺血虛曩者經事未絕時每月必先期而至甚至一月兩三行按經云脾不足則四肢不用陽明虛則宗筋縱帶脉不引故足痿不用也又曰諸痿皆屬肺熱治痿者獨取陽明爰定肅清肺熱兼養

胃陰佐以通絡和血之法方用金石斛薑汁和竹瀝爲君幷川黃連牛膝黃柏丹皮生地全當歸米炒沙參茯苓等味以飯上蒸荷葉鮮枇杷葉爲引進一劑則四肢刺痛稍減頭暈嘔吐亦平稍能納食餘無進退復診用前方去薑汁仍以竹瀝石斛爲君幷去黃連牛膝枇杷葉荷葉加知母米炒麥冬黃芩絲瓜絡引用蘆根紅花服三劑手足稍能伸屈刺痛大減納食亦增二便均調夜寐亦安調治兩旬而愈無不目爲神奇詎知非僕之卓識乃師法古人耳考丹溪朱氏有痿症不可作風治之戒東垣李氏有清燥湯之成法喻嘉言亦曰治痿以清金爲第一義清金又以清胃爲第一義其論錢叔翁之症則謂但用人參固其經而未用竹瀝通其絡爲治不合法薛立齋治冢宰劉紫岩之痿症亦用清燥湯入薑汁竹瀝兩服而愈故汪石山江篁南輩均本此意（見正續名醫類案）若謂古法不足以治今病者豈不謬哉

杏雨草堂醫案

孔慶銓 灏伯

戊申秋錢某內姪女隨夫供差江西鄉間患左耳項痛牽連髮際交巳午時發燒熱嘔

酸不思食。食則脹悶。欬血服藥數月不效。遂來揚就診。余謂此係志意不樂。鬱損心脾。肝陽上冲。胃氣不降。當以越鞠二陳去蒼朮。合桑菊竹茹。兩劑後欬血止。以原方加金釵石斛白芍洋參。三劑燒熱退。項痛除。惟依然嘔酸。不思穀食。以前方去杭菊竹茹。加枳殼白朮。後並加穀芽。服數貼。仍不思食。精神亦不能振。余細爲揣度。艮由處於僻壤之鄉。人地生疎。鬱抑而成。僅以藥治。似不足以暢其情志。遂令遊目騁懷。吸受新鮮之空氣。藉以培養精神。病家依余言。更佐以膏方。遂漸愈。按古人治病。有移情易性之法。每能補藥力之不及。即斯證之謂也。

附錄

祝辭補錄

醫學扶輪報萬歲

仙女鎮醫學研究會拜祝

其二　　江都韓峒保臣

偉哉扶輪厥功克成昌我古訓開示法程譯彼新說抉擇精英黑闇醫界大放光明

其三　　道受章均宜

立國之本以民爲基強種之道惟醫是賫岐黃而後仲景是師宋元四子各立宏規合信挺生中西流衍黑斯占那專長各顯一爐冶之前賢訓典不倚不偏精搜博選大雅扶輪其德日新中流砥柱端賴斯人

其四　　任璪小漁

扶輪扶輪如日之升光明宇宙大啟沈淪美哉扶輪不啻盧醫而再世猶之扁鵲而復生吾願扶輪萬勿放棄其天職斯爲醫界之偉人更願扶輪愼勿舍本而遂末斯見醫學之精神此之謂扶輪而後不愧爲扶輪爰祝扶輪如寶之珍而今而後大陸皆春

發起人補遺　劉恒瑞　吳恭甫　王繼恒　葉鎔　楊彝青　金潤培

編輯員補遺　葉鎔　劉恒瑞　孔慶銓　張楚珍　楊彝青

揚州中西醫學研究會名譽贊成員 續上期

揚州體育會會長法政講習所講員府中學堂教員日本體育會畢業學員林作霖
江南高等學堂肄業生實業學堂畢業生接志誠
五品銜候選縣丞前南京中西醫院醫官鮑啓發
南洋考取內科醫士邵伯醫會發起人接文鎔
邵伯醫會發起人薛奎
邵伯醫會發起人許科祿
兩淮考取最優等醫士楊銘生
揚子附貢阮錄傳
揚州法政學員江甘自治諮訪員附生孔慶鎔
歙縣監生羅杞
江都議員東隅學堂教員陳悅三
洪汝沂棣城
章樹德綬卿
候選府經歷厲鼎鎧
兩淮考取內外傷科醫士蔣瑞春
兩淮考取內外科醫士張占春
兩淮學堂教員朱立哉
兩淮學堂教員朱逵哉

揚州法政學員自治所調查員附生孫國俊
兩淮考取內科醫士田玉辰
內科醫士任養和
北洋官醫學堂肄業生中西醫局醫士朱厚安
內外科醫士張楚珍
洪邦原可亭
江南巡警路工總局行政科書記金焜
天常閱報社發起人附生舒家駿
天常閱報社發起人附生舒家騊
安徽法政畢業學員李國鈞
內外科醫士孫伯軒
兩淮考取內外科醫士王雲珍
兩淮考取內科醫士王象培
兩淮考取內外科醫士郭上珍
內外科醫士徐峻珍
兩淮考取優等內科醫士嚴國政

宣統二年十二月初十日第三期

醫學扶輪報

發行所 揚州南河下中西醫學研究會
鎮江小街底醫學研究會

校勘記

第二期論文首篇第二十七行漢誤讀

痘科明辨緒言第十五行偏誤編

各省歡迎本報諸君鑒　本報撰述伊始深慚淺陋乃蒙各省醫學界歡迎爭定全年

擔任代派足徵諸君熱心醫學同人等當勉益加勉以期仰副諸君　雅意尚乞時賜讜言藉資匡助本社幸甚醫學幸甚　本社謹啓

各埠惠稿諸君鑒　本報自出版以來辱蒙諸君不棄惠贈著作現已積至二十餘篇類皆精心結撰鉅製鴻篇曷勝欽佩自本期起陸續刊登尚望源源賜教共相發明匪惟本報之榮抑中國醫學之光也再本社通信處揚州南河下中西醫學研究會（前因書記員未定故暫由陳君處代理現已派定金君詔聞陳君瑞辰常川在會專司其事）鎭江小街底衛生醫院　本社謹啓

本社特別廣告　本社社友葉仲經先生嘆古籍日湮國粹將亡醫學前途不堪設想爰發宏願創辦醫學萃編刊印宋明以來未刻及無版之書以冀保存漢學拯救同胞惟事體重大獨力難支現已擬定招股辦法其緣起簡章及書目俱載本期報中凡各省閱報諸君如有實愛國粹熱心醫學願意認股者祈與本社發行所或編輯事務所接洽照章辦理是爲至禱　本社謹啟

南洋印刷官廠代印

論今日醫學界急宜擴張其勢力以圖自存(續)

袁焯 桂生

一聯合藥業以提倡中藥也。今外人之賣藥於吾國者。藥房而外。旅館舟車。無地蔑有。而新聞紙中賣藥之告白。亦多外人之藥。以視中國藥肆。必得醫家之方始發藥者。孰利孰鈍。不待智者而自明矣。無惑乎利權日損。而外人得乘機以進也。循是以往。則吾國藥業之利權。能不爲外人攘奪盡淨也乎。故今日急宜與藥業聯合。以提倡中藥。凡醫家所製之藥水藥粉。藥業可以分售。或藥業與醫家合力製售。而各種丸散膏丹。亦宜大加甄別。其有用而實能治病者。則多製之。以應病家之求。其無用者。則盡行淘汰之。至藥料之可以榨油浸酒者。則仿新法製造。以廣醫家之用途。實事求是。不厭勤勞。如是而中國藥業之不興。吾不信也。

一組織全國醫學聯合會以大張其勢力也。欲與大事業。必結大團體。古今萬國之通例也今日各省府廳州縣雖已多設醫會以爲研究之所然而囿於一方拘於一域魄力既小見聞復狹以故醫會雖多而勢力殊薄是宜仿全國農業聯合會之法組織全國醫學聯合會設總會於北京餘則各設分會合全國醫會之人才協力進行凡各省所有之藥物可以調查可以互售各省所有之書籍可以流傳可以翻印而今日應興應革及預杜外人越俎之事皆易舉辦內之可以振醫學外之可以塞漏卮其間接裨益於國計民生者豈淺尠哉

以上所述皆今日醫學界圖存之大計而不可或闕者也語有之曰欲木之長必先固其根本欲流之遠必先浚其源泉故以擴充學識爲第一要義蓋學識爲勢力之精神學識不充則雖有勢力客氣而已矣虛聲而已矣烏能生存於今日天擇物競之世界哉雖然今日之世界亦勢力競爭之世界也有强權無公理故以聯合藥業與組織全國醫學聯合會爲爭存之第二著也要而論之吾儕生於今日競爭激烈之時凡百事業均宜具世界眼光國家觀念矧醫之爲學有種族生命之關係也哉世有悯心時局

南洋印刷官廠代印

志切圖存聞吾言而興起者乎是則記者日夜馨香所拜禱者也

擬創醫學萃編緣起

葉鎔仲經

慨自歐風東漸國粹以漓縱有一二績學之士抱殘守缺而其所保存者蓋亦僅矣頃者大人先生愁然憂之創爲存古之論爭捨鉅資以從事刊布遺籍顧所重多在版本書之善否曾弗計也坊賈巧趨風氣復取詩文集小說投俗嗜好至於專門絕業非盡人所能通曉概付諸若存若亡之間良可悲已夫醫之爲學也達陰陽造化之機繫性命死生之要其術裨益生民實非淺鮮間嘗考厥源流實興於邃古之世彼縱橫名法諸家異說紛紜徒足壞人心術視醫之以仁育爲懷者惡可同日語乎後人祇見宣聖目爲小道遂鄙夷焉而弗習至以天官所守乃下儕星相之列矣抑知聖學淵源包攝萬有醫特其餘事耳然曷嘗不稱舉南人之言哉是以褚侍中難其任託而孫眞人太醫習業一篇競競焉以讀書爲事無如降代以還庸工日衆計所誦習不越湯歌藥賦之倫先哲遺言類皆束諸高閣則古醫籍之淪亡已可翹足而待觀夫日東漢醫繇維

新以來。漸就澌滅。蓋生存競爭之公理如此。我國近時官立醫校。既大率參酌歐美成規。而外人復越俎代謀。醫院林立。是誠我國醫學存亡絕續一大關繫。苟非急起直追。得不蹈日本漢醫之覆轍耶。且釋道二氏綿歷千有餘載。凡所著述。闕佚蓋寡。亦在其徒黨勤於搜討。廣爲流播耳。然則吾黨既服膺軒岐之至訓。詎忍坐視斯道荒廢。而弗思昌明絕學。以力爭自存爲已任。曾緇流道侶之不若矣。用是不揣固陋。聞集二三同志。擬仿各叢報雜誌例。創辦醫學萃編。網羅遺逸。以壽諸世。固未敢藉興滅繼絕爲功。庶猶賢乎箋疏蟲魚。批抹風月而已。惟鄙人等材力綿薄。深懼弗克負荷。所望海內諸賢豪。推濟人利物之心。鑒茲愚忱。俯賜贊助。且匡其不逮焉。吾道幸甚。中國幸甚。

附簡章

一本雜誌定名醫學萃編。月出一冊。約六十葉。上下專取前賢名著之不經見。及近人撰述之精確者數十種。次第刊布。

一每期刊六七種。至八九種十種不等。然各種少止十數葉。多有百十餘葉者。其少者固一期可了。多者亦不越二年。定當完畢。

一創辦伊始。刊印紙張等費。頗屬不貲。除同人各盡綿力外。仍擬仿公司性質招集股本。庶幾衆擎易舉。兼可持久。

一招股擬每月分任。每股五角。共一百股。從一股起至十股二十股。聽人擔荷。按三節繳齊。當由本社掣付收條爲證。年終另有淸册報告。

一海內如如有熱贊成之士。雖不任月股。而一次特別捐助至五元以上者。其芳銜固當弁諸簡端。并送閱萃編一年。十元以上。送閱二年。三十元以上。永久送閱。

一本社暫附設醫學扶輪報發行所內。凡封面臚列各通信處。均有代派。至於售價俟出版日規定再爲通告。

擬刊諸書目錄

傷寒疏鈔十四卷 明盧之頤撰　脚氣治法總要二卷 宋董汲撰　理虛元鑑 綺石撰　伏氣解一卷 葉撰 集

驗背疽方一卷 宋李迅撰　小兒衛生總微論二十卷 宋佚名撰　百一選方 宋王璆撰　先醒齋廣筆記三

卷（明繆希雍撰）

己上係第一期先刊者

金匱要略正義二卷（朱光被撰）　心印紺珠經二卷（明李湯卿撰）　脉語二卷（明吳崑撰）　活人心統二卷（明吳球撰）　陰證畧列一卷（元王好古撰）　胃氣論一卷（張錫駒撰）　產育保慶集二卷（宋郭稽中撰）　本草乘雅半偈十卷（明盧之頤撰）　黃帝蝦蟇經一卷　素圃醫案四卷（鄭重光撰）　己上係二期續刊者

右所臚列。僅舉其最精要者。餘尚待陸續搜訪。四方藏書家。如有孤行秘笈。或蒙慨贈。或許借鈔。則更本社所深望焉。

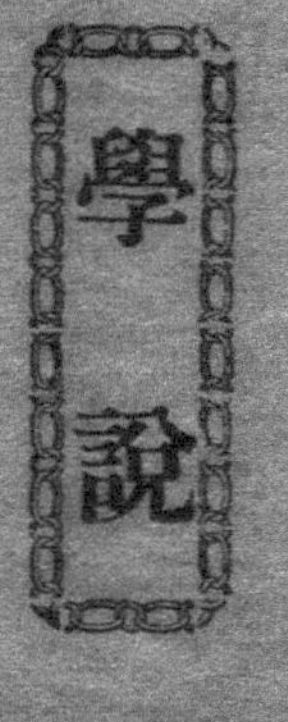

研經言

歸安莫文泉枚叔著

歸安莫枚叔先生研經言一書。久經膾炙人口。惜世鮮流傳。未能遍行海內。僕偶於友人案頭借得抄本。不敢自私。謹月登一篇。公諸同好。至先生學之博識之邃。陸九

南洋印刷官廠代印

三善卷袁寓齋寄上不憫……發起人陳也愚謹白

芝先生序中已備言之。（序見世補齋醫書）無待鄙人之贅述也。丹徒齊青揚賓善謹誌於商量舊學軒（按莫氏原稿係校士傷寒證源亦係校士惟世補齋醫書研經言敍文作校叔未知孰是特存疑以質博雅）

袁焯附誌

學醫說

夫欲學醫。必先讀無方之書。則莫善於巢氏病源焉。病源引伸經意。別類分門。比靈素。爲易知亦歧。靈素而易入。習之既久。遂乃上探靈素。兼讀難經甲乙經二書以疏之。明乎經絡臟腑之源。達於望聞問切之故。而於學者之所得。益覺融會貫通。而明體者漸漸達用矣。然後讀有方之書。玉函傷寒金匱是也。讀三書、尤必兼資脉經。以稽其異同。披證類本草。以觀其方法。蓋臨病之舟楫在焉。然傷寒之理。未許其遽通也。又必浸淫乎肘后、千金及翼、外台、四書。斟酌乎本事方、百證歌、九十論、明理論、等說。參互考訂。以徐俟其悟。殆別有一境矣。大抵醫者之於傷寒。其致力每在雜病未究之先。其得心轉在雜病悉通之後。不親歷者不知也。溯流窮源。其事止此。神而明之。存乎其人。至於聖濟局方以下。則學成後讀之。亦足擴聰明而鍊識力。不必概屏之以自隘也。

診訣說（同上）

診病之訣在知表裏虛實逆從六字第欲臨診時知之明必於讀書時知之豫夫仲景之辨表裏二字亟矣而喜言統治者或不信謂靈素論證概以六經臟腑爲別何嘗有所謂表裏者不知兩經爲鍼法設不爲藥法設鍼法在取穴但審其何經何藏何府而巨刺繆刺諸法已可施不以表裏爲汲汲也若藥法則輕淸宜表重濁宜裏如此而已且其爲氣化於胃運於脾布於肺如飲食然斷無專走一經之理故必分表裏而後汗吐下補諸法各如其輕淸重濁之性以爲用仲景之詞所以異於靈素者此爾至於虛實則有二義邪在爲實邪不在爲虛一也邪結爲實邪不結爲虛二也皆爲瀉邪地非爲用補地試取諸經論讀之當不以余言爲謬至於逆從二字則色脈證治皆有之須先審定其病而後可言也神而明之死生可決已

疫痧辨

興化任　沅芷塘

傳云名不正則言不順言不順則事不成矧在於醫動關生命將欲治其病可不先正

其名乎。方書病名萬端。各有取義。如傷於風者爲傷風。傷於食者爲傷食。頭風則頭病。脚氣則脚病之類。不勝枚舉。前聖因症立名。曷嘗有名症不符者哉。乃近世有所謂疫痧者。古籍無稽。新書雜載。竊不能無疑議焉。夫疫役也。比戶傳染。如古之徭役然。痧則字無不載。惟醫籍幼科之疹。俗訛爲痧。蓋以其狀傷沙。而因以沙字拼疒名之。疫病之亦以痧名也何居。攷疫類有爛喉痧。痧出而喉自鬆。及光緒癸卯甲辰二年。江北一帶所行之疫。先寒熱身痛如傷。繼現痧而解。此二症或可當之。其餘形症雖多。與痧毫無關涉。卽間有如溫熱病之發斑疹者。究難以痧字該之。其名果何自昉乎。按春秋莊公十八年。秋有蜮。杜注短狐也。含沙射人爲災。(陸德明音義蜮同蜮本草謂之射工)詩小雅何人斯章。爲鬼爲蜮。朱傳蜮含沙以射水中人影。其人輒病。而不見其形。釋名有鬼行役謂之疫。夫二注謂蜮含沙射人以爲災。災疫同義。鬼蜮同類。豈或以天行之疫與蜮之沙射爲災相似。遂遞訛爲痧歟。又按千金方蜮證候云。先惡寒噤瘆。(集韻駭恐貌玉篇寒病也)寒熱筋急。仍似傷寒。亦如中尸。便不能語。朝旦小蘇。晡夕輒劇。甚至悶亂始得三四日當急治之稍遲者七日皆死夫症之猝暴若中尸若傳變者莫傷寒若兼二者而有之莫疫症若是沙射之症與疫正相類謂後世命名肇端於此似無不可雖然吾思之吾重思之其然豈其然乎古謂類傷寒症有五不得稱爲傷寒則疫何能與蜮混且蜮藉沙以病人非沙自病人卽謂蜮爲痧已不得爲正當之名矧古且未必然而疫更與沙風馬牛不相及也敢據理以斷曰疫症見痧者可命爲疫痧不見痧者祇可名疫不得名痧或難曰信如子言世何以有擠痧拿痧挑痧刮痧諸治而亦間能見效乎不知此乃鍼灸導引之餘意古人治百病皆然奚獨疫因治法而謂疫爲痧凡病皆可目爲痧矣豈不誕哉或又曰是殆方言相傳如諸掙諸翻（見松峯說疫雜疫門）之類不知方言祇能達諸方隅出諸婦豎醫士通人豈可沿效誠若是俗謂瘧爲半日吾人亦將易瘧而名半日乎此更不可通之論矣總之吾不怪世俗之訛吾獨異夫著書立說者之漫不加察而亦以訛傳訛也若痧脹玉衡痧症指微等書匪特指疫爲痧舉一切雜症幾統屬其中蕪亂不倫全失經義抑思普通名詞可該專症專

症名詞不可該普通乎疫無定症通病也痧有實徵專名也古籍類病雖寬簡然從未以專名統通病有列疫於傷寒者以傷寒爲外感之總稱有目疫爲天行者以瘟疫爲天行之戾氣詎若後世無知妄作者流因一二有痧之疫遂以概千百無痧之疫且波及非疫諸症乎嗟夫皮之不存毛將安附名之不正病將安治吾恐自茲以往且或因名而誤症也故不得不辨

此亡友　芷塘先生遺稿也　先生博通醫籍好古而不泥於古向在東邑與　華立研究社　先生剖析疑義甚多乃　華來鎮後　先生遽歸道山曷勝悼歎茲哲嗣瑤阜兄以遺稿寄示如見故人亟錄登以公同好　庚戌嘉平朔澤華識於京口寄廬

察舌辨證法　（續上期）

南洋考取優等醫士京口駐防生員　劉恒瑞吉人

黃苔類診斷法

正黃色苔　爲胃土正色爲溫病始傳之候其爲溼溫溫熱當以脉之滑濇有力無力分別用藥

老黃色苔　爲胃陽旺盛之候若厚腐堆起此胃中飲食消化腐濁之氣上達之候爲溼溫化熱之始爲溫熱傳入陽明之候

黃如炒枳殼色　爲胃陽盛極陽亢陰虛之候胃氣欲傷胃汁乾稿故苔色如枳殼炒過狀乾枯而不潤澤也

黃黑相間如鍋焦黃色　摸之棘手看之不澤爲胃中津液焦灼口燥舌乾之候然有陽氣爲陰邪所阻不能上蒸而化爲津液者當以脉診分別斷之脉濇有力鼓指者火灼津也脉滑無力鼓指者只有往來而無起伏者痰飲瘀血阻抑陽氣不能化生津液也

嫩黃色　由白而變爲黃爲嫩黃色此用藥當胃陽初醒之候吉兆也爲飲食消化腐濁初升也

牙黃色　胃中腐濁之氣始升也牙黃無孔謂之膩苔中焦有痰也

黃色兼灰色　此傷風初候或陽氣抑鬱苔無正色當舒氣化鬱

南洋印刷官廠代印

黃如粟米色。顆粒分明。此爲胃陽太旺。胃熱之候。

黃如虎班紋。氣血兩燔之候。

黃如蠟敷。溼溫痰滯之候。故苔無孔而膩。

水黃苔。如雞子黃白相間染成之狀。此黃而潤滑之苔。爲痰飲停積。溼溫正候。或爲溼熱病而有水飲者。或熱入胃。誤服燥藥。變生此苔者。宜以脈診分別斷之。

黃腐苔。苔色如豆渣炒黃堆鋪者。下症也。如中有直裂。氣虛也。不可下。當補氣以氣不足運化也。

（此稿未完）

譯稿

藥物新說

江南實業學堂畢業生安徽旅揚公學理化科教員 朱華浣秋譯述

朱君浣秋通東文。精理化。雖不習醫。而關於醫藥之書。無不瀏覽。蓋素有張華之癖者也。嘗謂吾國醫者之於藥學。皆以視色別味。求氣審形。辨土宜。測時令數端。以爲鑒別藥物之原理雖詳如證類博如綱目簡當如金稗乘雅精深如經疏疏證等書非不發揮盡致備載無遺然卽以所含之成分爲何其施用於病症也而著效之理由何在則仍不能實在言之是殆不能無憾也今本社發行醫報意欲與海內同志共謀進益承朱君鼎力襄助於東洋藥學書中取藥物之爲吾國所有者再譯述其形狀成分及應用各法以貢獻於吾醫界中而爲研究藥學者之一助雖述之不文載之無序然以研究學說計且均在匆遽之中區區之體例文章未遑計焉閱者諒諸庚戌臘月朔天常陳澤識於邗江之勉吾軒

羯答利斯

羯答利斯者六足蟲類之甲翅族也古名葛上亭長（是蟲棲息於葛葉之上赤頭黑翼狀類古時之赤冠元衣之驛長故名如此）一名豆斑猫（以其好食豆葉故名）含有甘答利丁Cantharibin之强烈物質觸之皮膚卽能引赤發泡者蓋由斯質之作用也兹將其形狀成分及應用各法次第述之如左

澤按葛上亭長別錄雖另立一條。然考其功用。主蠱毒鬼疰破淋結積聚墮胎。則與本經斑蝥主治無異。又據太平御覽引神農本草經云春食芫花爲芫青。夏食葛花爲亭長。秋食豆花爲斑猫。則知實一物矣。日本古時醫學。皆自吾國輸入。故醫藥名稱。至於今日猶仍沿吾國之舊。觀於此條。誠信然矣。

一形狀　羯答利斯。即豆斑猫之乾燥屍體。長達二十釐。闊約四五釐。頭類心臟狀。有隅角三。後部赤褐。甲翅黑而無光。其兩側及中央有黃色之線紋。以爲之徑。腹部則黑而有光。有黃色之輪帶四五。盤繞其上。然翅之黃線。腹之輪帶。蓋皆由黃色細毛連綴而成也。觸肢有六。節數各異。前肢中肢之節有五。後肢之節有四。是蟲有特別之臭燃灼之味。若以其粉末接觸皮膚。即覺紅痛。而水泡亦隨之而起矣。

二成分　羯答利斯所含之主要成分。即甘答利丁Cantharidin之强烈中性體。（非酸性非鹼性者。曰中性）其含量四倍於芫青。（芫青亦發泡性甲翅蟲之一。其功用與羯答利斯相埒。）約占全體百分之三四。餘則悉爲脂肪灰分耳。

甘荅利丁 $C_{10}H_{12}O_4$ 爲有光無色之稜柱晶。昇華則呈針狀晶。溶融於攝氏二百十八度。若投之於哥囉仿謨、脂肪及油中。能悉溶解。酒精以脫次之。硫化炭素、石油、依的兒水又次之。（當受羯荅利斯之毒時、不可用脂肪油、職是故也、（然使作用於亞爾加里溶液（卽鹼性液）則生成甘荅利丁酸之鹽類 $C_{10}H_{14}O_5=C_5H_3O.CO.COOH$ 作用於沃度水素酸。則構成甘荅爾酸。$C_{10}H_{12}O_4=C_5H_{11}O.CO.COOH$ 於斯亦可證該品之特性矣。

甘荅利丁酸之製法頗爲複雜。茲更次第言之。先取羯荅利斯千瓦（一瓦當中衡二分六釐有奇）碎之。加苛性納五十瓦。水六千瓦。浸五小時後。加熱煮沸約十五分時。去火俟冷。漉而榨之。其殘渣可迭次以是法爲之。俾甘荅利丁之質可盡出而無遺留。更加稀硫酸、及木炭末。於其濾液。熱之使乾。投炭酸鋇少許。復屢注醋酸依的兒以煮沸之。斯時甘荅利丁已溶於醋酸依的兒中。故蒸溜醋酸依的兒則甘荅利丁。卽可殘留於器中矣。如是所得。已可應用。若再以冷酒精洗滌之。以去其垢。溫

酒精結晶之以取其精斯爲無上之良品矣（未完）

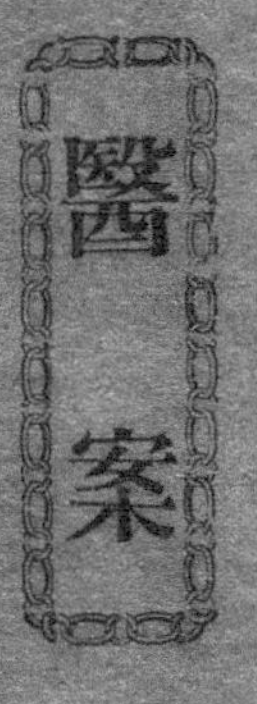

記鼠癥

葉澤華子實

昔褚澄治李道念病吐雞雛十三頭（見南史）徐之才剖人脚跟得蛤子二（見北齊書）人身之內感物類而成形或以爲誕觀先嚴之治鼠癥則褚徐二事必不誣也光緒紀元夏六月泰屬丁溪場之湯家舍宗氏子年十歲患腹痛求先嚴治目見赤脉舌苔厚膩中有紅槽腹大有形拒按痛時或上或下甚至若狂欲齧衣被每夜分必劇先嚴審其腹與舌知有宿食而兼蓄血也然孺子不力作僅停宿食痛不若是劇察其目與痛狀一似中猘犬毒者然未遇犬傷或云蟲積然面無蟹爪紋僅發狂而不厥問痛自何時則曰端陽後也詢其曾食角黍乎曰有之曾食冷角黍乎曰有之曾食冷角黍而殘缺不全者乎曰有之先嚴曰是必鼠精遺於角黍誤食而成癥者也鼠晝伏夜動

故夜分痛甚。鼠善穿。故或上或下。痛甚若狂。令以鼠肉炙炭研末。和導滯藥服下。數便中雜血絲。已成鼠形者五。痛遂止。其父將所下之鼠示人。當時觀者頗衆。近人每薄中醫診斷術不足道。不識此等症經西醫診斷奚若也。

記卜善夫君醫案二則

吾友卜君善夫精醫學。治病多奇效。昨過余所。出示醫案兩條。具見卓識。不勝傾倒。爰亟錄之如下。庚戌臘八日袁　焯記

光緒己酉秋。家兄厚卿（卜君自稱）患痢。延月餘。經醫治愈。越數日。忽腹脹、肢腫、喘息、不能臥、進食則劇。余在鎮得家書。遂過江往視。演夜奔回。（余家住揚州北門外離城三十里）家兄泣託後事。余握其手、冷如冰、切其脉、沉而遲、且間作吐嘔。乃慰之曰。此陽虛也。有治法。進附子理中湯合二陳湯。一服肢漸溫。再服喘息定。但腫脹未消。覓得陳年葫蘆瓢。煎與飲。復以瓢湯下金匱腎氣丸。脹日消。更進調補脾胃之方。匝月而起居如常矣。

其二光緒乙巳春。有船家婦張氏者。患喉症。腫痛壅塞。服荆防疏散藥不效。吹藥亦不應。漸至湯水不能下。勢甚危。余視之曰。喉癰。膿已成。當刺之。否則不救。刺之果出膿甚多。令以濂珠西黄青黛冰片指甲燈草灰豕膏爲丸。含嚥。並以二冬元參銀翹甘桔山梔等煎湯頻飲。腫消痛止。能進薄粥。靈樞有曰。癰發於嗌中。化爲膿。不瀉。塞咽。半日死。古書之言。豈欺我哉。

專件

鎮江自新醫學堂簡章

一名稱　本堂經費由發起人自行籌貲開辦。期於發明新理。中西會通。造成完全醫學之人材。故定名爲自新醫學堂。

二宗旨　本堂課程。以中醫爲本。叅以西醫以補中醫之不足。

三校舍　暫設鎮江城外小街底衛生醫院內

四科目　本堂教授法。酌定九科。（一）修身 專以正心術勤學業守道德保全民命爲要義 （二）經義 內難諸經大義 （三）國文 講讀前賢論說及文法要義 （四）生理 解剖組織衛生大義 （五）病理 內外婦幼針灸等科 （六）藥物 講解古今藥品及西藥兼化學實驗 （七）診斷 講解表裏虛實寒熱望聞問切要義及臨症實驗 （九）體操 柔輭衛生體操

五額數　本堂學額暫以三十名爲限。額滿後亦可隨時補收。

六年齡　本堂招生以十三歲至二十歲。文理清順者爲合格。

七學費　本堂議定學費每月二元。膳宿費每月三元。走讀僅留中膳者每月一元五角。貧苦者學費酌減。

八畢業　本堂畢業分預科正科。預科一年畢業。正科三年畢業。由本堂稟請地方官詳請提學使司派委來堂考試。分別等第。給予文憑。

右簡章八則。匆促規定。其有未盡事宜。尙望海內醫學家賜教爲幸。

發起兼經理人　吳鶴齡　李晴生　仝訂

王繼恒

報名處鎮江城外小街底衛生醫院

叢錄

急救吞生鴉片方

劉恆瑞吉人

救生吞鴉片方方書所載甚多。然有效有不效。且有效者。亦不能無弊。茲鄙人有經驗多次之法。既無流弊。亦易措辦。凡遇此事。急用生豆油灌之。少則二三兩。多則五六兩至半斤。油下則毒解。神安。或從吐解。或從下解。惟須未服他藥者。始效。特登報端。乞閱報諸君。廣爲傳佈。陰功莫大焉。

敬祝醫學扶輪報出版萬歲

贊成員內閣中書李　煒敬頌

醫林鉅子。學貫中西。
扶持國粹。輪奐騰譽。

醫學扶輪報頌詞

贊成員丹徒賈　鎰瑞甫

治。國。良。相。治。病。良。醫。國。醫。退。化。千。載。於。茲。二。十。世。紀。斯。道。尤。疲。歐。風。美。雨。雄。長。一。時。賢。哉。公。等。毅。力。追。隨。扶。輪。開。幕。廣。益。集。思。昌。明。舊。學。灌。輸。新。知。無。中。無。外。一。以。貫。之。負。此。才。識。發。達。堪。期。不。揣。譾。陋。用。貢。蕪。詞。

名譽贊成員

內閣中書李　煒　　邵伯醫會發起人周祺美　　內外科醫士吳　棟

湖北候補同知廩生吳酉書　　蘭陵學校算學專修科畢業生吳廷璋　　譚寅虎

臣江南實業學堂畢業生朱華　　內外科醫士李楨　　儒釋學堂正教員汪綸

瀛　內外科醫士賈鎰

宣統三年正月初十日第四期

醫學扶輪報

發行所 揚州南河下中西醫學研究會
鎮江小街底醫學研究會

恭賀
新禧
本社同人拜手

第三期校勘記
研經言第三行丹徒龔青霽誤齊

學醫說第二行亦跂靈素句跂誤歧
診決說第六行輕清重濁句濁誤蜀
疫痧辨第五行痧則字書不載句書誤無其狀如沙句如悞傷
藥物新說第六行曩悞囊
卜善夫君醫案第二條第四行癰發於嗌中句嗌悞溢

本報價目　本報自去年十月出版以來謬承海內通人許可銷數日見推廣今年當精益求精力圖進步全年報費外埠大洋四角八分本埠三角六分除各省已有代派及定購外凡欲閱本報者請函知本報發行所註明姓氏住址卽按期寄奉不悞報資先惠空函不覆知交及代派處不在此例

本社啓事　本社編輯部同人因去臘皆返里度歲致本期報出版稍遲有勞閱報諸君盼望深爲歉仄陳君瑞辰亦因安徽旅揚同鄉會事務繁冗致諸君賀函未能一一答覆殊爲抱歉特此奉佈尚乞鑒原

南洋印刷官廠代印

中國醫學將日有進步說

葉澤華子實

劍以淬厲而鍃，玉以磋磨而光，鏡以拂拭而明，醫學猶是也。科舉時代，士大夫目醫爲小道，羣鄙夷而不屑爲。爲之者，率爲糊口計。其間非無天資英敏、學識過人之彥，然卑淺者居多數。從師名曰三年，凡醫名藉甚者，何暇教人，其講授之時日實暫也。語云：通天地人謂之儒，通天地人謂之醫。醫道精深，不待煩言而解。故漢唐以降，經史詞章卓然名家者，代以千百計，醫則寥寥數人焉。夫以至精至深之道，責諸至卑至淺之人，又迫以至暫之時日，無怪乎醫道日衰，爲世所詬病。自泰西東人發明解剖理化諸學，專重實驗，益薄中醫爲不足道。庸詎知中國醫學，固猶是劍也、玉也、鏡也，特未嘗淬厲磋磨拂拭耳。方今朝野競言強種衛生，知醫學與國家關係甚鉅，京師特立醫學堂以爲之倡。廷試出洋學生，亦嘗獎給醫科舉人進士名目，而向之成舉人進士已登仕版者。且紛紛厠名醫會中。視吾之目爲小道。鄙夷不屑者。有間矣。燕昭市駿骨。則千里馬至。葉公好畫龍。則眞龍來。　朝廷奬勵於上。外人激刺於旁。醫會醫報交通於其際。有不奮然興起。釋回增美者。豈人情哉。吾故謂中國醫學。將日有進步也。

敬告國民戒除紙煙書

北京劉輔廷來稿

中國自道咸以來。海禁大開。與泰西諸國立約通商。其投以我民之所好者。有鴉片、煙。其流毒爲人人所共知。今幸國家已有法律禁止。詎知鴉片未除。煙、菸繼至。無異逐狼引狐。害身害家。可謂甚矣。我國民竟大夢不醒。老幼男女。貧富貴賤。幾乎盡受其害。今不揣固陋。將煙菸歷、史、原、質、毒、害。刊布於左。敬告我四萬萬同胞。

煙、菸、來、歷　煙菸本是美國紅種苗人所吸嗜之最早。後有西班牙人到美洲的時候。將煙菸的種子。帶到非律賓海島。後又有人帶到中國來。這就是煙菸的史畧。

煙、菸、原、質　煙菸原是一種毒類草。青葉。葉上有許多小囊。囊中有無顏色的毒水。名曰尼寇田。其中又有一樣油質。人吸煙噴出來的煙內。有炭酸。有亞摩尼亞。有尼寇田。

三樣毒質。炭酸令人頭疼少睡。肌肉發戰。亞摩尼亞令人嗓子和口發乾。尼寇田其性最毒。一枝煙捲內所含的雖少。然吸之日久。就與煙粘筒油無異。必使全身中毒。先前曾有人將煙油之精提出。滴在犬的舌尖上。頃刻工夫。其犬便死。其毒可知矣。

煙捲者。以煙的碎末子。或煙絲和種種雜質攙作而成。有時其中攙着極污穢的材料。常含着鴉片煙。白蘭地酒。硝强水。並從庫巴島來的一種毒質。至於包裹煙捲的紙。其中也有大毒。有著名的科學家愛德森。說煙捲外皮所包的紙。在吸的時候。必生出一種毒來。在一切毒質中。最爲有害。或問葉子煙。雪茄煙。紙捲煙。這三樣以何者爲最毒。就是紙捲煙最有害於人。一包煙的紙。吸的時候。所發的煙毒。能使嗓子與肺發炎。二吸的煙從鼻孔中射出。必使全身受毒。三紙煙捲內材料的毒比別類煙內材料的毒更大。試分言吸煙之害。一害、全身。吸煙入肺。肺不能多得養氣。炭氣反較平人加增。紫血因之不能變紅。身中少得紅血。體質即難以健全。二害、心臟。煙有力量。先催心跳加速。繼而反慢。心肉必加長大。一枝煙能令十二歲幼童。心臟跳快五分之一。殘血禍身。

莫過於此三害、覺腺覺腺卽是神經凡吸烟菸有激刺覺腺之力人以爲能增長神思殊不知終久必使覺腺昏迷如醉致成痲木四害、五官人與外物相接全賴耳目口鼻皮膚感覺之力傳達於內嘗吸烟菸則五官的感覺力必大減少甚至耳聾眼瞶口鼻失味皮膚痲木成爲殘廢者六害、腦體烟毒最能傷腦凡吸烟的人時覺頭暈心悶多作惡夢致不能安眠者神經病也七害、脾胃人之生長全賴脾胃尅化食物之功烟毒傷胃則非常覺饑餓卽食物難消而諸病叢生矣八害、骨格骨乃全身的架子人之高矮粗細全在骨之長短大小若幼年吸烟則骨骼得滋養之力少多致身體微弱九害、肌肉人之生活全使全身肌肉之功吸烟日久則肌肉失其伸縮力以致顫動不能如常者有之十害、心思嘗聞人言吸烟能解疲乏不知烟能痲醉覺腺一時若是解疲乏其實烟力一過較前反更疲乏愈吸愈疲神思如迷終身不悟矣十一、耗錢財現在中國人雖不全數吸烟然照一半核算如每人每日用一分銀圓的烟費則全國中一日耗去二百萬圓一年耗去七萬萬圓豈不可惜十二、害地土烟菸之毒能令肥地變爲瘠。土美國有一非眞伊亞省。四十年前。因栽種烟草。將土脈變劣。以後種五穀。每年糞以肥料。至今仍然未能復回當年之土性。且煙一斤所佔之土。種麥子。可得十四斤。種玉米。可得十五斤。試問二者孰爲便宜。

總而言之。吸煙一事。直是以人作煙筒。時日積久。則煙油充滿臟腑。皮肉筋骨。不但全身被害。且能殃及子孫。所以現今英美日本皆有法律。禁止幼年吸煙。凡有人。或賣或送與十八歲以下幼童者。一枚煙捲。罰洋元一百枚。或監禁一個月。德法瑞典三國。皆有法律禁止學生吸煙。美國海軍鐵路。並有許多行棧公司工廠。常於告白內聲明。不用吸煙人。可見吸煙之害。實爲文明國所欲痛除者也。吾同胞幸勉之。

學說

研經言

虛勞論（承前）

今之所謂虛勞。古之所謂蒸也。古之所謂虛勞。今之所謂脫力也。金匱必列虛勞者。以見傷寒自有因脫力得者也。俗稱脫力傷寒本此。知此而金匱虛勞諸方能用之矣。脫力有成痼疾者。有在一時者。有着一處者。苟因勞傷氣血不復。皆得稱爲虛勞。人但泥於弱症損症之不起者爲虛勞。而不知彼特其一端也。若一時一處之虛勞。則或待治而後愈。或不治而自愈。無甚足異。第既有虛勞之因。風寒隨而入之。金匱本爲風寒盡其變。故渾言之曰虛勞。不復分別其爲何勞。推而準之。傷寒勞復。乃虛勞之在一時者。亦不分別其若者爲操作之勞。若者爲房室之勞也。依義本當列此篇末。編傷寒論者欲其便覽。移置如此耳。他如脉經云。病人一臂不隨。時復轉移在一臂者。此爲微勞。營衞氣不周故也。久久自愈。乃虛勞之著一處者。亦不分別其爲何勞。亦以有本病可列故也。此經文有勞瘧。千金外臺有勞嗽勞聾。凡在一時及着一處者。皆仿此。讀古人書須辨其名。以究其指。醫亦如之。誠能知此。何至以建中湯等法。誤投之蒸病也哉。

瘠蒸尸疰四大證論

五尸五疰五瘠五蒸雜病中四大證也仲景傷寒始言蒸蒸金匱狐惑實開瘠症而走馬湯治飛尸獺肝散治冷疰已畧具大綱矣至巢源肘后千金外台諸書始暢厥論以爲內科專家最重之任也近世書中鮮有之非近世無此四症也醫者遇尸疰詭以肝氣目之遇瘠蒸詭以勞病目之相沿既久遂不措意因不列名耳然尸疰二字涉於不祥瘠蒸二字僅見兒科今若稱此以告諸病家及加諸年壯不幾駭人聽聞乎古名誠難復也但須於肝氣一門知有尸疰二症混其中於勞病一門知有瘠蒸二症混其中隱其名而存其實則臨證了然矣至古人治此四症之效方亦欲爲大醫者所不可不備也

簡潔精當發前人所未發丹徒後學楊霽青謹注

說癍

揚子盧則鍾育和

凡病至發癍大抵因邪鬱血分所致雖然班之證候有溫病時疫陽毒陰症之分癍之

形色有淡紅正赤靑紫黑晦之別痧之部位有頭面胸背四肢全體之殊痧之治法有疏達淸化解毒溫補之異是不可以不明辨也鄙人不揣淺陋遠宗古訓近守師承參參臨證之管見述其要略如左

一溫病發痧　溫病者乃冬不藏精之人一交春令易召外界之溫邪侵入肺經而爲溫病也其證不惡寒但發熱口渴或咳治法當以辛涼洩衞其邪自解倘日久失治鬱而化熱或辛溫逼汗致熱甚血燥皆能發痧其形儼如蚊點多見頭背胸背或四肢等處色正紅者輕深紅者重治以淸熱涼血吳氏化斑湯犀角地黃湯之類審而用之自可奏效庸工不察誤用升提則邪熱上迫變爲衄血痙厥誤用溫補則邪熱攻心變爲神氣昏亂（西者按神氣昏亂則熱邪不獨攻心且直衝於腦矣）誤用大洩則邪熱內陷正氣不支變爲喘呃諸險症矣

一時疫發痧　時疫者時行疫氣也凡晴雨不時濕濁蒸鬱山嵐瘴霧屍腐臭穢種種不潔之氣皆得名之曰疫此氣佈散空際入於口鼻傳於經絡輙發寒熱頭痛身困肢

南洋印刷官廠代印

痲胸悶作噁口粘舌垢論其治法則需辛溫發汗芳香辟穢如神白散十神湯人參敗毒散藿香正氣散之類（記者按凡宜此等方藥者必惡寒重發熱輕口不渴溺不熱咽不燥脈不弦數）皆可選用若治不合法或汗出不徹致營血受遏外呈痧痳其形或細如蚊迹或巨如雲片發無定處甚至遍見週身色多深紅間有兼青帶紫審其表證未盡仍宜疏達鬆肌佐以活血解毒於前列諸方重加升麻紫葛及牛蒡蟬衣赤芍木通之屬並取王氏解毒活血湯（見醫林改錯）合而用之庶乎中窾設拘墟之士執一不化專守溫熱發痳之說而誤投大劑甘寒反使陽氣冰伏營血陰凝邪遏不達轉見神煩齒燥肢冷脈停痳色暗晦變成壞症者多矣

一陽毒發痳　陽毒者乃非常毒厲之氣由口鼻而下入咽喉値人身血氣晝行於陽之度而中之名曰中毒其證咽喉痛吐膿血面赤身痳形如錦紋治法主以升麻鱉甲湯（記者按此症熱毒甚者宜參以清熱解毒陰虛火旺喉腫甚者宜佐以養陰滋潤）逐穢升清使邪從汗解（本方注云頓服老小再服取汗）不可延誤蓋因此氣中人毒

流最猛致死甚速五日經氣未遍尚可救治若七日陰陽經氣已遍而作再經則不可治矣

一陰症發瘢　陰症者少陰之症也多由嗜慾過度腎元虧損寒邪直中其症腹痛下利肢冷溺淸脉象沉細而遲若兼面赤煩燥不渴脉洪大無倫按之欲絕則爲陰盛格陽致令無根之火上灼肺胃而發陰瘢然亦有先患熱病因服凉藥過甚變爲陰症見陰瘢者其色俱淡紅隱隱散見肌表手足多胸背少頭面皆無急以附子理中通脉四逆重劑溫補外以藥凝膏敷足心陷中（按兩足心陷中屬少陰腎經湧血泉穴以附子吳萸二味研末摻入陽和解膏內烘熱貼之）取辛熱之性味通其經脉以引下降此爲導龍入海之法更宜針炙丹田（在臍下二寸鍼六分炙七壯婦人忌針炙犯之絕子）氣海（爲男子生氣之海在臍下一寸半宛宛中鍼八分炙七壯止百壯）藉溫煖之火力入其窟宅以招納浮陽此所謂同氣相求之理然斯症根本已傷危在旦夕治之得法十中僅救其二三吁可悲已

喉症新療法

陳邦賢 也愚

鉀綠養一五。（合中權二分六釐）至二五。和溫水漱喉。一二次則腫痛腐爛自覺消除。極簡便靈驗之法也。鄙人已經驗數次矣。

譯稿

簡便滅菌法

陳澤 瑞辰

據近世學者之研究。謂凡人之疾病。大都由細菌發生。細菌者。乃原微植物之一種。卽所謂微生物也。其體至微。非有數百倍之顯微鏡。不能見。其滋生最速。一周時間可增殖至一千六百七十餘萬。其種類不一。大別之可分為球狀。棒狀。螺旋狀。三種。其浸入人身而為病也。則除八種傳染病（一）吳列拉卽霍亂又譯曰虎列拉（二）赤痢（三）腸窒扶斯卽傷寒（四）痘瘡（五）發疹窒扶斯（六）腥紅熱（七）狄勿泰里亞卽白喉（八）配斯脫卽鼠疫又譯曰百斯篤）外。如流行性感冒。肺炎。肺結核。及梅毒。癩病。淋病。與破傷風等。莫不原因於此。渺小之三種細菌。可知細菌。實爲諸病之一大原因。其傷人也。與快鎗巨炮。無異。可弗懼哉。然則研究其防禦之方。撲滅之法。非吾儕醫家之天職乎。洛倍爾脫礐霍Robert koch氏者。細菌學之宗主也。其弟子北里氏者。日本人也。礐霍殫精竭慮。既造成細菌學一科。北里氏亦得資其抗毒素之原理。而創造扶的里亞破傷風血清療法。可謂師作弟述。誠有功於世界不淺。今北里之在日本。有第二礐霍之稱。非無故矣。茲當東省疫病盛行之時。則撲滅細菌之法。爲人人所當知而當行者。爰取日本齋籐氏之說。參以管見。而附益之。至其說爲原本於礐霍氏及北里氏與否。不得而知。要其簡便易行。而大有益於吾國社會。則可斷言也。

滅菌法者。絕滅細菌之種類。不留遺孽之謂也。其法分化學理學二種。茲類別之如左

第一 化學滅菌法

(甲)昇汞。○・%加鹽酸。○・五% (無鹽酸可以食鹽代之)

卽昇汞一分。鹽酸五分。而溶解於千倍水中者。此用以消大便及唾壺中之結核痰

毒。爲最適宜。凡手指、玻璃器、磁器、木器、及橡皮器具等類之須消毒者。均可以此法施之。夫昇汞、毒性、最猛。以之殺滅、細菌、宜能、勝任。然須、加、入、鹽、酸、者。以昇汞易與蛋白質、赤血素、粘液素結合。爲不溶性之物。而能減其消毒之功也。故加入。鹽。酸令不。結。合。則其消毒之力。因以益强。顧毒性猛烈。凡飲食器具。及小兒玩物。均不宜用。是則當注意者也。

(乙)石炭酸五。%　(此爲結晶體者)

石炭酸又名加播力克酸乃消毒劑之最良者用量則取石炭酸五分加水九十五分是也。凡日用各種物件。如床柱、便所、便具等。均可用之。而虎列拉、肺結核、腸窒扶、斯、實扶的里亞病、尤爲適當。倫用以消吐瀉及排泄等物之毒。則加同量之石炭酸水(五。%)而攪拌之。少者六時。多者二十四時。而細菌卽殺滅凈盡矣。若再加鹽酸、百分之一。或百分之二。則其力尤大。惟有鹽酸在內。則不宜用於衣服等類耳。

(丙)溶性石炭與石灰乳。

用時先取石灰百分加水六十分令其崩解而爲含水石灰($Ca(OH)_2$)凡便所陰溝及汚穢等處用此消毒最妙若取石灰一分溶解於九分水中卽爲石灰乳矣凡糞便之中入石灰乳而混合攪拌之其消毒之力亦甚大與昇汞石炭酸相埓也

第二理想滅菌法

(甲)日光滅菌法　凡植物一遇日光則起蒸發作用而榮盛惟細菌不然一受日光之直射雖强烈如虎列拉菌百斯篤菌經三時或四時卽死是以人居於暗室則多病家於陰地則多病終日偃息不出戶外則多病者亦以不近日光自棄其消毒之法而細菌得以繁殖也試據光學之理言之日光中之紫外線實有撲殺細菌之力蓋其中具有急激之化學作用故也

(乙)乾熱滅菌法　生長菌體(無芽胞性菌)富於水分故以熱而乾燥之使其蛋白質凝固致細菌於死故利用此乾熱之法也通常施用此法多用乾燥滅菌裝置(俗名乾燥消毒器)其裝置乃二重鍋板所成之箱將欲滅菌之物品納諸箱中下以

瓦斯。或炭火熱之。則多至一時間。細菌卽同時炭化矣。吾國於此一時不能卒辦。則以將應消毒之物。燎於火燄之上。或曝於乾燥空氣之中。亦能收滅菌之效果焉。

（丙）沸湯滅菌法　此卽用代蒸氣滅菌之法也。吾人所飲之水。大都已近百度。此百度之溫。細菌已不能耐。故卽利用此法以滅之。較諸蒸氣滅菌之須用蒸氣裝置者。便利多矣。

（丁）間歇性滅菌法　此滅芽胞菌之法也。芽胞菌者。細菌於極熱或極寒時。或營養缺乏之時。潛伏體內。以待機會之來。而再行芽發者也。細菌自體。富於水分。故利用乾熱之體滅之。此芽胞所含。乃無水蛋白。且又富於鹽類。雖乾熱至百度以上。尤不能置之於死。故此法先與以適宜之溫度。使之芽發。俟其爲幼弱細菌時。再用以前諸法。滅之。則易於收效矣。

以上諸法。雖於滅菌之道。或有未盡。然於吾國社會。則最爲簡便易行。若再能注意於衛生事件。凡土地不良者。乾燥之。飲料不良者。潔凈之。衣服不良者。洗滌之。屋宇不良

者掃除之則此渺乎小乎之三種細菌無所庇托而傳染病有不日漸消弭者乎吾同胞之留意衛生防疫者幸於此加之意焉

醫案

春澤堂醫案

袁焯 桂生

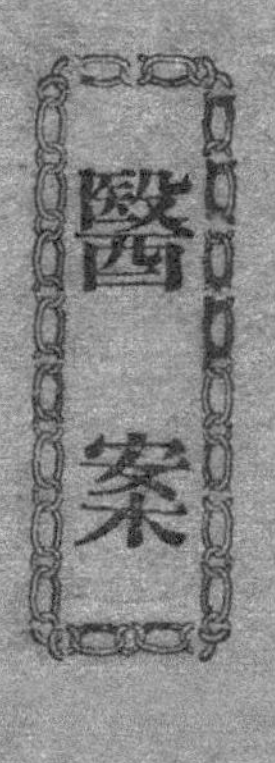

光緒癸卯秋七月郡之便益門漁父王某年六十餘病垂危其子延家嚴決死期當時病者已不能言但瞠目相視而已然面色紅潤有光脉息滑數有力舌苔黃厚而乾張口則穢氣觸人啓其胸膨然脹按之則以手護攢眉若痛楚狀問近日曾得大解否曰無之病前食何物乎曰牛肉汾酒蓋病者雖老而飲啖猶兼人也家嚴曰此醉飽過度食滯結胸內經所謂五實證也不下則死命購礞石滾痰丸八錢和湯分兩次灌之得下則停後服不下再服服之果下臭糞纍纍中雜牛肉尚有未消化者下後遂能起坐言語而病若失

南洋印刷官廠代印

庚戌四月。史君漢泉染溫病。勢甚篤。其友李君子中邀余治。病者已昏沉。不能語。面垢。目赤。鼻如烟煤。舌苔黑燥。手臂時搐搦。其身熱爍。手汗濈濈然。兩手脉數疾。問其溺赤且短。問不能言幾時矣。曰昨猶譫語。今始不能言。然大聲喚之。猶瞠目視人。問近日更衣否。曰始病曾泄瀉。今不大便已三日矣。問服何藥。曰銀翹散、增液湯、頃買紫雪丹、瀉葉等。尚未服。余謂此溫病未用清藥。陽明熱實之危候也。當急下之。蓋炭氣充斥逼迫津液。則蒸蒸發熱。濈濈汗出。熱衝於腦。則手臂妄動。昏不識人。火熱亢極。痰滯膠結。則舌苔黑燥。鼻如煙煤。非苦寒攻下。使腦中熱毒下行。胃中津液不竭。則必不能生也。因與三黃石膏湯。合調胃承氣湯。加犀角、蔞仁、蘆根。接服二劑。竟未得下。惟矢氣。（矢氣古稱失氣。茲據唐容川傷寒論淺注補正更正）極臭。溲出若血。神識較清。而身熱。舌黑未退。原方去元明粉。加鮮生地。並令恣飲梨汁、萊菔汁。於是熱減。神清。黑苔漸退。脉息亦較平和。時吐粘痰。目睛轉黃。腦中熱毒。雖降。而膈中痰熱。及脉絡中之溼熱蘊隆尚重也。遂更方以小陷胸湯。加蘆根、茅根、青蒿、菖蒲、竹茹、貝母、冬瓜仁、木通。等芳香清冽之品。以分消膈中痰熱。及脉絡中之溼熱。二劑而胸、部、頸、項、間遍出白、痦。如水晶珠。又二劑而腹、部、腿、畔。亦發白、痦。黑苔淨。身熱清。能進粥。顧神氣則甚疲。耳更以西洋參、麥冬、石斛、苡仁、山藥、冬瓜仁、貝母、枇杷葉、赤苓、竹茹等。以養胃陰。二劑。病人惡藥甚。但以薄粥調養。越數日始解黑燥矢數次。

楊燧熙君醫案

客歲五月。文華銀樓爐工徐君世裕。患咽、喉、疼、痛。白腐、破爛。飲食妨礙。身痛、不、能、轉、側。毛孔、隱、隱、現紅粒。熱、頭疼。脘悶、不舒。舌質、光絳。脉息、浮數。服辛、溫疏散、苦寒攻下、藥不、效。余謂此陰虛而受溫熱之氣。爛喉痲證也。宜用養陰。清熱。俾痲透毒解。方有生機。乃以鮮生地、一兩五錢。麥冬、元參各五錢。蘆根、三兩。銀花、連翹、丹皮、川貝、白芍、桑葉、各三錢。薄荷、甘草各一錢。外吹祕藥。一劑。諸證略平。惟神識不清。時有譫語。原方加龍胆草、五分。青甯丸一錢。二劑。痲點透達。咽腐亦退。身熱清。得暢解。嗣以養陰清肺藥、善其後。一星期而霍然起矣。

南洋印刷官廠代印

賈贊卿君醫案

大夫橋白某年五十餘立冬前患病身熱嘔吐始吐黃水繼則吐血呃逆不已汗出肢冷延某西醫治之西醫謂胃管炸裂症屬不治舉家惶駭余切其脈沉而細視其舌燥無津蓋陰虛胃熱迫血上行兼有痰熱也令搗五汁飲恣意服之以清熱降痰而養陰液并爲鍼氣海穴俾肺胃之氣下降三日而諸證悉平嗣以養陰益血之方調理而愈

衞生最要之忠告

吳鶴齡子周

一曰精神宜安靜也西國哲學家所謂無住聲香色觸法生心因無所住而生其心也無論如何煩勞心須一二度置身於無何有之鄉棲身於擴漠之野使心與氣合氣與體合體與空合能大定者必生大慧大學所謂靜生定定生安安生慮慮生得也誠神會古之豪傑諸葛君綸巾羽扇羊叔子緩帶輕裘在戎馬間精神尚能安靜如此宜其智識非常爲古今之傑出矣人生喜怒哀樂愛惡欲皆足擾我精神傷我氣質者也然生人無此七情便是枯木死灰復何生趣故既墮七情之中能不游神於七情之外耶

一曰肢節宜運動也。四肢過用則漸疲。不用則漸弱。凡人週身骨節之處。每易停蓄乳酸。乳酸者血中老廢之物。停於骨節。則成酸痛。運動之則增速其血之行度。使其速帶老廢之物運出體外。常見勞力者多汗。汗能使血內之廢質外出。故勞力者少病。西人運動之法不一。視其性之所好。或坐鞦韆。或乘自轉車。或散步郊野。或柔軟體操。或試劍運捧。無論如何運動。總以交換體氣。為妙。惟賭博之場。優孟之地。炭氣積聚。不可視為游戲之運動也。

一曰飲食宜考究也。飲食入胃。化血以補氣。飲料最宜清潔。如我鎮郡之水。潔者罕覯。凡水之含腐爛動植物質。及各種礦質。最足傷身。無自來水之處。宜食蒸水。如在中下之家。無力食蒸水者。宜用濾水。濾水之法。用一置水之器。下穿一孔。上鋪碎炭與細砂。水從上層濾下。則清潔勝於雨水。蓋微細物質。經炭與砂吸去也。食宜擇滋養而易消化者。素食以豆腐為最貴。血食皆養身妙品。惟自死者。受病者。已腐者。煮未熟者。及皮與臟腑等物。皆不宜食。油煎糖浸鹽漬之物。皆甚難消化。因油能阻隔空氣。糖與鹽。皆

能使物質收束不易腐爛各物下咽最宜細嚼卽不須細嚼者亦宜暫留口中因口中之津與食物拌匀能助胃汁消化也

一日睡眠宜講求也日有所耗夜必補之故至八時宜就寢至遲不宜過十時登床之後宜屛除萬念一心注集於手指足指之尖使血汁下降則睡眠自易矣身宜仰臥手宜置於兩旁不宜加於胸腹以礙血質流行口鼻宜出被外若覆被中則口鼻與毛孔所發出之炭氣重復吸入血汁因茲而不凈早眠尤宜早起乍醒之時血之行度頓變若立時坐立腦筋受損宜先動手次徐徐動足次緩緩開目再靜坐片時然後坐起則血行不致驟致常度而得昏暈之疾矣

問　百斯篤豫防之法固以滅鼠爲第一要義設染患斯疫者究用何藥醫治之請示其詳爲禱　揚州汪濟才　（按此函於去臘初十日接到三期報已付印故登入本期中非故遲延也）

問答

答　辱問百斯篤療法。按此症原因西醫主細菌。中醫主伏熱鬱毒。名雖不同而認爲熱症及傳染病則一。療法當以清熱解毒爲唯一之宗旨。茲錄粵東歐陽仁卿先生治鼠疫特效之方。及補外治法如左。顧各地風氣不同。人之强弱年之老少。及已經誤治者。皆與用藥有密切之關繫。則神而明之。存乎其人矣。　陳邦賢

歐陽仁卿治鼠疫方

生桃仁三錢大生地四錢連翹三錢郁李仁二錢紅花二錢元參三錢淡竹葉一錢五分蘇木削細末三錢生石膏五錢麥冬二錢金銀花四錢苧麻根三錢板藍根三錢蒲黃二錢夏枯草四錢

右藥用瓦鍋煎數沸絞汁服（石膏宜先煎）一次服不完者分兩次服藥渣再煎服

外敷惡核方　芙蓉葉搗爛加冰片少許和勻敷之少頃則敷藥燥乾洗去再換一日須換三四次洞天仙草膏亦可貼（方見外科全生集）

邦賢按此中醫治法也西醫治法以血清療法爲最善

宣統三年二月初十日第五期（版權所有不許轉載）

醫學扶輪報

發行所
揚州南河下中西醫學研究會
鎮江小街底醫學研究會

第四期校勘記

敬告國民戒除紙煙書第二行捲菸繼至句捲誤煙第四行煙之歷史句之誤菸第五行煙葉來歷句葉誤菸煙葉本是美國句葉誤菸煙葉原質句葉誤菸

說瘧第三行並參臨證之管見句並誤參第十行記者按句記誤西第十八行重加升

廝柴葛句柴誤紫第二十八行多由嗜慾過度句慾誤慼第三十二行外以藥膏句藥字下多一凝字三十三行陽和解凝膏句解字下脫一凝字以引火下降句引字下脫一火字三十四行更宜鍼灸句灸誤炙

春澤堂醫案第三行膨然脹句脹誤賬

楊燧熙君醫案第二行身熱頭疼句熱字上脫一身字

本報價目　本報全年十二期外埠售大洋四角八分本埠三角六分閏月照加

論文

中西醫學之同異觀

陳澤瑞辰

欲謀改良醫學者。不可不兼中西醫學而習之。

欲兼習乎中西醫學者。不可不卽其同異而觀之。

吾嘗極目以縱觀古今。橫覽泰西各國。覺醫學一科。雖其始造端不同。而推究其極。則

南洋印刷官廠代印

爲民人蠲疾苦謀健康莫不可收同一之效似不可有同異之分也然時代升降人事變遷蒼海桑田瞬焉卽異況乎上下相隔數千年東西相距數萬里人種有黃白之分居處有海陸之別情性殊語言異政教各別俗尙不同由是而發生疾病講求醫療勢有不能盡同者此所以有同異之說也

蓋天下事相較則有長短相形則分優劣相參觀則見異同中西醫學雖長短優劣未可知而其同異則據中西醫籍所載蓋可言矣遠自上古近至今茲吾得歧而論焉

夫言中西醫學同異於今日則誰不曰中醫重理想不免虛謬西醫重實驗故致精良此卽相異之特點矣然中醫以心主血脈而爲循環之統肺主呼吸而爲聲音之機及以胃主消化膀胱主泌尿男子腎主生育女子胞主繫胎皆與西醫無異者豈盡理想推測所能致乎況西醫於病理所謂接觸傳染者卽中醫之外感客病也所謂臟器失調者卽中醫之內傷本病也於診斷所謂視診聽診觸診者卽中醫望色聞聲切脈也於藥物所用之鑛物植物動物者卽中醫本草所載之金石草木蟲魚也凡此諸說皆

無不同其他如關於治療則瀉劑有巴豆大黃吐劑有食鹽石膽麻醉劑有風茄草烏發泡弔炎有斑猫芥子而燔針截除等術及熨洗塗藥與煎劑Decoctions丸劑Pill膏劑（西法屬於外治者有軟膏劑Ointments硬膏劑Plasters之分屬於內服者則統稱爲越幾斯劑Extracts云）酒劑Wines（浸藥於酒精中或依的兒中者又謂爲丁幾劑Tinctures）錠劑Troches舍利別劑Syrups（和劑局方有舍利別劑一門）等皆散見於吾國素問傷寒及漢唐諸家之書如此等法若發見於西醫之後則雖東西相隔猶不免有剽襲之疑乃皆早於西醫千年或數百年不等是中醫之進化若以時代論之實非西醫所能及也至於今日彼資助於器械以補耳目所不逮於是驗溫描脈有器聞聲有筒觀察細微也又有鏡無怪其長足進步矣以與今日中醫較雖爲精勝而不同若返觀其昔日則其腐敗更較中醫爲甚焉然以上所說猶爲泛泛請再以大而要者言之

今之西醫所謂屬於科學的而非屬於理學的者也屬於科學則凡事皆得於科學說

明此或所以謂爲精良也然心理一學近尙流傳靈性在腦一說今猶昌盛夫靈性在腦則具衆理而應萬事皆惟腦爲功而心臟僅主血脈循環卽不啻蠢然一物不但無心理可言卽中醫心爲君主一語亦歸虛謬然凡人有羞惡之心及遭恐怖之事時面或爲之充血而色赤或爲之貧血而色白者何也豈血之作用不統於心而統於腦耶此吾所以滋惑也此吾所謂中西醫學同異者一也

陰陽二氣者吾國理學家所據以推測宇宙萬物之原素也其說起於上古至伏羲神農唱之而益備軒岐衍用一二於醫學蓋所以明化生之理有如是耳非全恃乎是也乃西醫謂爲虛謬而不可於科學說明然吾於科學中見有所謂磁電學者得以知陰陽之體用焉磁電學者之言曰凡兩極所生之電有陰陽之別焉今名其陽曰正名其陰曰負則正負異極相値必相引正正負負同極相値必相拒是知陰陽必相合而成化也此陰陽說之見於磁電學而最爲明顯者也推而之他則如重力學之動靜動物學之牝牡胎生學之男女及中醫學之臟腑氣血寒熱表裏罔不可以陰陽而代名之

特西人掉臂於陰陽之中。不言陰陽。而得食陰陽之利。吾人束縛於陰陽之下。日講陰陽。而反受陰陽之愚。蓋不獨一醫學爲然也。然以醫學言之。名實亦能相附。此吾所謂中西醫學同異者又一也。

人身之中。肺既主乎呼吸矣。又何言乎肺合皮毛也。膀胱既主泌尿矣。又何言乎主一身之表也。是說也。皆西醫所不信者也。然吾亦嘗就西醫之說而考之矣。彼言皮膚亦有呼吸之能。若以金箔遍貼人體。則止其呼吸作用。而即致人於死。膀胱雖主泌尿。若其功用缺乏時。皮膚亦能起而代之。當夏日而汗多尿少者。即其證也。是知膀胱之於皮膚。皮膚之於肺臟。皆可相通。是中醫之說。非全憑乎理想。且亦基於實驗也。此吾所謂中西醫學同異者。又其一也。經云。三焦者。腠理毫毛其應。又云。三焦者。決瀆之官。據此所謂決瀆者。即西醫所謂排泄也。西醫云。人身排泄之器三。一肺。二膀胱。三皮膚。則又與中說相近。而更可爲同異說之證矣。然此猶近事也。請再以往昔學說言之。

泰西古時醫學。導源於埃及西臘。而埃及西臘醫學。雖爲自然哲學一派。而實與宗教同一胎盤。觀當時醫事皆僧侶兼治。可知其非獨立科學也。且其宗教迷信深入人心。謂疾病苦惱皆由惡魔Damonen所致。故齋戒供犧祈禱幸免於療病神者。（如希臘之亞保魯 Apollo 秡比魯尼亞之米六大苦 Bel-Merodaed 印度叱吠宗之盧特那 Ruohr 等皆是）實爲疾病之普通療法。此所謂宗教而已。醫學無有也。吾國古時雖巫醫並重。然祈禱之語不載醫籍。祝由之名雖一見於內經。而又未聞其法。可知吾國古時醫學乃純爲科學的。既非全恃哲學。又非依賴宗教也。此上古醫學同異之略也。（此節所引西醫之說皆據日本平出謙吉氏東西洋醫學變遷史參入後仿此）

迨至基督紀元前四百六十年時。彼醫聖希卜克拉帝斯 Hipocrates 氏出。破除宗教迷信。唱醫學獨立之說。割僧官之領域。立醫學各科基礎。而泰西醫學至此方見有曙光。惟彼宗嬴氏 Empedocles 之萬有四元說。而創爲液病理學 Humoralpathogle 以人體爲血液。Sanguis 粘液。Phlegma 黑胆液。Atlabilis 黃胆液。Cholera 四者所組成。若調和平均則健康。反之則爲病。是仍爲臆度之言。而不出哲學範圍之外也。其較吾國漢時學說以六經辨認傷寒以三因分別雜病如綱在綱有條不紊者不可同日語矣雖然如彼所唱之邪氣說 Miasmotheorie 謂腐敗有毒之空氣爲諸傳染病原因則與吾國六氣之說隱然一致且其時解剖已興藥物已備則開始之功亦可以繼吾國仲景元化之後也是又可以同也

自是而後西醫輩出有主亞氏 Asklepiades 而鼓吹固體病理學 Solidarpathologie 者有宗高氏 Galen 而主張血液病理學 Sanguispathologie 者雖學派各殊而其實非脫胎於嬴氏地水火風之四元說即由阿拿克沙郭拉說 Anaxagoras 之種子 Oueouata,X,oy,uata 說而脫化之與中醫所稱之金元四大家學說不同而根據於古人之說則同也及至十九世紀以後彼得資器械之助細胞細菌日見發明而其學遂迥然與中醫不同然在十九世紀之間希卜之邪氣說猶爲學者所宗而亞氏高氏之學且相互出沒於同時醫界也是中西醫學之在百餘年上尚同異之參半也吾言同異至於此吾一回溯往日吾益不能無憾矣

南洋印刷官廠代印

蓋吾國醫學古時最精如解剖生理診斷病理及婦科兒科外科各學之載於內經而爲今人所知者無論矣至如四氣調神論所論順時休養之方則具有衛生學焉異法方宜論所謂因地制宜之法則具有風土病學焉其他若寄生蟲學已於本草三蟲之說發其凡若藥物學中之調劑學及治法中之水治法及冷罨熱罨等法業於千金集源等書明其用凡如此類在泰西學者已不知費無窮心力絞無限腦漿窮研深究而始獲有今日者在吾國已皆備於往昔若能循是研求日精一日至今吾國醫學必已駕泰西而上之而吾亦不致同異之較也乃中古之世目爲小道致賢豪君子鄙屑不爲縱有爲者亦往往爲宋儒理學所縛莫能盡其精奧此智者於此所以有今昔盛衰之感也雖然亡羊補牢時亦未晚今若上稽上古旁及歐西取其說而參互研究相爲磨礱精粹者存粗泛者去如是則中國醫學有不日見精進者吾不信也吾於論同異而及之吾醫界其勉諸

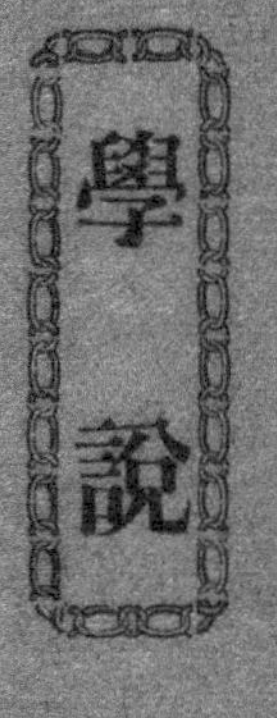

論鼠疫治法

秀水陸佐墀昌年

鼠疫一症。東西醫家名稱各異。有名百斯篤者。有名黑死病者。有名核子瘟者。蓋患斯病者。皆爲鼠族所傳染而發。其死後則屍身皆現黑色。又病者其周身必發有腫起之塊。核因是名稱各異。而其實則一病也。其患病之狀。先惡寒戰慄。繼卽壯熱。其身上則有疼痛核腫之處。不加治療。或治不得法。卽現神昏痙厥諸敗象。恒在於起病後四五日之間。鮮有至一候者。家有一人患此。必延及同室諸人。由一家而延及一鄉。由一鄉而延及一邑。長此蔓延不已。不數月間。卽遍於一國矣。其爲害之烈。實較水火兵燹而尤甚。所惜者古今醫書。畧而不載。而爲醫者。又不知深究耳。西醫之說曰。鼠子身上之虱。嘗含有百斯篤菌毒。吸人血液。人卽中毒傳染。其說似未確。試取人家之鼠。遍鼠身之虱。使無病人嚙之。雖滿口咀嚼。絕不爲病也。又謂死鼠朽腐。人觸其氣。因卽病疫。其說似是然猶未明其原也何也聞鼠之腐氣能致病聞他獸之腐氣亦何莫不能致病不得專名之曰鼠疫其說猶未爲通也欲求斯症之原必先究鼠之何以致死觸死鼠之氣何以能病疫即思過半矣嘗考鼠之穴於高處者少病疫穴於低處者多病疫夫高上之處日光所曬風氣所通氣多清爽低下之處則閉塞陰晦潮溼穢濁時有一種非燥非腥非焦非腐不可名狀之氣觸人人病中物物傷鼠穴其中觸受更易因之病死而傳染人觸死鼠之氣而病即傳染於人矣審是則鼠之病疫也因觸地氣之穢濁而人觸死鼠之氣而病實即間接觸地氣之穢濁也然此病之來也謂由鼠虱之染人也固非謂爲鼠病之染人也亦非實由地氣之穢濁上蒸觸人而病耳雖不觸死鼠之氣而人亦不能免病也光緒十六年雷廉高州等處此症亦發現樓居高處者無病暗室卑處者死坐臥貼地及赤足踏地者更多死其理不更易明乎故余謂此病不當名之曰鼠疫亦不必名之曰黑死病當以名之曰核子瘟蓋名之曰鼠疫恐人泥於由鼠虱吸人與鼠病傳染之說名之曰黑死病則黑色必於死後見之於病時倘無辨認不

若名之曰核子瘟可於病起之時見症而認病庶無誤治之弊也患斯症者惡寒發熱身上起核腫痛緩者三五日死急者頃刻死或變爲焦熱衂血疔瘡黑癍諸症傳染甚速變害甚厲書缺不載醫多束手惟溫疫論所載疙瘩瘟與此相近疑卽一病然病之治法仍畧而不詳但云速以三稜鍼刺入委中穴三分令出血並服人中黃散（其方爲人中黃一兩辰砂一錢五分雄黃一錢五分共爲末薄荷桔梗湯下二錢）又消毒丸治時疫疙瘩惡症方用大黃牡蠣煅殭蠶泡去涎炒各一兩共爲末煉蜜丸彈子大新汲水化下一丸舍此二方而外其餘治法均不可考前廣東雷廉等處發現是症時醫者引用王清任醫林改錯解毒活血湯一方救活甚衆其方用連翹葛根當歸甘草各二錢柴胡赤芍各三錢生地紅花各五錢桃仁研八錢枳殼一錢水煎服其加減法凡大渴加石膏五錢多癧或有癍點加犀角羚羊角各二錢服藥後身熱退若腹痛脹大便閉加大黃朴硝各二三錢以瀉內熱孕婦去紅花桃仁加紫草茸三錢紫花地丁三錢遇初症急服一二三劑小兒減半遲則難救此則已有經驗之方也然余嘗謂其各

藥輕重尚少斟酌且升提太過於江浙人之體質不甚相宜因嘗潛心思索而得一說焉夫天氣淸地氣濁傷於天之氣者爲淸邪傷於地之氣者爲濁邪天之氣者風寒暑燥地之氣者則溼濁汚穢不可或近此症純屬地氣之穢濁所釀其中人也從口鼻而入直行中道流布三焦而陽明胃經尤爲其所蟠擾之區陽明爲多氣多血之海疫毒入客氣血被壅且凡毒皆本於熱陽明又主燥化兩熱相合氣血陡然沸騰朱丹溪曰火鬱於中則外反惡寒故病之始也無不惡寒戰慄然裏熱蘊隆已不可嚮邇矣易曰燥萬物者莫熯乎火人之津液素虧者有不待終夕而一身內外其熱如烙者此病死之後所以多現黑色焉又胃主身之肌肉胃中被毒熱壅遏氣血不能流行經脉爲滯結核腫痛勢所必然內經曰諸痛癢瘡皆屬於火亦熱盛於中之見象也此外兼症尚多然不外因熱因毒而發現耳醫家之治病也務求其原苟求其原而治之則症勢雖猛亦可輕減此病之原由於地之濕濁汚穢而釀毒蘊熱其中於人也則在陽明胃經而氣血同病論病之治法則以疏氣通血解毒逐穢四者爲最要兼用辛凉透解之品

使熱不內鬱毒得外出卽爲轉危爲安之機余嘗用自定薄荆湯一方以治此病初起者連服二三劑勢卽漸減多有得生者謹將藥品錄出乞海內高明教正焉方用薄荷一錢紫荆皮一錢五分連翹三錢紫花地丁三錢銀花三錢茵陳二錢石菖蒲一錢枳殼一錢五分天花粉三錢引用淡豆豉四錢葱白三寸病重者照方倍服若已延二三日須一日連服二劑三劑病來如奔濤怒浪用藥如解鬬救焚緩則必無濟也若大煩大渴則用黃連石膏大便閉結則用大黃芒硝若神昏痴疹則用犀角大青隨症用藥不可拘也其餘兼症繁多不能盡述醫者當於吳又可喻嘉言余師愚劉松峯諸人所論瘟疫各書中求之良方善法美不勝搜誰謂斯病無治法哉

喉痧之報告

陳澤瑞辰

喉痧一症古時不見自乾嘉而後方年有所聞至於今日遂爲春令通常流行之時症矣據陳繼宣疫痧草及夏春農疫喉淺論所紀昔時此症傳播甚廣爲害亦烈但今世患者惟以小兒爲多雖能傳染而大不過一方少者不過數十人是其害又不若古時

之烈矣。自正月半至月終。揚城小兒患是症者甚衆。病輕者。惟見有身熱咳嗽鼻塞聲嘶及便溏目赤諸症。且痧點稀疏。咽喉雖痛而不破爛。以辛平清化之劑。如銀翹荆薄甘桔梔豉牛子赤芍貝母地丁等解之。卽能漸愈。稍重者。則便秘氣急。若再痧點稠密。咽喉白爛。口氣穢而肢冷。神志不甯。或昏潰。卽爲危險之候矣。今吾於旬日之間。見患此症者約二十人。其輕者無論矣。其重者見證甚幻。診時頗費經營。如錢氏乳子甫三歲。當發熱時。卽驚惕昏悶。如熟睡不醒者。其母以爲着嚇所致。未之理也。迨次日身面皆現紅點。咳嗽聲嗄。便溏不乳。與之輒滋鬧不已。鄰人曰。此恐是痘。其母不決。乃抱來請診。余檢視之。頭面胸背手足諸處痧點密佈。咽喉白爛。舌上生痏。而苔白厚膩尤甚。乃曰。此火毒內蘊心肺。外充於血脈。乃喉痧症之極重者。痧點雖紅。而推之輒隨手變色。非痘也。病雖可治。特慮兒體幼小。恐不足與疫毒抗耳。因令他商。乃其母求之益力。遂與錫類散外吹。內仿王晉三犀角地黃湯意。因犀角價貴不用。而以黃連鮮生地丹皮銀花連翹鮮石菖蒲木通紫花地丁益母草等。與大劑以清火解毒活血。一服後。身熱大減。皮膚紅潤。而面容始有哭笑之狀。遂於前方減小其製。陸續加沙參石斛杏仁川貝枇杷葉蔞仁等。清肺生津而潤燥。數服之後。而喉爛咳嗽諸症。以次而瘳。又虎字營緝私砲船舵工萬某之子。年十一。病咽痛咳嗽。不食不便者五日。身熱不甚。氣促類喘。面紅唇燥。苔白而乾。皮膚隱赤。口氣穢而咽喉微白。小溲不多。脈數疾而無力。問其有汗否。曰無。問其不便幾日。曰病前二日。曾解一次。余曰此肺腑熱結。肌表邪壅。乃喉痧症之表裏皆實者。若再外不得汗。內不得便。則邪不達而痧不出。肺之功用愈困。而呼吸益促。卽危矣。乃先與藥吹其喉。繼以凉膈散去芒硝。加石膏麻黄杏仁桔梗豆豉葱白與之。並囑其父曰。服後或汗或便。方爲佳候。否則不免於危矣。次日復至曰。服藥後。身得微汗。並未大解。惟痧已出。而身熱反加矣。余曰此熱邪得舒之兆也。餘症猶昨。尚不可懈。於前方去葱豉。加川貝二錢。瓜蔞五錢。元明粉二錢。大黄則倍其數至三錢。服後既得大解。又得大汗。於是痧出偏體。身熱輕而氣息平矣。乃改從清養法。調理六日方平。此與錢子之症。皆爲重候。若稍不謹。卽致危篤。但余既已愈之。不知果合於法否。因特錄出。敢就正於海內通家。

釋痟

葉澤華子實

周禮天官疾醫養萬民之疾病。四時皆有癘疾。春時有痟首之疾。夏時有癢疥之疾。秋時有瘧寒之疾。冬時有嗽上氣之疾。夫癢、疥、諸疾。古、今、醫、書、具、詳。而痟、首、疾、無、明、文。鄭注、痟、酸削也。首疾頭痛也。凡、病、見、頭、痛、者、不、可、勝、數。所、謂、酸、削、之、痟、症、獨、何、歟。許氏說文、酸、痟頭痛也。管子地員篇。終無痟醒。房注、痟、首疾也。醒、酒疾也。列子黃帝篇。指擿無痟癢。張注、痟癢謂疼癢也。引周禮春時有痟首疾。夏時有癢疥疾爲證。左思蜀都賦。昧蠲癘痟。李注亦以爲頭病。玉篇、痟消渴病也。漢司馬相如有消渴病。後漢書李通傳素有消疾。注云消中之病。引周禮鄭注。據說文及管子列子文選等注。直以痟爲頭痛病。果若是。康成何必與首疾分釋乎。按經文夏有癢疥疾。秋有瘧寒疾。冬有嗽上氣疾。皆分明二症。何獨春時但病頭痛乎。素靈傷寒金匱類多古訓。言頭痛者不一。何無一言及痟乎。賈疏謂頭痛之外。別有酸削之痛。是也。據玉篇及後漢書注。直以痟爲消渴病。痟誠通消。但歷來論消渴者。或以爲膏粱之疾。或以爲石藥之誤。或以爲色慾之過。或

南洋印刷官廠代印

因胃火灼津或因大病陰損上中下見症各異孰與首疾并言而指爲春時癘病乎且劉氏釋名釋疾病消渴酸消其義差別消渴渴也腎氣不周於胸胃中津潤消渴故欲得水也與鄭注酸削之訓不合酸遜也遜遁在後也言脚疼力少行道在後似遜遁者也消削也如見割削筋力弱也近效云消渴與脚氣雖同爲腎虛所致脚氣始發於二三月盛於五六月衰於七八月凡消渴始發於七八月盛於十一月十二月衰於二月三月蓋脚氣擁疾春夏陽氣上故擁疾發而宣疾愈消渴宣疾秋冬陽氣下故宣疾發而擁疾愈則以消渴爲春時之癘亦未洽蒙謂痟首疾乃身熱胻痠頭痛員員之溫熱病也素問至眞要大論曰晵熱以酸胕腫不能久立爲酸之的解皮部論曰熱多則筋弛骨消肉爍䐃破爲削之切証王荆公曰素問冬傷於寒春必病溫夏傷於暑秋必病瘧方冬時陽爲主於內寒雖入之勢未能動及春陽出而陰爲內主然後寒動而搏陽故有痟首之疾夏時陰爲主於內暑雖入之勢未能動及秋陰出而陽爲內主然後暑動而搏陰爲瘧寒之疾荆公固深明醫理者也設痟爲消渴荆公何得概舉溫病與瘧對言之若痟字不見於方書亦猶㾤爲頭痛痭爲腹滿之不見於方書也

察舌辨症新法（此稿前因草稿字跡模糊致有字句脫落茲特重印成書以便閱者抽訂）京江劉恒瑞吉人著

目錄

舌苔原理
看舌八法
黃苔類總論
白苔類總論
舌質無苔類總論
黃苔分別診斷法
白苔分別診斷法
舌質無苔分別診斷法
苔色變換吉凶總論
苔之眞退假退駁去辨

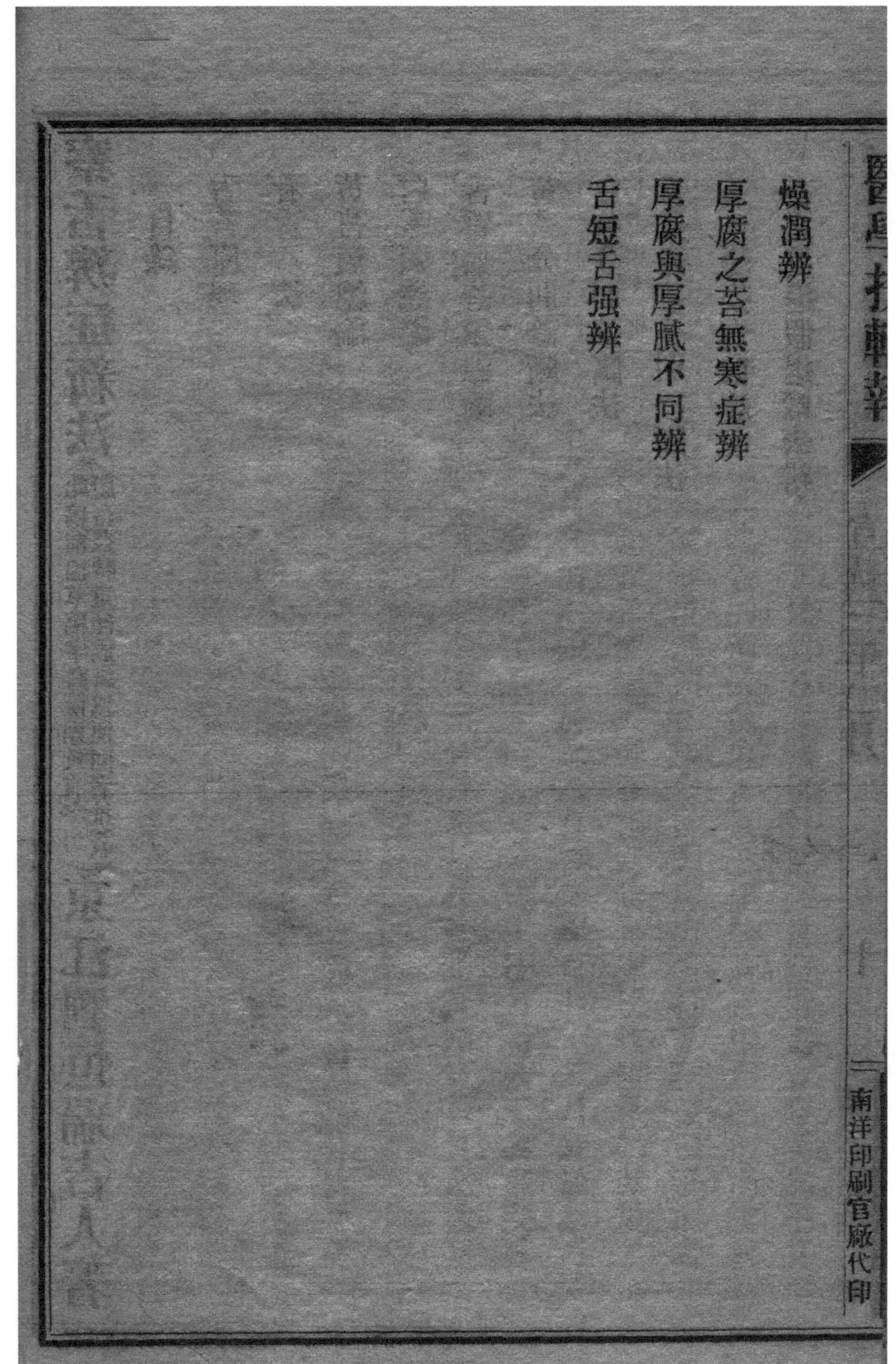

醫學報

燥潤辨

厚腐之苔無寒症辨

厚腐與厚膩不同辨

舌短舌强辨

南洋印刷官廠代印

要件

通州平湖鎮醫界閱書報社簡章

一本社係爲地方人民。保重生命。改良醫學。及討論衛生事宜起見。由同志公議設立。

一地址暫借翔鳳橋東楊家埸孟砥臣醫局。先行開辦。俟擇有相當地址。再議遷移。

一社員中公推主任一人。主持本社一切事務。幹事一人。專司檢查各種書報之責。書記一人。辦理醫界往來函牘。以上均係名譽職員。不支薪水。

一本社開辦經費。由發起人擔任。報紙則係孟砥臣一人捐貲購訂。至關于醫學各書。續行購置。議歸同志按月認捐。即照認定數。送交主任核收。該辦何書。社員皆得指名囑購。

一購閱書報。書以孟砥臣寄存中國醫籍。及增購丁仲祜譯之東西各種醫書爲限。報以醫學扶輪報。紹興醫藥學報。中西醫學報。萬國醫藥學報。唐乃安醫學報。及衛生各種報紙爲範圍。如有熱心醫士。願將書籍捐助。及寄存者。均爲本社所歡迎。

一書報中載有緊要病症。爲同人所應留心者。由書記員撮錄書刊黑版。懸掛座右。俾閱者易于注意。其關於衛生各項事宜。間亦採及。

一本社定於宣統三年二月二十日行開社式。嗣後閱報時間。每日自上午八時起。至下午二時止。至每月朔望爲特別閱報之期。凡爲本社社員。應卽屆期惠臨。以便擒條研究。

一凡社外醫士。如遇疑難病症。無法療治者。准將病源。告知本社。公同研究後。仍有疑義。卽將病由函請上海醫學研究會。及鎭江揚州醫學研究會。核議調劑之法。俟置覆到。卽行函知。

一本社書報。均須加蓋圖章。以便識別。閱者不得有塗抹損壞情事。亦不得携出社外。致乖公德。

一本社附設送診局。專診貧民病症。不取醫金。其主診之人。議由發起人中輪流替換。

一本社開辦伊始。簡章尙欠妥洽。如有應行添改事宜。隨時會商主任。續議更張。

南洋印刷官廠代印

雜錄

治血症之新藥品

金鼇誦聞

嘉善陳企唐孝廉云。其親翁某弱冠時。患咯血症。屢治無效。年必發數次。一日往鄉間。宿農家。晚餐出素茶一盂。味甚甘美。不辨爲何物。異而問諸主人。答曰。此蕈也。生於桑上者。故味逾他蕈。惟不易得耳。翁啖之盡。而舊疾竟數年不一發。心竊奇之。莫知其故。後聞某名醫云。若得桑樹上蕈。用治一切血症。無不應。但世不恒有。故其效不彰。翁始恍然悟己病之所以不藥而愈者。乃桑蕈之功也。於是傳告親友。凡患各種血症者。概令覓桑蕈治之。亦無不奇驗。某翁壽八十餘乃卒。其服法。以桑蕈一味。不拘多少。煎湯飲之。嫩者可以佐饌。

考李氏本草綱目桑耳條下。釋名凡六。並無桑蕈之名。其所主治者。血症爲多。肘後方用桑耳治鼻衄。聖惠方則用治五痔下血。千金方則用治崩中漏下。又聖境治脫肛瀉血及血淋疼痛二方。亦用之。則名桑黃。同出一。書而名稱各異。是一是二。莫知究竟。愚按蕈。一名菌。或曰地生爲菌。木生爲蛾。北人曰蛾。南人曰蕈。其性味有甘平無毒者。有小毒者。有大毒能殺人者。種類不同。性質亦異。夫耳與蕈實二物。盡人知之。而李氏又曰桑檽桑蛾桑雞皆軟耳之名。桑黃桑臣桑上寄生。弘景曰桑耳又呼爲桑上寄生名同而物異也皆硬菰之名。據此。則又是一物矣。宋陳仁元蕈譜。亦未載桑蕈。總之耳與蕈同產於桑。以此例彼。其功用亦可想見。老聃曰多言數窮。不如守中。姑存疑以待藥學家證明之。

潤州先醫軼事

陳邦賢也愚

宋時有張元珪者。任太醫院御監。高宗太子有疳疾。元珪診之曰。此蝦蟇疳也。遂一藥而愈。高宗異之。特勅賜金蝦蟇一。並金帛酒果。後勅曰。朕置太醫院。儲奇藝。以壽國脉。聚藥餌。以拯疾阨。其任匪輕。非知應變權宜之士。其奚以堪。爾等語後。張氏業幼科者。迄今數百載。仍懸金蝦蟇於門。俗稱張蝦蟇云。

（未完）

宣統三年三月初十日第六期（版權所有不許轉載）

醫學扶輪報

發行所 揚州南河下中西醫學研究會
鎮江小街底醫學研究會

校勘記

本報第三期譯稿篇內甘苔利丁下之洋文d字皆誤爲b又篇內甘苔利丁酸之鹽類構造式下原爲$=C_8H_{13}O_2CO.COOH$甘苔爾酸構造式中之C_5原爲C_8當因抄寫不慎故致有誤今特補正於此又第五期通州平潮鎮醫界閱報社章程潮誤湖

本報價目　全年十二期外埠售大洋四角八分本埠三角六分

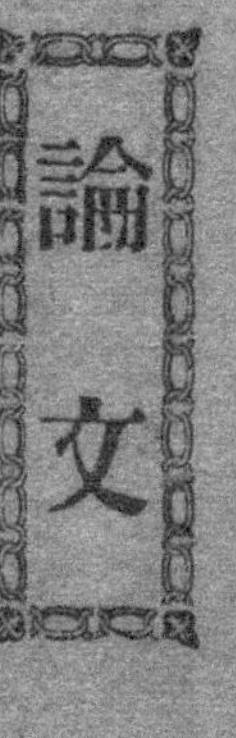

本草會通序（代論）

袁焯桂生

自歐化東漸。中國藥物。漸就荒廢。本經別錄之書。仲景思邈之法。近時學子。咸以其爲舊學。不屑究心。庸詎知中國之藥。良材實多。不惟古今來醫學家之賴以救危濟急者。不可勝數。即東西洋醫家所用之藥。爲中國產者。亦甚多也。（如大黃朴硝膽礬巴豆草蔴油白芥子黃連肉桂丁香之類）顧從來本草之注疏家。恒以五行生尅之說。强爲附會。未免涉於誕妄。然其中之精理名言。由經驗推測而得。爲東西洋醫書所未及發明者。亦甚繁博。未始非吾國固有之學。粹而當保存者也。且吾觀西人之於藥物。亦從試驗而知。如哥羅仿、金雞哪霜、等藥。皆於無意中得之。是故中西藥物。悉由少而增多。而汗吐下和消淸溫補收斂麻醉諸功用。歷久而效愈彰者。蓋皆從閱歷經驗深得

南洋印刷官廠代印

物之天性非偶然也比年以來本草書多矣然皆狃於新舊門戶之成見古人之長盡行廢棄良方妙法湮沒不彰斯則至可懼耳因不揣謭陋取家藏各本草書擇其中特效之藥凡若干種以本經別錄、唐本拾遺、西藥大成、西藥畧釋等書列於前以諸名家注釋之精義及經驗有得之言隸於後分章纂述務求確實明瞭有裨實用至東西藥物之有效者亦皆分章收載以資補助書成顏曰本草會通凡兩易寒暑始克蕆事選用之書屬於舊籍者二十餘種東西新譯之藥物書亦十餘種詳贍覈實力掃流傳虛妄之弊一以存中國藥學之精華為醫家之圭臬一以採東西製藥之新法為改良之導師編校既竣爰自述其緣起以質正於海內淹博之君子

宣統三年三月上旬江都袁焯敘於京口

論立醫學研究會宜實行研究

吳鶴齡子周

靜觀生曰吾為醫界之一分子吾不忍言醫學吾言醫學吾心戰吾神慴吾一語一太

息覺有千萬之感慨刺吾腦無限之污點映吾目我國四百兆人人自爲學家自爲教人心如散沙而醫學界則尤甚也自來我國醫學專守不妄傳人之戒以致古書秘本漸即散失東西各國重視醫學莫不分科設會以供探討故新機日出一私一公一獨一衆而退化進化遂成反比例嗚呼吾何忍言醫學嗚呼吾又何忍不言醫學

夫醫學者養育之基礎政教之輔佐也周有醫官之設自漢唐以迄宋元皆定科制程式有明而後漸失其制咸同以來髮逆狂竄海宇不靖士民爭趨於衣食之謀匪學是求惟醫是利往往撫拾方藥降志屈節奔走形勢伺候公卿標本之不知色脈之不察略一變動手足無措而猶詡詡得意自鳴其術一方試病謬託青囊三指殺人怨深白刃是以性命死生之重委棄於輕率庸妄之夫亡種之禍寗有已耶即見一二有識者身據一已之才視爲獨得之秘既驕且吝此而欲智識交換理解互參共求醫學之完全廣結醫家之團體戛戛乎其難之則是醫自以爲小道不能擴張其勢力發明其學術以共臻吾民於壽域無怪乎人皆鄙之賤之詘之誚之以從其後而醫學之腐敗至

南洋印刷官廠代印

此乃不可收拾是何以故是惟醫學不興故

且今日之世界二十四紀競爭之世界也今日之中國新舊交閧之中國也歐風美雨虎視鷹瞵天演物爭優勝劣敗勢所必至理有固然近見通商各埠東西醫之來華者日衆東西藥之運華者日多而東西醫書籍則又充滿於肆吾恐靈素之經仲景之學古人所費之精神腦力一旦云亡矣然而學術之道果能結羣策合羣力以此求學何學不精以此圖功何功不克故記有之曰獨學而無友則孤陋而寡聞曾子曰君子以文會友詩曰他山之石可以攻玉言彼此切磋之益也方今　國家圖治維新開業試驗將欲舉行醫學非具完全知識未能與考吾輩同列醫界其能坐視醫學之淪胥而不振興歟當今而欲振興則必自開辦醫學研究會始

據此而談醫必有學學必有會醫會之立夫豈偶然顧醫學浩瀚無涯累世莫究宗旨未定心目易淆竊以爲醫會之振興爲吾輩所亟宜研究者厥端有二一曰古今源流之學一曰中西異同之學秦漢以前學者多求實用不獨神農辨草木之性岐伯闡針

南洋印刷官廠代印

砭之微愈跗之割皮解肌結筋搦髓揲荒爪幕煎腸浣胃練精易形載諸史册斑斑可考卽扁鵲元化輩之剖腹換心飲酢吐地解人視絡亦何神也唐宋而降專講虛理潔古東垣丹溪子和諸老各有心得亦足專門名家然理以求而愈深亦以求而愈晦蓋自虛理競尚一切解剖針砭之技廢而不講而醫學遂由是頹靡矣泰西之治後我中國二千餘年當今之時一切科學程度俱臻極點故其醫學剖割刀鋸之用足與我古人媲美爭能而我之中醫不覺瞠乎其後庸詎知攻實者似難而易攻虛者似易而難設研我之虛理以宏其中究彼之實用以肆其外則我之醫學又當駕泰西而上之吾於是望海內醫學家其於醫學研究會一舉所宜急起直追以求吾醫學自有之進步也

顧或者曰近日各省府廳州縣醫會開辦甚多而未得研究實效則又何也不知醫會之開辦易研究之實效難假令一會之中自私者有之自是者有之不獨無以收觀摩之效果其能免三斗火一盤冰之譏乎吾敢告同胞曰非立醫會無以結團體非公研

究無以廣學識醫會之成立研究之實行要必去其自私之心方可以獲公益去其自是之心乃可以成絕學懿歟休哉吾將翹首拭目以靜觀焉。

學說

扁倉醫案合解

葉 鎔 仲經

八十一難經。隋唐以前無題爲越人著者。倉公書又佚不傳。獨龍門合傳載醫案數十條。稍見厓略而已。惜其文義簡質。不易曉。裴君以下。復非斯學專門疏解未備。故醫家多畏難而置之。惟日本丹波氏父子。博雅嗜古。撰成彙考一書。然後扁倉之微言大義。始復顯於世。顧其書用經生札記體。文義未能賅貫。頗費循覽。暇輒取而釐訂。更旁搜側討。通其疑。補其闕。勒爲一編。顏曰扁倉醫案合解。凡閱月乃克蔵事。適扶輪社書來徵文。爰錄副以應。荒陋之識。自維不免。是待質正於方家云爾。

虢太子死。扁鵲至虢宮門下。問中庶子喜方者曰。太子何病。國中治穰過於衆事。中庶子曰。太子病。血氣不時交錯。而不得泄。暴發於外。則爲中害精神。不能止邪氣。邪氣畜積而不得泄。是以陽緩而陰急。故暴蹶而死。扁鵲曰。其死何如時。曰雞鳴至今。曰收乎。曰未也。其死未能半日也。言臣齊勃海秦越人也。家在於鄭。未嘗得望精光侍謁於前也。聞太子不幸而死。臣能生之。中庶子曰。先生得無誕之乎。何以言太子可生也。臣聞上古之時。醫有俞跗。治病不以湯液醴灑。鑱石撟引。案杌毒熨。一撥見病之應。因五藏之輸。乃割皮解肌。訣脈結筋。搦髓腦。揲荒爪幕。湔浣腸胃。漱滌五藏。練精易形。先生之方能若是。則太子可生也。不能若是。而欲生之。曾不可以告咳嬰之兒。終日。扁鵲仰天歎曰。夫子之爲方也。若以管窺天。以郄視文。越人之爲方也。不待切脉望色聽聲寫形。言病之所在。聞病之陽。論得其陰。聞病之陰。論得其陽。病應見於大表。不出千里。決者至衆。不可曲止也。子以吾言爲不誠。試入診太子。當聞其耳鳴而鼻張。循其兩股以至於陰。當尚溫也。中庶子聞扁鵲言。目眩然而不瞋。舌撟然而不下。乃以扁鵲言入報虢君。虢君聞之大驚。出見扁鵲於中闕曰。竊聞高義之日久矣。然未嘗得拜謁於前也。先生過小國幸而舉之。偏國寡臣幸甚。有先生則活。無先生則棄捐塡溝壑。長終而不得反。言未卒。因噓唏服臆。魂精泄橫。流涕長潸。忽忽承睞。悲不能自止。容貌變更。扁鵲曰。若太子病。所謂尸厥者也。夫以陽入陰中。動胃繵緣。中經維絡。別下於三焦膀胱。是以陽脉不遂。陰脉上爭。會氣閉而不通。陰上而陽內行。下內鼓而不起。上外絕而不爲使。上有絕陽之絡。下有破陰之紐。破陰絕陽之色已廢。脉亂。故形靜如死狀。太子未死也。夫以陽入陰支蘭藏者生。以陰入陽支蘭藏者死。凡此數事。皆五藏蹷中之時暴作也。良工取之。拙者疑殆。扁鵲乃使弟子陽厲鍼砥石。以取外三陽五會。有間。太子蘇。乃使子豹爲五分之熨。以八減之齊和煮之。以更熨兩臍下。太子起坐。更適陰陽。但服湯二旬而服故。故天下盡以扁鵲爲能生死人。扁鵲曰。越人非能生死人也。此自當生者。越人能使之起耳。

以上扁鵲案一條據史記扁鵲倉公列傳

陰陽者神明之綱紀有定位而不紊則治失定位而相錯則亂故治則泰象見亂則否道成矣今陽入陰中動胃蓄陽氣暴實迸入陰分動夫陽明之絡中經泛言經脉（脉度篇經脉爲裏）維絡卽絡也（骨空論治少陽之維又陰陽類論三陽爲經二陽爲維也）纏與纏通（漢書古今人表注纏卽纏字文選注纏纏引也）纏緣中經維絡別下於三焦膀胱者皆謂陽入陰中延緣經絡以下至膀胱之狀陽既下膀胱是濇陽陷於濁陰故曰陽脉下遂遂墜也（易震遂泥荀本作隊列子而墜於地釋文一本作隊又詩正義遂者從上向下之稱）陰脉昜爲上爭亦因受陽所迫經云陽病者上行極而下陰病者下行極而上（見太陰陽明篇）陽本實應上行實極乃遂陰本伏應下行伏極乃爭也會氣閉而不通上下否塞膻中氣會之宗氣反聚也陰愈上則下愈虛故陽愈內行陽愈下逼陰在上轉居陰分故愈不克自拔於外陰在內陽之守也陽在外陰之使也內外阻絕又安得爲之使乎如此宜其上有與陽相阻絕之絡脉下有陰氣破散不能統攝之紐系（正義引亦問紐亦脉也今無此文）破陰絕陽之色已廢陰破陽絕其色見而弗去也（公羊傳廢置也置者不去也齊人語）脉但亂而不伏緣陽雖格礙猶未至敗斷故脉尚動二氣易位故動而亂也陽氣鬱閉生機遏滯故形

南洋印刷官廠代印

靜。如。死。狀。斯所。以。稱。尸。厥。矣。虢太子越人知其能治者。以陽。入。陰。得。生。之。機。乃尸厥。病。故不。至。死。耳。凡此諸見證皆五藏氣厥從中。或以時觸犯而暴發則見未得以閉厥便生疑殆。斷爲必死。爰取外三陽五會。據甲乙經卽百會穴。所以開。浮陰。通。眞陽。也。肘後方云尸厥鍼百會當鼻中入髮際五寸。鍼入三分。取法乎此。旣蘇。始得爲五分之熨。而和其餘。氣和。然。後。得。脉。湯。藥。調。攝。也。不以湯先。恐有。扞。格。耳。然未診曷知耳鳴鼻乾兩股尙溫。耳鳴鼻乾者。陽氣。淩。轢。陰血。逼陰。上。爭。於淸。陽。之。竅。兩股尙溫。仲景所稱。陽氣。退。下。熱。歸。陰。股。也。案素問傷寒論之厥。與此大同小異。而可相印證者甚多。其論尸厥。亦不必定爲一。識其。理。之。不。悖。可。矣。此處。義。旨。深。微。本醫者當鑽研。但。忽。畧。置。之。故見。越。人。之。診。詫。作。生。死。肉。骨。宜。爲。所。姍。笑。耳。惟支蘭藏三字。張守節正義引素問今佚。或屬拒蘭之意。高誘戰國策註支拒謂遮也漢書王莽傳注闌闌也 存俟博者。

研經言（承前）　歸安莫文泉枚叔著

傳尸勞論

外臺始有傳尸勞之名歷宋至今皆著於錄嘗欲問其爲何病則諸老醫無能言之者及習之有年乃知傳尸勞者合尸疰瘵蒸以名之也初以體虛受邪入感尸蟲於是沈沈默默無處不惡而不能的言所苦此時名之爲尸可也甚而發熱喘促顴赤名之爲蒸可也及其項間生塊脣口喉舌皆瘡名之爲瘵可也至差而復劇死而傳人則爲疰矣備此四症故方不一各據現在爲言也古人殗殜無辜伏連尸注等稱亦各據一端爲言也遇是證者倘能分別論治其於古方清熱調胃殺蟲諸法庶不遺誤是否有效亦在諸大醫臨機應變對症發藥可耳

肺萎論

肺萎肺之大葉不舉也其外症以欬而唾白沫者爲眞病源或兼欲欬不能欬及嘔逆小便言之成無已注傷寒論則以咽喉不利唾膿血爲肺萎皆非的候惟外臺引許仁則云肺萎之狀唾白如雪細沫稠黏此八字深得仲景言外之意最爲的當若巢成所說乃其兼症或有或無未可必也肺萎病當屬六極中氣極之一也多在久嗽之後骨

蒸之餘。其甚者白沫中帶血。且或帶膿焉。故金匱云。欬唾膿血。脉數虛者爲肺萎。脉數實者爲肺癰。仲景以脉之異。辨其症之同。亦可知膿血。不獨肺癰有之也。

防疫芻言

崇錫綬漢青

癟螺痧。方書名曰霍亂。俗因其螺紋癟陷。故呼是名。亦時疫中之一種也。去年八月初一日。敝邑北門十字街。初有患此者。初二三日。日殤數人。後其勢稍衰。初八九等日又死數人。朝發夕死。夕發朝死。後知其傳變之速。未敢少懈。多有生者。知者謂觸其疫氣則傳染。故偏於一地。愚者謂並不人人皆傳。當有鬼神爲患。由於命數。議論紛紜。莫綜壹是。竊嘗推究其原因。厥有二端。

一生於脾胃失職。天時運氣之變化也。　內經云。太陰所至爲中滿。霍亂吐下。又云土鬱之發。爲嘔吐霍亂。又云足太陰厥氣上逆則霍亂。蓋太陰溼土之氣。內應於脾。性喜香燥而惡臭溼。鎮中宮而主升淸降濁。溼盛土鬱。升降之機窒滯。則濁反厥逆於上。淸反抑陷於下。而爲霍亂。今歲庚戌。太陽司天。太陰在泉。八月初旬。時在白露前後。主運

南洋印刷官廠代印

金。客運火主氣太陰。客氣厥陰。乃太陰司令之時也。由春迄秋。陰雨日多。晴霽日少。土鬱溼盛。中氣欠舒。至白露前後。燥熱臨。風火值。四氣合化。清濁混淆。霍亂之症生焉。一得於口鼻傳染穢濁黴菌之淆亂也。　六月二十九日。一晝夜間。降雨尺餘。閤城之水流蓄於北門十字街者二三十日。各街巷污濁之物。均瀦豬焉。水退後。天氣亢熱。地氣上騰。人在氣交之中。受其蒸淫污濁穢邪。由口鼻入。隨人之體而變化。雖有西醫所云虎列拉菌摻雜其間。亦不知也。中宮受攪。升降失常。清濁相干。亂於腸胃。故揮霍變亂於倉卒間也。

吾國之人。於飲食起居。肆無忌憚。不解衛生者居多數。未病之先。不求預防之道。既病之後。不講調理之方。因而夭殤者。不可勝數。此惡痧急者。不及救治。緩者方藥雜投。終至於死。曷不於平昔稍加意也。謹擬數條。以備採擇。

清街巷以除穢

疫症流行。雖有寒熱之異。均挾穢濁之邪。以傳染。由口鼻直入中道。傳變最速。吾國於衛生一途。未嘗研究。近雖設淸道夫。冀除穢濁。而街巷垃圾。仍舊林積。其汚穢之氣。觸入口鼻。卽易生病。目下尤爲痧疫之媒介。務望衛生家勸加滌濯。洒掃。互相勸勉。俾邪無所依而不爲厲。則痧疫之患。庶可以少息乎。

戒嗜慾以保藏眞

邪之所湊。其氣必虛。正氣足者。邪弗能干。諸病皆然。痧疫尤甚。故數時後。多見大骨枯槁。大肉陷下。下利不禁。螺癟筋轉。目陷肢冷。脈伏多汗。諸恙蜂起。藏眞內脫。雖有神丹。恐亦難挽生機。衛生家宜謹戒嗜慾。而保藏眞。則邪無隙可乘矣。

愼飲食以淨腸胃

天時不正之氣。歲所時有。然病之來。總由人之不注重衛生。如多貪口腹。或寒煖失宜。飲食不節。多食生冷油膩麵食葷腥瘟牛狗肉餿菜等物。適其人本寒濕。暑風內蘊。肝木乘脾。胃升脾降。淸濁混淆。釀成霍亂。朝發夕死之症。（以上朱均伯語）如前日齊黎等夜赴程姓筵。翌晨卽病。一至晡卒。一至夜卒。是其徵也。（同席尙有數人染他症而垂危醫士張某亦患此症均不載）荀能節飲食。不肆啖葷膩生冷等物。腸胃之轉輸。毋一息之停。雖有疫邪黴菌。亦不能閉其經絡。淆其陰陽。致生危候。再今歲致病之原。由於冷水不潔。十字街積水日久。其毒尤甚。爲害亦烈。凡日常供給之水。務求清潔。水缸中加明礬雄黃。以沈降其汚穢。煮粥飯固宜多煎數沸。烹茶更宜沸數爲多。則有害之物。不足慮矣。藏濁物以免蔓延。

一家中如有患霍亂吐瀉之病。所出穢物。宜於僻處掘地掩埋。切不可傾於河內。卽尿屎亦不可倒入厠所。以防傳染。亦宜另外掘地深埋。更不可將病者汚衣於河內洗濯。恐旁有淘米洗菜者。陰受其毒。總之不可使穢氣着人。則造福無涯矣。錄朱均伯辟瘟不藥方

藉芳香以辟惡穢。

人身藏府氣血津液。得生氣則香。得敗氣則穢。人受之自藏府蒸出肌表。氣血津液。逢蒸而敗。因敗而溢。溢出有盛衰。充塞有遠近。中醫所謂濁邪。西醫所謂黴菌。卽是。

此氣誠時疫之媒介也或謂疫鬼爲害宜用芳香辟之雖爲識者所譏而芳香之氣亦能化濁邪辟穢氣則佩香袋爇香烟諸法未可廢也傳方藥以重衛生

時疫傳變最速朝發夕死延醫診治快者亦閱數小時藥未入口危候迭見須預儲靈效丹丸以備急需若其勢稍定切不可雜服他物以再亂其藏府當隨證施以相當之藥以善其後庶可收轉危爲安之效果矣

按崇君此稿所言乃極精微之衛生學果能實行匪但虎列剌病（霍亂）可以預防而實扶的里（爛喉痧）麻拉利亞（瘧疾）百斯篤（鼠疫）肺結核（肺癆）赤痢（痢疾）天然痘（天花）等病皆可不致傳染用力少而成功多衛生家其注意焉再近來鎭江小兒之患喉痧者極多鄙人日治十數人大都熱毒爲患蓋淫雨多日黴菌發育小兒氣體幼穉不能抵抗故染此病者多也尤望病家留意衛生及撲滅細菌之法（詳見本報第四期）醫家亦宜隨時告戒袁焯書後

譯稿

藥物新說續第三期

三應用　羯苔利斯之有效成分既如上言。則其功惟主激刺皮膚。而供用於外治者爲多。故藥局方之製劑。如發泡古魯胄謨、引赤紙、（羯苔利斯紙）强發泡膏、弱發泡膏等。收引赤發泡之效者。莫不以羯苔利斯爲原料。雖間有用爲利尿劑者。但其用量一回〇、〇一。乃至〇•〇三而已。（若羯苔利斯丁幾內服之量爲一日〇•〇五乃至〇•三）蓋爲劇藥。不可過也。

澤按本草斑貓主蠱毒鼠瘻蝕死肌。破石癃。本經治疥癬。別錄瘰癧。利水道。甄權傅惡瘡。日華解猘犬毒。綱目故外臺用傅惡癬拔疔根。經驗用消瘰癧。直指用拔癰膿。此僅曰內服利尿。外用引赤發泡。其他功用。均皆未及。何簡略如此乎。然細按之。既引赤發泡爲激刺皮膚之劇藥。即爲拔毒弔膿之妙品。故皮膚死肌惡疾疔根癰膿。皆得治之。既

南洋印刷官廠代印

主利尿。卽能攻其毒由小便出。故癃閉之苦。瘰癧猘犬之毒。亦得兼治。是中外之說雖繁簡不同。而其理則一也。質諸世之言藥學者。不識以爲然否。

芫青

芫青亦六足蟲類之甲翅族也。歐州諸國於前條搯苔利斯外。亦多採用此品。以其形狀雖與搯苔利斯不同。而其所含之有效成分。則與搯苔利斯無異、故得爲搯苔利斯之代用品也。是蟲多產於氣候溫暖之地。恒棲息於木犀科、(梣屬阿列布樹屬)忍冬科(忍冬屬接骨木屬)屬諸樹中。採取之法。夏月清晨。於樹下敷設布片。然後振搖其樹。則該蟲於半眠之時。受此振撼、皆墜落於布片之上。於是採得而乾燥之。遂爲藥籠中有用之物矣。

一形狀　芫青頭稍巨大。分胸爲四角形。觸肢十一節。前趾中趾五節。後趾四節。甲翅金錄色。有縱線二條。全體光澤。長達十五粴。幅至六粴、亦有長至三十粴、幅至八粒者。

二成分　芫青所含之有效成分。與羯苔利斯同。但羯苔利斯通常甘苔利丁之含量。爲百分之二。芫青含量。則爲百分之〇五。是芫青所含之甘苔利丁。乃居羯苔利斯四分之一。况芫青體內灰分多至百分之七。軟體部旁所存乳脂樣之脂肪。亦多至百分之十二。觀此則其發泡之力弱於羯苔利斯者。非無故矣。

三應用　同於羯苔利斯。

澤按芫青、亭長、斑猫、地膽、四種。據本草所載。雖形狀小異。而主治均皆相仿。故蘇頌謂爲一類。實非謬也。今觀以上所說。斑猫芫青皆可互用。再徵諸各國藥學之書。如東印所用之 Mylabris Cichorii（亭長之屬）北米所用之 Callharis Vittata（芫青之屬）西印所用之 Meloe trianthemum（地膽之屬）等皆與吾國相同。是知有用之物。雖相隔至數萬里。則仍無以異也。顧其製法精巽。能變易其原有形狀。而另成精品。如製斑猫爲甘苔利丁。若取置於吾人之前。幾莫辨其爲斑猫所製者。且用量少而著效速。却較勝於尋長數倍。此其所以爲妙也。乃吾國藥學家。所號稱爲出類拔萃者。亦不過求其塊片整潔。炮製合宜已耳。至於如何提煉而爲精品。如何製造而成新藥。則未計及。遂令外人以粗賤之品。得精美之稱。且又新其名目。銷售於吾國。反易我金錢以去。此智者於此所以有製造藥水藥粉之舉。而爲改良藥學挽回權利之策也。吾願吾國醫藥學者。宜合起而圖之。勿令外人專美於世則幸矣。

察舌辨症新法

第一章

京江劉恒瑞吉人著

舌苔原理

舌爲胃之外候。以輸送食物入食管胃脘之用。其舌體之組織。係由第五對腦筋達舌。其功用全賴此筋運動。舌下紫青筋二條。乃少陰腎脈上達。名曰金津玉液二穴。所以生津液以濡潤舌質。拌化食物者也。中醫以舌苔辨症者。以其苔堆於表面。易於辨認。而未知苔因何而生。此理未明。其辨症之識。必有毫釐千里之誤。此原理之不可不講也。夫舌之表面。乃多數極小乳頭。鋪合而成。此乳頭極小。微點。其不易見。時非顯微鏡

南洋印刷官廠代印

不能窺見。易見時形如芒刺。摸之棘手。或隱或見。或大或小。或平滑。或高起。隨時隨症變易不定。苔即胃中食物腐化之濁氣堆於乳頭之上。此舌苔所由生也。常人一日三餐。故苔亦日有三變。謂之活苔。無病之象也。其所以能變者。因飲食入胃時。將腐濁遏鬱下降。故苔色一退。至飲食腐化。濁氣上蒸。苔色又生。胃中無腐。則苔薄而少。有腐濁則苔多而厚。此其常理也。至論其色。則以黃色爲正。白爲肺色。胃中陽氣被飲食抑遏。胃中正色不能直達而上。故有暫白之時。青爲絕色。青綠之色見於舌上。其人命必危。此外尚有似黃非黃。似白非白。各類間色。皆條分於後。以備後學細心參考。

看舌八法

一看舌色。詳後

二看舌質。質亦有色又有大小溼熱之症舌質脹大滿口迹有齒印血熱之症質底色紫

三看舌尖。白苔滿舌尖有紅刺勿用溫燥之藥

四看舌心。四邊有苔中無或中有直裂或有直槽或橫裂

五看燥潤。以手摸之或滑潤或燥刺棘手有看似潤而摸之燥者有看似燥而摸之滑者
六看舌邊。苔色與邊脊否
七看舌根。根後有無苔色接續有無大肉瘤

醫案

樹德堂醫案

賈鎰瑞甫

歲庚戌中元日。家嚴泄、瀉、數十行。腹、不痛。欲、瀉即、嘔。噁口、不渴。身、不、甚、熱。心、中痞、滿、不、舒。舌、黃。脈緩弦。高年重候也。擬瀉心法加減。製半夏二錢　淡乾薑五分　姜川連五分　酒黃芩錢半　粉葛根二錢　廣木香八分　製川朴一錢　陳橘皮一錢　福澤瀉二錢　大腹皮二錢　赤茯苓二錢　猪茯苓二錢　炙甘草五分　生姜二片　竹茹錢半

重其劑。一服而病輕。減其劑。再服而病愈矣。鎰遍考方書。論泄瀉症。莫精於內經。胃、寒、腸、熱、胃熱、腸寒之說。而未出方。張石頑選用瀉心黃連諸湯。與內經論證頗合。陳修園極道其妙。而市醫莫知用。謂瀉心諸湯。仲景爲傷寒之痞症設。非爲泄瀉設也。不知仲景所用之方。非仲景自造。實上古聖人相傳之方。所謂經方者是。夫仲景既可借經方治痞證而生。仲景之後者。又何不可借經方治泄瀉乎。鄒潤安有言曰余治瘧、發、時先

嘔者用半夏瀉心吐瀉交作者用生姜瀉心胸痞下利者用甘草瀉心皆應如桴鼓甚矣經方之用神也

久病帶下治驗

梅舒蘀 詠仙

同邑莊家橋馮姓婦患白帶二十餘載每勞必發已成損症兩目凹陷頭目空虛徧體疼痛不時舉發而腰部尤甚先時倩他醫診治未建寸功服藥後卽頻頻作嘔反有不安之狀於辛亥年二月望日求治於予予切其脉似覺細而無力叩其原則云患病二十餘載初無入手之法先以傅青主徵君完帶湯試之不增不減依然如故考醫籍帶症有五卽青黃赤白黑之分皆屬濕傷脾經脾不運行則營血不能化爲經水變爲白骨之物由膣口滲下經年累月髓竭骨枯大抵治法以利濕爲君稍佐補養之品以冀濕盡脾旺帶斷復元然初起時則可而久病則不可若久病照初起治法紊亂秩序則五臟精液勢必愈利愈虧促其生命况已現目陷耳聾頭空等種種損狀豈可不加之意乎予第二次治法以完帶湯減去蒼朮陳皮二味發燥之品加入覆盆子桑螵蛸全當歸三味固精養血之藥連投八劑白物斷流以數十年之老病而奏效於三味平淡之藥亦云奇矣書此以供同志研究

南洋印刷官廠代印

中国近现代中医药期刊续编·第三辑

现代国医

每月刊

現代國醫

第一卷第一期

中華民國二十年五月

上海市國醫公會編輯印行

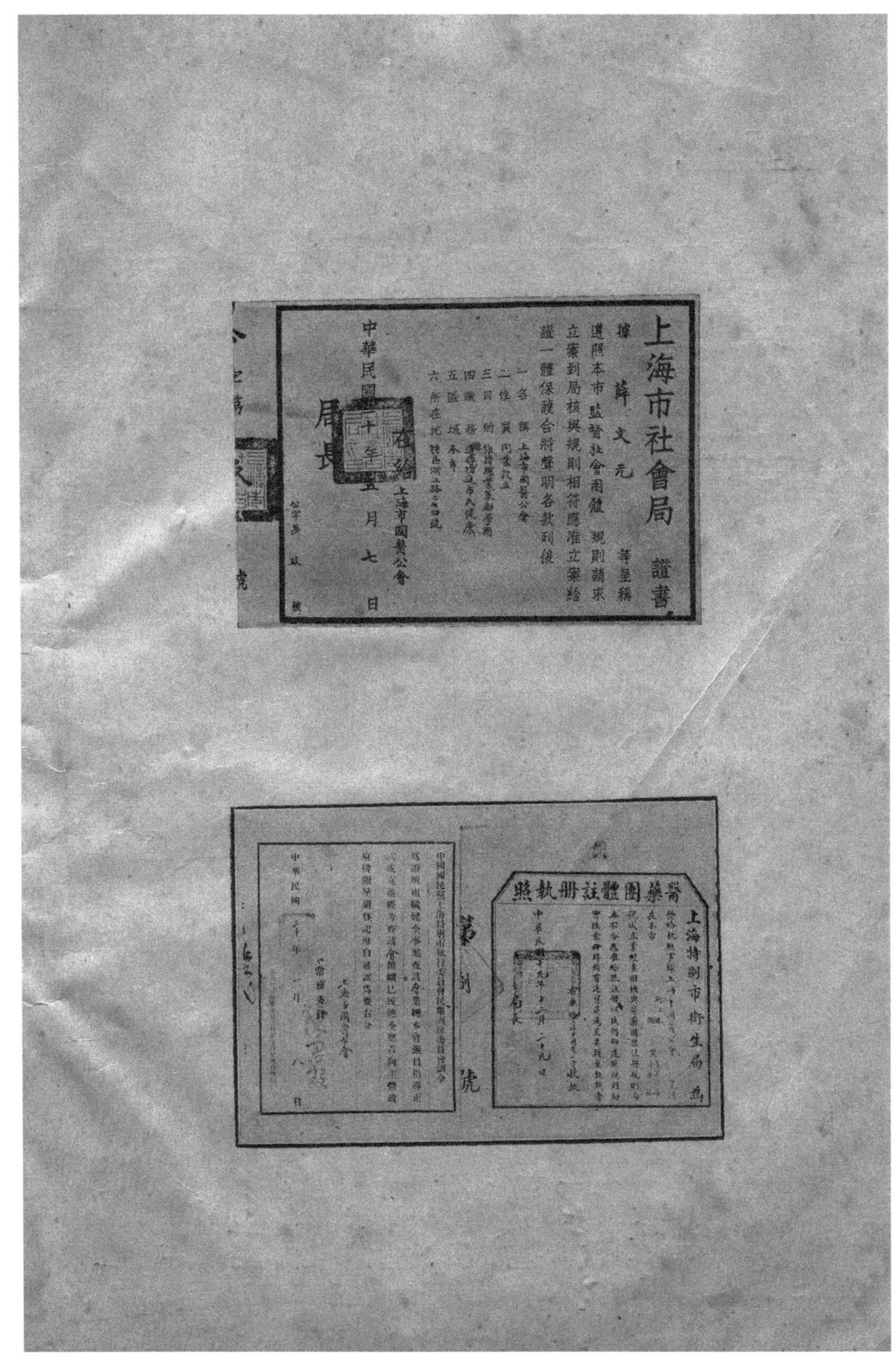

上海市社會局 證書

據 薛文元 等呈稱

遵照本市監督社會團體規則請求立案到局核與規則相符應准立案給證一體保護合將聲明各款列後

一 名稱 上海市國醫公會

二 性質

三 目的

四 職務

五 區域 本市

六 所在地

給 上海市國醫公會

中華民國二十年五月七日

局長

醫藥團體註冊執照

上海特別市衛生局 為

中華民國　年　月　日

局長

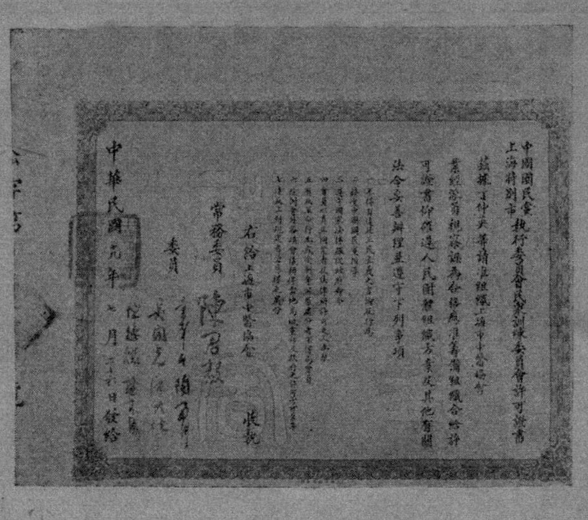
中國國民黨上海特別市執行委員會民眾訓練委員會許可證書
茲據丁仲英等請求組織上海市中醫協會
業經審查組織[illegible]合給許
可證書仰[illegible]人民團體組織方案及其他有關
法令妥善辦理並遵守下列事項
右給上海市中醫協會 收執
常務委員 陳[illegible]
委員 [illegible]
中華民國[illegible]年[illegible]月[illegible]日發給

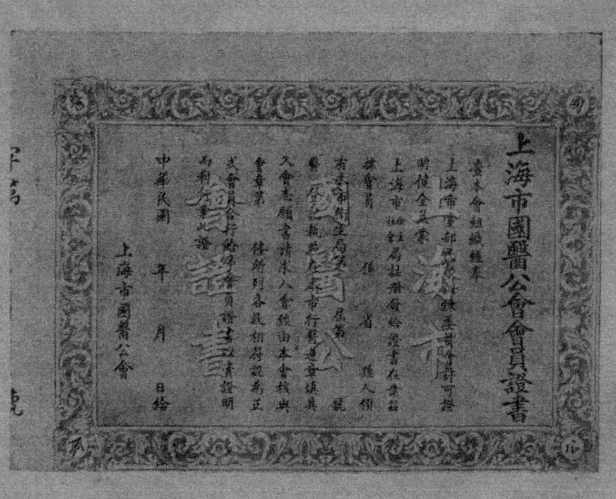
上海市國醫公會會員證書
查本會組織規程
上海市黨部民眾訓練委員會許可證
明[illegible]並呈
上海市社會局核准發給證書在案茲
據會員 係 省 縣人領
有本市衛生局第 號
醫[illegible]執照在本市行醫並遵章填具
入會志願書請求入會經由本會核與
會章第 條所列各款相符認為正
式會員合行給予會員證書以資證明
而利會務此證
中華民國 年 月 日給
上海市國醫公會

編者小言

（伯未）

上海市國醫公會。爲本市國醫惟一之職業團體。現代國醫雜誌。爲會員惟一之言論機關。本雜誌除竭力貢獻於會員。並請會員愛護外，更願竭力貢獻於外埠諸同道。並請諸同道加以匡助。

本雜誌實事求是。不願舖張。故題字題詞。一概從略。

內容暫分醫評、言論、專著、學說、醫案、方劑、紀載等數項。但得視稿件性質。隨時增損。文字務求公正精邃。至希會員及海內同仁。踴躍投稿。

本會設立之中國醫學院。自包識生先生長院以來。極力擴展。成績斐然。此次承介紹諸生作品。如商復漢之中西醫治療之比較。丘人雄之醫學與實驗。胡樹百之中西臟燥病比觀。程金麟之咳嗽症治等。均屬精警之作。不勝感佩。

本刊由常務委員聘請謝利恆丁仲英蔣文芳陸士諤張贊臣吳克潛方公溥陳存仁朱鶴皋陳漱庵諸先生及伯未。組織編輯委員會。負責主持。諸先生對於中醫出版界。均有偉大之貢獻。此次集中力量。或可稍滿閱者之期望。惟草創伊始。謬誤之處。定不能免。還乞指教。

現代國醫第一卷第一期目次

醫事雜評

現代國醫……謝利恆
國際宣傳……丁仲英
醫校之教材問題……秦伯未
衛生之先進者……方公溥
金貴聲中之西藥……方公溥
第三者之醫訟觀……

言論

現代國醫之趨勢……秦伯未
中西醫治療之比較……商復漢
醫生與道德……傅雍言
醫藥與實驗……丘人雄
中西醫之科學觀……聶崇寬
中西醫之門戶見……嚴蒼山

專著

藥籠小品……黃退庵

學說

風癆臌膈之脈因證治……施文德
中西醫之臟燥病比觀……胡樹百

肺痿肺癰肺痕辨……陳耀堂
陰虛病之治療律……秦伯未
熱入血室與陰陽易熱入精室論……賴達五
救陽八法……馮紹蘧
欬嗽症治之梗概……程金麟
傷寒溫病之我見……朱懋澤

醫案
一瓢硯齋醫案……薛文元
潛廬雜症醫案……吳克潛
碧蔭書至新醫案……翟冷仙

方劑
火眼與胎兒皮膚病奇效方……方公溥
方劑集驗錄……秦又安

紀載
會議記錄……

案牘
蔡□□醫士被控案……
嚴□□醫士被控案……

醫事雜評

現代國醫

謝利恆

世界學術。無時不在前進。以供新時代之需要。或竟以此剏造新時代。獨吾國素尚墨守。不特無時代之精神。抑且無時代之思想。於是西方挾科學萬能。箝制一切。國內之媚新者。更從而和之。認爲時代之落伍者。蓋在今日言。東方偉大之文明。蕩然欲盡。不僅醫學一端。而醫學實其關係民生民族所最要者也。

吾今不辯國醫之是否不合科學。獨問國醫之是否不適於現代社會。從國內觀之。西醫之不能戰勝國醫。固成績昭著。卽從國外觀。德美之贊美中藥。日本之復興漢醫。南洋朝鮮等處之竭力提倡。亦覺國醫之需要。切於西醫。國醫之適合現代社會。切於西醫。然而卒不能免落伍之譏者。不在國醫學術之本身上。而在國醫之缺乏時代精神耳。

玆者本會有雜誌之發刊。定其名曰現代國醫。所以表示現代之國醫。不同於過去之國醫。並節節進展。以造成將來之時代國醫。時代無停止。國醫亦無止境。願共同志。顧名思義。勉之勉之

國際宣傳

丁仲英

大黃當歸等在國醫習用已久。而在以前國內之西醫。指爲樹根木皮。不屑挂於齒頰。自歐美加以化驗。認爲確有特效。製成大黃粉當歸精等。運輸來華。而西醫以爲腸胃病月經病之無上妙品。考其實。藥仍大黃當歸也。原料仍樹根木皮也。詡之者仍以前之西醫也。吾於此重有感焉

中國醫學蘊蓄無量之價値。眞有取之不盡。用之不竭之象。今日之西醫。大抵以媚外爲惟一目的。推翻本國固有文化爲惟一手段。故多數同道。與之談國醫之長。均掉首不願一顧。若更欲聯合以改進國醫。非特學識不足。在事

實上實決不可能。故一隅之見。以爲欲使國醫之勢力。瀰漫於世界。當將有價值之著作。及歷試奏效之方劑。從事翻譯。介紹於歐美諸邦。蓋歐美之醫界。正以不得整個之中國醫學爲苦。若能援之以手。他日對於國醫之信仰。當千百倍於今日。何難化國醫爲世界醫耶。

故曰現代之國醫。除努力振作。求學術上之發明。職業上之團結外。不必與國內西醫爭一日之短長。而在肆力於國際之宣傳。

醫校之教材問題

秦伯未

國醫之立學校。所以培植人才。今後國醫之發揚光大。胥賴醫校之畢業諸生。故辦學者責任之重大。無異執國醫盛衰之總樞。

國醫不振之最大癥結。在學說不一致。已往者。如金元不同派。傷寒溫病不同軌。無一不引人疑惑而失其信仰。今既有學校爲醫學教育之中心。似於學說方面。不可不有明定。以資劃一，乃概觀諸校。有崇新者。有守舊者。有折衷者。雖不問其舊者不免違現代之潮流。新者不免失固有之精神。折衷者更不免新舊兩不徹底之誚。而其不能同一步伐。在事實上無可諱飾。然則教育部之不能立案。在表面爲苛刻。爲不平等待遇。在實際之無系統。不合教育原理。吾儕亦應自認自責者也。

往歲全國醫藥總會。有教材編輯委員會之組織。限於時間人才。無形停頓。今中央國醫館成立。倘謀根本鞏固之計。敢謂醫校教材之規定。實屬首先之急務。否則學派之爭不已。勢必影響於團結。要其歸。仍一盤散沙而已。

衛生之先進者

方公溥

外人每謂中國無衛生。中國無衛生方法。國人之媚外者。亦從而和之。噫嘻。我國眞無衛生。我國眞無衛生方法乎。中山先生曰。中國人之飲食習尙。暗合于科學衛生。尤爲各國一般人所望塵不及。夫曰暗合衛生。曰各國望塵不及。是豈無之謂哉。是既有之而臻乎妙境矣。蓋我國飲食之精潔。起居之適宜。精神之修養。諸端。實暗合科學衛生之原則。而爲人民蕃殖之所由來。間嘗歷稽載籍。而知數千年前。當歐美各國尙未進化時代。我國之衛生問題。已極爲注意。莊子南榮趎曰。趎願聞衞生之經而已。衞生二字。早于此見之。其歷代專書。如衞生家寶、衞生寶鑑、衞生集、衞生鴻寶等。更于衞生之道。多所闡發。他如攝生眞錄、頤生微論、養生必用、養生四要、養生雜言、養生鏡等。尤指不勝屈，雖名稱不同。而趨利避害。謀保衞身體之健康則一也。若夫散見諸子集中者。如莊子養生主篇、嵇叔夜養生論、靈樞本神篇、素問四氣調神論、生氣通天論、上古天眞論、論語鄉黨篇等皆是。外此關于運動鍛鍊方面者。則又有華陀之五禽戲、陳希夷之却病延年動功、達摩之易筋圖說、張三豐之太極拳、岳武穆之八段錦等。與籍具在。斑斑可攷。因未嘗無深刻之研究也。第以皆由個人所注意。無政治作用以運行。遂覺黯晦無光。較之西洋反瞠乎其後苟能恢復其固有之精神。爲有系統之改進。發揮而光大之。自可駕歐凌美。仁壽同登。豈必削足就履。事事摹仿外人。而後始爲衞生乎。

金貴聲中之西藥

方公溥

自金價騰貴以來。凡百洋貨無不突飛猛漲。使用者目惕心傷。而西藥之飛漲爲尤甚。據箇中消息。最近原料藥之漲價比較當在六七成至一二倍以上。（如阿斯匹靈、每磅舊售一元一角、今售二元八角、退熱冰、每磅舊售八角五分、今售一元八角、藏生牌橡皮膏十二寸五碼、舊售二元二角五分、今售四元九角四分、安替拜林、每磅舊售四元半、今售八元半、海碘仿、每磅舊售十二元、今售廿五元、沒食子酸、每磅舊售二元二角、今售四元三角、幾阿蘇每磅舊售一元六角、今售二元八角、鎂璜養每磅舊售一角、今售一角六分、滑石粉每磅舊售一角、今售一角六分、握姆納丁、每盒舊售五元二角、今售七元九角二分、海而平、每盒舊售一元八角、今售二元四角、奥拍泰純、每盒舊售二元六角、今售三元九角半之類、）醫生處方配藥。每劑起碼一二元。從前數角之藥方。現在已絕對不可再見。（大概售價加一倍半左右、如前售八角、今售二元、卽方中僅一味者、售價亦在一元以上、）嗚呼。金潮之怒漲未已。西藥之自製。無人際此國藥通行。西藥試銷之時代。該價尚高騰如此。使當日者。盡如中衞會少數人之主張。把中國醫藥完全消滅。一旦求過于供。代替無方。其漲價甯止十倍百倍哉。言念及此。不寒而慄。特述而出之。以告于留心社會民生者。

第三者之醫訟觀

張少軒

近來本埠病家對於醫家涉訟案件。日見其多。新聞報嚴獨鶴君曾在第三者立場上作深刻的談話。頗多借鏡。特錄如下。

以前醫家用藥錯誤。藥死了人。病家竟會吞聲飲恨。無法可施。强硬些的。也不過以私人的資格。和醫生搗亂一番。出出悶氣罷了。如今有了『玩忽業務』這四個字。便可用法律對付。使醫術淺薄的醫生。知所儆戒。使心粗氣浮的醫生。知所審慎。這就實際上說。自然是保障民命。有益社會。

不過我們平心而論。代醫生方面。也得想一想。目今的社會。尤其是上海的社會。本來是人心譎詐的。醫生的生意好了些。名譽好了些。就難免有借貸不遂。藉端敲詐等事發生。如果做醫生的。實在並無過失。而受人寃誣。却也是不平之事。並且做到醫生。全靠信譽。一旦醫生被控。人家竟會不研究其結果。但知道這是一個吃過官司的醫生。從此便動色相戒。不敢請教。這位醫生。縱使有理辯得清。他的業務。也就要因此而毀了。

法官自然是了解法理的。但未必會懂醫理。對於醫藥訴訟。自覺難以審判。所以據我的意見。像上海這樣大都市。最好要成立一個特別機關。叫作『醫藥審查委員會』這『醫藥審查委員會』中的人物。又最好是深明醫理。而又並不掛牌行道的。(人選確是很難了)以免顧全同道的感情。有所偏袒。倘遇到法庭上發生醫藥訟案。便請這個會中的委員。秉公審察。秉公判斷。並將審察和判斷的結果。公告社會。以明無私。由他們判斷的結果。如其錯在醫生的。老實不客氣。按照玩忽業務例。分別輕重處罪。如其曲在控告人的。他老實不客氣。按照誣告例。分別輕重處罪。這樣一來。病家得了保障。醫家也得了保障。豈非是兩全之道呢。

言論

現代國醫之趨勢

秦伯未

中國固有之文明。直接關係國計民生之切者。厥惟醫學。就事實論。自立永久勿替之地位。然無必亡之理。而有或亡之機。試觀現代之趨勢。不能使吾無言

吾文之作。認爲在現代趨勢中。國醫之本身。是進步。是退化。是穩固。是動搖。實一最重要之問題。短視者以爲進步卽能穩固。退化卽爲動搖。但就今日之國醫言。進步或亦動搖。退化或亦穩固。故苟眞正愛護國醫。須先抱定如何使進步而不動搖。穩固而不退化。第一。能吸收西方文明以爲我用。而不以西方文明掩蔽國醫之眞精神。第二。使世界各國俱國醫化。而吾國仍繼續前進。不爲落伍。否則非國醫變爲國外化。卽國醫反成國外醫。前者在一般以爲進步。實爲無形之自動推翻。後者在一般以爲發展。實爲無形之被動消滅。實至可驚心惕勵者也。

凡事重實際。實際有效果者。不特無消滅之可能。且必有光大之一日，故國內西醫之攻詆。爲麪包計。可置勿論。國內少數青年之附和。爲趨時媚新所迷惑。亦可置勿論。但就第三者之動作以覘之。江亢虎所著中文化對於西方的影響一書。有云。美政府有幾種藥品。科學家不能洞悉其性質與能力。而中國藥書上記載極明。試驗俱屬實在。因特別注意。年派專員。從事研究。黃勝白所著注意中國藥一書。亦有云。德國醫學家幾無一不注意中國藥物。謂中國藥品中。極多有價値之藥料。其極小部分。已久爲歐洲醫家所引用。是西方各國對於中國醫學。正如采鑛得苗。勢必肆力羅掘。不至鑛盡山空不止

近鄰日本。本以漢醫爲宗。於國醫有深刻之研究。維新以後。始改西法。近又感漢醫之妙理。漢

藥之奇效。遠駕西醫之上。政府復有廢西醫而用漢醫之議。南洋各處。均有專電。香港循環日報。亦載之。此二三年前事。不謂今日本明治大學竟增漢醫科。北平電。日醫界以二萬金運華。購中醫書籍。其銳進之氣。實堪驚歎。不特如是。最近東京訊。日本貴衆兩院委員會。有東洋醫道會理事長南拜山與帝國大學名譽教授理學博士白井光太郎及頭山滿內田良平等五百餘人。提出帝大皇漢醫學講座新設請願書。已經兩委員會完全通過。蓋彼深知近年歐美。不乏研究漢醫之輩。且承認其效果。而尤傾倒於本草綱目。如麻黃用爲發汗劑。已證明效能。當第三次太平洋學會開會時。據美人之調查。亦可强壯心臟。又西洋認喘息用阿獨來那林注射。僅一時暫止。而麻黃治療喘息。二千年前已用之。又知獺肝凡治肺病。龍骨治痙攣。鉛丹去蛔蟲除疾等。不遑枚舉。此時不加努力。勢必落於西洋之後。總理謂中國於固有之文明。應發揮光大。學西方之文明。應迎頭趕去。焉知吾數千年文明之國醫。在本國之西醫。竟不能發揮光大。而三島之民。竟實學迎頭趕去也。

更返觀吾國人之研究者。既不能努力發明。復嫌前人之不澈底。於是東方漢醫書籍。其珍視其信仰。反較國內名著爲甚。譬之傷寒論集註。於醫宗金鑑本則泛視之。於丹波元簡之輯義。則揄揚之。實則同屬採摭成無已以下數十家之言也。而近日流行之皇漢醫學漢方解說等。頗爲一般國醫所注意。尤可證明。夫一國之文明。不能自動改進。必待外人之手。經外人之手而更不辨其所本。譁然從之。無異舍已而耘人之田。實爲國人之大羞。而國醫之地位。漸次喪失。國外醫學之地位。漸次佔據。不言可喻。

循此以推。吾國醫學。國人而不能自起奮鬥。更或鄙視踈忽。勢必陷於絕境。進言之。長此以往。西方醫藥界。將以中國醫藥爲研究之中心。而日本醫藥界。將以中國醫藥。執東方文明之牛耳。更深刻言之。中國醫學將不亡於世界。而獨亡於中國。吾所謂進步亦能動搖。退化亦能穩固者此也。然則吾國醫將國外化乎。抑將倩國外保管乎。不復忍言

中西醫治療之比較

喬復漢

中醫以哲學爲中心。西醫以科學爲基礎。學說雖似不同。終屬異途而同歸。乃一般醉心歐化之執政者。不能提倡國粹。以符　孫總理保存固有智能之遺訓。而反爲西醫所操縱。謂中醫爲不合科學。排斥不遺餘力。抑可喪心病狂乃爾。。夫醫不論中西。亦不論其合於科學與否。而以治療之成績爲判斷。苟治療得當。着手同春。則雖中何害。雖不合於科學亦何妨。苟治療不當。動輒殺人。則雖西奚益。雖合於科學亦何用。溯自神農黃帝。降及秦漢。我國何嘗有科學化之西醫。然越人入虢之診。望齊侯之色。以及華陀鍼灸之法。刳破腹背洗滌腸胃之術。何嘗無驚人之絕技。惜所學不傳。遂致後來者居上耳。洎乎晚近。西醫充斥。宜無病死之病人矣。然誤死於西醫之手者。何以時有所聞。且中醫之治療。積數千年之經驗，經歷代名醫之發揮。其治療用藥之與西醫相同者，不勝枚舉。誰謂中醫偏於理想。不合科學耶。苟中醫無治療之成績。人民無相當之信仰。早已歸於天演淘汰之例。何時西醫之排斥哉。茲特將中西醫之治療。略舉一二。比較於下。

治療梅毒之比較　梅毒之症大率起於忍精不洩。或服助陽之藥。以致慾火鬱結。不能發洩。瘀精敗濁。凝滯精管而成。或由於傳染而得者。始則小便淋漓。生殖器腫痛。繼則漸次腐爛。致變損壞。西醫每以六零六九一四露愛多……等注射靜脉或肌肉或內服。頗有奇效。不知六零六九一四露愛多……等或含砒劑。或含鉍劑。或含汞劑。雖爲治療梅毒之特效藥。然消毒不完全。或藥量太過。藥液溢出脉外。或藥質變壞。或觸禁忌。輕則腫脹疼痛。重者化膿腐爛。甚則致死。其危險爲何如耶。中醫治梅毒。雖未試用鉍劑。而砒汞則間或用之。如靈砂黑虎丹以白砒冰片蜈蚣等治梅毒腐爛。結毒靈藥以水銀硃砂硫黃雄黃等治梅瘡結毒。腐爛作臭。惟晚近中醫爲愼重起見。不敢輕用此方耳。

治療霍亂之比較　上吐下瀉之症。西醫名爲虎列拉。而以注射鹽水爲特效藥。中醫名爲霍亂。治療之法。有寒熱之別。如四肢厥逆之屬於寒者。則用四逆理中輩。身熱口渴煩躁之屬於暑濕者。則用白虎地漿燃照蠶矢等法。前賢論之纂詳。而柳州方則用食鹽和服童便以治霍亂。又法以鹽塡臍內。上蓋蒜片。用火灸之，治霍亂轉筋。均靈效異常。然則鹽爲治霍亂之特效藥。中醫固早已發明。乃西醫猶以此爲新發明治霍亂之無上妙品。甯不可哂。

治療便秘之比較　大腸者傳道之官。變化出焉。若因腸胃實熱。或津液不足。而失其排泄之職。則糟粕壅滯。不能下達。中醫每用三承氣湯或脾約麻仁潤燥通幽等方。隨症施治。而一般西醫。有用大黃末鎂礦養以通便秘者。有用蓖麻子油等以潤其腸者。試問該藥之原料。非卽中藥之大黃芒硝蓖麻子乎。不過改頭換面而已。然此指內治而言。若論外治。則西醫又有灌腸之法。貌視之。該項手術。似非中醫所能及。不知灌腸之時。病人每感脹悶之痛苦。其功效又何異仲聖傷寒論陽明篇中之蜜煎導土瓜根及與大猪胆汁之法乎。

治療寒熱病之比較　西醫治病。祗知頭痛醫頭。脚痛醫脚。而不知表裏輕重之。序寒熱眞假之異。如熱症則用冰囊冰帽。寒症則用熱水皮帶等法。然遇下利清穀。脈微欲絕。手足厥熱。或面赤而欲得近衣之眞寒假熱症。亦以冰囊冰帽治之。則體溫散亡。危在頃刻。非所謂殺之惟恐其不速耶。又有四肢厥逆。或腹中痛。或泄利下重。而不欲近衣之眞熱假寒症。與眞寒假熱之症。適得其反。若用熱水皮帶等法治之，豈非抱薪救火。助紂爲虐乎。中醫則不然。必察其寒熱之眞假。而爲施治之方針。如格陽戴陽之假熱。則用通脈四逆等大劑溫補。以治其裏之眞寒。熱深厥亦深之假寒。則用四逆散或白虎承氣以治其裏之眞熱。探本窮源。辨症於疑似之間。較西醫之鹵莽施治者。奚啻霄壤之別。

治療心理病之比較　貧賤之人。一旦富貴。往往有大喜傷心。狂笑不止之症。西醫治療心理病。大率用催眠術。而中醫則用素問陰陽象論喜傷心。恐勝喜之法治之。立奏不藥而愈之奇效。蓋大喜之後。心神渙散而不收。故狂笑不止。今以大恐懼之。則心神激刺而聚斂。故狂笑自止。

此張子和朱丹溪諸名醫所歷驗而不爽者也。陳修園註恐爲腎志。恐勝喜者。水勝火也。雖附會五行生尅之說。而却有至理存焉。誰謂中醫之理想空談。而西醫之科學萬能耶。

中西醫長短之比較　西醫之實地解剖。注射之功效迅速。器械之精良。——如愛克司光線之洞見臟腑……等。——手術之完備。——如破腹刳腸鉗取子彈……等。——誠非晚近中醫所能及。惟西藥之成分。均含有激烈性質。每易發生危險。雖能取效一時。而終不能持久。迥非中藥可比。且中醫之精於望聞問切者。能决人生死之期。長於鍼灸按摩者。無剜腹剔骨之險。而有起死回生之功。以及特效之驗方。與特效之藥物。均有藥到病除之效。不得謂中醫侈談陰陽五行之說。而一無所長也。

總之中西醫各有所長。各有所短。若能融會中西。舍其短而取其長。則醫學必有一日千里之進步。否則。抑中扶西。而委四萬萬同胞之生命。於他人之手。直是自殺政策

醫生與道德

傅雍言

上海市國醫公會。政府列爲自由職業團體。由是開會議決。訂立公約之舉。熟思本市行醫者。名聞懸殊。等差不一。立約嚴密。則强人所難。不克守而易犯。若疏略。則怠已之修。無所畏而輿毀矣。夫醫治病者也。我國上古。爲君上爲師長之責。至中古而任人民自爲焉。然歷代相傳。學成問世者曰出道。爲人治病者曰行道。別於聖賢治國之道。故曰小道。目下社會稱郎中者。乃前朝隨營之醫。有郎中銜。尊稱之久。變爲通稱也。今我政府規定曰醫士。亦有別乎士大夫之國士。蓋人者任也。士者事也。任醫事。非國事政事。無世祿食祿者。當具無恆產而有恆心。又不得兼農工商賈也。惟受社會之饋儀。而謀生於天地間。果必有心術之道。相當酬報於社會。孔子曰。雖小道。必有可觀者焉。其道維何。孟子曰、仁義忠信。樂善不倦。此天爵也。又曰。守約而施博者善道也。

何謂仁。醫本治病。任醫事。當以能治人病爲天職。誠能代天地好生之德。卽循天之理。亦屬人之道也。凡見人有疾病痛苦。卽有不忍之心存乎中。當審問愼思明辨。篤行其博學。而達於所忍。不論一手治愈。或愈他醫所不治之症。皆屬天職。毋代善。毋施勞。雖被治者稱之曰仁心。曰仁術。而靡恃己長罔談人短。所謂毋暴其器小。有容德乃大也。其有我治未效。經他醫治愈。正可補我之過。倘彼此皆不能治愈。還當深夜自問所謂能不還怒。則不貳過也。若言人之不善。當如後患何。

何謂義。行道者。本此不忍人之心。循天理而力行之。天旣賦我之知。加以歷年之學問經驗。爲所當爲，卽勇於爲義。故曰義。正路也。如人皆有所不爲。我能達之於其所爲。惟須毋意毋必可也。假使會診。或先後同治一人。尤當擇其善者而從之。卽我之師也。亦須毋固毋我是耳。蓋道莫善乎取人之善。是與人爲善。而人亦以我爲善也。莫不善於爲利。義者宜也。非其有而取之。非義也。若存利心。則利於己者。必不利於人。彼此交爭利。而身敗名裂矣。

何謂忠。盡己心之謂也。推己及人爲恕旣行醫道，以進德修業爲職責。則當自問爲人治病之際。有不盡心乎。同道之間。有懷疑忌乎。歷代先賢學術。傳之於我。有不宗法乎。此亦曾子三省之意也。蓋忠者我身中之心也。恕者。人之心亦如我之心也。是以所惡於前。毋以先後。所惡於左。毋以交於右。卽絜矩之道。最不可存忌心。忌。己心也。已蛇也。心中如蛇之毒有不自害者哉。

何謂信，眞誠之謂也。曰民無信不立。言忠信。行篤敬。雖蠻貊之邦行矣。言不忠信。行不篤敬。雖州里行乎哉。故行醫者。如每日何時。設期何處。少年何學。終老何科。甚有歷數世而不改變。實屬恆心。堅守信用。若巧言以逢迎。誑言以玩忽。危辭以恐嚇。設辭以蔽賢。輕諾而失時。說眞而售假。在所當戒。蓋人言爲信，言無實不祥。無實者。不誠也。不誠。則不成其爲言。不信。則不得謂之人也。不祥莫大焉。

何謂樂善不倦。醫者修其天爵。鄙棄人爵。常懷濟世之心。爲人度厄釋難。故相傳行醫者。曰半積無功半賺錢。試察社會。有醫厲三數世。而不加價以自尊。行道數十年。尙在善團中盡義務。此眞樂善不倦之表率也。其有名譽足資。齒德俱尊。仍終日乾乾不息。與夫天資穎敏。不辭勞瘁。日行於嚴寒烈日之中。所謂達不離道歟。又有簞食豆羹。蟄居陋巷。以及布衣爲質。粒米維艱。累月積年。不易其志。所謂窮不失義歟。此皆樂善不倦。有以致之者焉。蓋得道者多助。故雖有不同派之排斥。而社會信仰不減。外患何傷。惟有自負才高。不肯平心和氣。犯石頑之醫門十戒。忘景岳之三類人情。內憂堪虞耳。

失時人每譏國醫爲舊。而溫故知新。方可爲師。不知學古之道德。但曰我新也。我師也。我末如之何也已矣。總理曰忠孝仁愛，信義和平。這些舊道德。當然是要保存。把它恢復起來。再去發揚光大。便是中國固有的精神。鄙人深恐墮落我醫道。雜於鷄鳴而起。孳孳爲利之徒。或對同道中有不循其道。不守所約。又非法律可以範圍。故不揣冒昧。略述人情諺語。以冀整飭頹風。維持心術。務祈我同志同道。各修其業。以進於德。還求有道前輩。不屑敎誨。俾羣知戒勉。是所厚望。而馨香禱祝於無涯者也。

醫藥與實驗

丘人雄

天下事惟眞理是賴。有眞理則能存立。失眞理則歸滅亡。此自然之定理也。夫實者眞也。驗者事之據也。是故醫學重實驗。以有眞理之維護。則能長存於世也。醫學之實驗有二。即死驗與活驗也。近數十年來。泰西理化進步。凡百物質。皆得剖析。而洞毫芒。自一千八百七十年間。德國醫士閣氏。以稚學爲醫學之基礎。距今六十年。醫藥之發明幾無一不能殺蟲稚者。亦無一不由顯微鏡之下窺察所得者。如是則謂之實驗。而中醫無之。則謂之無實驗。於是攻擊不遺餘力。近且以無科學系爲詞。假政治威力以壓迫之。如截止醫士登記。不許中校改加入敎育系統于及更收醫院醫校名稱等。接踵而來。大肆其摧殘手段矣。孟子曰。『人必自侮。而後人侮之』誠哉斯言。蓋中醫之不能下人。實爲自亡之道。同業之中。既無互相尊重之德。又復彼此互相毀謗。互相矜誇。結果對同道則失其正誼對病家則反失信仰。信仰喪失。則事業日衰。病家明甲處至則甲斥乙劣。病家至乙家。則乙斥甲劣。結果不知世界上誰爲良醫。久則陷於不信任。幾全國無一可靠之中醫。則自然傾趨於西醫矣。正誼失。則嫉妒之心深。所以破壞。多而同情少。勢必各自紛裂。成爲散沙。於是公共事業。如醫院醫校等。不能作大規模之建設。則設備不週。所以不能從事於偉大澈底之新研究。無新研究。則無新實驗。無新實驗。則不能精益求精。尙言恢復古人妙術哉。今後吾中醫若不及早覺悟。雖欲不亡。烏可得哉。是故亡中醫者。中醫也。非學說本身所應亡也。蓋中醫學理。雖謂玄虛。要非眞無統系無實驗也。何則我中華民族之生養於炎黃之下者。已四千餘年矣。醫藥之效驗、果如西醫所言之毫無價值者。豈能垂存至今，而民族亦與具盛哉。即自炎黃以至秦漢。二千餘年之間。乃醫學最進步時期。如秦越人和緩仲景元化諸先哲。其妙術出神入化。肉骨生死。無不應手回春。當時果無統系方法以維護之。則對於診斷治療用藥三端，又安得應用裕如。而無纖毫錯紊哉。考神農之嘗草。猶美國某一博士之服。霍亂菌也。當時必有相當之學識。否則斷不敢如是冒險也。且本草藥物。必非盡是神農所發明者。緣新石器時代。五谷尙未發明。古人皆食樹皮草根等以充饑。但每日食之。勢必有時而中毒。或中毒之後更食他物而偶療。自得此經驗之後。凡有疾病。則必更食他物。再不愈。則又食他物。因當時既無五谷以充飢。若捨樹皮草根之外。則必飢餓而死。故必食至非死即痊愈。而後已也。從此犧牲無量數之古人。始獲得若干效驗卓著之良藥。當時雖然經驗豐富。但不過如一團茅草亂蓬蓬。認別不易。記憶又艱。而應用上。每苦麻煩。而亦不免誤用。迨神農時。始發明統系方法。即辨氣味。分陰陽。象形質。別種類是也。且自己嘗之。與民驗之。綜其大成。名曰本草。何以知之。曰考古家，見地層岩石而知年代。見骨骼化石器物。而知風俗情景進化等事。亦不過據今以證古耳。佛不云乎。四海之水。皆一味也。於是古今事情。亦一理也。太初之世，凡百事物。如宮室、市場、書契、政治等。無一不賴包犧哲學以發明。繫辭曰。『古者包犧氏之王天下也。仰則觀象於天。俯則觀法於地。觀鳥獸之文。與地之宜。近取諸身。遠取諸物。於是始作八卦。以通神明之德，以類萬物之情。作結繩以爲網罟。以佃以漁。蓋取諸離。包犧氏沒。神農氏作。斲木爲耜。揉木爲耒。耒耨之利。以利天下。蓋取諸益。日中爲市。致天下之民。聚天下之貨。交易而退。各得其所。蓋取諸噬嗑。』由此觀之。耒耜之發明。既取諸益，市場之設。又取諸噬嗑。此外藥物。每種皆辨味象形。乃繁不勝載歟。但當時并無他種科學。故藥物之象形辨味等。統系方法。必本自包犧哲學。無疑義矣。或謂辨氣味之法。憑理想。而少確效。其法粗疏。辨質之法。本化學。而多實驗。其法精細。然而粗疏則粗疏矣。何故西醫又每羨中藥之神效。而恨中醫之秘而不傳。晚近美國人。復在東洋購去古本草一書矣。既謂科學萬能。何以不惜重資。購此無實驗而將受人廢棄之書耶。嘻。我知之矣。天下事。隱藏者難見。淺顯者易知。良玉蘊於璞。明珠隱於海。常人不識也。而玉匠珠工取之。今美人以厚値購本草。亦猶匠人之取璞珠焉。豈外人方寶之如珠璞。而國人反賤之如坭沙耶。同是科學之醫。其眼光之懸殊。何如是其遠耶。夫治療之。目的在愈病。而不在解剖與非解剖之分。醫藥之價値在效驗。而不在化學與非化學之殊。假使藥盡原質化成。而藥力偏悍。與夫藥皆自然之品。而效驗卓著者。將謂何者粗疏耶。倘捨藥效而不言者。是無異捨米麥。而取汚坭。質雖細。奈何其不能充饑也。至於自然之藥。質雜而有副作用。提煉之藥。質純而無副作用者。驟聞之似其至理。而實際上。亦未盡然也。金雞納霜之治瘧疾。撒里矢爾酸之治急性僂麻質斯者。皆提淨之藥也。共爲西醫所自稱爲二大特效藥。中醫所萬不能及者也。然據和田十郎之治驗。嘗載一男子十八歲。患瘧疾。服金雞納霜。服則瘧止。不服則復發作。因欲其除根而長服之。瘧尚未愈。但已致成中毒症狀。頭痛耳鳴。面色蒼白。精神鬱屈。惡寒。狀若勞瘵。嗣以桂枝麻黃等配合劑治之。二十餘日瘧疾及金雞納中毒具愈。撒里嘉爾酸之治血性僂麻質斯。則數十日尚不見效。嗣亦以中藥治愈云云。况現代顯微鏡。放大之功。未及萬倍。最細之物。豈能見乎。化學分析亦未盡細。鈾原質也。而銑乃從鈾化出。鈾既化出銑。又安知銑鈾之外。便無他物耶。是精微純淨之中。猶未臻精微純淨。更不免偏性中毒之敝也。較之自然之藥。雖含複質。但有配合得宜之方。而無偏性中毒之敝者。其價値爲如何歟。中醫學說。乃從病症之淺深。制爲統系。尙實際。而絕無玄虛者。如病理以六經爲綱。六淫爲目。藥物以五味爲綱。以四氣爲目。氣血藏府攻補升降各有主藥。雖錯綜變化。可統治百病。但皆一定之法規。分之則千條萬緒。合之則歸納於陰陽而已。以簡御繁。如繩統綱。其處方微妙之處如桂枝湯治有汗中風之證。是合桂枝甘草湯辛甘化陽。芍藥甘草湯苦甘化陰二方而成也。故能治陽浮之發熱。陰弱之汗出。陰陽具虛之營衞并病之方也。再加太陽經之主藥生姜、大棗、完成一方。變化無窮。治證甚廣。本方之主證凡二十三。加減變方凡二十八種。雖出神入化。要不離夫規矩者也。外人因文化不同。所以未易得其眞締也。而國人之機械化太深者。亦恐難於領悟。惜哉。學家每就顯微鏡。及試管之內所得之形象。以妄斷一切。如銑鈾之類。及元質之增加。每妄斷於未發見之前。又有以十六元質以造生人之說。而揑造未來之空論於後。中醫學說雖玄虛。反不及此種絕對不能之空論於萬一也。是吾人對於科學雖應取容納態度。但必具一種採取之眼光。愼毋事事盲從。卽醫藥之眞理。亦不能完全取斷於顯微鏡之下也。西醫以動物試驗爲能事。而疎於具體活質之硏究。以爲解剖上之死驗。卽屬於實事求是者。此正中西醫學不同之處也。始觀西醫院設置之完備，器械之精利。未嘗不慨然自嘆中醫之簡陋也。繼思中醫雖不假借器械。其治療處方。乃藥無虛發。果症狀能完全代表內部病理之變化耶。心焉奇之。迨細加研究之後。始知其所以然者。蓋世間最靈妙之物。莫過於人身之知覺。健康則快樂。疾病則苦痛。神色聲音。皆因影響而變常態。偶有病毒侵入。及營養不足。血氣不調等。無不立時感覺。而發現種種症狀。名之曰活質之報告。卽身體靈妙之自然報告也。且此種報告，非特有痛苦時發現。而於未覺痛苦以前。亦能發現。但其現象較爲隱晦。非常人所能覺得耳。曩越人入虢之診。望齊侯之色。而能洞見腠理。醫緩爲晉侯治疾。察容候脉。而能深燭膏盲，皆因識得活質之報告而已。因身體有病時。血脉、神經、筋骨、藏府、肌肉等細胞。能自然程其變化作用，或充血。或貧血。或沉滯。或奮興。或痲痺。或發炎。或壞死。或成分缺乏不均等。無論局部全身。隨時隨地。咸能程其靈妙之報告。其在疾病逐漸告愈之時。則其報告之現象亦逐漸消退。蓋內部細胞有變化。則精神顏色脉象症狀等。亦隨其變化。是故察外可以知內。所謂死驗與活驗者。方法雖異。而洞知病理則同也。但凡氣水之症。乃無形之物。非解剖所能見。由此可知活質報告之實驗。較之尸鶩解剖之實驗爲完全也。惟此等學術。外人萬難學得。今舉一例以明之。中國人製荳腐。小藝也。歐人學之。久而不能精。扇狗扇猪之類。賤藝也。德人學之六年。自試猪狗皆死。斯可見其一斑矣。西醫之進步。不過最近數十年之久。其對於醫藥問題。苟非件件試驗者。幾不知藥物之性效，如麻黃防已黃芪等。吾國已用之數千年矣。西醫則於今日始知之。況實驗問題。在中醫視之昔已成爲過去之陳跡。而西醫今日始行之。是故中醫學術者。實之驗之醫學也。西醫反以攻擊中醫藥缺乏科學原理者。西醫亦有之。不然。則所稱爲最神奇之X光者。何故以代數中之X符號名之耶。既不知光力透射之理。又何不先求其所以然之原理。而後始應用之耶。是西醫之應用X光者。亦惟取其光力能洞見體內之物體可矣。原理未知。不能强知之也。中醫方藥之應用亦然。但取其藥力之有效驗。而原理未知。亦不能强知之耳。由此可知中西之用藥用器。皆以治療愈病爲目的，而原理如何。尚可懸置而不問也。況且在此理化工業未興時代。驟廢天然醫藥。一旦中外戰爭遽起。勢必不戰自亡，爰作茲篇。以爲對病者告。才士亦知所還乎。中西醫學。雖有科哲之分。然無相悖之理。蓋哲學爲神明。科學爲規矩。規矩得神明。則無呆板之弊。神明得規矩。則免玄虛之疑。而進步日新月異矣。然欲兩者相得。必先匯通。欲匯通。必先有大規模醫院醫校以爲實驗。而後始能正確無訛。豈欲求醫學進步。而徒以科哲言論是爭歟。夫宇宙雖大。眞理惟一。孔子曰。吾道一以貫之。良有以也

中西醫之科學觀

聶崇寬

科學。吾人之鼓膜。無日不有此聲浪衝進。然大多數人均莫明其妙。以爲科學是極神秘。余曾試詢諸一般好談科學者云。究科學是何謂，則皆以是外國一種學說的名詞相答。不禁爲之噴飯。夫科學者。乃尙實驗之學也。換言之。卽於凡事必取憑證。及以宇宙現象爲依據之學也。

科學旣爲證實之學。則西醫謂中醫爲不科學。尤以不科學三字爲欲消滅中醫之焦點。誠不知其故矣。

余謂中醫不惟科學化。且爲整個的科學醫。細覽一部傷寒。論金匱及本草經所載。無一語乏憑證。無一字非實驗。况其他醫書。亦多有心得經驗之談。安可與病有而藥尙未發明（如西醫之於傷寒……等病類皆如是云云）之西醫。同日而語哉。

最怪者一般人亦以不科學爲中醫之詬病。於是有隨聲附和其中醫宜科學化噫。盲從何至於斯極。而華種洋化之西汪企張余雲岫輩。自命爲深得科學三昧者。不知彼所習之科學。係何科學。恐糟粕亦未學到也。竟敢侈言謂今之舊醫。缺乏科學根底。若此言施諸讀幾句藥性賦。記二三個湯頭。便懸壺爲人診治之庸醫則可。倘必統言中國醫學。則汪余等所論之科學。與眞正之科學本義。其相去眞不啻十萬八千里矣

客臘余在蘭谿中醫專校時二一日教務處分下油墨印滬江大學教授顧惕生先生之中醫科學化之商兌一文。盡閱之。欽贊其後半篇之言、而不承認其中醫所謂科學化、乃裝時髦。及以解剖死屍爲死猪化。死狗化。而非屬於科學數語。大抵彼云裝時髦者。必意謂科學乃新名。中醫是舊學、舊學不應用新化。猶老嫗之不宜服青年女子之新裝。若所以有於中醫自己之人格。有莫大關係等語。中醫固屬我國四千年之舊學。而不知科學亦歐西二百載之故物也。至於解剖屍體。原係欲得實在經驗。所謂必取憑證是也。惡得以死猪化死狗化名之耶。

顧先生又云。且科學一名詞。原有嚴格之解釋。未知顧先生作何嚴格之解釋。使果如吳稚暉先生之解釋。則毫無嚴格。可謂玆將吳先生解釋科學一名詞并解說科學態度之原文。錄之於左。

科學在二百年來。忽湧現於西方。此非西人應獨得之智識也。乃人類積時代爲開明適至此時人類之心思與材力。適足取科學而發明之。於是世界有科學起點。在西與在東。不過發脚之先後。世界既有其物。固必普及於人類者也。此如由茹毛飲血。於是而火食。於是而酒漿、又如由石器而銅器更能用鐵。在古世不交通。亦不謀而相合。東方學者之意中。視物質與名理。每有形上形下之分。……殊不知物質與名理。止足以表裏。决不能分上下。理學至隱。必藉學顯之。故科學之名詞。不專屬於物質，其表則名數質力。其裏則道德仁義凡懸想者爲哲理。而證實者乃科學。道德仁義不合乎名數質力者爲懸想。以名數質力理董之者是爲科學。故自科學既興。以聲光化電之質力。遂至名數益精。名數益精而心理計學之類成爲專科者。其理道之深微。皆用尺度表顯。

……

我信宇宙一切皆可以科學解說。但欲解說一切之可永遠。不能解一切之可無異說。能知無始之始。能知無終之終。能知無外之大。能知無內之小。這自然不能。惟能雖不能。而可則自可。向可中求增其能。是之爲學。不問其可。自信別有所能。是爲美學態度 不信其可。而願姑試其能。是爲玄學態度。心知其可。不肯自限其能。是爲科學態度

蓋理學者精神也。質學者物質也。故哲理爲體。科學爲用。而道德仁義又爲文化之結晶。其文化日進而道德仁義日退者。未之有也。

中醫主氣化。雖皮膚瘡瘍之外。病亦必兼臟腑。經絡而治之。使其自然托化。不若西醫之主形跡。股有癰則割股。胸生疽則挖胸。失之死板化也。要知精神不能離開物質。物質亦拋不了精神。中醫貫精神物質而爲一。重自然是科學之完全。西醫則偏於物質太呆板乃科學之一端。是以余謂中醫價值實倍蓰於西醫。願國醫界同志。將固有之智能。固有之科學。醫去其不善而取其善。發

揚光大之。再本科學態度，精益求精。俾中醫之旌旗，漸普飄於全球。則化中醫為世界醫。當可計日而待也。

中西醫之門戶見

嚴蒼山

中西醫學術之不同。致引起門戶之見。互肆攻訐。報紙喧騰。幾無人不曉。然折衷而論。中醫尚氣化。西醫尚形迹。各有短長。中醫以數千年之歷史。由經驗而至於實用時代。西醫則尚在進程中。可稱為研究時代。西醫乃醫為藥用。因西藥由藥劑師發明。請醫生試驗成功。然後登報推銷全球。倘此病無此藥時。則此病輒無辦法。坐以待斃，吾中醫則不然。乃藥為醫用。病不論兼症之多少。皆可於一方中治之。衆藥隨意取舍。君臣佐使。各盡其妙。然西醫精於器械。擅於刲割。又如金雞納霜之治瘧。六零六之治梅毒。皆昭昭在吾人耳目。實足令人嘆服也，總之。醫不論中西。其為活人之事業則一也。奈何以活人之術。作攻訐之資，致病者徘徊歧路。莫知適從。誠仁者之所不忍也。僕為中醫。然於西醫獨長之處。未嘗不虛心請益。每有須割治之症。亦時介紹西醫。故余對西醫。或褒其長。或貶其短。非絕對抱門戶之見也。

吾人只知西醫無一不意氣用事。極端反對中醫。亦詎知西醫之信重中醫者。竟大有人在。同鄉趙君建新。業西醫。擅長內科。曾任上海醫院常駐醫師有年。現任南京交通兵第一團醫務所主任。學識經驗。兩俱豐富。與余友誼極篤。嘗促膝而談醫事。互相探討。娓娓不倦。一若忘其為中醫西醫者。民國拾六年秋。渠感患濕溫之疾。服西藥二十餘日不痊。循致合眼則盜汗。畏其虛脫。命看護在旁呼喚。不使其寐。胃呆不食。又用牛肉汁以開胃。復痞悶益甚。惶惶終日。常恐不治。電邀眷屬來滬。予數往探視。渠心中屢欲改服中藥。因住在西醫院。未便啓齒。予揣其意。卽以利害動之。幷極言吾中醫治濕溫之靈驗以壯其膽。趙君始毅然决定。改服中藥。余診其脈濡虛帶數。苔根膩。前半薄黃。熱朝輕暮重。合眼則盜汗。以是晝夜不敢寐。心中恐慌特甚。予斷其濕熱混淆。尙逗遛氣分。然因操心過度。而心氣亦虛。是係勞傷挾濕熱之候。遂投苡米白通艸益元散以滲濕。鮮藿佩以化濁。黑山梔黃芩以清熱。生扁豆甦脾解暑。酸棗仁硃茯神石菖蒲酒洗郁李仁琥珀多寐丸等以安神鎮魂魄。並囑伊放心安睡。睡安則汗自止。服藥後果如所言。一夜好睡而汗止。身熱亦平。第二日投以開胃安神。如北沙參淮山扁豆蓮肉棗仁硃茯神黑山梔苡米資生丸等，如此出入者再二日。而諸恙悉除。胃納亦佳。繼服善後方而愈。趙君從此益信中醫。素有消中吐血病。命常服知柏八味丸。云極效也。

又崇明瞿直甫先生畢業扶桑。懸壺滬上。爲西醫之傑出者。生涯鼎盛，名聞全滬。胖而矮。面常帶笑容。人皆以彌勒佛喻之。君極謙遜。亦嘗引中西醫之爭爲憾事。予凡有難治之外科。介紹先生診治。無不效。益欽佩之。先生有妹黃夫人。患咳嗽成勞。潮熱盜汗。住先生院中。越八月未痊。今春益見加劇。延予用中法診治。予診其脉細數。舌脫液。面顴紅。納不佳。傷風不醒。久必成勞。此其候也。幸經事未斷。大肉未脫。尙有設法餘地。遂投以補肺阿膠湯去熱牛蒡。加五味子以斂其肺氣。龍牡浮麥以止其盜汗。服後卽知。迄今近共更方四五次。服藥四十餘劑。諸恙早去。漸得行動如常矣。若二君者。所謂學問深。意氣平。不失學者態度。誠足爲全國西醫表率也今春旅滬台人組織台州醫院。因經濟尙在籌募中。先設臨時施診所於民國路台州同鄉會。西醫部朱企洛君主之。中醫部不佞主之。朱君性和易。亦絕無中西醫界畔也。

異疾瑣記

秦又安

唐陳子直主簿。妻有異疾。每腹脹則腹中有聲。如擊鼓。遠聞於外。行人過戶者。皆謂其家作樂。腹消則聲亦止。一月一作。醫莫能知。

羅謙甫治一人。兩足心凸如腫。硬如鐵。脛骨生碎孔流髓。身發寒戰。惟思飲酒。此肝腎氣冷熱相吞。用川烏炮爲末敷之。內煎韭葉湯服之愈。以川烏溫行。韭菜溫散行瘀也。

呂夏卿舉進士。歷知制誥。典滁州。年五十二得奇疾。身體縮小。卒時纔如小兒。

專著

藥籠小品

嘉善黃凱鈞退庵

神農本草。藥分上中下三品。共三百六十五種。後世逐漸增添。至李時珍綱目。乃有一千八百七十一種。辨其性味。所主何經。所療何疾。亦爲詳且悉矣。何待言哉。然藥如人才。各有所長。亦有所短。堯舜善治天下。執鞭驅羊。不如三尺之童。秦武方能舉鼎。而有絕脰之患。許歷軍士。乃獻破秦之策。童子至性。能禁猛虎之暴。故參芪上藥。有時亦能流弊。蛇牀下品。用當亦見其長。或前人已言。或心有所得。咸爲辨別。昔華仙治病。藥不過漆葉青黏。今已百倍於前。彙通其意。亦大可措手矣。

人參功魁羣草。善療百病。爲氣虛之聖藥。最不可缺者。痘瘡氣虛難起。臨盆補氣易產。跌撲血出發暈。一切氣脫危症。所禁用者。肺邪未清。疵疹初起。產後瘀血爲患。此藥在 國初時。出多用少。大參不過黃金對換。見(逃菴詩鈔)予小時五分枝白金五十換近年產稀用繁。價十倍於前。其力亦大。最虛之症。服參三四錢。已可挽回。續用西黨參代之。往往奏功。每見有人傾貲服參。反致遍身浮腫。仍歸無濟。可見用之的當。少亦有功。若浪服之。雖多奚爲。

防黨參西產爲上。體糯味甜。嚼之少渣者佳。他方所出。反覺肥大。概不入藥。近來人參大貴。無力者惟仗此扶助脾胃。與西芪甘冬朮並用以爲補益。四君補中益氣等湯。皆以此代人參。往往見效。惟中滿有火者忌之。臘月煎膠合丸料代蜜。最妙。

西洋參味苦性寒。惟牙宣出血。虛而有火者宜之。更車中馬上。噙含數片。亦可生津止渴。世人見其有參之名。又能生津止渴。作爲補益之品。火體庶可。其虛寒者。能免脾胃受傷。納減便泄乎。

北沙參肺經輕清淡補之品。予治肺虛咳嗽。比用黨參元參北沙參。或加降氣消痰。名三參飲。獲效甚多。若肺中有邪不可漫施。

甘草生用瀉心火。炙用補中扶元。凡入表和補瀉溫涼劑中。皆能相助爲功。協和諸藥。使之不爭炙黑能治吐血。生肌止痛。通行十二經解百藥毒。惟中滿者忌之。節治瘡核。梢治淋濁。

黃精天生此味。以供山僧服食。凡深山皆產。鮮者如葳蕤。須蒸透作黑色。能補脾益腎。其功勝於大棗。一僧患便血。久而不愈。有道友饋數斤。食盡而痊。亦補脾益腎之功也。

葳蕤(卽玉竹)甘平益胃。潤燥祛風。能治病眼見風淚出。婦人久服宜男。惟與痰多者相犯。微炒用。

黃芪西產爲佳。雖係種者亦金井玉欄。體糯而甜。新貨爲上。稍久則色味盡減不可用矣。去頭及粗皮。切片蜜水拌炒。欲達肌膚。連皮生用。黃芪補氣。亞於人參。然當歸補血湯中。用黃芪倍於當歸者。蓋謂有形之血。不能速生。無形之氣。須當急固。故重用之也。然則黃芪兼能補血明矣。治陽虛自汗。人盡知之。陰虛盜汗。人皆不察。只須兼涼血之品。六黃湯用此一味是也。惟肺家有火表邪未清。胃氣壅實者。咸宜忌之。

白朮天生野產。不論何處。皆能扶土生津。挽回造化近時不可得矣。卽有亦只如鈕大。欲求津如玉液。味似瓊漿。難矣哉。士人以此細者。種之數載然後出售。已爲難得。一枚重錢數者。價亦不賤。舖中所賣。所謂於朮。盡蒼朮種。亦爲高品。更有大如拳者。出台州。謂之糞朮。種而澆肥。故易大耳。或飯鍋久蒸。調理常病。亦可用。更有小者味薄。炒用惟能燥濕。更有小而甜者。爲甜冬朮。宜入淡補劑中。予治肺虛咳嗽。每用白朮。因其補土生金前人用異功散治肺疾。亦由此也。玉屏風用之。亦取其補土生金。以固皮毛。胃氣壅實。邪在陽明。在所禁用。一人停食，用消導無效。一醫令濃煎白朮湯服之而愈。謂胃虛則欠運。如磨齒平。不能屑物。此塞因塞用。亦頗有理。

蒼朮苦溫辛烈。燥濕强脾。發汗逐痰飲。辟惡氣。總解痰氣。血濕食五鬱。燥結多汗忌用。出茅山硃砂點者良。米泔浸切。

桔梗入心肺胃。開提氣血。散表寒邪。故能開胸膈滯氣。治喉痺咽痛腹痛腸鳴。載藥上浮。至於高處。凡病欲從大小便出者。若誤用之。爲患不測。

天麻辛溫。入肝氣分。通血脈。疏肺氣。治諸風眩掉。語言蹇滯。風濕㿏痺。小兒驚癇。此燥血之品。非眞中風忌用。

秦艽苦燥濕。辛散風活血榮筋。治風寒濕痺。通身攣急。潮熱骨蒸。腸風泄血。一切濕勝風淫皆能治也。

柴胡苦微寒。能升清陽。爲足少陽胆經表藥。同黃芩治往來寒熱。心煩欲嘔。口苦耳聾。熱入血室等症。陰虛火炎禁用。銀州柴胡。治久瘧成虛。或肌熱骨蒸。同地骨皮青蒿鼈甲。再加育陰之品治之。

前胡辛散肺。解風寒。甘入脾。理胸腹。功耑下氣。氣下則火降而痰消。無實邪者忌。

獨活辛苦微溫。善搜腎經之風。兼能燥濕。故治痙癇濕痺。（項背强直手足反張曰痙）奔豚疝瘕。（腎積曰奔豚風寒濕客於腎家所致疝瘕亦然）節疏色黃者爲獨活。色紫節密者爲羌活。並出蜀中。

羌活辛苦溫。散肌表八風之邪。利周身百節之痛。剛痙柔痙。（無汗爲剛有汗爲柔）中風不語。太陽頭痛皆主之。凡屬血虛爲病。非關風濕者。勿浪用也。

防風辛甘微溫。去風勝濕之要藥。散頭目滯氣。經絡留濕。搜肝瀉肺。太陽頭痛。若咳嗽不因風寒。泄瀉不因寒濕。陰虛盜肝。陽虛自汗者。並在禁例。合黃芪白朮。又能固表止汗。名玉屛風散。予治哮喘愈後。必用玉屛合異功加杏仁蘇子爲丸。令服。多致不發。

升麻甘辛微苦。能引參芪補力入於脾胃。表散風邪。升散火鬱。能升清陽。治下痢後重，久泄脫肛。崩中帶下。痘瘡瘢疹。若陰虛火升者忌。

細辛辛溫。爲心之引經。腎之本藥。溫經發汗。水停心下。治少陰咽痛。味厚性烈。不可多用。

遠志開心氣。散鬱結。瘡家用以爲膏。因諸痛癢瘡瘍。皆屬心火。取其開心氣。散鬱火也。甘草水浸。去骨。

金毛狗脊味鹹入腎。治腰脊痛。鹽水炒。微滑大便不實者勿用。

淫羊藿性溫補腎。須輔入他藥。獨力無功。

瑣陽味鹹入腎。能强筋潤燥。益精興陽。狀類男陰。惟相火易動。及大便不實者忌。

肉蓯蓉味鹹入腎。其性和平。治老人便閉。蓯蓉之名不虛也。便滑者不用。漂淡。以上二味。舊傳產西北。驢馬遺精所化。

白芨性濇。得秋令。入肺止吐血肺損者。能復生之。（人之五藏惟肺損壞者可以復生）爲末酒沖二錢。治跌打折骨。油調治湯火灼傷。除面上皯皰（皯面上黑色皰面瘡也）塗手足皸裂。研硃點勘。手摩不脫。

三七廣產者細皮堅實。味甘苦。能生津補氣。虛寒吐血配入溫滋劑中。宜炒用。

地榆苦酸微寒。入下焦除血熱腸風。（血鮮者爲腸風血瘀者爲藏毒）血痢。（地榆有斷下之功初起禁用）取上截炒用。梢反行血。

丹參舊稱一味丹參功兼四物。謂其亦能補血。凡血虛有痰。大便不實者。礙於四物。而用之甚妙。兼補心血。天王補心丹用之是也。

元參能清浮火。配入丸料。能入腎補水。若煎劑中。只可治虛火上炎。時人每有咽痛。輒用元參麥冬。不知風溫與寒鬱爲患。二味並不能治。而反滯邪。豈可溷用。

苦參清下焦血熱。故孫一奎治血痢。每多用之。不可多服。令人腰膝軟弱。蓋苦伐生氣。徒有參名而已。

龍胆草大苦大寒。淸肝胆實火。故龍薈丸治肝火鬱結大便不通。極傷胃氣。非肝經有實火者不用。

黃連川產堅實。色如淡金者佳。餘不入藥。淸心火。爲安危定亂之品。同瓜蔞皮枳實。泄胸痞如神。又爲熱痢要藥。凡熱邪入血分。非此不除。炒用厚腸胃。酒炒兼瀉肺火。溫疫論言其守而不走。亦與大黃對峙而言。泄痞何嘗不走。惟不能逐有形之邪耳。苦從火化久服反能生熱。惟胸中有火。血分有熱相宜。否則須佐補藥。方爲無弊。如同人參治噤口重痢。入六味湯治牙宣出血之類。其用不可枚舉。

胡黃連其性味功用。並同黃連。今治小兒潮熱五疳等症。（小兒五疳卽大人五勞也幼科不辨曲折次第蓋用成方治之）初起亦有得效。胃虛者服之有死而已。蓋此等藥極苦大寒。弱體不能勝耳。出波斯國折之烟出者眞。

黃芩入肺與大腸。同柴胡。治往來寒熱。同白芍甘草。治挾熱腹痛。血痢要藥。胎前能滋胞宮之陰。其用甚廣。虛寒者忌之。堅實者爲子芩淸大腸。中空者爲枯芩瀉肺火。

紫草涼厥陰血分。（心包肝）治痘瘡血熱。二便閉塞。

（待續）

河豚毒辨

慈谿馮紹蘧

世稱食河豚死者。係其卵子漲大於腸胃所致。謂一卵之微。入腹後。卽能漲大如豆。又謂雌者有子。故能致死。雄者無子。食之無害。然余曾聞食雄致死者。因有惑焉。且考國醫急救法中。有橄欖汁及槐花胭脂能解河豚之毒。槐花橄欖。旣無消食治脹之能。何以用而獲效。更有惑焉。數載缺疑。無從闡明。近稍涉獵西籍。方悉河豚之所以致人死命者。因有河豚精河豚酸之故。其性劇烈。有酸性反應。其毒在睪丸者最多。卵巢者次之。肝臟者又次之。內藏器官亦有之。惟筋肉無毒。故無論食雌食雄。凡洗滌淨潔者。食之決無害。卽可以思其故焉

學說

風癆臌膈脉症治法辨

施文德

風爲陽邪。外因之卒病。癆爲陰虛。內傷之末路。臌爲外因內傷相併而成。隔爲陰衰陽盛相阻而病。然外來之病。內必先傷。內傷之病。外必先因。陽盛陰衰之原。未有不由內傷外因所致。不獨此症如是。百病之生。莫不皆然。夫病有千變萬化。其內傷外因之輕與新者易治。重與久者難療。而風癆臌膈。實內傷外因之重症。固較症又更深一步時。諺謂風癆臌膈。實病難醫。殆亦知四症犯身。非輕而易治者歟。然鄙謂治症之難點。全在醫之昧其病原而法失穩當故耳。今不揣固陋。以脉症治法。略述辨之。

風病

(原理)風爲流動之空氣。人非空氣不生。萬物非空氣不長。然風氣雖能生萬物。亦有害萬物。如水能載舟。亦能覆舟。若人元氣强壯。營衛和平。腠理緻密，外邪焉能爲害。人之所以病風者。惟由飲食七情。勞傷色慾。致眞元耗散。營衛空虛。邪乘虛入。所以營衛虛人。肝風不免內動。而外風應之。易於發作。(病狀)風之中於人也。非一朝一夕之故。其發作也。卒中昏倒。爲竄視喎斜。搐搦反張。骨節筋急。癱瘓膚頑。語言蹇澀。痰涎壅盛等狀。岐伯分四大法。半身不遂。爲偏枯。四肢不舉爲風痱。卒倒不語爲風癔，遍身疼痛爲風痺。機要云沉昏不語。唇緩痰壅。耳聾鼻塞。目合不開。大小便閉爲中臟之症。手足不隨。拘急不仁。或中身前。身側。痿不能動。目微視口微言。大小便通。爲中腑之症。丹溪謂半身不遂，語言蹇澀。外無六經形症。內無便溺阻隔。但口眼歪斜。痰涎不利。爲中經之症。內經謂肌肉腫䐜。鼻壞色敗。皮膚肢潰。爲癘風之症。可見風之名病者惟一。至變者各殊。誠經所謂風爲百病之長。善行而數變。正言其概而知其變也。然岐伯分偏枯痱癔痺四症。機要有中臟中腑。丹溪有中經之名。合而言之。所謂半身不遂。爲偏枯。卽中經症也。四肢不舉。爲風痱卽中腑症也。卒倒不語爲風癔。卽中臟也。至若風痺爲遍身疼痛。癘風爲皮肉腫潰。推其原因。如中經之症。因虛邪偏客於身半。內居營衛。營衛衰。眞氣去。邪氣獨留。發爲偏枯。醫貫謂發在左爲癱。夫癱者坦也。筋脉弛縱。坦然不收。發在右爲瘓。瘓者渙也。散漫失常。筋骨不用也。丹溪謂在左屬死血少血。在右屬痰壅氣虛。喩嘉言謂左半雖主血。非氣以通則不流。右半雖主氣。非血以麗之則易散、可見偏枯之症。左右氣血。不可執泥其治。中臟之症。因風邪內閉。九竅鬱滯。致卒倒不語。醫貫謂咽中噫噫、舌强難言。金匱言邪入於藏。舌卽難言。口吐涎沫。俗稱急中風者是也。中腑之症。因外着四肢。故手足不能舉動。河間謂足痿不能行。靈樞謂輕者志不亂。言微知易治。甚則不能言者難治。風痺之症。因風氣內鬱。遊走無定。故遍身疼痛。靈樞謂一臂不遂。時復轉移一臂。三錫謂四肢肌肉。不爲我用，似偏枯而多痛者是也。癘風之症。因風客血脉。久留不去。營氣化熱。內壅不通。致腐化而爲皮肉腫潰。經所謂風行脉俞、散於分肉。衞氣相干。其道不利。營氣熱腐。其氣不清。故皮膚敗壞。而爲瘍潰。足徵風之犯人。無微不至。傳變迅速。無逾于此。病之危險莫此爲甚者矣。(病分輕重)中經邪在血脉。病之淺者也。中腑邪在肢節。病之重者也。中臟邪塞氣道。病之危者也。準繩云。牙關緊閉。兩手握固。是謂閉症。其病易治。口開鼾睡。小便自遺。卽是脫症。其病難治。丹溪論風痺症。邪在經隧而痛者易治。若舉動卽痛者是血無以養筋。名曰筋枯難治。(脉分吉凶)風脉浮緩。故見浮遲沉緩者吉。洪大急疾者凶。若脾脉獨緩無力者難治。(治法)風症皆痰爲患。宜化痰爲先。初得痰當順氣。日久卽當活血。然世多以小續命湯。爲一切風病之雄師。每致輕者轉重。重者至危。蓋未審病情耳。惟邪着三陽之中腑症。本宜發汗。以泄其邪。嘗用此方。果有確效。至於中臟乃邪着三陰，謂之閉症。急用破棺散開關散吹鼻取嚏。或用烏梅擦牙。待以齒開神清。再審體實者用三生飲(生川烏、生附子、生南星)以宣上竅。三化湯(厚朴•枳實、大黃、羌活)以通下竅。體虛不免脫症。急宜參附湯。(人參、附子)培補元氣。中經邪着血脉。用大秦艽湯。(秦艽、石膏、當歸、白芍、川芎、生地、熟地、白朮、茯苓、甘艸、黃芩、防風、羌活、獨活、白芷、細辛、)以養血舒筋，風痺症邪着肌肉。用蠲痺湯(羌活、防風、黃芪、當歸、赤芍、姜黃、甘艸、加姜棗)以祛風和營活絡。癘風乃邪壅外潰。用寶鑑換肌散。(白花蛇、地龍、當歸、細辛、白芷、天麻、威靈仙、菊花、川芎、紫參、甘草) 以祛風化毒。此歷驗所識者至於化痰順氣。以二陳湯加烏藥枳壳竹瀝姜汁。若有六經形症。再爲加減。如無汗拘急。用羌活防風。有汗體病。用桂枝芍藥。恶寒身熱。加柴胡黃芩。頭痛目昏。加川芎蔓荆。口眼喎斜。用天麻全蠍。頭眩烘熱。加甘草級茶。風痰壅盛。加南星貝母。恍惚囈語。加菖蒲遠志。茯神棗仁。手足抽搐。加姜蠶天麻。筋急加木瓜。筋攣加鈎籐。在臂加桂枝。在足加牛膝。如風痰漸退。但半身不遂者。審是血虛。用二陳合四物湯。氣虛用二陳合四君。均加秦艽續斷竹瀝姜汁。四肢不舉。屬濕痰者。三一承氣湯。(大黃、枳實、芒硝、厚朴、甘草、加生姜)屬虛弱者。用十全大補湯。(卽四物四君二湯、加黃芪肉桂)其大便不通屬痰實者。三化湯以利之。(方見前)屬津涸者。四物麻仁丸潤之。眞氣漸復。初未盡除者。更用羌活愈風湯。史國公及長春浸酒等方。以上諸法。槪以疎風化痰爲君。補養氣血爲佐。通絡舒筋爲使。乃治風邪之化劑也。若病狀雖減。而元氣未復者。須審其肝脾腎三經。認定其氣虛血虛陰虛陽虛之別。再以歸脾虎潛七味六味八味等丸。及還少丹。審病擇服。更以四君六君八珍十全大補等湯。加意調服。雖然虛風。縱然潛消矣。

癆病

(原理)癆之成病。大要在男子起於傷精。女子起於精閉。童兒起於母胎。故凡氣體虛弱。嗜慾無節。枯竭腎精。七情六慾之火。時動於中。而耗損心血。飲食勞倦。過度。傷敗中元。漸至眞水燥竭。少火不生。而壯火上炎。蒸痊日久。則癆症生焉。(病狀)癆症之生。非如風之驟然。其來也漸。倦怠無力。飲食少進。睡中盜汗。午後發熱。煩躁欬嗽。或痰涎帶血。咯唾吐血。肌肉瘦削。五心煩熱。目花耳鳴。驚悸夢遺等狀。丹溪分五藏癆症。驚悸不寐。自汗層出。五心煩熱。爲心癆。脇痛善怒。頸發俠瘿。腋生馬力。爲肝癆。食少泄瀉。形體瘦削。嗜臥肢煩。爲脾癆。灑漸惡寒。嗽痰咳血。皮枯聲嘶。爲肺癆。精滑骨痿。腰背拘急。骨蒸盜肝。爲腎癆。五病外又有陰病陽病。陰陽俱病。病於陰則有胃逆惡心。飲食難化。痰涎白色。四肢懈隋。溺多便溏之狀。病於陽則有口乾舌瘡，咽痛聲嗄。能食而心中煩疼。小便黃赤。大便燥結之狀。陰陽俱病。則有痰嗽坐臥不安之狀。更如病癆日久。痰瘀逗遛而變幻生虫者。名曰尸癆。風邪閉遏。咳嗽鼻塞。久則傳裏。耗損心血。名曰風癆。室女尼孀。思慮失遂。氣血留結於內。阻住經脉關要之地，病爲乾血。其外發也。尸癆則有蒸熱咳嗽。胸悶背痛。兩目不明。四肢無力。腰膝痠疼。臥不能寐。或面色脫白。或兩頰時紅。常懷忿怒。夢與鬼交之狀。風癆則見自汗內熱。在肺咳嗽。在肝吐血。在脾體疲。在腎泄精之狀。乾血則見肌膚甲錯。面目黧黑。咳嗽困倦。遍身黃腫。月事不行之狀。(脉法)弦大爲癆病之脉。水虧火旺故也。如大而無力爲陽虛。弦而無力爲陰虛。大者氣血未衰易治。弦者氣血已耗。難治。如細數瀉散者不治。男子久病。氣口脉弱則死。强則生。女子久病。人迎脉强則生。弱則死。(治法)萬病莫難於治癆。若不究其源本。亂投藥石。死期可待。或誤投以大寒。則中氣愈虛。進以大熱。則內水愈竭。過與膩滯。氣寃病增。三者均在禁例。當用滋陰降火以清其源。消痰和血以潔其流。此爲治癆之正法。餘如心癆以歸脾湯爲主。脾癆以補中益氣爲主。肺癆以生脉爲主。肝癆以逍遙散爲主。腎癆以地黃湯爲主。陽癆主以清骨散。陰癆主以八珍湯。陰陽俱病。主以十補丸。尸癆主以犀角紫河丸。(紫河車、鼈甲、桔梗、胡黃連、白芍、敗鼓皮心、大黃、貝母、龍胆草、黃藥子、知母、芒硝、犀角、硃砂研末蜜丸)風癆主以秦艽鼈甲散。乾血主以大黃䗪虫丸。更如脾肺兼病。主以清寧膏。心腎兼病。則以人參養榮。

肝腎則以生熟地黃丸。脾腎則以滋腎丸爲治。然再當隨症加減。如倦怠無力。飲食少進。加砂仁細歸。午後發熱。煩燥咳嗽。加五味紫苑。痰涎帶血。咯唾吐血。加阿膠麥冬。肌肉瘦削。五心煩熱。加元參地骨。目花耳鳴。驚悸夢遺。加當歸山藥龍骨蒺藜。睡中盜汗。加黃芪熟地。以上諸法。概以滋腎補脾爲主。調養氣血爲輔。因症處方。隨時參化。窮究症源。細心體認。致使重者轉輕。輕者變愈。惟要在從本治之易於見功。從標治之。難能挽回者多矣。

臌病

（原理）內外不通繃結而脹者。謂之臌。猶氣囊然。盈滿無隙。蘊欝於中而不得外洩。凡人氣血內充。升降上下。外而肌肉。內而臟腑。各相貫通。何脹滿之有。其所以成此病者。由於飲食不節。房勞致虛。或六淫外侵。七情內傷。脾陰受傷。轉運失職。胃雖納穀。脾不運化，則陽不升而陰不降。清濁相混。阻塞隨道。致氣血留中。臌病由是而成。（病狀）臌者鼓也。如皮革成鼓。膨急而脹也。格致論云。外雖堅中空無物。有似於鼓。繩墨謂擊之有聲。按之無形。是其病也。內經云。色蒼黃。腹筋起。心腹脹滿。旦食則不能暮食。此其狀也。然分氣血虫水。當隨症認定。不可謂臌無他物。均屬於水也。其屬於氣者。腹如抱甕。四肢疲削。屬於血者。由跌蹼產後。血瘀氣滯。腹現紫色、大便見黑。屬於虫者。按之塊痛。脹如蠕動。肢削能食。屬於水者。按之有聲。腸鳴喘急。怔忡嘔水。更有四肢不脹。但腹大如鼓。謂之單腹臌。但必辨其虛實。如小便黃赤。大便閉結。爲實。小便清白。大便溏泄爲虛。氣粗爲實。氣短爲虛。朝寬暮急爲血虛。暮寬朝急爲氣虛。朝暮俱寬爲氣血俱虛。或臌於腹而連及臟腑皆病者。如病於心者神煩。在肝脇痛。在脾嘔噦。在肺喘咳。在腎腰痛。在胆口苦。在胃拒食。在大腸者腸鳴飧泄。在小腸者小便癃閉。在膀胱者小腹急疼。在三焦者氣滿面浮。此兼病之狀。無一或免。惟最多見者則在脾臟。（脉法）臌脹爲土敗木賊之病。故脉來關上弦。或遲而滑，盛而緊。大堅且濇。又虛爲虛脉。牢爲實脉。浮大者易治。沉紉者難愈。（治法）大要着重脾臟。故實者散之下之。虛者溫之升之。因於氣者化之。因於瘀者下之。因於虫者攻之。因於水者導之。氣主寬中散。血主抵當湯。虫主積塊丸。水以舟車丸。大概利氣導滯滲濕化濁。爲臌脹之正治。二陳湯去甘草。加厚朴大腹皮木香蘇梗之品。若兼他症。再爲加減。如內熱心煩加連翹山枝。脇痛加香附青皮。嘔噦屬熱者加左金丸。屬寒者加乾姜半夏。喘咳加款冬貝母。腰疼加續斷牛膝。口苦加黃芩芍藥。拒食加砂仁苡仁。腸鳴飧泄加炮姜肉蔻。小便癃閉加豬苓木通。小腹疼痛加吳萸延胡。氣滿面浮加陳皮當歸。更兼食積。加神麯山查。蓄血加桃仁莪蒁。寒邪內滯者加木香炮姜。寒邪外束者。加升麻葛根。便閉實熱加大黃枳實。溲短濇結。加澤瀉通草。此兼症之變法也。若初起實者則宜疎導之法。加厚朴枳壳木香檳榔陳皮青皮之類。久而挾虛。宜培脾利氣。如六君子加蘇梗砂仁之品。至於邪退而正不足。再議補氣之法。以復其元。自然臻於完境矣。

膈病

（原理）膈爲三陽內結。火侵胃脘。蓋胃脘之下。如脂如膏。積疊胃底。其納穀之機。皆賴脂膏之力。而上中下三脘。自暢達無阻。然病隔之人。被火消爍。脂膏漸縮。是以上脘閉小而拒食。中脘失潤而引飲。下脘熱結而便閉。原因在於憂鬱失志。及膏粱厚味。醇酒淫慾。動脾胃肝腎之火。致令陰營耗衰。火氣逆迫。火與痰結。塡塞道路。所以上格而不得入。下關而不得出。膈症之成。由是而起。（病狀）胸膈滿悶。水漿入而復出者。此病狀也。有飲可入而食不得下者。病在上脘。食已下而反上出者病在下脘。食下而眼白口開氣逆不順者屬於氣滯。食入而當心刺疼。吐出痛止者。屬於血瘀。然此總歸於眞水不足。虛火獨亢。故少年病此者少。老年病此者多。（脉法）緊滑而革者。膈之病脉。右脉無力是氣虛。左脉無力是血虛。痰凝者寸關沉滑而大。氣滯者寸關沉伏而濇。血瘀者芤濇。火逆者數大。（治法）清痰降火。養陰生津。順氣調脾。抑肝開鬱。爲治膈之大法。香燥之品。在爲禁例。故趙養葵。用大劑六味湯。楊乘六用左歸飲。救腎水之枯。引濟陽明。張景岳主以啓膈飲。開其閉結。拓其胃陰。法爲至善。鄙人嘗按其法而處治。莫不成效。如兼他症。再爲加減·如痰凝不利。加竹瀝姜汁。火逆嘔吐。加竹茹山梔。血瘀心痛。加韭汁姜汁以潤之。便閉實熱。加大黃桃仁以下之。開鬱加香附川芎。抑肝加靑皮白芍。氣逆加訶子昆布。血虛加當歸韭汁。有虫加驢尿。有食加山查。如血少痰弱。更變用二陳湯合四物以調之。氣虛倦怠。二陳加四君以益之。再用竹瀝姜汁童便乳酪等品以加其中。此兼症之變劑也。要在初起體實之時。當以沉香木香荳蔻等開提之品。不可徒守滋補。久病液虛。當以白蜜蘆根當歸白芍等。潤養其胃。不可拘泥香燥。此先後之活法也。其正治之法。當用六味左歸啓膈等方。開其結閉。滋其胃陰。俾上脘之賁門得展。中脘之闌門得潤。下脘之幽門得通。則上不格而下不關。膈症無不自愈矣。

中西醫之臟燥病比觀

胡樹百女士

西醫發明

內因——遺傳性。——多自母氏傳遺。

外因——神經系抵抗力微弱。受有大刺戟或受傳染病及不適當教育誘因。

發病期——多發於十五歲至二十五歲之虛弱女子。男子之比例約一與十之比，小兒及月經閉止期此病者不少。

名稱——HPSTERIA——又名子宮病。

症狀——千奇萬狀。不勝枚舉。略說之。

（1）知覺障礙——A——HYPERAEMIA（知覺過敏）覺人所不覺。

B——CAPALALGIC（頭痛）——有蔓延性及限局性。

C——PARASTHESIE（知覺異常）——嗜好反常。

D——ANAESTHESIA（知覺痲痺）——皮膚知覺之失。或此局部之知覺亡失。而他局部之知覺轉過於靈敏。

(2)運動障礙——A——HYSTERIE(性痙攣)——分内外二部痙攣。

外——如角弓反張等。

内——如呼吸困難尿閉等。

B——HYSTERJE——(性麻痺)——或完全麻痺或局部麻痺及單癱偏癱等。

C——HYSTERJE(短縮)——局部之收縮或傾斜。

(3)精神障礙——爲本病生徵患者。心情變化不定哀樂。

(4)血管運動——兼分泌營養五管障凝。

(5)HYSTERIE——(性發作)法國多患此種。分大發作小發作及不整齊之發作。

大發作之前驅期。分四種。

(一)癲癇狀攣期。

(二)歇斯的里亂期。

(三)感動姿勢期。

(四)幼覺期。

(五)小發作期——始於痙攣期。終於狂亂期。

(六)不整齊發作——非定型發作。

經過——患慢性者多。其症之好否。每神經與奮而增惡。

診斷——不容易。因症狀隱顯不定。熟練者自知之。然其狀與癲狂大致相同。而實有區別。

多不贅述。

預後——症雖不良。而於生命無關。然有因疾苦而自殺。宜注意。

療法——兩種。分預防法療治法。

（一）預防法——有遺傳系因之少女。須行適當之教育。及避免精神過勞等。

（二）療治法——已發病者。以原因爲療法。而理學治療及食物治療頗效。又宜注重神經治療。及局部治療。一切神經劑及鎮靜劑。效果甚少。

中醫發明

原因——津血兩虛。舊醫書云。不拘何藏。皆有此病。唐容川云。爲子宮病。

證狀——喜怒不常。或悲傷。器象如神靈附身。數作欠伸。

名稱——藏燥。在婦科內。

治療——甘麥大棗湯。甘草、小麥、大棗、

按中西之說。大略相同。原因症狀。亦大致相同。然其中之不同。亦不過有繁簡之分耳。唐容川及西醫斷爲子宮病。以予觀之。實有矛盾之處。

（一）西醫云。男子患此病者。占女子十分之一。小兒及月經閉止期患此症亦不少。據此則男子亦有患者。不過在于少數。豈男子亦有子宮乎。甯非笑話。

（二）中醫云。津血兩虛。人身無時無地不需要津血。豈子宮中須津血。他藏即不需津血乎。而予意其所以稱子宮病者。因此病以女子婦人爲多數。然女子婦人。所以多患此病。或者因子宮需津血最多。而放散津血亦多。一遇外情之引誘。或精神之欝結。性欲發生衝突。而器官發生變化。中醫古諺云。「女子善懷。」此或者爲女子多有子宮病之原乎。若云一定爲子宮病。他藏不能。則男子小兒何以有之。

肺痿肺癰肺痮

陳耀堂

人身之臟腑。肺爲華蓋。居至高之地。主藏津液以灌溉五臟。洒陳六腑。若夫內有蘊熱。積久不化。則輕虛之竅窒塞。淸肅之令失司。故吾人患病。肺病恆居多數。因其感受風寒最易也。茲以金匱論中肺痿肺癰肺瘬。爲之分別論治。金匱云。熱在上焦者。因咳爲肺痿。夫痿者萎也。如草木之枯萎而不榮也。其始或患消渴。小便利數。或患風寒。大發其汗。或嘔之吐之。利之下之。皆是令津液耗傷。於是肺氣爲之空虛。虛則燥熱生。而肺痿成矣。脈象虛數。咳唾涎沫者。乃熱積於中。氣機流通不宣。津液無以輸佈週身。爲熱所灼。迫而上行。咳唾之不已。津液亡而化源竭。愈吐愈燥。肺金乾涸。安得不痿。此時治法。當以淸潤爲主。千金麥門冬湯。喻氏淸燥救肺湯。炙甘草湯等。皆爲此症要方。不可以痿爲不渴。而用燥熱之品。因於虛寒者。千金有生薑溫中湯。咽燥而渴有生薑甘艸湯。金匱亦云。肺痿吐沫。不渴不咳。遺尿小便數者。爲上焦陽虛。不能制下焦陰水。此爲肺冷。當甘草乾薑湯溫之。此則又不可相混也。因肺爲嬌臟。恐過用寒涼。其氣爲阻之故。

癰者壅也。如上之壅而不通。熱聚不散而爲潰也。金匱云口中辟辟燥咳胸中隱隱痛。脈反滑數者。此爲肺癰。肺癰之候。其人咳唾膿血。氣味腥臭。凡患此症。或體質素熱。或爲陰虛。或熱病之後。復感熱邪。或五臟蘊積之熱。與夫胃中停蓄之火上乘乎肺。肺受火熱薰灼。則痰爲之凝。血爲之裹。由是浸淫而成癰。按其脈數而實。則大熱蘊中可知。咳而喘滿。咽燥不渴。多唾濁沫。時時振寒者。乃熱則傷氣。氣不調和故咳而胸滿。氣不充足。故皮毛空疎而振寒。咽乾而時唾濁沫者。津液被爍。熱邪迫穢濁而上行也此即所謂熱之所過。血爲之凝滯。畜結癰膿吐如米粥者也。斯時當急瀉去其熱邪。葶藶大棗瀉肺湯爲主。餘如稍帶膿水。有桔梗湯或千金葦莖湯。桂枝去芍藥湯等。皆可加減施用。始萌之時。失治或誤治。則必致膿成而死（按近人有以鹹芥菜鹵治肺癰服之有效有不效然究屬丹方之類未可爲訓惟有一法治肺癰初起頗有效驗用川貝母末三錢甜杏仁末三錢金絲荷葉草不拘搗取汁白蜜二匙白老蔔汁半盃藕汁半盃燉溫以藥末冲服三服可痊再肺癰身熱不休而灼手者必死不治）肺瘬者。肺被水逆。羌滿而不用也。金匱云。脹而上氣。此爲肺脹。其人喘。目如脫狀。蓋因氣往上逆。不得下行。乃入於肺。肺氣壅塞胸中窒而不宣。氣機流通失暢。則必發喘。喘極而目如脫也。治法以越婢加半夏湯最佳。方中如麻黃以散表邪。石膏以清內熱。甘草大棗養正去邪。生薑半夏散逆下氣。因此症邪多飲少不用辛熱。故利辛寒也。又云肺脹咳而上氣。煩躁而喘脈浮者。心下有水。此乃肺癰將成之候。風寒入於榮衞。挾飲上逆。以小青龍湯加石膏。使水得泄於外。飲得散於內。溫寒並進。水熱俱捐。誠爲妙劑。其咳而上逆。喉中有水鷄聲者、射干麻黃主之。此方亦爲妙劑。最妙者莫如五味斂肺恐刼散之藥。復傷正氣也。總之肺痿肺癰肺脹。病原不同。治法各異。治之得當。其邪可解。治違其法。變端卽出。可不愼哉。可不愼哉。

陰虛病之治療律

秦伯未

余今運簡約之筆。寫實驗之果。將陰虛之治法。作整個之報告。所以爲治陰虛者樹發矢之的也。苟有能破余之的者。當細聆其敎。

余樹之的凡二。一爲可以對準發矢。一爲萬不可對準發矢。

何謂不可發矢之的。

一引火歸原之的　命門之龍火。謂之眞陽。如腎中陰盛。龍火不安其位。浮越於上。而爲上焦假熱面赤煩躁口乾。甚則灰苔。但口雖渴而不欲飲水。苔雖灰而質必滑潤。小便清長。足冷過膝。其右尺必沉小而遲。或浮大無根。此陰盛於下。逼陽於上。正宜八味之屬。引之歸元。若陰虛病則腎臟眞陰虛熱。水不攝火。火因上炎而致。面赤唇紅。口鼻出血。齒痛齒浮齒衄。種種上焦虛熱之症。雖亦龍火上炎。與浮陽上泛不同。縱有下部惡寒足冷。因虛火上升所致。非眞陽衰而然。故小便必黃赤。脈必帶數。有內熱的症之可據。誤用桂附引火歸元。無異抱薪救火。上焦愈熱。而欬嗽燥渴咽痛喉爛諸症至矣。

一理中溫補之的　虛寒腹痛。綿綿無增減。喜熱手按。熱飲食。虛寒泄瀉。水穀不化。澄澈清冷。必有虛寒之脈症可憑。然後用之有效。今人一見脹滿腹痛。食不消化。腸鳴泄瀉等症。便認爲虛寒。投以白朮之香燥。濟以乾薑之辛熱。不知陰虛之病。患在傷陰。再補其陽。則陽益亢而陰益竭矣。更有見其脹滿泄瀉。遂引經文清氣在下。濁氣在上。而用補中益氣以升清降濁。誤施升柴。反促陰火上逆。以致欬嗽增。吐衂至。而危亡見。

一參芪助火之的　肺脈按之虛而不數。肺中無熱。參芪可受。故有土旺生金。不拘保肺之說。今陰虛症。火已爍金而欬。火蒸津液而化爲濃痰。君相亢甚而血隨上逆。猶執無陽則陰何以生。及虛火可補。投以大劑參芪。勢必陽火愈亢。肺金益傷。

一苦寒瀉火之的　實火爲病。可以苦寒直折之。然須熱去則止。不可過用。設陰虛火炎。豈知柏苦寒所能清。非惟不能清火熱。抑且損害眞陰。敗壞胃氣。食少泄多。將何療治。甚者見其大便燥結。湏用硝黃以通之。不知腎主二便。更主精液。精液既竭。烏能濡潤。滋其陰。潤其燥。而便自通。士材之論。人徒從其溫補。孰識其亦深戒苦寒乎。

一二陳消痰之的　濕痰滑而易出。或稀如水飲。濕者燥之。半夏爲正治之藥。若陰水不足。陰火上升。肺受火侮。不得清肅下行。由是津液凝濁。不生血而生痰。當以潤劑滋其陰。使上逆之火。得返其宅而痰自清。謬進二陳。津液益耗矣。

一辛劑發散之的　陰虛而發熱者。十有六七。且與外感類似。火逆衝上則頭痕微痛。火升壅肺則鼻塞。陰虛陽陷入裏則洒淅惡寒。陽無所附則浮越身熱。但其發時。必在午後·先洒淅惡寒。少頃發熱。熱至雞鳴寅卯時。盜汗出而身涼。或不寒而但午後發熱。必現腎虛諸症。或兼唇紅顴赤。口渴煩躁。六脈弦數。或虛數無力。宜大劑補陰。若認爲外感而用風藥表散。則魄汗淋漓。諸虛蜂起。

何謂可以對準發矢之的。

一補腎水之的　陰虛火炎。惟有甘寒滋水添精之品。如保陰六味左歸之屬。補陰以配陽。王太僕所謂壯水之主。以制陽光也。滋其陰則火自降。譬之殘燈火燄∴添油則燄光自小。惟補陰之藥。必無旦夕之效。以陰無速補之法。須制大劑久長服之。若因於酒者。清金潤榮爲主。保陰之屬。仍不可少。何則。好飲之人。有不患陰虛者。以腎水不虛也。虛則心寡於畏。而復灼久傷之肺。焉得不病。補北方所以瀉南方也。因於思慮者。淸心養血爲主。保陰之屬。亦不可廢。水壯而火熄。弗急急於瀉心是也。因於勞倦者。培補脾陰爲主。佐以保陰之劑。經云。有所遠行勞倦。逢大熱而瀉。瀉則陽氣內伐。內伐則熱舍於腎。故知勞倦傷脾內熱者。必及於腎也。若忿怒傷肝動血。保陰六味爲正治之品。水旺則龍火不炎。而雷火亦不炎。乃肝腎同治之法也。

一培脾土之的。脾胃爲後天之本。飲食多自能化精生血。故越人歸重脾胃。仲景用甘藥建立中氣也。內經云。精不足者補之以味。味非獨藥也。五穀之味。皆味也。補以味而節其勞。則漸有餘矣。又云。陰陽形氣俱不足者。調以甘藥。以脾胃之強弱。動關五臟。况土強則金旺。金旺則水充矣。夫男子以脾胃爲生身之本。女子以心脾爲立命之根。故治陰虛者。無論何臟致損。皆當以調脾胃爲主。

夫余樹之的。皆昔人所樹之的也。特爲之重行建置耳。於是後之治陰虛者。倘得矢無亂發。病無夭折。吾弟又安見而笑曰。此亦猶刑家之律也。因名之曰陰虛病之治療律。

至於陰虛病所宜之方劑。就余習用者。選殿於末。一保陰煎。二六味地黃丸。三左歸丸。四左歸飲。五清金散。六加味淸寧膏。七噙化丸。八天王補心丹。九歸脾湯。十逍遙散。十一仲醇驗方。十二乳金丹。十三坤髓膏。十四白鳳膏。十五四聖丸。十六資生丸。而治陰虛之矢窮矣。

熱入血室與陰陽易熱入精室論

賴達五

血室者。在女子名曰血室。道家名曰丹田。男子名曰精室。以先天眞一之氣藏於此。故男子以藏精。女子主月水。衝任之脉盛。則月事以時下。精室之名。出自王孟英溫熱經緯。卽傷寒論陰陽易之別稱也。蓋仲景指病之來路。孟英指病之地位。名雖不同。而其病則一夫所謂精室血室者。在男子爲精囊。在女子爲子宮。精囊爲藏精之所。子宮爲受孕之所。異名而同類。有何別哉。至於所客之熱邪。却有不同。故其地位雖同。而其治法逈異。茲將其大要區別如下。以淸眉目。

原因 熱入血室之症。傷寒論有三條。熱入精室之症。只有一條。熱入血室由於中風傷寒。經水適來。血室空虛。熱邪乘虛襲入。或由經水適斷。挾熱結于血室者。熱入精室。良田病後餘熱未淨。男女卽行交媾。洩精之後。精室空虛。病人之熱。乘虛而直衝於無病人之精室。此原因之不同也

見證 熱入血室而見胸脇滿如結胸。或發熱惡寒。甚則譫語如見鬼狀者。熱入精室，則筋脉被擾。而少腹裏急。陰中拘攣。熱再上衝。則淸陽擾亂。而有頭重眼花之證矣。此見證之不同也。

治法 熱入血室。如胸滿者。則刺期門。以泄其熱。血結寒熱者。則用小柴胡以和解少陽。若發熱譫語見鬼者。聽其經行自愈。此乃熱入血室之輕者。如見脉數面赤便閉。腹痛神昏。甚至發狂者。而用藥不外犀角地黃湯桃仁承氣湯導赤散等。若熱入精室。以燒裩散主之。男病。取女之中裩近隱處。女病。取男之中裩近隱處。燒灰水和服。蓋是症。精室受熱。與熱病之在陽明者固不同。而亦與熱入血室之病有異。且其熱不比溫暑溫疫之毒烈。故不得與他種熱症。同日而語。則寒涼重劑。可妄施乎。惟燒裩一物。能引精室之熱。仍從精道而出。蓋取其象形之治也。則熱出精室得安而諸證立消矣。此治法之不同也。

總觀熱入血室。以經水適來。或適斷爲標準。陰陽易熱入精室。以病瘥。餘熱未盡。卽行交接爲標準。一則外傳之實熱。一則內傷之虛熱。醫者不可以血室精室同處而混治也。

救陽八法

慈谿馮紹蘧

人之所以能生存於世者。惟賴陽氣與陰精耳。經曰。陽氣者。若天之與日。失其所。則折而不彰。又曰。陰精所奉其人壽。此陰陽平衡之說也。亦至理也。自丹溪倡陽常有餘。陰常不是之說以來。時醫競究亡陰之法。以爲人之稟賦。大半均屬陰虛。人之疾病。大半多屬熱症。心中既有成見。用藥自有偏弊。要知亡陰亡陽。均非絕對的。係相對的。亡陰固多。亡陽亦不少。世醫不知治亡陽。姑說稀少耳。吾敢曰。凡醫不悉傷寒金匱及各大家之深旨者。不可以語此。既明昔賢之奧義。無膽大心細之魄力者。亦不可以語此。凡脫陽之症。服救陽之方。當陽欲返未返之時。神魂遊移未定。倘未返宅。惡寒壯熱者有之。口燥舌乾面紅似藥誤者有之。因遊魂而囈語者有之。值此功虧一簣之時。再以大劑附桂進擊之。則離照當空。羣陰悉翳。而諸症立已。倘因疑生怯。改弦易轍。前功盡棄。非胆大心細閱歷精深者當之。莫不僨事。此救陽之所以稱難者一也。又服救陽之藥後。假熱已退。眞寒便生。惡寒戰慄。油汗大至。不及措手。因而死亡者比比焉。是非藥之不效。應責之醫之疏忽。要知治脫陽之劑。宜預囑病家。購置二劑。一劑服後。再煎一劑。候於爐上。當病人眞陽將返。戰慄油汗之時。卽將爐上之劑灌下，全其未竟之功。靡不轉危爲安。此又非讀死書者之能勝任。此救陽之所以稱難二也。又脫陽之症。病因多端。非區區四逆眞武輩可以囊括也。此救陽之所以稱難者三也。脫陽之由。約述之。有因誤藥而脫者。有氣虛而脫者。有陰盛水盛格陽而脫者。有因心藏衰弱而脫者。有因陰陽乖離寒熱錯綜而脫者。有血不攝氣而脫者。故其治法。亦有多種。茲臚列於後。以供同道之借鏡云爾。至於溫病熱病陰亡之脫陽。與夫濕熱內陷之脫陽等症。症異乎是。非本題範圍。將來擬另作他論以明之。茲不論焉。

（一）救氣虛脫陽法

加減參附湯

人參五錢　黃芪一兩　附子五錢

此症因心藏衰弱。兼因微細血管之機能失健而起。血液循環不良。脉微欲絕。故以附子振其心腎之陽。卽以參芪助其微細血管之機能。增速動靜二脉血液交替之運行。陽可返而脉可和也。中醫所謂氣虛者。卽微細血管分泌機能失健之謂也。

(二)救已散之陽法

生黃芪二兩　附子二兩　五味五錢　龍骨五錢　牡蠣五錢　沈香一錢　肉桂一錢

此症由誤藥而致。斯時陽之所存者。已至絕無僅有之境矣。喘促面紅。大汗戰慄。四肢厥冷。脉已將絕。或身熱口渴煩躁。難以名狀。値九死一生陽告脫絕之候。坐而待斃。病家所不忍。斯時爲醫者。應起而膺任之。浮屠七級。功在不淺。症雖或似實症。此係囘光返照。眞油盡燈滅之秋不爲其所惑。亟以是方救之。尙能更生也。是方以附子黃芪振其陽。五味沉香肉桂返其陽。復以龍骨牡蠣斂其陽。且用龍牡五味者。有畜魚置介之深義在焉。堪稱效方也。

(三)救未絕之陽法

眞武湯

腎爲坎。心爲離。心不能離照當空。腎失其洩藏之職。故國醫有心腎相關之說。而西醫有心腎交助之理。今因心陽不振。腎乏暄洩。以致水積于中。因水阻而元陽愈虛。轉輾相乘，而成是症。治宜心腎兼施。以附子以彰心陽。苓朮泄水而驅腎邪。則心位腎安矣。復以白芍生姜一辛一酸一闔一開者。佐使於其間。網而擊之。取效更捷。此處用生姜。非欲其散也。此處用白芍。非欲其制附子也。正與小靑龍湯之用五味乾姜同義。小靑龍湯乾姜與五味同用。爲强者設法耳。眞武湯白芍與生姜同用。爲弱者設法耳。明眼人自能見之。

(四)救胃陽法

附桂理中湯

此由脾胃之機能式微。從而影響於脫陽也。病由胃起。治不離乎胃。故稱救胃陽也。病者必脉微大汗。嘔吐青綠水。倘徒知振陽而不專理脾胃。則後天之本搖動。皮之不存。毛將焉附。非以理中治其胃。附桂壯其陽。不爲功也。

(五)救心陽法

黃芪　白朮　鹿茸　姜炭　棗仁　五味　龍齒

凡大出血或定後。血虛不能攝陽。神昏囈語。喘促大汗。身非已有。用芪朮以益氣。氣能攝血也。鹿茸合芪朮。能保將亡之血。姜炭引血歸經。且能通神明而去穢。以五味棗仁龍齒斂神寧心。復其神志。脫者固之。散者斂之。竄者歸之。此方得之矣。

(六)救血不攝氣脫陽法

十全大補湯加附桂　附桂八味湯　理陰煎加附桂　人參養榮湯加附理

此由心藏衰弱。及精血虧損而起。壯熱面紅。口渴囈語。(因神魂不定而生無意識之言也)全似實症。惟脉浮取極數。沈取豁然而空。應憑脉不憑症。所謂大實有羸狀。即斯症也。亟宜大劑十全八味理陰人參養榮等湯。加附桂救之。莫不奏效。甘溫能除大熱。不可不知也。

(七)救心藏衰弱而起之脫陽法

四逆湯或加桃仁　白通湯　通脉四逆湯

凡傷寒少陰厥陰寒症及眞霍亂症。非恃斯類方不可。少陰厥陰之寒症。或用四逆。或用白通。或用通脉。有仲聖傷寒論在。毋庸不才贅述焉。惟於眞霍亂症。不得不有說焉。眞霍亂因吐瀉而驟減體中之水量。血脉中即生瘀滯。此旨惟王清任獨知之。醫林改錯之治霍亂。必用四逆加桃仁。能增速藥力。其奏效較單用四逆者。不可同日而語矣。此種點睛處。凡爲國醫者。應採用焉。

(八)救寒熱錯雜之脫陽法

益元湯

已服振陽之劑。而陽仍不返。是徒知振陽而不知益氣。與夫徒知正治。而不知從治所致也。以致寒熱錯綜。虛實難辨肺胃因虛。客熱乘之。故脉微汗出少氣。與口渴壯熱煩躁並見。獨陶景弘深知其隱。發明益元湯。標本兼治。方能合轂。用參附乾姜益氣振陽。葱艾通脉。姜棗調和營衛。是治其本也。復以甘草麥冬五味。知母黃連救肺胃之炎蒸。加童便以引之。冷服以從之。是治其標也。倘專知振陽。置肺胃於不顧。則陰陽愈乖離。不亡不已也。非剿撫兼施之斯方。不足以治之也。

咳嗽症治之梗概

程金麟

咳嗽一症。無有不關于肺者。故肺爲諸咳之門戶。每爲六淫所乘。其乘之也則氣管爲邪所窒塞。因而欲通。隨起反抗之作用也。然其種類甚多。病源各異。故每一方藥。用于甲則有效。用于乙則咳反增。苟能探得其病源。對症發藥。無有不應手而愈者。細考我國醫論咳嗽症者。內經有五藏六腑之分。巢氏有十欬之別。金匱有五方附于痰飲之後。以及歷代諸賢。亦皆有發明。然非博而寡要。卽雜而無章。又且各執己說。終鮮會歸。使後之學者。不得其綱領。其實咳嗽一症。種類雖多。病源雖異。要不外內傷外感而已。外感者。風寒暑溼燥火是也。內傷者。陰虛陽虛是也。鄙人不揣譾陋。願將以上數門聊舉一端並分原因病理症狀治療四種。列之于後。至其然乎否乎。尙望海內諸同志。有以敎我焉。

感風之咳嗽

原因及其病理　此症每多發於春。春當風木行令故也。或由行路冒風。露臥襲風。晨起傷風。終由風乘皮毛。皮毛爲肺之合。肺既感風。則氣管不利而咳嗽作矣。

症狀　咳嗽日夜無度。痰涎不利。頭痛發熱。惡風自汗。鼻塞流涕。脉浮滑。苔薄白。

治療　荆芥穗錢半　薄荷葉八分　嫩前胡一錢　净蟬衣八分　象貝母三錢　光杏光三錢　廣橘紅一錢

蒼耳子三錢　炒力子二錢　枇杷葉三錢去毛包

感寒之咳嗽

原因及其病理　此症每多發於冬。令冬爲寒水用事。或少著衣服。或少蓋綿被。終由寒邪外襲玄府乃閉。肺氣不泄。則內壅而爲咳矣。

症狀　咳嗽喉癢。鼻塞痰白。頭痛發熱。惡寒無汗。心煩不渴。脉浮緊。苔薄白。

治療　淨麻黃四分　炒枳殼一錢　嫩前胡一錢　苦桔梗一錢　光杏仁三錢　象貝母三錢　法半夏二錢　薄橘紅八分　白茯苓三錢　生姜三片爲引

感暑之咳嗽

原因及其病理　此症每多發於夏。夏爲暑熱當令。炎日下逼。地氣上蒸。値此之際。或由居室不暢。或因舟車悶坐。終由暑熱自外而入。入則暑氣乘肺。而爲咳逆矣。

症狀　咳嗽乏痰。屢咳難出。色黃且濃。口燥舌乾。煩渴引飲。不惡寒。而反惡熱。鼻出熱氣。脉來洪大。舌苔薄黃。

治療　天花粉三錢　生石膏二錢　光杏仁三錢　象貝母三錢　馬兜鈴一錢　冬桑葉三錢　瓜蔞皮三錢　生甘草八分　枇杷葉二錢　活蘆根尺許爲引

感溼之咳嗽

原因及其病理　此症每多發於長夏。濕土主氣之期。或由地居卑溼。或因多食瓜果。終由溼著脾胃。蘊積成痰。上浸乎肺。則咳嗽之病作矣。

症狀　頭暈痰多。一嗽卽出。咳聲重濁。胸脘痞悶。四肢重著。小便不利。舌苔或黃或白而帶膩。脉來濡滑。

治療　藿香梗錢半　佩蘭葉錢半　法半夏二錢　廣陳皮一錢　象貝母三錢　光杏仁三錢　江枳殼一錢　厚朴花八分　雲茯苓三錢　生苡米四錢

感燥之咳嗽

原因及其病理　此症每多發於秋。秋爲燥金司令。或由天氣亢旱。或因過食辛熱之品。以致燥傷本臟。肺氣不降。上逆爲咳。

症狀　咳嗽少痰。稠粘難出。其聲淸高喉間乾癢。甚則胸脇引痛煩燥口渴。或微惡寒。舌白少津。治療　桑葉皮各三錢　甜杏泥三錢　象貝母三錢　黛蛤包散三錢嫩前胡錢半　瓜蔞皮三錢　冬瓜子三錢　枇杷葉膏冲三錢　鹽橘紅一錢

感火之咳嗽

原因及其病理　或赤日中行。或日與火相近者。人受火氣外逼。火未有不傷其金者。金受火傷。則肺炎葉舉而咳逆矣。

症狀　咳嗽喉癢。痰少色黃。口鼻均熱。目赤心煩。氣促不甯。脉來滑數。苔黃。質絳。

治療　鮮生地三錢　細木通八分　生甘草八分　鹽水炒川連三分　飛滑石三錢　粉丹皮錢半黑山梔二錢　光杏仁三錢　大百合三錢

陽虛之癆嗽

原因及其病理　素因陽氣虛微。藩籬不密。更感風邪。上襲於肺。痰飲內泛。斯疾作矣。

症狀　咳嗽氣逆。咯出白沫。汗多怯冷。神疲無力。時咳時止。面色或黃。或白。脉虛微。苔淡白。

治療　熟附片一錢　炒於朮錢半　川桂枝五分　法半夏錢半　炙蘇子三錢　酒白芍錢半　廣陳皮一錢　白茯苓三錢

陰虛之癆嗽

原因及其病理　每由外感咳嗽。延久失治。或先有諸般失血。終由陰虛火動。火熱灼津。相互爲因。則肺安有不傯之理。

症狀　形色不充。感咳少痰。連咯難出。或痰內帶紅。至夜益甚。舌苔光絳。脉來細數。

治療　天麥冬各二錢　川貝母三錢研後入　冬虫草錢半　熟女貞二錢　懷山藥二錢　炙紫苑錢　茜草根二錢　粉丹皮二錢　炙枇杷葉三錢

以上數方。能於臨症時。加減用之。則於治咳之道。雖不中亦不遠矣。

傷寒溫病之我見

朱懋澤

今之習醫者。不屏棄傷寒。卽譏恨溫病。若此欲望醫學之進步。不亦難乎。夫溫病卽熱病。熱病卽傷寒。內經曰。熱病者皆傷寒之類也。定名雖異。其實則同。故曰傷寒論可改其名曰熱病論。溫熱經緯溫病條辨等書。曰續熱病論。溫病條辨凡例曰。是書雖爲溫病而設。實可羽翼傷寒。又曰。是書與傷寒論爲對待文字。有一縱一橫之妙。學者誠能合二書而細心體察。自無難識之證。由是觀之。苟能將傷寒論與溫病數書並讀而融會貫通之。則門戶之見可除。而醫學之進步。其在斯乎。或問傷寒溫病。感邪不同。雖欲融會。如之何其可。則應之曰。人之體質强弱不齊。故同一傷寒。皮膚緊而抵抗力强者。身熱無汗。皮膚鬆而抵抗力弱者。身熱汗出。推而至於冬溫春溫。無獨不然。蓋冬春有非時之暖。忽而轉冷。人偶不愼而感寒邪。玄府因熱而開。因寒而閉。一時防衛不及。則邪入較深。故患者表症裏症同具。身熱微惡風寒。（或不惡寒）汗出而渴。是以溫病條辨曰。初起惡風寒者。桂枝湯主之。但熱不惡寒而渴者。銀翹散主之。或又問曰。傷寒主六經。溫病主三焦。貫通之道。其可聞乎曰六經與三焦者。所以明邪之所在。爲處方之標準也。譬諸人之傷於寒者。則爲病熱。熱屬陽。陽恆親上。故傷寒論三陽病。上焦症多。此與條辨之上焦。有以異乎。善哉證治心傳之言曰。溫熱氣燥。多犯上焦。致有身熱咳嗽。胸悶氣促之症。又曰。地土有南北。人體有强弱。四時感症。類傷寒多。正傷寒少。類傷寒者，春溫夏熱濕溫秋燥冬濕是也。夫熱病治法。不外榮衛氣血寒熱虛實而已。明乎此數者之變。則外感熱病。隨症處方。

雖不中病。亦不遠矣。茲就傷寒論溫病條辨二書。略舉數方。隨症分列。以明通用。愚者千慮一得。其斯之謂乎。邪之在衛。發熱無汗。惡寒者。麻黃湯。發熱汗出惡寒者。桂枝湯，在衛與氣。或在營與血。鬱而化熱。其輕者桑菊飲銀翹散。其重者葛根芩連湯。在氣者。白虎湯竹葉石膏湯。在榮者清榮湯。在血者犀角地黃湯。在氣與血者。玉女煎去牛膝熟地加生地元參湯。在腸胃大便不通。正氣壯者。三承氣湯。正氣虛者。脾約麻仁丸。津液少者增液湯。陽症失治。變成陰症。或初起即成陰症。四肢拘急。手足厥冷者。四逆湯，脈不出者。通脈四逆湯。若夫推而廣之。存乎其人矣。

喻嘉言軼事

又安

錢牧齋一日赴親家朋友家宴。肩輿歸。過迎恩橋。輿夫蹉跌。致主人亦受倒仆之驚。忽得奇疾。立即目欲上視。頭欲翻拄於地。臥則否。屢延醫診治不效。時有良醫喻嘉言。適往他郡治疾。亟遣僕往邀。越數日喻始至。問致疾之由。遽曰疾易治無恐。因問掌家曰。府中輿夫強有力善走者。命數人來。於是呼數人至。喻命飲以酒飯。謂數人曰。汝輩須盡量飽飧。且可嬉戲為樂也。乃令分列于庭四角。先用兩人夾持其主。併力急趨。自東至西。自南至北。互相更換。無一息之停。主人殊苦顛播。喻不顧。益促之驟。少頃令息。則病已霍然矣。他醫在傍未曉其故。喻曰是疾乃轎下倒仆。左邊第幾葉肝搖摺而然。今扶掖之疾走。抖擻經絡。則肝葉可舒。既復其位。則木氣舒暢。而頭目適矣。此非藥餌之所能為也。牧齋益神其術。稱為聖醫。

醫案

一瓢硯齋醫案

薛文元

溫病

徐女孩　昨日身熱暴壯。驟然狂躁。兩日直視。色紅頸強。時有反張之勢。口渴大便閉結。脉象弦數。舌苔焦黑而乾。症屬溫邪上受。由肺金直入心胞兩經。西醫打針。未見稍效。擬芳香透達。以救陰液。病危。方候　明哲正之。

羚羊片一錢　嫩鈎籐三錢　廣鬱金一錢半　鮮生地八錢　豆　豉三錢仝打

帶心連翹三錢　赤　苓三錢　黑山梔二錢　天花粉三錢　赤　芍二錢

天竺黃一錢　局方至寶丹一粒開水化服

二診　昨服芳香透達。神志略清。而壯熱依然。言語不能出聲。兩日直視。頸强反張之勢如昨。大便閉結。口乾多飲。脉象弦數。舌苔乾黑。心胞溫邪未化。昨方既見小效。再踵原意加減。冀其大便通行。神志轉清。乃有出死入生之望。方候　高明正之。

羚羊片一錢　全瓜蔞四錢　帶心連翹三錢　鮮生地八錢　豆　豉三錢仝打

廣鬱金一錢　赤　芍一錢半　黑山梔二錢　川貝母二錢　天竺黃二錢

局方至寶丹一粒開水化服

三診　兩投芳香透達。已得大便。神志頓安。壯熱亦退。象三弦數。黑苔漸化。漸露絳紅。溫邪內化。而陰液大傷。法當救陰泄熱。冀其再見轉機乃吉。方候　哲正。

鮮生地一兩　帶心連翹三錢　天花粉三錢　鮮石斛五錢　肥知母二錢
淡子芩一錢半　黑山梔二錢　川貝母二錢　生甘草三分　鮮竹茹二錢
鮮蘆根二尺

四診　熱退。神志漸見安寧能睡。黑苔盡化。舌質紅潤。脉靜。溫邪得達。可望出險。仍從養陰洩肺爲主。

鮮石斛四錢　象貝母二錢　白蒺藜三錢　甜仁杏三錢　生甘草四分
茯　苓三錢　瓜蔞皮三錢　肥知母一錢半　竹　茹一錢半　冬桑葉一錢半

五診　諸恙次第相安。昨晚又覺發熱。欬嗽頭痕。時且形寒無汗。脉來浮數。舌苔紅潤。此裏邪外達。由肺而出。非感受新邪也。

炒豆豉三錢　大貝母二錢　生甘草四分　熟牛蒡一錢半　黑山梔二錢
川石斛三錢　南沙參三錢　光杏仁三錢　生穀芽三錢　冬桑葉一錢半

六診　服宣解肺經餘夏。身熱得退。而欬嗽殊甚。脉靜。苔薄白。足徵裏邪從肺經外達無疑。宜和養洩肺。以善其後。

南沙參三錢　川象貝各一錢半　川石斛三錢　熟牛蒡一錢半　生甘草四分
白蒺藜三錢　光杏仁三錢　炒扁衣二錢　生穀芽一錢　鮮枇杷葉去毛二片

潛廬雜症醫案

吳克潛

曾女士　感冒發熱。兼有惡寒。頭之兩旁。疼痛頗劇。及於脊背。氣逆多痰。脈滑數微弦。內蘊之熱。亦有外洩之勢。治以宣化。

青防風一錢　荊芥穗(後下)一錢　粉葛根一錢　連　翹錢半　左秦艽二錢
嫩前胡錢半　瓜蔞皮錢半　製竹茹錢半　霜桑葉錢半　蘇　梗錢半

曾女士　晚間氣逆愈甚。口鼻乾燥。舌苔嫩白。脈滑數而洪。頭面紅點滿佈。咽喉苦痛。擬以清宣。並分洩肝火。

牛蒡子三錢　鮮竹茹二錢　廣鬱金錢半　淡竹葉廿片　明天麻一錢　連翹心二錢

光杏仁三錢　活水蘆根一尺　淨蟬衣一錢　神　麯錢半　山豆根一錢

曾女士　痘已密佈。頭面肢體均有。口鼻燥甚。氣急欲絕。舌苔白色帶潤。底質甚紅。脈洪數。形勢雖屬嚴重。但當內泄外達之際。固難免如此形狀。治宜因勢利導。開肺爲主。佐以洩火。

羚羊角四分　川貝母二錢　廣鬱金錢半　金銀花錢半　牛蒡子二錢　淨蟬衣八分

嫩前胡錢半　天花粉錢半　白殭蠶錢半　冬桑葉錢半　淡豆豉一錢

曾女士　痘已透齊。氣息頓平。大便下堅。喉痛亦愈。險象已去。入於坦途矣。

前方去羚羊角天花粉淡豆豉。加連翹二錢天麻八分。

崔君　遺精多年。玉關弛放。近來無夢而洩。有似漏精。小便清長。尺脈輭弱。症由下元虧弱。擬保腎固精主之

鹽水炒川黃柏四分　金櫻子三錢　刺蒺藜錢半　鹽水炒補骨脂錢半　菟絲子三錢

旱蓮草錢半　酒炒淡條芩錢半　沙蒺藜三錢　辰茯神三錢

崔君　服藥數劑。遺洩大減。惟亂夢反多。夢則易發遺精。脈左寸略見浮數。兩尺仍輭。凡陰虛者。火易上浮。固腎之中。宜以清降浮火爲主。

北沙參三錢　鹽水炒補骨脂錢半　菟絲子三錢　磁硃丸二錢

川貝母錢半　鹽水炒川黃柏四分　遠志肉五分　蓮　肉廿肉

連翹心錢半　陳萸肉一錢　肥知母一錢

崔君　遺精已愈。身體輭弱。防其復發。用保腎固精補中益氣法。

前方去川貝遠志知母萸肉磁硃丸。加生黃芪二錢。炙甘草六分。炒白朮錢半。全當歸一錢。

蕭　君　胸膈蓄水。不時嘔吐成盆盈盂。大便閉結。糞如羊屎。歷醫無數。俱用燥溼順氣之品。迄無寸效。脈輭滑。舌苔薄白。病由水津盡逼於上。故涎沫多而舌質不紅。水津既不下達。水不濟火。火盛於下。故腸液爲之枯燥而閉。治宜滋養腎陰。導水津下行。水火兩平。則水不逆行而吐止。火不上炎而便鬆矣。

白桔梗一錢　甜葶藶錢半　麻　仁三錢　萊菔子三錢　大生地三錢　刺蒺藜二錢
郁李仁三錢　靈磁石三錢　陳萸肉五分　瓜蔞仁三錢

蕭　君　服藥二劑。嘔水大愈。惟蓄水未盡下行。良由陽盛於下。便結於中。舟楫猶未通也。脈輭舌白。仍用前法加減。

白桔梗一錢　靈磁石四華拌打大熟地三錢　肥知母錢半　甜葶藶錢半　冬瓜仁三錢
刺蒺藜三錢　大　棗五枚　淮山藥二錢　大麻仁三錢　瓜蔞仁三錢

蕭　君　久病之後。氣血兩傷。頻進下水潤腸之劑。雖嘔水已愈。大便得暢。病去八九。然本元未易恢復。脈輭舌苔微有嫩黃。此後調理方針。擬滋陰避膩。補氣避溫。

砂仁四分拌打大生地二錢　光杏仁三錢　生黃芪一錢　郁李仁錢半
瓜蔞仁三錢　淮山藥二錢　大麻仁三錢　江枳殼錢半　紫丹參錢半

朱太太　身弱多小疾。平時白帶淋漓。月事不調。頭暈目昏。身體倦怠。現在經停二月有餘。脈右浮小滑。左輭滑。雖非孕象。但礙難攻破。擬以養血活血行氣爲治，新血既生。濁血自下也。

紫丹參三錢　延胡索錢半　淡吳萸四分　澤　蘭二錢　大生地三錢　茺蔚子錢半
酒炒全當歸三錢　左秦艽二錢　東白芍三錢　茜草根一錢　川　芎四分

朱太太　月事已行。色淡不多。平時目常覺𥇦𥇦無所見。脈輭滑。舌微紅。血分虛中帶熱。宜補而兼清。

大熟地三錢　全當歸二錢　製首烏三錢　甘　菊錢半　紫丹參二錢

酒炒秦艽二錢　烏元參二錢　粉丹皮二錢　綿杜仲三錢　澤　蘭二錢

徐　君　曾患梅毒。血濁未清。蘊於陽明。以致頭部經絡不舒。頸左頸後。尤覺牽掣。不能動搖。歷時二月。叠治無效。脈大而數甚。舌質紅。治以清毒通絡主之。

金銀花三錢　土茯苓三錢　酒炒當歸尾錢半　絲瓜絡三錢　川貝母錢半

炙乳香錢半　酒炒左秦艽二錢　橘　絡二錢　桑白皮錢半　鷄血藤膠一錢

徐　君　頭部已能轉搖。經絡大爲鬆動。惟頸後作痛。眠起尤甚。脈滑數。舌苔灰白而膩。質紅。風熱痰濕。留戀絡道。治以袪風去痰通絡主之。

鷄血藤膠一錢　威靈仙八分　川貝母三錢　金銀花二錢　左秦艽二錢　炙乳香一錢

黑梔子三錢　酒洗鮮桑枝三尺　伸筋草二錢　橘　絡二錢　白芥子三錢

余　君　肝旺易怒。上盛下弱。早洩多年。睡後常咬牙有聲。切脈右弦盛。左弦數。舌質紅。苔白。治以清火洩熱主之。

龍胆草八分　石决明三錢　金櫻子三錢　光杏仁三錢　竹葉捲心廿片

白蒺藜三錢　菟絲子三錢　金銀花二錢　眞滁菊錢半　連翹心二錢

陳　君　寒熱交迫。嘔吐頻作。症由外受感冒。內挾溼滯。清濁之氣爲之淆亂也。脈細數。苔薄白。擬以調氣化溼分其清濁。

姜半夏錢半　廣鬱金一錢　川　朴六分　荆　芥一錢　陳　皮錢半　粉葛根一錢

青　皮一錢　白蔻殼六分　姜竹茹錢半　老蘇梗錢半　黑梔子二錢

碧蔭書屋新醫案

翟冷仙

飲邪嘔吐案

病者　黃姓婦。年四十餘歲。住東臺海。

病名　飲邪嘔吐。

原因　素有飲邪。甲子三月十六日。由冒風而發。

症候　初起頭眩。身微惡寒。脘痞腹微痛。漸至嘔吐。延至二候有餘。所嘔皆係痰沫清水。日夜無休。小便澀少。大便亦無。前醫進以沉降鎮嘔之品數劑無效。復延冷治。狀勢連噦不斷。甚則昏厥。

診斷　脈弦苔白。飲伏於胃。肝氣上衝。猝因冒風而起。經云人以胃氣爲本。今嘔吐而穀不下者。胃有飲也。

療法　以半苓蘇赭降氣行水爲君。秫貝灶棗益智滌飲等。疎肝和胃。兼益心化飲以佐之。

處方　製半夏四兩　雲茯苓五兩　香蘇梗（磨汁和服）一錢五分　代赭石（先煎）五錢　益智仁（鹽水炒）三錢　滌飲散五分　川貝母一錢五分　酸棗仁（炒）三錢　北秫米五錢　灶心土（洗）五錢

復診　一劑嘔吐微止。仍進前法。疎肝和胃。降氣化飲。

三診　嘔止得寐。醒後稍饑。微進飲食。惟不時神昏。頭眩心悸。脈細苔薄。仍仿前法加減。

三方　製半夏三錢　雲茯苓五錢　滌飲散五分　川貝母一錢　灶心土（洗）三錢　北秫米三錢　酸棗仁（炒）三錢　西洋參五分　淡乾薑三分

四診　穀食漸增。精神稍振。仍進前法加減

四方　製半夏一錢五分　雲茯苓三錢　滌飲散三分　川貝母一錢　灶心土（洗）三錢　北秫米三錢　酸棗仁（炒）三錢　西洋參三分　上廣皮八分

效果　一劑則嘔吐微止。服二劑則嘔止得寐。微進飲食。服三劑則穀食漸增。精神稍振。此類加減。調養月餘而愈。

經前大便下血案

病者　朱右。年廿九歲。住丁堡莊。

病名　經流大腸。

原因　心腎不交。水火不濟。則錯經妄行。丁卯二月間。陡患斯症。

症候　已延多年。每行經之前一日。大便先行出血。狀似大便下血。

診斷　脈弦苔薄。此經流入於大腸而起。夫大腸與行經之路。雖各有分界。而胞胎之系。上通心而下通腎。心腎不交。則胞胎之血。兩無所歸。而心腎二經之氣。不來照攝。聽其自便。所以血不走小腸而走大腸也。

療法　以歸芎參朮熟地山萸麥冬芥穗升麻巴戟肉等。補其心腎。兼理肝脾。

處方　酒洗當歸二錢　酒炒白芍二錢　大熟地三錢　山萸肉二錢　高麗參二錢　土炒白朮一錢五分　去心麥冬三錢　黑芥穗一錢　巴戟肉（鹽水浸）一錢　升麻三分

復診　二劑大腸血止。仍進前方。以交心腎。而濟水火。

次方　原方

三診　又服四劑。而經從前陰出矣。仍照前方加味圖之。

三方　照前方加炙甘草一錢

效果　二劑大腸血止。又服四劑。經從前陰而出。後服原方加炙甘草方五十餘劑。而受妊矣。

妊娠小便下血案

病者　周姓婦。年三十餘歲。忘其住址。

病名　胎漏

原因　素本宗虛。懷孕將有四月。已已十月初旬。往母家省親。反里時卽發生斯症。

症候　小便中時常流血。胎孕不動。肚腹不痛。狀似又非墮胎。

診斷　妊娠四月。脈象滑細。舌苔薄白。此氣虛不能攝血而起。夫胎乃蔭胎。而血中之蔭血。必賴氣以衞之。氣虛下陷。則蔭胎之血亦隨氣而陷矣。氣虛則血無憑依。無憑依必燥急。燥急必生邪熱。血寒則靜。血熱則動。動則外出而莫能遏。又安不下流乎。倘氣不虛。而血熱。則必大崩。而不止。些微之漏矣。

療法　以參芎甘斷益母等。補其氣之不足爲君。生地黃芩等。洩其火之有餘以佐之。

處方　高麗參六錢　酒炒白芍三錢　酒炒黃芩二錢　酒炒生地三錢　益母草一錢五分　川續斷二錢
粉甘草一錢

復診　一劑而血止。仍進前方。

次方　原方

效果　一劑而血止。二劑再不漏矣。

妊娠吐瀉腹疼案

病者　陳右。年二十餘歲。住本鄉。業農。

病名　妊娠吐瀉腹疼。

原因　素來無恙。惟脾胃虛弱。懷妊已有五月。戊辰四月中旬。由田野歸家。卽發生腹疼吐瀉。

症候　一起卽上吐下瀉。胎動欲墮。腹疼難忍。狀勢急不可緩。

診斷　脈象弦細。舌苔薄白。此脾胃虛極而然也。夫脾胃之氣虛。則胞胎無力。必有崩墜之虞。況又上吐下瀉。則脾與胃之氣。因吐瀉而愈虛。因而胞胎欲墮。然疼痛而胞胎不至下墜者。賴腎氣之固也。胞胎繫於腎而連於心。腎氣固則交於心。其氣通於胞胎。此胞胎所以欲墜而不得也。

療法　以參朮萸藥斷杜砂草等。扶脾胃之土爲君。桂附枸兎等味。補其心腎之火以佐之。

處方　高麗參三錢　土炒白朮一錢五分　淮山藥三錢　肉桂心(研)五分　熟附片三分　川續斷三錢　炒杜仲三錢　山萸肉三錢　枸杞子三錢　縮砂仁(研後下)六分　炙甘草一錢　酒炒兎絲子三錢

復診　一劑而洩止。仍進前方加味。補其心腎之火。使之生土。

次方　原方加灶心土(洗)五錢

三診　諸病悉除。仍仿前法。加減調治。

三方　土炒白朮一錢五分　淮山藥三錢　炒杜仲三錢　川續斷三錢　山萸肉三錢　枸杞子三錢　縮砂仁(研後下)六分　炙甘草一錢　扁豆衣一錢五分　薏苡仁三錢　灶心土(洗)三錢

效果　一劑而洩止。二劑諸病盡愈。後服三方。調養數日。而精神恢復。

中暑挾痰案

病者　周右。年三十餘。住本鄉。富家

病名　中暑挾痰。

原因　體肥多痰。素患足疾。少行動。已巳六月十八日。猝因天氣炎熱。貪涼而得。

症候　一起卽兩腋汗多。壯熱引飲。言語蹇澀。口角流涎。二便直下。狀似昏仆。

診斷　脈洪實。色闇濁。唇深紅。舌厚膩。此外中之暑熱。擾動內伏之濕痰。濁邪瀰滿三焦。阻其樞機。責在肺胃。經云。在天爲熱。在地現暑。斷定暑卽是熱。每因富貴家。納涼廣廈。瓜菓前陳。寒中致病。

療法　前哲有云。溫者暑之漸。暑者熱之極。且暑有兼濕者。有不兼濕者。濕溫已經化熱。則不治濕。此則必兼治濕。惟不宜發汗。香茹飲不中與也。暑邪外襲。濕痰孔張。白虎湯不可與也。二便直下。承氣更不可與也。籌治非清肺胃。通經絡。滌膠痰不可。先用鮮藿香葉七片。搗碎入茶碗。加食鹽少許。沸開水泡入蓋密。和暖取服。藿葉味辛烈。通氣解暑。逐穢降痰方擬鮮荷篇西絲等通絡之品。以清解肺絡之邪爲君。建蘭橘紅等芳香逐穢之品爲臣。佐以羚羊竹瀝等清泄肺胃之熱痰。使之以六一苡仁等能外疎毛竅。內清濕熱。分利水液。則不下流於大腸。歸於膀胱而去。卽可止大腸之瀉。而胃氣藉以恢復。

處方　鮮荷葉邊二錢　西瓜翠衣二錢　鮮絲瓜皮二錢　鮮篇豆花二枝　薏苡仁三錢　六一散（絹包）五錢　眞建蘭葉二錢　橘紅一錢　羚羊角三分（磨汁和服）　竹瀝（一盃和服）

復診　一劑卽熱退。神未甚醒。仍進前方。清肺化痰。

次方　原方

三診　而便瀉止。小便仍多。改用三仁湯加減。輕開上焦肺氣。兼化濁痰。

三方　飛滑石（絹包）三錢　川厚朴七分　白蔻仁（研後下）六分　法半夏一錢五分　眞建蘭葉二錢　橘紅一錢　茵蔯二錢　射干二錢　花礞石三錢　生熟明礬三分　黃鬱金一錢五分　竹瀝半盃和服

效果　一劑熱退。二劑便瀉止。三方加減。調養月餘。乃獲大愈。

說明　熱痰壅遏肺胃。遂致言語蹇澀。神識不明。以言語未大清。故注意治熱痰也。脈左漸緩。而右寸關洪實。故注意通豁肺胃也。此類加減。約月餘。諸病漸退。此後清養肺胃。總以六君爲主。去白朮用高麗參一錢五分　雲茯苓二錢　甘草三分　廣皮一錢　法夏一錢五分　淮山藥二錢　麥冬一錢五分　石菖蒲三分　鮮石斛三錢　宣木瓜一錢五分　鮮地骨皮三錢　白糯稻根鬚三錢　等又調養月餘。乃獲痊愈。

火眼奇方

方公溥

用嫩荸薺六枚。去淨皮。入石臼中搗爛。再加入正冰片末一分五厘。合搗之。放有蓋磁碗內。勿令洩氣。先取多少。閉眼敷其上。(要眼胞周圍全敷、單眼疼敷一隻、雙眼疼兩敷之、)靜臥一霎覺藥氣竄入。涼爽異常。俟藥熱再換敷之。日三四次。無論眼部紅腫刺疼。風火暴發。一日卽愈。重者二三天收功。此法余得之野叟。試之應手取効。家庭之絕妙方。眼科之新紀錄也。

胎兒皮膚病良藥

方公溥

新產小兒。皮膚頭面發生胎毒。或如癬疥。或如疹瘖痱子。癢爛蔓延。生生不已。去之無法。若用白芝麻一握。入臼擣爛。包以疏布。用初沸米湯淋之。(米湯要在釜中初沸者、太濃則無益而反有碍、)取汁以洗小兒。一次輕。二三次卽完好如常。歷驗皆靈。三四歲小兒用之亦效。我家之秘方也。

方劑集驗錄

秦又安

止瀉丸

雲苓二兩。薄荷四錢。陳倉米四兩。蘇梗四錢。霍香四錢。防風四錢。煙灰一兩。各藥秤準晒研細。將灰入水研化。再加水。以倉米粉煑粥入藥煉丸。如桐子大。

止帶神丹

治赤白帶漏。諸治不效者。空心用米飲送下二三錢。卽愈。貫仲二斤。炮去花蕚。醋煑研末。糊爲丸。

截瘧丸

治一切瘧疾。或因風寒。或因暑濕。因疲因食。而成瘧疾。日久不愈者。用此丸截之。永不復發。臨發日用井花水吞下五粒或七粒。方用信石一錢。硃砂三錢。菉豆粉一兩二錢。甘草二錢。明雄三錢。以菉豆粉打糊爲丸。如菉豆大。

白濁丸

海金砂一兩。甘草一兩。滑石一兩。西珀一錢。生大黃一兩。黃柏一兩。研末鷄蛋清泛丸。如桐子大。

記求眞館

謙齋

海門張君始生。精研藥理。創求眞館於滬南。前歲全國醫藥總會成立。關藥物標本陳列室。君一人任之。眞僞並舉。優劣比陳。蔚爲大觀。繼墾滬西隙地爲藥圃。清泉細灌。肥土手壅。開研究藥物者之新境界。蓋抱發揚國醫藥之宏願。而能實事求是。不徒仗於空言。其精神。其毅力。殊足佩也。居嘗謂丹方之靈驗。有匪事所思者。某婦病血崩。諸醫不能止。後得一丹方。用當歸完全者一支。海大麥五錢。人參一錢。一服而愈。轉試他人。亦多奏效。因於丹方肆力搜求。搜求後必親驗以證明。乃不幸於今春以支飲症歿。曷勝悼惜。深願其哲嗣。彙輯歷試效方。與夫藥物之心得。付印行世。吾知其貢獻醫藥界者。定非淺鮮也。敬記之。

紀載

二十年一月六日第二次常務會議（下午八時）

出席　薛文元　朱南山　朱鶴皋　張贊臣　秦伯未　丁仲英　黃寶忠　蔣文芳
主席　丁仲英

報告

市衛生局批乙件
胡文虎上蔣主席書
各會員詢及常費函七件

討論

一件　陸士諤等函告十九年度經費已經繳納領有收據案
決議　派員查閱收據

一件　孫鶴林來函案
決議（一）函覆（二）飭財政科每月造具報告公佈

一件　秘書處提出對外行文手續請通過案
決議　通過

一件　胡文虎先生寄來上蔣主席書稿請共同贊護案
決議　表示贊同

一件　嗣後來函應一一函覆案
　決議　通過
一件　開會時各職員應列席旁聽以便咨詢案
　決議　通過
元月十日第二次執監聯席會議
出席　委員廿三人
主席　傅雍言　朱鶴皋
　報告
一　市黨部已發給健全證書
二　領到衞生局註册執照
　討論
一件　應推定若干人編製國醫公約案
　議決　推傅雍言　秦伯未　嚴蒼山　陳濑庵　夏重光五人會同常務委員各科主任辦理由常務委員召集之
一件　應呈請社會局備案頒給圖記案
　議決　交秘書處趕速辦理
一件　常務及各科主任應規定夫馬費案
　議決　暫定每年致送六十元不願收者作爲特捐
一件　組織特別委員會延聘人選案
　議決　請常務委員決定人選交下屆執委通過
一件　製印證書徽章尚少二百餘元案

議決　請丁仲英先生籌借二百元由財政科負責於二月內歸還

一件　宴請各省來滬代表案

議決　假悅賓樓設宴歡迎

一件　函聘義務律師案

議決　聘張恩灝陸起金煜馬君碩黃中沈鏞宋士驤七人爲本會義務律師其聘書由原提案人致送

一件　新會員四十三人請通過案

議決　通過

一月十五日下午八時第三次常務會議

出席　丁仲英　薛文元　朱南山　朱鶴臯　黃寶忠

主席　薛文元

討論

一件　規定職員辦公時間案

議決　蔣有成上午十時至下午三時會計兼書記下午三時至九時虞琴齋書記柴谷周會計由本會供給膳宿不另貼費二月一號起

一件　領證書徽章案

議決　憑廿年常費收條

一月十八日下午八時半第一次國醫公約起草委會議

出席委員　蔣文芳　黃寶忠　薛文元　嚴蒼山　秦伯未嚴代　夏重光　陳潄庵　丁仲英有成代　傅雍言

列席　盛心如

主席薛文元　報告蔣文芳

討論

一件　請國醫公約起草委員各擬意見送會以便彙訂案

議決　通過

一件　下屆開會日期案

決議　定本月廿八日

一月廿五日下午八時半第二次執行委員會議

出席委員　徐志千　丁仲英蔣代　江仲亮　陳漱庵言代　朱南山鶴代　朱鶴皋　包識生　沈心九

蔣文芳　唐亮臣　夏重光　薛文元　張贊臣　朱少武

主席　薛元文

報告　蔣文芳

報告

一　市社會局批一件

一　虞琴齋經手登記清單賬目一件

一　昆明市國醫同業公會來公函一件

一　國醫公約起草委員會議決各函意見交會然後彙訂並定廿於八日開會繼續討論

討論

一件　編訂會員錄手續不完備者應否編入案

決議　暫緩編訂

一件　包識生提中國醫學院應否登報招生案

決議　（1）擬稿刊登新申二報（2）致函道謝各院董並請對於本屆院董繼續担任如有缺額另再聘請

一件　夏重光先生提議聞北方面有多數會員現擬加入本會但限於經濟可否免費入會案

決議　由本會會員二人以上之保證並調查確係實在情形者然後交執會核辦

一月廿八日下午八時半第二次起草國醫公約委員會議

出席委員　夏重光　嚴蒼山　陳溦庵　傅雍言　秦伯未傅代　張贊臣

因人數不足改開談話會

討論

一件　本會收到國醫公約意見書共七件尚嫌範圍狹窄案

公決　應再致函各會員及全滬醫界徵求意見以便集思廣益俾臻完善而利彙編右請常務委員會酌奪辦理

二月四日下午八時半臨時執監委員會議

出席委員　黃寶忠　徐志千　盛心如　傅雍言　朱鶴皋　朱南山　謝利恆　秦伯未　吳克潛　夏重光　丁濟華蔣代　丁仲英　薛文元　唐亮臣　嚴蒼山　江仲亮　張贊臣　包天白　沈建侯　沈心九　朱少武　陳溦庵言代　任農軒

主席　謝利恆　薛文元　紀錄蔣有成

行禮如儀

討論

一件　法界登記醫生應如何對付案

決議　(一)在法租界應納登記費請求繳一次爲限

(二)在界外醫生往法租界執行業務者請求免於領照納資

(三)在請求未解決以前免於處罰書面呈請法公董局衛生處法租界納稅華人會上海市衛生局上海市黨部

一件　蔣文芳秘書因病辭職案
決議　辭辭職不准應准給假二星期給假期内秘書處一切事務暫請秦伯未先生代理
一件　中央國醫館函請派代表一人至二人參加指導案
決議　交常務委員會物色
一件　黃寶忠先生提議編輯公報案
決議　交常務委員會辦理以及辦法大綱會員全年贈閱非會員贈閱一期或二期
一件　黃寶忠先生提議組織財政委員會案
決議　赶速將證書暨徽章辦就發給視其成績如何再行核議
一件　秘書處擬訂證書底稿請討論表決案
決議　推包識生秦伯未先生稍加修正卽行付梓
一件　國醫公約起草委員會提出應否函告全滬醫界參加意見案
決議　定九日召集起草委員會組織大綱交十日執行委員會審閱再函告本會各會員儘量參加意見
一件　國醫俱樂部應如何處置案
決議　暫時歸併公會不另租借房屋
一件　本會各科辦事細則案
決議　將前中醫協會各科已有擬訂細則當交各科主任修正未擬訂請於三日内送會交執會辦理

二月十日下午八時舉行第三次執行委員會議

出席委員　黃寶忠　徐志千　傅雍言　唐亮臣　江仲亮　張贊臣　朱南山鶴皋代　朱鶴皋
丁仲英　吳克潛　盛心如　陳存仁　蔣文芳　朱少武

主席　朱鶴皋　紀錄　蔣有成

行禮如儀

報告

一、黃中律師來函應聘

一、法公董局衛生處公函於七月送去

一、書記虞琴齋病故

一、書記出缺已於八日登報招考是日應考者十九人

討論

一件　書記虞琴齋積勞病故應致送酬勞案

議決　本會除以本月薪水照給外致送一月薪交財政科照付

一件　中央國醫館推派人選已交常會物色其他提案意見如何辦理案

議決　人選暫緩物色供獻意見(甲)通告各會員儘量發表限於十日內具送到會參酌辦理(乙)編輯中央國醫館成立大會特刊推定　蔣文芳　陳存仁　張贊臣　秦伯未　盛心如五人辦理

一件　國醫公約組織大綱案

議決　推定蔣文芳等將已交到之件彙集審查辦理

一件　各處科辦事細則交議案

議決　交秘書處修正施行並呈報社會局備案

一件　預備會員章鏡清請求預給證書俾便營業免受衛生處執行處罰案

議決　交秘書處復

一件　書記缺出登報招考應試等十九人

議決　選擇　張稚農　王獨夫　于任士　趙吟秋　周蘊若　五人交秘書處選任

二月十三日第五次常務委員會議

出席委員　黃寶忠　薛文元假　丁仲英濟華代　朱南山鶴皋代　朱鶴皋　張贊臣

主席　丁仲英　紀錄　柴穀周

行禮如儀

報告

一、朱鶴皋辭去財政科職務案

一、會計柴穀周函請新主任點收案

討論

一、在法租界各會員受法工部局衛生處處罰案應如何辦理案

一、新入會會員嚴□□受病家索詐案

議決

一件　暫行給假辭職移執監會核議討論辦法

一件　暫請繼續以維公務點收事移執監會討論辦法

一件　推定　丁濟華　陳存仁　謝利恆　下星期一至法界衛生處接洽再函華人納稅會

一件　待病家起訴後本會當依法保障

二月廿五日下午八時第三次執監會議

出席委員　黃寶忠　盛心如　沈心九　蔣文芳　任農軒　唐亮臣　包天白　謝利恆　張贊臣

丁濟華　傅雍言　張鴻遠　朱小南　包識生　夏重光　朱少武

主席　謝利恆　朱南山　紀錄　張稚農

報告

一件　馬君碩律師來函應聘由

一件　市衛生局批爲法租界登記事仰候核辦由

一件　本月十五日本會代表謝利恆丁濟華蔣文芳三君至法界衛生處面謁該總辦商議登記通融辦法結果圓滿由

一件　市衛生局令發管理醫士暫行章程一份定于本年六月舉行考試由

一件　薛委文元請假三星期由

討論

一件　朱委鶴皋辭財政主任案

議決　一致挽留

一件　會計柴穀周函請新主任接收案

議決　應與朱委鶴皋辭職案一併挽留

一件　本會財政告竭在此二月未發會員證書以前需證書印花房金倖俸洋五百五十元應如何辦理案

議決　除緊縮開支外當由朱常委南山提出請常委共同設法籌借洋叁百元俟會費收到儘先歸還

一件　本會所遷移案

議決　下月起遷入全國總會

一件　財政科提交預算案

議決　通過

一件　加聘院董案

議決　另行組織院董會公推黃寶忠傅雍言張贊臣三委爲籌備員

一件　全國醫藥總會函請推選代表以便會議市上僞品厚朴黃連取締辦法案

議決　推定黃寶忠張贊臣二委代表并函復

一件　中央國醫館推派代表案

議决　推定朱委南山吳委克潛郭委柏良丁委仲英徐委志千夏委重光代表前往

三月五日下午七時開第四次執行委員會

出席委員　黃寶忠　徐志千　沈心九　蔣文芳　夏重光　張贊臣　朱南山　朱鶴皋　盛心如

丁仲英　朱少武

主席　蔣文芳　紀錄　張稚農

報告

一件　本月一日已收到朱委南山籌墊本會開支洋六十元由

一件　本會向社會局立案飭將章程略予修改以符法定手續由

討論

一件　會員張芝明來會報告法界衞生處催令登記案

一件　會員黃文華來函報告今日被法界衞生處違章濫罰洋貳元並送來罰金收條案

一件　陳委存仁提議法界登記本會似應代理會員登記以減省會員之手續案

議决　(一)根據所允五月一日實行之前言及復函致函法公董局責問　(二)分函各會員囑將執照送會彙齊代行登記

一件　本會遷入十四號所餘俱樂部器具應如何處置案

議决　由庶務科查照原價以六折變賣

一件　俱樂部同人會應否解散案

議决　解散

一件　本會應送中央國醫館開幕紀念品案

議决　送銀屏一座價約廿元

一件　文牘員張稚農二月十五日進會二月份薪水應如何發給案

議決　發給二月份全月薪水

三月廿四日下午八時第四次執監會議

出席委員　包識生　朱南山　朱小南　朱鶴皋　吳克潛　包天白　蔣文芳　謝利恆　陳存仁　徐志千　薛文元　夏重光　江仲亮　唐亮臣　嚴蒼山　陳濑菴　朱少武　丁仲英

主席　丁仲英　謝利恆　紀錄　蔣文芳

報告

一、丁委仲英赴京參加國醫館報告情形由

一、法租界會員被法捕房濫罰經去函責問已接法公董局復函囑將罰條送交由

一、國民會議代表選舉名册前已造送茲奉發回更正復經辦妥送往由

一、報載英租界醫士登記事已經去函請予解釋由

一、法租界會員登記由會代辦者八人已將執照登記費送法衛生處由

一、財政科報告經濟狀况由

討論

一件　中國醫學院院董任期已滿茲擬繼任名單請公決案

一件　嚴蒼山先生詢問去年已領執照本年應續領否

一件　本會應辦公報請秦伯未先生負責辦理案

議決　通過

一件　租界登記應否召集三團體主幹人員共商辦法案

議決　通過

一件　吳之屏律師代表益衆公司索取俱樂部房租應如何對付案

議決　備函請原經手人朱鶴皋前往說明

一件　常務委員應否每星期一下午八時舉行常務委員會并邀同各科主任列席案

議決　通過

一件　應請組織部擬具各區辦事處及各特種委員會組織大綱交常會通過案

議決　通過

一件　朱鶴皋君請病假一月案

議決　一致請力疾從公

三月卅日第五次常務委員會議

出席委員　黃寶忠　丁仲英　朱南山　朱鶴皋　薛文元　張贊臣

主席　薛文元　紀錄　張稚農

行禮如儀

報告

一、報載市衛生局發給醫師臨時執照已經呈請伤行奉批應毋庸議由

一、奉國民會議代表上海選舉事務所批呈送會員名册仰候公布由

一、據會員蔣松如函請轉呈市衛生局補發執照業已照辦並附寄登報聲明遺失底稿函囑該員知照由

一、法租界會員登記續託本會代辦者五人已將登記費執照送法衛生處由

一、收中國醫學院報告十九年度兩學期收支報告單由

一、收市社會局訓令自由職業團體之組織發起人暫定二十人等情由

一、前送市社會局立案之會員名册業經領回應連新會員四百八十名加入由

討論

一件　蔣委文芳擬定分事務所組織大綱請核議案

議決　交組織科辦理提交執會通過施行

一件　秦委伯未函送本會發刊定期雜誌芻議請核議案

議決　通過交財政科措辦並函覆原提案人召集編輯委員會從速進行

四月十日下午八時第五次執監會議

出席委員　徐志千　秦伯未　唐亮臣　沈心九　任農軒　包識生　包天白　傅雍言　吳克潛

夏重光　謝利恆　朱南山　朱小南　朱鶴皋　黃寶忠　蔣文芳　嚴蒼山　張鴻遠

盛心如　方公溥　朱少武

列席　蔡幻笙翁國勳代表　蔡柏春

主席　謝利恆　包識生　紀錄　張稚農

行禮如義

報告

一、中國醫學院中國醫院送來該兩院十九年度第一學期流水總清發票等件由

一、新會員四百八十名業經補造清册二本呈送市社會局由

一、收到丁委仲英籌墊洋壹百元由

一、收到朱委南山籌墊洋四十元由

一、市衞生局令知第六屆醫士登記報名日期業經轉函各預備會員繳送照片登記費並填寫志願書履歷書等以憑彙轉由

討論

一件　特區法院函請鑑定嚴□□藥方案

議決　推定　嚴蒼山　吳克潛　包識生　蔣文芳　傅雍言　秦伯未　陳存仁　爲起草鑑定書

交付執監委員會通過再行答復並指定蔣文芳召集之

一件　向市衞生局請示第六屆考試委員產生辦法案

議決　呈請市衞生局產生辦法

一件　袁文鐸函爲被陳友朋在特區法院訴過失傷害案

議決　來函保存俟接到法院函託再行核議

一件　國民會議選舉在卽應爲何通知各會員案

議決　先派員赴選舉事務所詢明選舉確期後發函通知臨時再登報通告

一件　市社會局特約中國醫院爲工人施醫給藥由

議決　由院答復並一面組織院董會負責

附記　擬請院董及推定接洽者名如下

丁仲英朱　朱子雲丁　王仲奇包　朱南山朱　沈琢如包　薛文元包　葉惠鈞傅　王彬彥陳

杜月笙陳朱　潘公展包　王曉籟丁　方椒伯張

一件　蔡會員代表報告被張亭貴控訴過失死傷一案

議決　俟接到法院函託自當秉公議復

四月十三日下午八時第六次臨時執監會議

出席委員　沈建候　唐亮臣　沈心九　蔣文芳　夏重光　凌策勳　薛文元　秦伯未　包天白

張贊臣　朱少武　江仲亮　包識生　丁仲英　傅雍言　朱南山　朱鶴皋　朱小南

嚴蒼山　陳存仁　黃寶忠　盛心如　任農軒　丁濟華

主席　薛文元　包識生　紀錄　張稚農

行禮如義

報告

一、收國民會議代表上海市選舉事務所令發選舉人名總冊並指定選舉監察員丁仲英陳存仁由

討論

一件　鑑定嚴□□藥方案

議決　鑑定書通過由常委審定繕復

一件　關於選舉事宜推定起草通告及宣傳人員負責辦理案

議決　推定陳存仁張贊臣兩委員担任起草通告之責並推定夏重光江仲亮丁濟華黃寶忠任農軒凌策勳沈杏苑張慕岐分担宣傳任務

一件　中國醫學院函送十九年度第一學期流水總清發票等請爲查核應如何辦理案

議決　推定郭柏良朱鶴皋二君審查發還該院保管

四月廿五日下午八時第七次執監會議

出席委員　黃寶忠　陳存仁　唐亮臣　徐志千　秦伯未　丁仲英　傅雍言　朱鶴皋　沈建候　盛心如　蔣文芳　吳克潛　嚴蒼山　陸士諤　張贊臣　沈心九　謝利恆　任農軒　張鴻遠　夏重光　郭柏良　包識生

列席　許壽彭

主席　陸士諤　包識生

報告及紀錄　蔣文芳

報告

一、市社會局批二件

一、頗備會員囑由本會代登記者共一百廿七人

討論

一、特區法院函送蔡□□被控玩忽業務致人死一案藥方請鑑定案

議決　大致無誤請沈心九許壽彭陸士諤秦伯未蔣文芳起草鑑定書召集執監會議通過

一件　會員沈清周函請介紹至閘北慈善團聯義會設診由

議決　婉復未便介紹

一件　前代俱樂部墊用洋一百四十四元八角二分應否支銷案

議決　先收同人會欠款不足由會墳補

一件　本會會址下月份應否遷移案

議決　交由常務委員會另覓適當地點報告執會通過

一件　請求中山醫院加入中醫案

議決　通過

一件　徵求月捐並以公報廣告爲權利案

議決　通過交財政科擬具辦法俟出版時徵求之

一件　中國醫學院承社會局接洽免費診病局方登報時本會應否同時登報案

議決　由包識生徵求院董及醫生於相當時間登報合告之

案牘

蔡□□醫士被控案

本埠醫士蔡□□被張亭貴在特區地方法院提起控告特區法院將所有藥方發交本會審查茲將法院公函及本會函復原文抄錄於下

（特區地方法院公函六二五六號）逕啓者本院受理張亭貴訴蔡□□玩忽業務致人死一案前經開庭審理據自訴人張亭貴述稱其妻孫氏于民國十九年八月間受孕二個餘月因胎氣不舒于同年十月廿三日投請被告蔡□□處診治不料服藥後小便下血胎原大動以無另延他醫費用亦未服食安胎藥品延至本年三月間竟至流產其妻亦相繼而亡被告確係玩忽業務致人於死提出醫方三紙爲憑而被告則謂所開醫方係疎解之品無墮胎之藥不能負任何責任如等語查該醫方是否療治胎氣不舒對於懷姙有無禁忌藥品若非專家鑑定不足以資折服相應將該醫方三紙送請　貴會查照鑑定并希詳加按語連同醫方一併函送過院以憑核辦爲荷此致

上海市國醫公會

（本會復函）謹復者接奉　大函內開本院受理張亭貴訴蔡□□玩忽業務致人死一案照敘至以憑核辦爲荷等因奉此遵卽交付四月廿五日第七次執監聯席會議付議出席委員二十二人當推包識生爲主席僉以三方所列藥物爲婦科常用之品並無傷胎之可能去年十月服藥至本年三月流產如果胎兒爲藥所傷胎死腹中停留五月殊出常例之外究竟所下死胎爲二個月形抑八個月形自有法院檢驗實究虛坐秉公法辦外並推定敝會委員前衛生局中醫試驗委員陸士諤秦伯未蔣文芳暨女科專家沈心九許壽彭等

五人會同擬具鑑定書草案交付下屆執監委員會核議卽經起草委員會擬草案于四月廿八日第八次執監聯席會議通過交付常務委員核復奉函前因合將鑑定經過情形連同鑑定書函送　鈞院卽希詧核是荷此致

上海特區地方法院

（蔡□□醫士醫治張婦藥方鑑定書）【鑑定目的】根據上海特區法院來書（一）是否療治與氣不舒（二）對於懷妊有無禁忌藥品【研究經過】謹查法院來函以有孕立論查閱各方案語所列寒熱頭痛骨楚等病狀亦係兼受外感各方所用藥物半屬疎散之品療治外感頗合母健胎安之成法半屬理氣之品氣順血生亦爲療治胎氣所必需如普濟本事方之柴蘇飲（治妊娠寒熱胎氣不和）沈氏尊生方之黃龍陽（治妊娠寒熱）保生無憂散（治胎肥氣逆）及金匱要畧方之乾姜人參半夏丸（治妊娠嘔吐）等方可以引證關於第二點方中半夏厚朴二味倘生用至一兩以上或有妨碍胎兒之可能在昔藥多生用量以兩計時代懸爲禁忌載明本草後世製法進步所含廝辣有害之反應早經消除止嘔化痰之功效乃見純粹是以「安胎和氣飲」（見女科輯要）「半夏茯苓湯」（見濟陰綱目）「加味六君湯」及「加味手胃散」（見醫宗金鑑）均以半夏厚朴爲安胎要藥他如「鷄蘇散」雖含滑石成分然佐以甘草之和中亦難訾議綜查三方藥物及其重量絕無禁忌之品足以指摘【鑑定結果】蔡醫藥方三紙對於胎氣不舒亦可療治對于孕婦幷無禁忌

嚴□□醫士被控案

本埠醫士嚴□□被蔡鏡清在特區地方法院提起控告特區法院將所有藥方發交本會審查玆將法院公函及本會函復原文抄錄於下

（特區地方法院公函六〇二五號）逕啓者本院受理蔡鏡清訴嚴□□玩忽業務致人死一案前經開庭審理據自訴人蔡鏡清述稱其子榮源年方六齡於本年一月二十五日因患喉症延請被告嚴□□醫治被告於二十七日所開藥方其案語內謂不可以爛喉痧治卒至於同年同月三十日以爛喉痧咽關佈腐不可挽

救而亡被告人確係玩忽業務致人於死提出藥方六紙爲憑而被告人嚴某則援古證今謂所立之方並無謬誤不能負任何責任各等語是該醫案及所用藥方若非專家鑑定不足以資折服相應將該藥方照片六紙送請　貴會鑑定究竟已死之蔡榮源係何病症所開之方有無禁忌藥品均希詳加按語連同藥方一併函送過院以憑核辦爲荷此致

上海國醫公會

（本會復函）謹復者接奉　台函內開本院受理蔡鏡清訴嚴□□玩忽業務致人死一案照抄至以憑核辦爲荷等因奉此遵卽于四月十日召集第五次執監聯會計出席者廿一人當推謝利恆爲主席隨將　台函付衆討論各抒意見結果推定本會執委中國醫學院教授嚴蒼山前衛生局中醫試驗委員吳克潛包識生蔣文芳傅雍言秦伯未康健報主筆陳存仁等七人彙合衆見共同研究起草鑑定書交付下屆聯席會議核議並於四月十三日舉行臨時執監聯席會出席廿四人公推薛文元主席將鑑定書草案核議修正通過交付常務委員會審定答復奉函前因合將敝會鑑定嚴□□藥方情形連同鑑定書一份隨函奉達卽希詧照是荷此致

上海特區地方法院

（嚴□□醫士醫治蔡榮源藥方鑑定書）△病狀　查閱方中所列病狀二十五日嘔逆胃呆舌粉白脉數二十七日皮外紅目赤有水舌淡有水脉緩滯胸結胃呆二十八日紅點在膚不透胸結小便已赤舌大紅二十九日甲方（不具名）兩項起喉蛾喉痛口乾舌中紅脉結乙方（朱子雲開）丹痧五天喉關腐爛時常攪擾脉數舌尖絳丙方（端伯馨開）聲嘶不揚鼻搧唇裂舌焦黑尖乾刺無液△病名　綜觀上列各方所載病狀係屬「丹痧喉腐」良以丹痧往往隨發喉症頗爲棘手成人較易痊愈小兒尤形困難是症之發大都先起寒熱胸悶不食目赤多淚繼則皮膚滿佈紅點不易透達終則喉咽關腫腐甚至肺絕而死核與各方所列病狀尚覺近似△研究　查一月二十五日至二十八日之方大都辛散宣解之品核與病症尚屬相符似無絕對禁忌藥品在內惟二十五日方中遽用羚羊片一分考其所用分量雖無僨事之可能核與所列病狀尚無應用

之必要引起病家之懷疑指摘亦固其宜二十七日丹痧不能透出方中所列各藥大抵辛散宣解之品頗見適合病情二十八日方用泡姜炭一錢雖然絕對禁忌核與當日方中所列病狀似覺突兀他爲羌活獨活性質亦覺微嫌辛竄但國醫復診處方所列病狀雖有蟬聯前方之習慣查閱二十七日所開病狀脉緩滯胸結如果至二十八日猶未變更尚有援用泡姜炭等之需要但二十八日對於上述病狀脉象究竟有無改變未據書明無從臆斷二十九日三方均係對症發藥大同小異要皆辛涼解毒之劑而已△斷語　綜核上列數方病情實係棘手而嚴□□醫士所處藥方雖用泡姜炭羌活獨活祇因丹痧紅點在膚不透亦未便遽斷爲誤用禁藥致人於死特無挽救之效力係屬實情耳

用成方不可拘泥

丁叔廉

桂枝麻黃白虎諸湯。皆古之成方也。其桂枝去芍藥桂枝加桂諸湯。乃仲聖加減古方以爲方者也。仲聖既未嘗以數方治傷寒。亦未嘗不加減古方以爲通權達變之計。然則用仲聖之方者。不能因病之變幻而化裁之。徒執呆方以治活病。吾恐其所以推重仲聖者。轉爲仲聖之罪人也。金匱要略中凡先言脉後病證者。皆係發明痼疾之所由成。及其所以傷生之故。讀者宜細玩之。勿以論後無方而忽之者也。

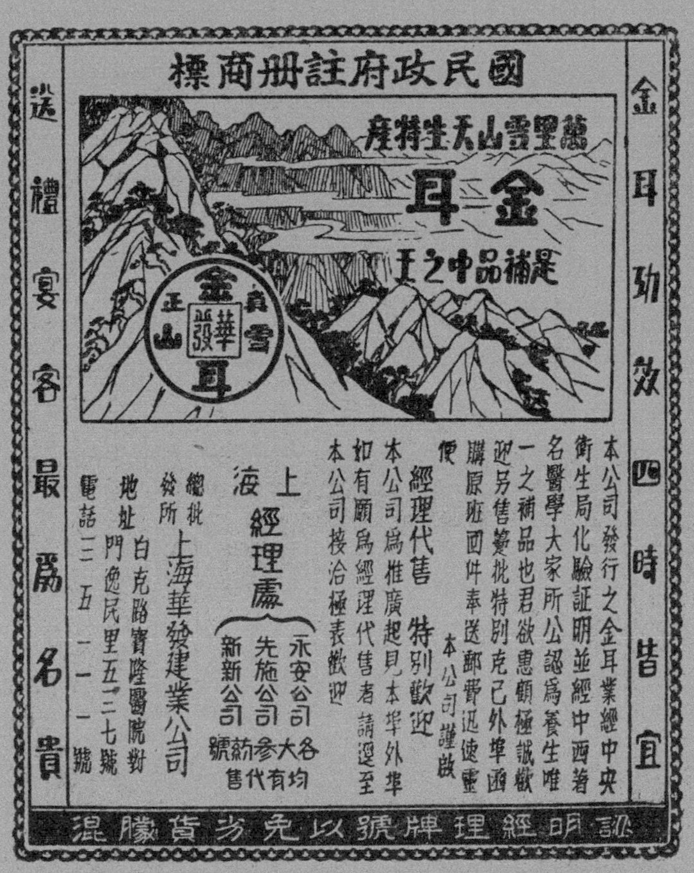
國民政府註册商標
萬里雪山天生特產
金耳
是補品中之王
金耳
真雪
正山
華發
金耳功效四時皆宜
本公司發行之金耳業經中央衛生局化驗証明並經中西著名醫學大家所公認爲養生唯一之補品也君欲惠顧極誠歡迎另售躉批特別克己外埠函購原班回件奉送郵費迅速靈便
本公司謹啟
經理代售 特別歡迎
本公司爲推廣起見本埠外埠如有願爲經理代售者請逕至本公司接洽極表歡迎
上海經理處
永安公司
先施公司
新新公司
各大參葯號均有代售
總批發所 上海華發建業公司
地址 白克路寶隆醫院對門逸民里五二七號
電話三五一一一號
送禮宴客最爲名貴
認明經理牌號以免劣貨朦混

上海愛文義路北泥城橋西首
規模宏大
徐重道國藥總號
設置完備
是◉最進步◉最可靠◉之中國大藥店
參燕藥材
飲片丸散
特設
接方送藥部 電話通信 立刻派人前來接方 照方監煎 當即奉上 不取力錢
代客煎藥部 清潔穩妥 藥力準確 手續完備 取費極廉 每帖一角
補腎固精丸
主治 腎虧精衰 夢遺滑精 胃呆力乏 腰背痠痛 陽萎早洩 神疲失眠
每瓶一元
化痰止咳丸
主治 新久咳嗽 痰中帶血 陰虧肺癆 痰多氣急 乾咳音啞 諸般咳嗽
每瓶一元
筋骨瘋痛藥
主治 風濕骨痛 肩背痠痛 半身不遂 鶴膝瘋痛 四肢麻木 各種瘋症
每瓶一元
婦女調經藥
主治 經閉血枯 經來腹痛 腰痛腹脹 經無定期 瘀血內積 體弱不孕
每瓶一元
五淋白濁丸
主治 新久白濁 傳染白濁 尿道刺痛 體虛白濁 小便淋滴 兼能辟毒
每瓶一元
本埠分號
第一分號 威海衛路同孚路西
第二分號 成都路山海關路北
第三分號 新閘路辛家花園東
第四分號 新閘路成都路東首
第五分號 南成都路福煦路北
第六分號 南成都路大沽路口
第七分號 同孚路威海衛路南
第八分號 靜安寺路馬霍路東
第九分號 霞飛路呂班路東首
分為德堂 白克路成都路東首
電話六一一三三號◉外埠函購寄費加一郵票十足通用

上海中醫書局新出版各書

書名	著者	冊數	價目	折扣
慢驚福幼編	莊一夔	一	一角	七折
小兒病討論集		一	二角	實
痘疹逐生編	莊一夔	一	一角	七
秘傳喉科十八證	蔡鈞	一	一角	七
喉科指南重樓玉鑰	鄭梅澗	一	四角	七
秦校喉科秘旨	吳張氏	一	三角	七
李校白喉治法捷要	張紹修	一	一角	七
許校白喉忌表抉微	耐修子	一	一角	七
白喉條辨	陳葆善	一	二角	七
白喉辨證	黃維翰	一	一角	七
疫喉淺論	夏春農	二	四角	七
藥徵全書	東洞吉益	一	一元	七
藥物形態學	沈嘉徵	一	三角	八
本草衍義	寇宗奭	二	一元二角	八
羚羊角辨	張錫純	一	一角	七
藥性提要	秦伯未	一	二角	七
中國藥物學史綱	何霜梅	一	五角	七
清代名醫醫案精華	秦伯未	四	三元	七
清代名醫醫話精華	秦伯未	四	三元	七
醫案摘奇	傅耐寒	二	一元二角	七
肘後備急方	葛洪	四	一元	七
膏方大全	秦伯未	一	三角	七
萬有丹方治病指南	九一道人	一	一六角	實
怪疾奇方	費伯雄	一	三角	七
普濟良方	德軒氏	一	二角	七
汪氏湯頭歌訣新註	李盎春	一	二角五分	七
驗方類編	秦伯未	一	二角	七
丸散易知	秦伯未	一	二角	七

書名	著者	冊數	價目	折扣
吐方考	日本獨嘯菴	一	一角	七
三指禪	夢覺道人	一	六角	七
舌胎統志	傅耐寒	一	七角	七
診斷大綱	秦伯未	一	二角	七
辨脈平脈章句	周學海	一	六角	八
校正瀕湖脈學	李瀕湖	一	三角	七
脈訣祕傳	沈雲將	一	一角	七
證治心傳	袁體庵	一	一角	七
上池雜說	馮元成	一	一角	七
歷代醫學之發明	王吉民	一	三角五分	七
國醫小史	秦伯未	一	二角	七
醫學筆塵	王肯堂	一	四角	七
中國學綱要	楊影廬	一	五角	八
飲食指南	秦伯未	一	二角	七
傅氏三書	傅耐寒	四	二元	七
國醫小叢書	全書二輯	十二	一元二角	七
中醫叢刊	第一輯	十	四元五角	七
家庭醫學常識叢刊	秦伯未	六	一元二角	七
影印古本醫學叢書	秦伯未	十	六元	七
實用中醫學	秦伯未	四	二元角八	七
銅人經絡圖	赤城醫廬	四張	一元	七
陰陽五行討論集		一	二角	實
中醫世界第一年彙刊		六	一元二角	實
中醫世界第二年彙刊		六	一元二角	實
家庭醫學雜誌第一年彙訂		一	六角	實

外埠函購郵費加一郵票代洋九五折算

新編

丁甘仁先生醫案

出版

故名醫丁甘仁先生。斐聲滬上。歷數十年。名噪大江南北。活人年以數十萬計。精究靈樞金匱。得長沙仲聖之神髓。治理時症。尤具獨到之處。所成醫案。一編既出。四方爭購一空。業經重編出版。用連史紙精印。磁青紙面四巨冊。定價三元。特售八折。外埠寄費加一。書印無多。購者從速。

總發行處 上海四馬路中華書局對過中和里 丁仲英醫寓

代售處 商務印書館 各大書坊

傅氏三書

題序者

譚組庵氏　沈維賢氏
唐蔚芝氏　施今墨氏
蔡孑民氏　楊富臣氏
胡展堂氏　薛逸山氏
于右任氏　謝利恆氏
戴季陶氏　薛文元氏
陳陶遺氏　汪紹周氏
陳旡咎氏　張杏蓀氏
楊杏佛氏　蔡濟平氏
黃炎培氏　王一仁氏
李夢覺氏　秦伯未氏
錢龍章氏　郁佩瑛氏
沈湘之氏　葉惠鈞氏

全書內容提要

本書爲劉河名醫傅雍言氏之尊人耐寒先生所著凡四冊

一　醫經玉屑……一冊

就內經中摘補三十七條發揮其奧旨註解五十一條以完各家未暢之旨今人能研古學者絕鮮得此可知內經中自有精粹之處特患不能悟會耳

二　醫案摘奇……二冊

此爲先生心得獨到之作險症百出獨能處置裕如從容投藥其三折肱案尤非學識並長者不能道隻字實可媲美葉氏醫案潛齋筆記不可多得之作也

三　舌胎統志……一冊

歷來辨舌之書都以胎色分部此書能獨出手眼不循尋常谿徑以舌色爲主分爲八門綱舉目張法賅用宏蓋能悟徹標本奧旨者也

全書四冊布套一函　定價二元七折九扣　外埠加郵費一角四分

中醫書局發行　寄售處　上海市國醫公會

用科學方法整理中醫學之唯一巨著

武進張贊臣先生研究國醫學術之結晶

（中）（國）（診）（斷）（學）（綱）（要）……出版了

題眉者

法學大家 羅家衡先生

外交部部長 王正廷先生

題序詞者

陳无咎先生・時逸人先生

張山雷先生，秦伯未先生

王仲奇先生・謝利恆先生

許半龍先生・宋愛人先生

內容切實

闡揚國醫學說。盡合最新科學。與玄虛空泛者不同。詳論診斷方法。均有獨得之見。非人云亦云者可比。

本書爲當代醫學大家張贊臣先生所著。先生對於中醫學術。造詣甚深。主編『醫界春秋』月刊有年。早經馳譽醫林。有目共賞。今出其心得。更憑學說經驗。撰成此書。本局鑑於中醫學界素乏診斷學之專書。實一缺感。故特懇張君以之付梓。發行於世。而惠學者。本書內容。分望色察舌。聞聲臭氣。問病因。切脈搏等診法爲四大綱。其他如辨別各種病症之理論與測驗等。尤爲重要。蓋欲明悉證候之確實憑據者。端賴乎精密之診斷。方不受俗醫庸夫之誤。故此書實爲研究中醫學之秘訣。社會人士之醫藥顧問也。全書洋裝一大冊。用大號字精印。讀之不傷目力。書印無多。購請從速。

醫界病家 均宜讀此書

初學者讀之……如從名醫實習

居家者讀之……如請醫藥顧問

開業者讀之……如得良友切磋

患病者讀之……如邀名醫會診

定價 每册大洋壹元特售大洋八角外埠另加寄費一角

總發行所 上海西藏路西羊關弄五百〇三號 中國醫藥書局

編輯委員會題名

謝利恆先生

丁仲英先生

蔣文芳先生

陸士諤先生

吳克潛先生

方公溥先生

張贊臣先生

陳存仁先生

朱鶴皋先生

陳漱庵先生

沈心九先生

楊宗凱先生

秦伯未先生

盛心如先生

中華民國二十年五月十五日

現代國醫

第一期 實洋二角

編輯者 編輯委員會

出版者 上海市國醫公會

發行者 上海市國醫公會

寄售處 上海中醫書局 中國醫藥書局

印刷者 華豐印刷鑄字所

▲本雜誌每月一冊。全年十二冊。

▲每期實洋二角。預定全年連郵二元。

▲凡本會會員。一律優待減半。實收一元。

▲廣告價格。全張每期二十元。一面十二元。半面八元。長期八折。

每月刊

現代國醫

第一卷第二期

中華民國二十年六月

上海市國醫公會編輯印行

發行 上海浙江路二七四號二樓十四號

編者小言

（未伯）

邇來西醫以攻擊中醫爲雄。其言論之荒謬者。果不可不加以糾正。而如何求本身學術之進步。實爲最大問題。蓋有顛撲不破之事實。而後可爲千古不滅之文章。本會惟一之目標在保障同業。同時發行本刊。冀促學術上日新月進。使本會基礎益增鞏固。故本刊無異負本會前途之使命。今第二期又經出版。深願同道加以指教。並請踴躍投稿。以資攻錯。

本期所載之王錫光君瓜蒂攷。顧小田君之疹痦膚言。方毓麒君之傷寒論之研究等。對於學術上均有相當之貢獻。而日本富士川游君之日本醫學之變遷與中國醫學及西洋醫學一文。詳述日本醫學得中國醫學而樹其基。得西洋醫學而登其頂。可證國醫自有無上之價値。特患不能改進耳。願讀者毋略焉。

本刊由編輯委員會主持。茲更增聘薛文元嚴蒼山許半龍包一虛諸先生爲編輯委員。諸先生對于本會極努力。對于本刊尤努力。至深欽感。

現代國醫第一卷第二期目次

醫事雜評
現代國醫與現代人情……傅雍言
徵集各地方案議……謝利恆
西醫攻詆與中醫奮鬥……顧允士
自殺案……蔣文芳
言論
日本醫學之變遷與中國醫學及西洋醫學……富士川游
專著
藥籠小品（續）……黃退庵
學說
瓜蒂攷……王錫光
疹痞膚言（上）……顧小田
伏氣病之討論……岑冠華
暑病叢談……張友琴
痧疹之診斷及治療與預防法……張贊臣

傷寒論之研究……方轅麒
醫案
一瓢硯齋醫案……薛文元
潛盧醫案……吳克潛
澄齋醫案……謝利恆
中風醫案……盛心如
紀載
會議紀錄
案牘
嚴口口醫士被控案(二)

補白

謙齋近詩……秦伯未
溫病治驗……施星六
萬氏十種……又安
贈吉林辛瑞鋒君……秦伯未
贈吉林高仲山君……秦伯未

醫事雜評

現代國醫與現代人情

傅雍言

嗚呼。行醫之難。莫難於「不失人情」四字。遠在內經。已有記載。(見素問方盛衰論)明季景岳。更多憤懣。(見張氏類經)而不知現代人情。竟復變本加厲乎。

夫患病不外三因。每有治未愈。或畧奏效。不克自愼。因而復加。如因病成憂。因勞重感。因情犯正。因食助邪等變。匿不自責。而反訴醫之玩忽業務者。比比皆是。更有自知受孕。畏產求墮。曰臨經脹痛。非通不可。或曰不幸私有。懇請顧全者。此外。有貧病難活。求醫週急。不遂其志。隨生風波。有名求施診。實行窺探。一轉瞬後。不翼而飛。有假裝重病。隨從多人。到門就診。行刼而逸。有僞造病所。設計邀診。當場勒索。或竟半途行兇者。此皆現代歷歷可數之事。閱者諸君。諒能憶及受誣被毁之名姓也。至若傍人之情。景岳已詳言。惟醫者不盡知。與知而不能避。更於事前無從得而知者。如道况未盛。謀生維艱者。因之顧問無人。重行易地。或改他業。人都罔聞。惟其道大行。身家殷實者。因之聲名狼藉。金錢損失還可。精神懊喪異常。聞者寒心。夫彼時之私意執見。擅肆品評。挾貴持親。浮言鑿論者。不過妄自驕矜。淆亂是非而已。不知現代竟有藉此而可以間接謀生者。或曰。王道不興。人情難澈。苟生斯世。何一不難。如論同道人情之一類。除景岳言。病家醫家各半外。實有八種。苟涉其一。卽屬以柄授人。自入於犯法地位。雖幸而免。終必可危。前者拙議。(見本刊第［一］期)務祈各進其德。卽有意外之情。不忍出之於口。安肯形諸筆墨乎。故有明哲保身者。已杜門謝客。鄙人既承歷祖之傳。又授姪孫兩代。居無田產。不擅商工。既行卅載。不知何終。嗚呼。欲行現代之國醫。眞難之尤難也。

徵集各地方案議

謝利恆

吾瀏覽各地方案。而知治病之難。非從各方面觀察。不能收十全之效。更歎西醫以一隅之見。欲統治全世界病之愚陋也。

夫病症不殊。治療自一律，而稟賦不齊。增損卽各別。所謂稟賦不齊者。或因風土。或因飲食。或因環境。在在足以移化其體質。故西川崇山峻嶺。民多內寒。烏附肉桂。習不爲怪。粵東瘴氣瀰漫。民多中惡。檳榔白芷。習不爲奇。而東南之人。飲食淡薄。環境淫靡。體多虛弱。率用柔劑。其淺而易見者也。從此益知內經五方異治之文。實爲千古不磨之論。舍聖人其誰能言。

今者中央國醫館成立。余謬膺常務理事之職。深思於各項工作之暇。徵集各地方案。彙送各地醫界。不特可明各地之用藥法。而免片面之弊。抑且濕帶之驗方。卽爲治療濕病之標準。熱帶之驗方。卽爲治療熱病之標準。集思廣益。觸類旁通。較之但從學理上研究。或稍切實有用也。質之同道。以爲何如。

西醫攻詆與中醫奮鬥

顧允士

西醫之目吾國醫。宛如仇讎。大有勢不兩立之象。於是摧殘之狐伎鬼倆。層出不窮。欲廢止中醫學校。陰圖杜絕源流。阻止中醫之進展。嗚呼陋矣。抑亦酷矣。我中醫發軔于太古。稱盛於周代。中興于漢唐。宋明以還。戰事迭頻。上無倡導之議。下鮮圖進之思。自相受授。授者秘而不宣。受者昏而不求。日而下之。個中珠璣湮沒。然則今日西醫之迭次棒喝。實足以規我導我。促我中醫之改進。將來我中醫發揮光大。成爲全世界醫學之中心。亦未始非拜西醫之賜。無奈觀其種種工作。類多狐蜮詭謀。魍魎末技。以破壞之手腕。增進對于第三國際之信用。則使得售其技。中醫必無餘類。爲可痛耳。嗚呼。我中醫果不適于今日乎。果不西醫若乎。果不合于科學乎。若云不適于今日。則自古迄今。已達四千餘年。治療之成績。見諸經史。見諸專集。均可稽核。卽彼西醫之若祖若宗。皆託庇于中醫之下。奈何及至子孫。而竟不值一顧耶。論其治療。吾國各地。

土質氣候不同。醫術當不能混淆。一旦我中醫淪沒。勢必帖耳于西醫。彼以遠隔重洋。適于彼方土質氣候之醫藥。治療我中國人民之疾病。能不危端百出哉。且西方水土剛强。故其藥品多猛且烈。我人軀體柔弱。故藥品多和且平。以我國和平之藥。療彼西人則可。若以西藥治我國人民。豈非飲以鴆毒乎・嗚呼。設西醫以個人之麪包。必欲消滅我中醫。則我可不辨。若必託言中醫無存立之必要。而置數百兆同胞生命于屠刀之下。則我欲滅默而不能。嗚呼西醫。可以休矣。

自殺案

（蔣文芳）

報載浙江中醫專門學校學生某君。爲求中國醫學之實驗及進化起見。遥行自殺。貽書校中。將其屍體供醫學上之解剖。夫自殺原爲無志氣行爲。而某君自殺。是否別有原因。姑不具論。但就其遺屍公諸醫界一點。磨頂放踵之精神。至死不變。亦足多矣。

哀莫大於心死。而身死次之　對于某君之自殺案。不覺重有感焉。我國國醫界自受外來之排擠以後。有消亡可以立待之勢。環顧現存之同業。每於診病醜詆前醫。此業務上之自殺也。執筆著書。喜談人短，此學說上之自殺也。覇阻羣衆，四分五裂。不相融洽。此組織上之自殺也。某君自殺。不過身死而已。其精神不死也。我復何痛。

在此國醫界風雨飄搖之際。一般心死身存。自命不凡之同業。自殺案層出不窮。爲國醫界前途計。直使傍徨繞室。憂心如搗者矣。

言論

日本醫學之變遷與中國醫學及西洋醫學

富士川游

不論何國。醫學之源與人類同時而起。在日本亦自太古已有醫學矣。然其所由之資料。除了「古事記」與「日本書紀」之外。其餘只據史學的遺物而考之。以外別無他法。據此等之記錄遺物考之。日本太古之醫學。在學術上大概屬於『民間醫學』之部類。古事記日本書紀所載之醫學內容。分明雖屬民間醫學之程度。然較之原始醫學則頗進步。可見日本古代之文化頗新。及文化既進而後有製鐵爲針。或用織絹機。此事在日本神代之歷史已有之。卽醫學亦可推想頗有可觀者。然其爲日本固有者。抑或由外國傳來者。在今日困難闡明。遡自神代與朝鮮往來極盛。或者以朝鮮爲介由大陸傳來也。然則傳來何物。是屬不明。觀夫中國古書載有日本之事。謂日本無治病之藥。唯以水浴癒之云云。或爲中國之觀察不詳歟。日本古代確實有藥。且爲數不少。據諸家之研究。人參、附子、厚朴、甘草、胡椒、丹砂、吧吉、大黃之類。確自神代已有之藥。其曾應用於治療也。自不待言。在古事記神代卷所舉之動植物之名稱頗多。其應用之於治療上者。諒亦有之。唯鍼術則無之。諒由中國傳來者。然考諸中國諸書則曰似由日本傳去云。中國有『素問』之書。主載岐伯黃帝之醫事問答。今日所傳之素問。恐爲秦漢時代所出。蓋後人所作。托名於岐黃者也。雖然。亦屬日本紀元前二百餘年之事。卽三千年前之書也。可謂古矣。此素問之中。記載鍼由東方傳來。蓋東方之民食魚而病。故以鍼刺之出血而治之云云。所謂東方者諒指日本也。然日本往古不用此療法。治療主用內服與貼敷。考之日語クスリ(藥)卽ツケル(貼之)之意。可以想見蓋ツケル者。乃貼膏藥之意也。例如大穴牢遲神受火傷而貼附蛤汁之類。如此之問題。概屬專門的故。姑且略之。然日本固有醫術之外。以朝鮮爲介而傳來之中國醫術亦混在內者。諒有相當之理由也。而國史上明記中國醫書之傳來也・乃屬更後之事。傳曰允恭天皇三年(西紀四一四年)帝病。由朝鮮聘醫者命其治療。是爲外國師醫來朝之嚆矢。爾後朝鮮及中國之醫師屢見聘來朝。由中國直接而來者名曰知聰。吳人也。欽明天皇二十三年(西紀五六二年)攜醫書而來。其所攜爲藥書明堂圖等百六十卷云。大概爲隋唐以前之方書也。又欽明天皇之季佛教東來。漢譯之藏經盛傳。不得不讀之。然皆爲漢文故。爲讀中國之文章覺非常困難。及讀之。乃悟非往中國難强。不能十分傳其學術。及推古帝十六年(西紀六〇八年)乃使藥師惠日等留學於中國。此時爲隋之末季。推古天皇三年。惠日等歸自中國。建論於朝廷曰。中國之文物非常開化。足可爲範者甚多。不可不派留學生往。以專其文物云云。於是與中國之往來愈盛。當惠日等之往中國也。爲隋之大業四年。及大業六年(西紀六一〇)有『病原候論』之書出世。計三十卷。在西曆紀元六一〇年卽第七世紀之初。醫學界有此大宗成書。爲世所稀。此乃巢元方奉勅所撰者。分別症狀極其詳細。又一一記載原因(遞示實物)請觀此書(病原候論)之目次便明白,症狀寫得極其詳細。以今日言之。此中所謂獨立之病不甚多。疾病與症候連帶也。顧西曆第七世紀之初。西洋之醫學全然墜地。希臘之醫學滅。羅馬之醫學亦衰。惟有亞拉比亞之醫學見行之時代。學問概已掃地之時。在中國已有如此貴重之醫書。且其中所載之癩病。與今日吾人所知之癩病之症狀概相同。脚氣亦然。中國此時已有脚氣。南方尤多。北則少。又細考此書。且載有疥癬蟲之事。在西洋知疥癬蟲者更屬此後之事。卽明知其爲蟲者在十六世紀以後也。此書觀察之充足有至某程度。故其症候之記載亦非常綿密者多。當『病原候論』出世之時。適惠日等在中國之季。故該書諒爲惠日等所攜歸者也。自奈良朝以至平安朝之時代。中國之學問漸見日本化。是爲日本醫術行世之時。然其根據亦不外乎此『病源候論』。及平安朝時代之季卽西曆九百年距今約千年之前。有『醫心方』之書出。此乃摘錄中國醫書之要點。集成三十卷。自藥物以至鍼灸。凡內科、外科、小兒科、婦人科、本草、養生、服石、房內等。無不網羅之醫學全書也。當隋唐時代。房內一科在中國頗盛行。是爲生殖衞生之道。『醫心方』所載乃拔隋唐醫書之萃者也『醫心方』爲丹波康賴所載選。其當時乃據現在日本所有者。然該書爾後竟亡失無傳。中國亦無之。今日所傳者不過引用『醫心方』之記事而已耳。若將引用於『醫心方』者而集之。則其原書之內容。大略可窺也。『醫心方』出自圓融天皇時代(九七五年前後)卽將近中國唐之末季。然『病源候論』以及其他之醫書一切。在宋之時代曾經惠民醫局校正。若夫以前之醫書之內容。卽非據日本之『醫心方』莫知其正確也。當時撰者丹波康賴將此書(醫心方)獻之朝廷。歷代秘藏於御庫。及室町時代(一五一二至一五三六年)之末。正親町天皇時(一五六五前後年)賜之醫官半井氏。一面仁和寺宮之文庫亦藏有『醫心方』然不過二十卷。半井氏則全部三十卷皆有之。及德川幕府之末。東京神田佐久間町之醫學館告成。董事多紀氏上書幕府。請梓行半井氏家所傳之『醫心方』。而半井氏家不知何故，謂其書已失而不肯献出。其後歷四十星霜至安政之季(一八五七年前後)半井家換人。忽稟幕府曰。先年所詢之『醫心方』向謂一時不見。今發見似其膽寫者云。及索而觀之乃原書也。於是幕府不惜重費。仿其字體。照樣印刻木版以公於世。後明治政府繼承幕府之醫學館。該版藏在今之東京帝國大學圖書館。逢前年(大正十二年)之大震災。諒已歸烏有矣。

『醫心方』之可貴也如此。其本雖據『病源候論』。然『病候論源』竟無治療之記述。於是唐之中季有孫思邈者。作治療書名曰『千金方』。記述治療之事。而治療之法以明。及鎌倉時代。「一五〇〇年前後」遺唐留學生既絕。中文之寫讀皆拙。一面固有之日本式創意漸現。於鎌倉時代所出之『萬安方』六十二卷。『頓醫抄』五十卷。皆混有日本之實驗。迨足利時代(一五二一至一五三六年)而日本式愈著。當時之有學問者。概爲禪宗之僧侶。禪僧留中國修佛教。同時兼修醫學。歸來以之傳之國內者多其曾留學者及不留學在國內以傳來之書爲本而研究者。皆不但直譯中國。日本固有之醫學漸漸出現遂有眼科醫。婦人科學等之專門科。以前雖有專門之科目。然非名實兩全也。其時稱內科爲體療。乃用唐代之名稱。及室町時代（一五二一至一五三六年）乃呼本稱相對的然後有外科之語。蓋外科在唐代謂之『創腫』及宋初乃有外科之稱。室町時代。日本倣之。其後有稱外療者。蓋俗名也。中國自宋之時代。醫學受性理學（今之所謂自然哲學）一派之影響。故隋唐之醫學一變。蓋隋唐之醫學以寒爲本。謂傷寒爲病。與希臘羅馬之所見略同，及宋則以天地爲大宇宙。以人體爲小宇宙。配之以陰陽五行以考察疾病之本質。不論疾病症狀皆分陰陽。發於外者爲陽。發於內者爲陰。配此陰陽二理及金木水火土五行於疾病。治療亦據此以行。元來陰陽五行之說。自古固有之。然以之應用於醫術而喋喋不休者。實自宋之醫學始。印度有四大之說。卽以地水火風之四元素爲本以說病理而立療法。希臘亦有四元素之說。似由印度所傳者。中國之醫學則不然。以陰陽五行之說爲本。在隋唐時代以傷寒爲病因。以排毒素於外爲主。故行吐、瀉、汗之法。宋醫則極力榮養身體而補壯之。所用主爲人參之類。在醫學史上名之曰『後世醫學派』此醫學於安土桃山時代（一五九〇年前後）頗盛行於日本。曲直瀨道三者其泰斗也。由中國言之。盛唱金元時代之醫學。及德川時代之中季（一七四〇年前後）。古學復興。有伊藤仁齊者出而唱復古之說。醫學亦唱古學。謂宜返本還元而歸於隋唐之醫學。其實根據爲何。乃以後漢張仲景所著傷寒論爲最明瞭且適於實用。用爲根本以治熱病。若熱病以外。則皆載在張仲景之金匱要略。特此二書以爲根據也。是故德川時代（一八七〇年前後）之漢方有二潮流。一以宋金元時代之中國醫家所作之醫書爲本。一則以傷寒論爲據。元來如此。日本之醫學。雖傳自中國。然不論其何方面。內容皆與本來面目不同。譬如中國之產科不用手術。日本則用種種手術。中國之外科手術極少。日本則用麻醉藥。或行足之切斷術。或摘出癌腫。卽西洋未有志魯羅本以前。已有用麻醉藥以行手術者。關於此點。中國學者如硏究日本醫學之歷史時。還祈注意。中國之陳邦賢氏近著『中國醫學史』雖述西洋醫學傳入日本之事。然中國醫學傳入日本以至發達之歷史。亦還祈一考焉。在日本乃先傳中國之醫學。以之變爲日本醫學。行至德川時代末季（一八七〇年前後）有此地基而後見西洋醫學之傳來也。

西洋醫學之入日本也。比中國猶遲。固不待言。西洋醫學之入中國也。謂在伊太利人瑪竇東來之季云。然至今不甚發達者。歷史上不可不考也。中國醫學來日本永年支配日本醫家之思想。且比本地猶有進步。此間西洋醫學乘機而入。轉瞬間遂見繁盛。中國輿地之事情。余固不知。然考諸文獻。則中國之西洋醫學至最近確實不見發達。顧西洋之航海術既開。葡萄牙人迴喜望峯東來。葡萄牙人遂來中國南方。其來日本也比此猶後。中國之醫書比日本亦早。然其發達則不及日本者其故何歟。不可不三思也。西洋人初來日本爲天文十二年(一五四二年)之季。葡萄牙商船來種子島(九洲之南端)。通辨爲中國人。名曰五峯。當時以其毛色有異。故稱爲南蠻人。其南蠻人俄卽北上至九洲北部。在豐後內府(今之大分縣)設立之救濟院。收容患者而治療之。乃宣傳耶穌爲主。兼營救濟事業。未幾而有劄巴氏東來。先是有安次郎者。因惹事逃之廈門。師事劄巴氏。後嚮導之而上陸於九洲鹿兒島。漸進北方。頗得勢力。此安次郎受名(普羅)。後在山口縣設病院以養育醫生云。其後葡萄牙人有亞爾脈陀亦曾來日行醫。適織田信長在安土城與佛教徒作對。長年與僧侶(日蓮宗、眞宗)戰而不能勝之。故非常壓迫佛教而歡迎耶穌教。不但招葡萄牙於安土優遇之。且有葡萄牙取藥種而植之於伊吹山。其間足利氏滅。永祿初年。信長出至京都。乃建南蠻寺於京都。使葡萄牙人居之。以宣傳耶穌教。時爲永祿十二年。故擬號爲永祿寺。而叡山僧徒反對之。謂以年號稱寺須請勅許。全國雖廣。以年號爲寺者。唯我延曆寺耳云云。於是改名南蠻寺。在京都市四條坊門建大會堂。聘雷、倶列古里二醫於此。以治貧民之病。兼教授醫道。降及豐醫秀吉時代(一五九〇年)始征伐耶穌教。廢南蠻寺。追放寺內之葡萄牙人。遂不能再來日本、一面日人之信耶穌者。處之以死刑。當時學於南蠻寺之日人醫師有三人一名梅庵。不知去向。一名吿須蒙。一名壽門。皆穩於堺市(大阪附近。)一從外科，一從內科。未幾事顯見捕。受處死刑。此時所傳醫學皆爲西洋牙連之醫學。乃盛行至十六世紀者也。又有克里斯篤非羅者(葡萄牙人)久住日本。後歸化易名爲南蠻忠庵。由基督教改信禪宗。此人頗精日語。善讀日本稗史。又能醫。在長崎曾有出名弟子二、三人。以外科構成一派。及德川時代之初（一六〇〇年前後）英人來日。以其毛色特異。故稱爲紅毛。未幾荷蘭人來。揚言至今所來者皆託名宣教。其實爲奪取日本計。於是德川政府大驚。遽下鎖國令禁與西洋交通。唯荷蘭人有忠告之功。特許其往來。然亦非常制限。入港只許一處。每年來舟一回不可越二艘。亦不許濫與國內日人應接。然往來雖久。惟聞其口傳醫學及視其治療而已。德川時代中季。第八代將軍吉宗（一七二〇年前後）好西洋文學。爲計測星晨覺中國譯書有隔靴搔痒之感。不如直讀原書。乃命儒官青木昆陽及習官野呂元丈學習荷蘭書籍。未幾吉宗將軍去世。此事遂亦中絕。然青木昆陽未死之二年前。豐前侯中津處有醫者前野良澤氏。其叔宮田全澤氏常誨之曰。凡人若附驥尾以行必無出頭。宜爲人所不能爲之事。於是良澤受此感化。平生頗自負。一日有士人坂江鷗者出一蘭書曰。能讀乎。良澤固不能讀。然自負心太深。誓必讀之。幸而聞青木昆陽受幕府命學習蘭書。乃往請教焉。昆陽喜而授以單語五百。尚猶不足。更往長崎就通辨（翻譯者）學得單語二百餘而歸。是爲明和七年（西紀一七七〇年）之事。翌年卽明和八年（西紀一七七一年）三月四日恰逢東京千住小塚原刑場解剖女屍。良澤與杉田玄白、桂川甫周、中村淳庵連袂往觀焉。其時前野良澤曾由長崎買得荷蘭之人身內景圖。杉田玄白亦由酒井侯而得解剖書。互相對照之。同版同圖。蓋德人九輪博士所著之解剖圖也。將圖與解剖現場對照之。若合符節。分毫不爽。乃知中國醫家所載之不實。一同大爲感動。歸途共議翻譯之。翌日卽三月五日共集於京橋鐵砲洲之前野良澤之宅而翻譯之。今日之翻譯雖有良辭典及先生可參考。當時亦缺此。唯此良澤買自長崎之蘭語與佛語之辭典。此又須更用第二辭典。因圖譜之前有說明人體前後之部分。結局乃由此譯起。漸漸進行。四年之後竟告成功。而每日之翻譯皆由彩田玄白隨時改爲漢文。以爲此書第一不可不先往中國。蓋往時雖以中國醫書而知解剖。不料皆錯誤不符。日本人固宜讀。然中國人亦不可不使讀之也。及安永三年。初版始出。『解剖新書』四卷是也。解剖新書之著者雖署杉田玄白者。蓋欲使杉田翻譯蘭書之功早名於世也。其實翻譯大業半出前野良澤之手。以及諸氏亦與焉。距今百七十年。既無蘭語先生及字典。不識將誰向之世。而翻譯竟一字不錯。可見諸氏如何忠實盡心於學問也。此事陳邦賢氏所著『中國醫學史』亦有記載。且附言曰。在日本對如此人之努力。後人皆表敬意。若中國則如風馬牛。毫不以爲意也云云。夫如是。對西洋醫書全莫可如何之時代。而竟能讀之。何幸如之。然革新的之事常帶種種困難。元來欲讀蘭書必介長崎之通事。與之無關之江戶醫生爲之。故頗惹其反感。其後刊行解剖新書約十年前。有本草學者後藤梨春。著有『紅毛談』一書。因其羅列歐文二十六文字。竟逢出版禁止之厄。其後不過十年。且全屬翻譯故。果得無事出版與否。一時非常疑懼。於是杉田氏竊献之於德川內府及京都禁裏。竟獲無事通過見許。乃得安心以公於世。殊如政治家有用沼玄蕃頭者。頗好荷蘭。因此日本橋東京有賣蘭物之店。得此人居要路周旋。亦一幸也。然當時動輙以外國爲夷狄。物議騷然。著名儒家山本北山氏評解剖新書之題曰。『解體』者乃國家瓦解之義。非解剖身體之意。若爲解剖身體。宜稱『體解』云云。可見當時之妨碍也如此。總之『解體新書』既出世矣。因此國人始知蘭書可讀。有志者互集於前野良澤及杉用玄白之處。講究蘭語。昔與今異。能讀者雖無幾。然讀法則確實、『解體新書』梓行之翌年。丁抹有名學者統巴俄氏來日。其紀行文(德文)中記有在日本曾逢桂川中川兩氏。善蘭語富於書籍。常以書簿內之事見問。困於應酬云云。蓋統巴俄氏爲植物學者。而質以內科。外科之事。宜乎其難答也。此乃以獨學始讀蘭書第六年之事。其後事隔二十六年。有大槻玄澤者向曾受業於前野。杉田之門。而侈荷蘭之學。此人之手記曾載寬政六年(西記一四六五年)德醫列啓氏來日。叩其種種之事。列啓氏當時不過二十九歲。所叩如『先哲菲普克拉的斯聞爲希臘人』、距今幾百年前乎。又保爾南爲何。列啓氏暫思之後答以不能記憶其實菲普克拉的斯有十二人。爲希臘學之祖乃有名之第二世非普克的斯也。若保爾南則不詳。又問廈斯嗜氏爲幾年前之人。列啓氏皆不能答。其實廈斯嗜氏爲德國外科之元祖。德人畢業德國大學而竟不知。亦奇也。又問『膈噎翻胃之病症』之荷蘭名稱。蓋膈噎者食物膈於喉之意。翻胃者乃食則吐之意。似爲胃癌病。列啓氏答爲荷蘭稱爲普拉殼詩德。拉丁所謂嗎拉武斯况面色斯。大槻歸家考之。蓋嗎拉武斯爲嗎武斯之誤。况面色斯爲望麪抽斯之訛。而嗎武斯爲病。望麵抽斯爲吐。卽以蘭語變爲拉丁語。同爲吐病也。大槻氏自記曰。彼固不知。因被强問乃胡亂以答。且綴字有誤。其才學可知矣云云。夫如是有此眞摯學者爲中堅以事翻繹故無錯誌。其後理學、化學生理以及其他各科學。漸見翻譯。於是蘭學一門以成。當今之人或以爲昔人依樣糊塗。殊不知一字不苟。知之則知。不知則明記不知。毫無曖昧之處。總言之。固此等人之盡心努力。日本之西洋醫學遂得發達至此也。非更詳述之。固難得要領也。

謙齋近詩

秦伯未

▲東風詞兩章坐潘園得句

綠肥紅瘦又春歸。蜜熟胡蜂漸嬾飛。一路松花黃似粉。東風扶上美人衣。

懺盡綺緣瘦盡春。山腰小立感前因。東風過午濃於酒。十萬花枝醉近人。

▲讀江山萬里樓詩卷

萬里江山一倚樓。十方笳吹亂中州。圓顱絕代誰能市。長劍千年氣似秋。放胆才華無抗手。上心情緒偶低頭。美人寂寞英雄隱。爭得天涯老馬周。

專著

藥籠小品（續）

嘉善黃凱鈞退庵

知母滋腎瀉火。育陰滑腸。熱病陰不足者宜之。而便溏忌用知柏二味。寒而滋陰。其質粘膩可證也。故丹溪常用之。然配入養血劑中爲善

貝母川產爲佳。瀉心火。散肺鬱。化燥痰。功專散結除熱。汪機曰。貝母涼潤。主肺家燥痰。半夏溫燥。主脾家濕痰。故凡風寒濕滯之痰。貝母非所宜也。象山貝母。去時感風痰。俱去心。土貝母。外科用治痰毒。

白頭翁能清陽明血熱。(胃大腸)治熱毒血痢。血分無熱忌。藥舖多於絨柴胡內揀出。然必頭上有白毛者眞。

白前微寒。治肺氣壅實。喉中作水雞聲者。服之立愈。

白微微寒。瀉陽明血熱。下水氣。療熱淋。

白蘚皮味苦性燥。入脾胃除風濕。通關利竅。爲諸黃風痺之要藥。

白茅根甘寒。清心潤肺除脾胃伏熱。治吐衂諸血。肺熱咳嗽。

延胡索辛苦溫。能行氣血之滯。治上下內外諸痛(通則不痛)爲活血利氣之要品。無瘀滯者忌。能墮胎。生用破血。炒用調血。醋炒止血。

當歸辛溫血藥。得酒良。凡遇血虛肝燥。筋失所養。婦人月事不調必需之品。其用浩博。惟不宜於多痰邪熱便溏火嗽諸症。凡治痢疾。及便血吐血衂血等症。皆宜炒黑。則溫滑之性減。黑兼止血。可取也。頭行上。身行中。尾行下。兼行瘀。

芍藥酸斂血藥。凡遇血熱肝火必需之品。炒用。桂枝湯用之能止傷風自汗。桂枝溫衞芍藥收斂也。同甘草用之能止腹痛。取其斂肝。甘草和脾也。在表在裏。無所不可。皆在用之得宜耳。病欲疎散者忌用。入脾藥中宜炒焦。取平肝不克土也。有赤白兩種。白者補而斂。赤者散而瀉。瘍科多用。

芎藭辛溫。血中氣藥。升陽開鬱。上行頭目下行血海。止痛調經。治諸種頭痛。（須加引經之藥）一切風木爲病。凡氣升痰喘。虛火上炎。不宜用之。單服久服。令人暴亡。蜀產爲川芎。南產爲撫芎。

丹皮淸肝經血熱之要藥。瘡家必需之品。同桑葉大能泄木。凡肝火爲患。二味如軍中之弓矢。不可一日廢也。

鬱金辛苦微寒。入心及心包絡。幷入肺開心肝之鬱。治氣血諸痛。如陰虛火亢。不關心肝氣逆。不宜用也。出川廣者佳。

薑黃辛溫。入脾及肝。破血下氣。除風消腫。治產後敗血攻心。片子者能入手臂。治風寒濕痺。血虛服之。病反增劇。出川廣。

蓬莪朮辛苦溫。行氣消瘀。通經化積。治心腹諸痛。奔豚痃癖。虛人服之。積未去而眞已耗。須兼參朮。庶幾焉耳。

荆三稜苦平。入肝。散一切血瘀氣結。瘡硬食停。老塊堅積。消腫止痛。通乳墮胎。宜忌同莪朮。麵裹煨。

澤蘭苦辛微溫。入肝脾兩經。通九竅。利關節。破宿血。通月經。無瘀者勿輕用。俗云卽省頭草。非也。馬蘭草涼血。止鼻衄。

香附辛散苦降。血中氣藥。通行十二經。利三焦。解六鬱。治崩中帶下。月候不調。能耗血散氣。生則行胸膈。達皮膚。童便浸炒入血分。酒浸炒行經絡。醋浸炒消積聚。姜汁炒化冷痰。

木香辛苦溫。三焦氣藥。疏肝和脾。治一切氣痛。九種心痛。瀉痢後重。性香燥。肺燥血虛。愼勿與之。香連丸用之。取其破滯和脾止痛。廣產入藥。

砂仁辛溫。和脾快氣。行結滯。治痞脹。溫中醒胃。性竄而燥。血虛火炎者忌。炒去衣研。砂仁壳辛香利氣。凡腹脹瀉痢等症。俱可用之。無砂仁燥竄之弊。

白荳蔻辛熱。流行三焦。溫煖脾胃。散滯氣。除寒濕。化食寬膨。治久瘧脾虛。感寒腹痛。若因熱腹痛。氣虛火升。咸宜禁之。去衣研。草荳蔻(產閩中)辛溫香散。煖胃健脾。治客寒胃痛。霍亂吐瀉。辛燥耗血。陰不足者忌。

草菓辛熱溫脾破氣。除痰。消食。化積。(瘧積)治瘴瘧寒痰凝於膜原。瘧久不住者。非草菓不爲功。但用須參培元之品。麵裹煨。取仁。忌鐵。

肉豆蔻(一名肉果)辛溫。理脾煖胃。下氣調中。逐冷痰。除心腹冷痛。腎藏虛寒。五更泄瀉。四神丸用之是也。麵裹煨。

破故紙(卽補骨脂)辛溫。入心包命門。煖丹田。縮小便。治虛寒喘嗽。腰膝痠痛。若陰虛有熱，大便結實。戒用。得胡桃肉良。

益智仁辛溫。治脾陽鬱滯。冷氣腹痛。又能使氣宣通。溫中進食。攝涎縮小便、血燥有熱。不宜用。出嶺南。取仁炒。

蛇床子辛苦溫。强陽補腎。散風寒。燥濕殺蟲。治女子陰痛陰癢(同礬煎湯洗)時珍曰。不獨補助男子。而且有益婦人。世人舍賤求貴。豈不有負斯味乎。

良薑辛熱。治胃脘冷痛。虛者可與參朮同行。出嶺南高州。土拌炒。

藿香出交廣、辛微溫。入肺脾。快氣和中。開胃止嘔。去悪氣。治霍亂吐瀉。心腹絞痛。上中二焦邪滯。若胃家有熱戒用。梗勝於葉。

白芷色白味辛。入肺胃大腸三經。發汗除風濕。治頭目昏痛。目癢淚出。活血排膿。生肌止痛。

又爲瘡家聖藥。(同大黃煎服治癰疽發背)外用爲末敷塗。虛而有火忌。不香者不入藥。

藁本辛溫。爲太陽膀胱經風藥。本經寒鬱頭痛連腦者。必用之。又去風濕。療胃風泄瀉。頭痛不因寒傷太陽。不可用、

香薷辛散皮膚之蒸熱。溫解心腹之凝結。治嘔逆水腫。霍亂轉筋。香茹爲夏月解表之品其性溫熱。感寒宜之。若陽暑宜清涼。悞服之反成大害。香茹飲宜冷服。

荊芥辛苦溫。散皮裏膜外之風。發汗勝濕。利咽喉。清頭目。爲風病血病瘡家要藥。治血炒黑用。

紫蘇性溫。發汗解肌。散風寒。利肺下氣。定喘安胎。若日暮恣食。亦能耗損眞氣。古稱芳草致豪貴之疾。此類是也。蘇子驅寒降氣。消痰利膈。潤心肺。止咳嗽。炒研。老蘇梗順氣安胎。挾虛宜之。

薄荷辛涼清散。療風熱而發汗。清頭目。利咽喉。起皮膚隱疹。治傷風失音。表虛勿服。

地黃向年有人從懷慶歸。饋地黃一囊。釘頭鼠尾。細紋堅實。所謂原枝是也。舖中所售。皆細長縮而爲肥短之狀。其力遠不及原枝。滋補肝腎之要藥。生用涼補。熟用溫補。同當歸能納氣。同桂附能煖命門。爲補陰益血之元戎。惟大便溏泄。大腸濕熱胃欠運行者忌之。與萊菔同食。鬚髮易白。寇萊公所從事焉。鮮生地另是一種。出杭州橋水。(地名)惟能清熱潤燥。配入玉女煎。最爲相稱。

旱蓮草(即醴腸)止牙宣出血。搗汁收入食鹽擦牙。能固齒。微有益腎之功。

麥冬清肺中伏火。若燥金用之。能滋能清。最宜。兼能寧心。若肺有外邪。則不可用。復脈湯生脈散用之。皆取其潤養肺金也。

甘菊息肝風。解疔毒。凡因肝風。上冒頭目。必需之品。炒黑用。瘡家勿炒。

穀精草功善明目退翳。稻根得餘氣而生。

草決明（即青箱子）除風熱。治一切目疾。惟瞳子散大者忌。

木賊草治目疾。見風流淚。翳膜遮睛。

麻黃辛苦溫。（中牟產麻黃地冬不積雪性熱可知）入心膀胱大腸。而爲肺之主藥。能發汗。去營中寒邪。利九竅。開毛孔。傷寒頭痛惡寒。無汗脈緊者宜之。治欬逆上氣。痰哮氣喘。皮肉不仁。水腫風腫。惟冬月表有寒邪用之。誤投禍不旋踵。按麻黃用莖發汗。駛不能禦。根節止汗。又效如影響。物理難測如是也。

刺蒺藜苦溫。平肝風。勝濕破血。古方用以補腎何也。

沙苑蒺藜。產潼關者入藥。補腎納氣。須從熟地枸杞。相輔爲功。獨力無成也。鹽水炒。

益母草（即茺蔚）微苦微寒。入心包肝。行血去瘀。生新調經。消疔腫乳癰。辛散滑利。益母之名。勿爲誤之。茺蔚子功用相同。行中略補。

夏枯草苦寒。散肝經鬱火。故治瘰癧鼠瘻癭瘤癥堅乳癰。目珠夜痛。此皆肝火爲患也。久服亦傷胃。

青蒿二月生苗。得春氣最早。故入肝胆血分。治骨蒸虛熱。久瘧盜汗。清暑辟穢。青蒿子雖苦寒。然芬香醒脾。血虛有熱者最宜。

連喬清六經之火。只治上中。力不到下焦。涼藥之輕清者也。

地丁草辛苦寒。治癰疽發背疔腫瘡毒。爲外科要藥。水洗。

牛蒡子（即鼠黏子）辛苦寒。瀉熱散結，宣達肺氣。清咽喉。消痱疹。行十二經。散諸腫瘡毒。

大小薊甘苦涼皆能破血退熱。治吐血衄血。腸癰。小薊只能破瘀生新。不如大薊之消癰毒。

紅花入肝經。破瘀活血。潤燥消腫。止痛。治經閉難產。痘瘡血滯。過用能使血妄行。酒潤焙。

瞿麥苦寒。降心火。利小腸。治熱淋要藥。更通經墮胎。

萹蓄苦平。能去濕熱。故利小便。治黃疸熱淋。

車前子清肺肝風熱。滲膀胱濕熱。開水竅。固精竅。陽下虛陷勿服。入利水劑中炒研。入補藥酒蒸搗餅。

燈心淡滲心火。清肺熱。利小腸。同竹卷心稍加甘草治心火咽痛如神。

地膚子微寒。入膀胱。利小便。通熱淋。

海金沙除手足太陽小腸膀胱血熱之要藥。

茵蔯入膀胱發汗利水。泄脾胃濕熱。爲治陽黃之主藥。若陰黃宜溫補。用茵蔯大謬。

葶藶子辛苦大寒。能瀉肺中水氣。從膀胱出。止嗽除痰平喘。十劑曰。泄可去閉。大黃泄陰分血閉。葶藶泄陽分氣閉。猛峻之藥。得大棗爲輔。稍緩其性。有甜苦二種。甜者力稍緩。同糯米微炒。去米用。稍挾虛者。切勿輕試。

大青苦鹹而寒。解心胃熱毒。治傷寒狂熱。陽毒發癍。非心胃實邪勿用。

青黛從波斯來者最佳。然難得。今所用者。乾靛花。每觔漂取一兩。亦妙。瀉肝散五藏鬱火。治傷寒發癍血痢。同天花粉作散服。治火嗽無痰。面浮眼腫者如神。

蘆根清肺胃熱。痘疹痧癍。可以煎湯代茶。取其甘寒退熱。不犯胃氣之良藥也。茅根清養肺氣。燥金咳嗆宜之。

豨薟草苦辛。生寒熟溫。治纏縣風氣。四肢麻痺。長於理風濕。未免燥血。亦可搗汁熬膏。

旋覆花苦辛。能下氣行水。鹹能軟堅。入肺大腸。通血脈。消痰結。同代赭石治噫氣頻頻。然走散之藥。虛人禁之。入煎劑須絹包。或濾清。(有細毛着肺令人嗽)

紫苑辛苦溫。治咳逆上氣。能開喉痺。取惡涎。陰虛肺熱者。不宜專用。須地黃麥冬共之。

款冬花辛溫潤肺。治欬逆上氣。喘渴喉痺。肺痿咳吐膿血。爲治嗽要藥。十二月開花。當積雪堅冰此花獨秀。稟純陽之性。故主辛溫開豁。却不助火。可以久任。

牛膝味酸入肝腎。並膝足。炒黑治虛火吐血。下降之藥。凡小便多。與胎氣不固者。忌用。

續斷川產者佳。苦辛微溫。補肝腎。通血脈。理筋骨。主勞傷。止痛生肌。補而不滯。行而不泄取用宏多。女科外科。需為上劑。

胡盧巴出嶺南者佳。苦溫純陽。入右腎命門。同茴香巴戟川烏川楝子吳茱萸治疝瘕冷氣。寒濕氣。酒炒。

艾葉苦辛。生溫熟熱。純陽之性。能回垂絕之元陽。通十二經。理氣血。逐寒濕。溫中開鬱。調經安胎。陳久者良。揉搗如綿。謂之熟艾。灸火用。凡血燥有火禁。

附子辛甘大熱其性純陽多浮。其用走而不守。通行經絡。無所不至。能引補氣藥。以復失散之元陽。引補血藥以滋不足之眞陰。引發散藥逐在表之風寒。引溫煖藥。祛下焦之寒濕。治中寒中風。心腹冷痛。暴瀉脫陽。脾虛久泄拘攣風痺。小兒慢驚。痘瘡灰白。一切沉寒痼冷之症。開關門。消水腫。通宜冷服。(熱因寒用)發散生用。峻補熟用。若內有眞熱。外見假寒。服之禍不旋踵。從前附子野生產罕價貴。功力亦大。近今多是種者。土人以鹽醃之。其性愈減。烏頭天雄。名異用同。

白附子辛甘大熱、入陽明經。能引諸藥。上行頭面。祛風痰。治心氣冷痛。中風失音。燥毒之品。勿可輕用。

天南星苦辛。入肺脾肝三經。性燥除濕痰。治風散血。攻積拔腫。按南星治風痰。半夏治濕痰。故陰虛燥痰大忌。

半夏辛溫性燥。能走能散。和胃健脾。除濕化痰。發表開鬱止嘔。又能行水利二便。為治濕痰之主藥。苟無濕者禁。古有三禁。謂失血口渴多汗也。造麵燥性減。調理劑中宜之。

常山辛苦寒。能引吐行水。祛老痰積飲截諸瘧必效。性猛烈。挾虛不可用。

藜蘆至苦辛。入口卽令人吐。善通頂使嚏。風癇宜用之。因其善吐痰涎也。取根用。

大戟辛苦寒。耑能瀉藏府水濕。治十二種水腫。發汗通經消癰逐血。除寒善泄。大損眞氣。元虛無濕勿用。杭產色紫者入藥。

甘遂苦寒直達水氣所結之處。以攻決爲用。下水之聖藥。主十二種水。大腹腫滿。去水極神。損眞極速。大實大水。可以暫用。麵裹煨。

商陸苦寒沉陰。下行逐水退腫脹。(腫屬脾脹屬肝)腫脹因脾虛者多。若悞用甘遂大戟商陸等藥。雖取快一時。未幾再作。決不能救。

芫花苦溫。去水飲痰癖。療五水在五藏。皮膚脹滿。(五水者風水皮水正水石水黃汗也仲景治傷寒心下有水而咳乾嘔痛引兩脇十棗湯)毒性至緊。取效最捷。稍虛服之。多致夭折。

千金子辛溫。行水破血。治冷氣脹。下惡滯物。攻擊猛鷙。腫脹不因體實水積而用之必死。去殼研。壓淨油。

牽牛辛熱。性善走瀉氣。宣下焦鬱遏。治大小便氣閉不通。逐水消痰。殺蟲墮胎。凡氣虛病在血分者。大忌。有黑白二種。黑者力速。(亦名黑丑)

蓖麻子辛甘熱。性善收。又善走。能開通諸竅經絡。治水癥浮腫。針刺入肉。(搗敷傷處刺出卽去藥)追膿拔毒。敷瘰癧惡瘡。屢奏奇功。外科煎膏多用之。內服不可輕率。

貫衆有毒而能解毒。故解邪熱之毒。發善痘。殺諸蟲。浸水缸中日飲其水。能辟時疫。

射干苦寒。瀉肺脾實火。消結痰老血。治喉扁咽痛爲要藥。消結核。化瘧母。唯實火宜之。扁竹花根也。

大黃大苦大寒。氣味俱厚。除腸胃中有形之邪。治傷寒邪結於胃。與少陽(胆)少陰(腎)諸經者皆可下之。溫疫邪伏膜原。積滯於腸胃。非此不能療。血痢初起。體實者亦可用。一切上病治下。釜底抽薪法。用之得當。亦其效如神。辨症不眞。而誤用之。貽害非細。酒製力緩。煎劑生用。遲入有力。

天名精(一名地松)辛甘寒。能破血吐痰涎。解毒殺蟲。治乳蛾喉痺。小兒急驚。(不省人事絞汁入好酒灌之即醒）服汁能吐瘧痰。根名杜牛膝。功用相同。子名鶴虱。殺蟲。治疣咬腹痛。

山慈姑甘辛微寒。功耑清熱散結。治癰瘡疔腫解毒。去毛切。

仙茅產浙東僊居縣。性溫補腎。不入丸料。只可浸酒服。

蒼耳子（即詩卷耳）甘苦溫。善發汗。散風濕。上通腦頂。下行足膝。外達皮膚。治頭痛肢攣痺痛。遍身瘙癢。散氣耗血。虛人勿服。

溫病驗案

施星六

五月十五日至十七日

初起溫邪犯營。舌紅胎黃。脈數七至。腹痛下血。當用豆豉牛蒡生地沙參丹皮荊芥防風白薇赤芍枳殼山查等味。肌膚露佈疹瘖。下血止。

十八日至二十二日

晨診咳嗆無汗。白瘖隱約。因童年不知。胸肩時露被外。又與疎散解表法。入夜欬嗽更劇。脈亦較促。熱度高至一百〇四度。鼻中流血。氣逆煩躁。乃重用石羔生地加豆豉葛根牛蒡黃芩防風蟬衣杏仁前胡大貝大青福花等。復得汗暢瘖透。後或加鬱金白薇青蒿。或加茯苓六一散等。得神靜安臥。耳聾微開。

二十三日至三十日

熱勢晨間較輕。夜亦稍靖。惟日晡潮熱。頭汗溱溱。神倦而不昏。下利而已止。乃服豆卷白薇蟬衣牛蒡子沙參青蒿杏仁通草大貝地骨皮。後或用銀柴胡菉豆衣瓜蔞皮知母等和解之劑。因此病魔得日漸敉平。

（三）十一日至六月二日

童年既以病體漸復。粥食增加。又可步履庭階。即思出院。爲立善後方。並囑其家人時時留意之。

學說

瓜蔕考

王錫光

（一）引言

自瓜蔕散由汪訒庵編入湯頭歌訣。並未言明是何瓜蔕。而本草綱目。本草從新。藥學諸書。亦未明定。查瓜蔕卽今之瓜蒂。搜羅入藥之原。出自農帝本經。亦只言藥性藥用。而不言形態。復經季漢張仲景先師收入傷寒金匱湯方中。如瓜蔕散。一物瓜蔕散。及後世諸賢瓜蔕內服外治等方。用以治病。嗚呼。東陵侯之不作。此瓜蔕究係何瓜之蔕。成爲悶葫蘆之問題。遂引起讀者之疑。以此復引起吾人研究之興趣。推其原。近代吐法用者絕少。駸駸失傳。而瓜蔕研究之問津。遂無人焉。此日本獨嘯菴所以有吐方攷之作也。雖然。昔人著作之寸縑片楮中。未必無跡可循。余自愧不文。非無故賣弄聰明。茲將種種所得。筆之於書。以質 博雅家之研究。以貢讀者釋疑之一助云。

（二）溯原

考吾華藥學。發源於上世神農本草。神聖之言。確有可據。漢代仲師傷寒金匱。用藥皆根據於本經經文。光大而發明之。而本經逢原。本草崇原等書。又爲中華藥物學最有考據之本。均同載本經之原文曰。 瓜蔕。氣味苦寒。有毒。主治大水身面浮腫。下水。殺蠱毒。欬逆上氣。及食諸果。病在心腹中。皆吐下之。

（三）註釋

張隱庵曰。甜瓜極甜。其蔕極苦合火土相生之氣化。故主治大水。及身面四肢浮腫。所以然者。

稟火土之氣。達於四旁。而能制化其水濕。故又曰。下水。土氣運行。故殺蠱毒。若主下洩。故治欬逆上氣。苦能上湧。又主下洩。故食諸果。病在胸腹中者。皆可吐下之也。

張石頑曰。瓜蔕又名苦丁香。經云。酸苦涌泄爲陰。仲景瓜蔕散。用瓜蔕之苦寒。合赤豆之酸甘。以吐胸中寒邪。金匱瓜蔕湯。治中暍無汗。今人罕能用之。又搐鼻取頭中寒濕。黃癉得麝香細辛。治鼻不聞香臭。瓜蔕乃陽明除濕熱之藥。能引去胸中痰涎。故能治面目浮腫。咳逆上氣。皮膚水氣。黃癉濕熱諸症。卽本經主治也。凡尺脉虛。胃氣弱。病後。產後。吐藥皆宜戒愼。何獨瓜蔕爲然哉。故膈上無熱痰邪熱者。切禁。

徐洄溪曰。瓜蔕色青、象東方甲木之化。得春生升發之機。能提胃中陽氣。除胸中實邪。爲吐劑中第一品。(以上見傷寒約編)

光按。瓜爲蔓草之一。性爲上延。以極小之蔕。能生極大之瓜。是可見具有提吸根下之汁而上注於瓜中之特性矣。故農帝仲師。用爲吐劑之先鋒。先聖後聖。其揆一也

(四)引證

陶隱居別錄云。瓜蔕生嵩高平澤。七月七日采。陰乾。今則甜瓜一種。北土中州。處處皆蒔植矣。三月下種。延蔓而生。葉大數寸。五六月開黃花。六七月瓜熟。其類最繁。有圓有長。有尖有匾。大或徑尺。小或一捻。或有稜無稜。其色或青或綠。成黃斑。或糝斑。或白路。或黃路。其瓤或白或紅。其子或黃或黑。或白或赤。

王禎農書云。瓜品甚多。不可枚舉。以狀得名者。有龍肝、虎掌、兎頭、狸首、羊髓、蜜筒之稱。以色得名者。有烏瓜、白團、黃瓤、白瓤、小青大斑之別。然其味不出香甜而已。

雷斅云。凡使勿用白瓜蔕。要取青綠色瓜。氣足時。其蔕自然落在蔓上者•采得。繫屋東有風處。吹乾用。

張隱庵云。甜瓜生於嵩高平澤、味甘、臭香、色黃、蓋稟中央天地之正氣也。

王胥山云。今浙中之香瓜。卽甜瓜也。諸瓜之中。惟此瓜最甜。故名甜瓜。亦惟此瓜最香。故謂之香瓜。今人治黃胆初起。取其蒂燒灰存性。用少許吸鼻中。流出黃水而愈。極驗。

（五）索隱

歷參各家所言。摘其要者。如陶隱居云。瓜蒂今只甜瓜一種。雷斅云。凡使勿用白瓜蒂。要取青綠色瓜。張隱庵云。甜瓜味甘、臭香、色黃。王胥山云。今浙中之香瓜。卽甜瓜也。諸瓜之中。惟此瓜最甜。故名甜瓜。亦惟此瓜有香。故名香瓜。顯然非西瓜、番瓜、南瓜、冬瓜、與夫匏瓜、木瓜之蒂可知。今試發其隱。不難一索卽得矣。

（六）釋疑

經以上一再之絢染。明眼自能知之。而究其顯然可見者。猶未確鑿。乃瓜之香者甜者。廣義言之。其爲吾地所謂小瓜也必矣。餘瓜不爾也。查小瓜之種類最多。若籠統而言。猶落耳食。今就昔賢參考瓜蒂之瓜而細繹之。其大要之處。在辨其味曰「甜」。辨其氣曰「香」。辨其色曰「青綠」。曰「黃」。是甜與香爲本位。青綠而黃爲目標。夫以甜香青綠或黃之小瓜。若專以東臺土產之瓜別之。青綠者爲淮瓜。青者爲酥瓜。黃者爲天鵝蛋瓜。然以中華幅幀之廣。以東邑一隅之地之所產。而欲進概諸中外。恐屬拘墟。况瓜之形雖同。或因地異。而瓜名亦因之以異。若循名失實。是本欲釋疑。又啓他人之疑矣。設地距千里。徵實亦難。余特一言以斷之曰。『甜香青綠或黃』之瓜。卽爲取瓜蒂之正品。不拘崗高平澤。異地異名。望文思義。如此。則用藥必無訛誤。而采擇瓜蒂之道。亦百不遁一矣。

痧痦贅言（上）

顧小田

春溫夏熱。秋燥冬寒。四時感冒。均足致病。惟視人體質之强弱。與夫受邪之輕重。卽可測斷其愈期遲速。與病狀順逆吉凶。然輕淺的感冒。雖至寒熱交作。波體失抒。但予以極和平的解肌宣理劑。必然津津然腠理發泄。邪隨汗流。從肌膚而排泄外達。卽能於二十四小時。或四十八小時內。熱度漸漸低降。肢軀漸漸安適。而恢復告痊。其有服了解肌表劑。而不能作汗。或雖微作汗。而病狀依然不見輕鬆。甚至反見增進者。如泛噁嘔吐煩躁昏冒等。此必欲發佈疹瘖之先兆矣。攷疹瘖二種。致病原因。幷發現時期中之順逆傳變。情形甚爲複雜。醫藥治療。關係至鉅。蓋鬱者使之透。逆者使之順。變理變化。生死安危。斯時均系於醫者心力腦海中。若非學有師承。富饒經驗者。胡亂施治。鮮不敗壞。嘗見病家每因一病人之不治。對于醫者。藥方。過後懷疑。引起種種糾紛。而醫者突遭指摘。或竟不亮而蒙以玩忽罪戾者夥矣。吁。本欲求全之譽。而竟來不虞之毀。醫挾仁術。濟世爲懷。雖至愚之輩。病家求治。亦莫不希望藥到病除。膚功克奏。特豈甘以存心僨事哉。要亦限于經驗學識耳。嵩目所見。愁焉憂之。不揣陋拙。爰就庭訓。臨證經驗所及。概述大要于后。敢云貢獻。藉正于大雅爾。

甲(一)疹之原因

溫邪上受。首先犯肺。肺主皮毛。職位居高。邪必先傷。時令氣候之失常。呼吸升降之失度。濁穢之邪。由口鼻而入。風寒之邪。由皮毛而襲。衞分受病。體溫被邪壓束。不能如常外放。於是寒熱始作。病之淺者。服輕清宣解之劑。得漐漐出汗。將邪逐散而解。病之重者。服藥無汗。壯熱不退。咳嗽痰粘。泛泛作嘔。斯時病漸增進。從肺侵胃。熱熾愈盛。由衞入營。晝平夜甚。譫語神蒙。種種惡候。次第環生。揆厥原因。皆因病邪內伏。不肯外達。醞釀斑疹。(本篇曰〈論疹佈發肌膚。醫者於此。亟宜謹愼。隨症發藥。務使邪達疹透。是不難迎刃而解。一經差誤。立呈內陷。危險突至。先哲言。班出于胃。疹出于肺。班疹雖屬二症。總緣邪襲太陰陽明。肺胃鬱蒸。營衞受灼。迫現于肌膚而見。

(二)疹之治法

疹出于肺。治重手經。藥務辛凉。輕宣外解。大忌辛溫表散重劑。所以麻桂宣于直中傷寒。桑菊宣于感冒溫熱。以傷寒治歸足經太陽。溫熱治歸手經太陰也。尋常普通感冒。形冷發熱。服藥即瘥。若纏綿不撤。或經一星期後。病邪不餘。而有如前述『泛嘔』『不納』『咳嗽痰粘』『神糊譫語』等象。此必欲發佈紅疹。毫無疑義矣。醫者遇此。甚須審愼。然究大要。可分爲三期治療。首以清解泄汗。繼以芳香搜逐。末以生津保液。輔正卻邪。茲試分述如下(一)病在初起。形勢較輕。祇見頭痛。形重。發熱。咳嗽。派浮。舌膩。泛泛不淸。七八日間。身現紅點。爲粟粒狀者。此即世稱紅疹也。在于初步。可用桑菊飲加豆卷牛蒡姜夏橘絡貝母竹茹等。輕清宣達。順其性而引發之。來勢順者。旬日後漸可見痊。(二)病情形勢輕重。服(桑菊)前法而勢不見瘥。綿延數候。仍然壯熱。咳嗽痰粘。空泛作嘔。口乾渴飲或渴不喜飲。舌苔中膩邊紅。脈數而弦。紅疹隱約。似有若無。溼鬱熱蒸。溫漸化熱。此爲發疹之第二步。宜用『杞豉』『銀翹』法。加貝蔞蟬衣丹皮玉蘇子竹茹鮮蘆根滑石等。甘凉透泄。肅解肺胃之邪。如或汗出不透。同時幷以西河柳元荽煎湯以巾絞拭胸腹。太陰陽明部份。助引藥方。宣通玄府。使熱宣溼透。疹得朗佈。邪便外解。其有初起失治。誤投壅滯。而邪鬱中宮。脘悶氣機不利。胸膈不抒。咳嗽脇痛者。並加只壳光杏橘紅玉金菖蒲扣朴等寬胸調氣。宣肺利膈。使氣化得利。汗液自然充沛。疹子遂可透達。或挾食滯。作腐噯逆。及妄進攻下。而邪陷胸痞者。參益『保和』『陷胸』等法以疏運中州。宣理肺胃。或熱鬱三焦。便難腹滿。舌苔黃燥。譫妄胡言。審係湯明裏結。而不屬邪陷厥陰者。並可加入。『凉膈散』。或用『小承氣』加首烏檳榔青皮元明粉等以淸胃救津。利便降濁。爲下取之法。或有溼邪獨勝。走竄大腸。而見便溏泄瀉者。宜仿四苓。加車前通草等。甘淡利水。化溼淸滲之。大不宜以溫淸止瀉。以截住其去路。以溫病與傷寒不同。傷寒而便溏。爲邪已淨。亟宜溫淸之。溼溫病大便溏:爲邪未淨。正有發洩之路也。若亦去溫淸之。是無異閉門逐寇矣。若素體陽虛。內蘊溼邪。外受風寒。舌白不渴。脈遲兼浮。或細而數。而無汗者。並可重用。紫蘇豆豉葱白。並『蒼朴二陳湯』等。以溫化透宣之。其有素體陰虧。木火內熾。感受溫邪。瞬即化熱。耗液。雖在初邪。亦不可重透表。以刼其津。只宜輕宣解肌。以撤外邪。否則必致傷津耗液。轉成動肝痙厥也。(三)病勢沉重。受邪複雜。或經曆數候。迭從宣解。而不得汗泄。熱熾神昏。譫語時作。嘔噁不清。此邪已化熱。由衞入營。晝日稍靖。夜間更兇。乃屬溫病逆傳發疹之第三步也。病機至此。已漸瀕於危。卽當湯丸並服。如牛黃丸紫雪丹等隨時選用。處方宜份重清涼宣解。養津泄熱。最宜以清宮湯加入牛蒡蟬衣杏貝丹皮豆卷前胡稍等。一面以保液存津。清宮化熱。一面仍以芳香透邪。俾正氣得安。而邪有出路。再進一步。熱極涸液。肝風自動。手足瘈瘲。神昏齒焦。胃津枯竭口渴舌干。急當加入羚羊石膏貝齒石決雙勾解斛重用生地玄參並犀羚石膏並以銀花露煎藥。或飲金汁另進牛黃清心丸至寶丹等。並石菖蒲湯送服之。然病勢至是。已極危險。順者立有轉機。倘可挽回。否則多致不救。此乃發疹之最險之候。病者吃苦。醫者費力。大可注意之也。至於白痦。亦爲濕溫病中恆見之症。每踵發于紅疹之後者。爲順爲多。此症性極淹纏。治非得當。不獨難以收效。抑且易致喪命。人每以爲紅疹既佈。而對此些微之白痦。何足介意。殊不知燎原始于星火。江河成于涓滴乎。且治紅疹不外助之透。而使之朗。邪淨。卽可告痊。若治白痦。而亦一味助之透。使之朗。正竭適足送亡。誠所謂毫釐千里。不可或混也。茲又試以原因治法分析論列之。(未完)

伏氣病之討論

岑冠華

伏氣病者。卽邪氣之蘊伏。初不之覺。久而始發也。伏氣之名。雖非起於內經。實因內經而起。內經有冬傷於寒。春必病溫等句。後人遂多謂有伏氣之病。且引起各家之爭執。如陳平伯劉松峰等則極反對伏氣之說。卽現在之研究醫學者。對于伏氣問題。發表於月刊雜誌。亦各有強烈之辨論。莫衷一是。予自慚學識淺陋。不敢討論此重大問題。但一得之愚。亦不得不吐。以貢献於諸同道之前。

欲解决伏氣問題。先就字義而論。伏者潛伏也。氣者邪氣也。至病有蘊釀時期。有爆發時期。則爲世所公認。詎知蘊釀時期。卽伏氣也。爆發時期。卽發病時期也。故伏氣之說。廣義言之。則百病無不因邪氣所釀成。邪氣卽西醫所謂微生物也。西醫謂百病皆因微生物爲祟。邪氣少則微生物少。不致發病。漸釀漸多。則病發矣。是以養生家能杜漸防微。養其正氣。則邪不易侵。遂無疾病之患。經云。聖人不治已病。治未病。夫病已成而後藥之。譬猶渴而掘井。鬥而鑄兵。不亦晚乎。此皆爲伏氣病之反證。

百病皆由邪氣爲患。已如上述。是故溫病之伏氣。謂冬日感邪重者。卽病傷寒。感邪輕者。則春發溫病。至其邪之伏處。或云伏在少陰。或云伏在肌膜。因皆屬理想之談。難以的確證明。故人之所以懷疑也。然老於經驗者。則云普通溫病初起時。必見形寒發熱頭痛等表證。或二三日。或四五日。由漸入裏。至有一發卽壯熱不退。神昏譫語。甚則舌焦齒枯。設非伏邪從內而發。燎原之勢焉有如此之迅速乎。伏氣之說固從經驗中得來也。徒以冬傷於寒。春傷於風。二邪皆係淸邪，究伏在何處。殊費索解。至於夏傷於暑。秋必痎瘧之文。予敢決其確有伏邪。因夏日天暑下逼。地濕上蒸。人在氣交。從口鼻而入。直伏中道。土爲萬物之母。無所不容。暑邪濕濁混爲一家。蘊伏脾胃。一至秋涼肅殺。邪從少陽而發。則爲瘧疾。從太陰陽明而發。則爲濕溫。從大腸而發則爲痢疾。病發時竟如抽蕉剝繭。層出不窮。舌苔厚膩黃濁。良由暑爲無形之邪。濕爲有形之濁濕。遏暑伏暑有所憑依故得伏。至秋涼而發也。予少時夏令多行日下。每至喘喝流汗。復恣食瓜果。迨秋涼必發瘧疾。如是者五六年。近來漸知醫理。夏日不甚出外。且以鮮藿香鮮佩蘭等泡茶代飲。藉辟暑穢。瘧疾遂不復發。病有伏氣。豈非徵而有信耶。

總之中國醫學。重在氣化。西洋醫學。只尙形迹。尙形迹則視人如氣械。以死法治病。重氣化則人自爲人。以活法治病矣。氣化變動不居。其患病多有非可以恆理測度者。經云膏粱之變。足生大疔。食膏粱者。亦何嘗想及要生大疔。既生大疔。亦何嘗曉得是膏粱所釀成。此無非人體氣化作用。亦可謂之伏邪爲患。若衡以常理證以科學。豈非又如溫病伏氣之一例不通乎。是以若認定夏傷於暑。秋必痎瘧。謂確有伏氣。則冬傷於寒。春必病溫。春傷於風。夏生飧泄。秋傷於濕。冬生咳嗽之說。亦有伏氣之可能。不過伏在何處。雖無法證明。然其病發之時。必有異乎新邪也。要之吾人見病治病。總期病愈而已。其現症邪在營分。則以清營邪。在氣分則以清氣。其治法固不必斤斤在伏氣上計較也。

暑病叢談

張友琴

夫長夏爲濕土主令之時。在天之熱氣下逼。在地之濕氣上蒸。人受之爲濕熱病。卽暑病也。考內經熱病論云。『凡病傷寒而成溫者。先夏至日爲病溫。後夏至日爲病暑』。此以節氣分溫病暑病也，說文云。暑熱也。又曰暑煑也。如水煑物也。觀其字從日。可知暑爲陽症。似有熱而無寒。又從者。古渚字。可知暑爲日臨渚上所化之氣。則又非純熱矣。

昔李東垣以動靜分陰陽。謂靜而得之爲陰暑。動而得之爲陽暑。陽暑宜清。陰暑宜溫。後賢駁之。指陰暑爲非是。以暑卽熱也。若六氣有陰暑。則人亦有陰熱矣。實則陰暑確有其病。不過其名不正。遂其言亦不順耳。故謂陰暑之名非是則可。若謂陰暑之病必無則不可。否則如大順散冷香飲縮脾飲諸方。不能用矣。其義蓋謂暑熱之時。無病之人。或避暑熱納涼於深堂水閣。電扇風車。得之者名曰中暑。其病必頭痛惡寒。身形拘急。肢節疼痛。煩熱無汗。其惡寒頭痛骨節疼痛。與太陽傷寒相濫而不同。其證在富貴安逸之人甚多。惟非暑邪。不過因暑熱太甚。陽氣外越。或更嗜食瓜菓。以致成病耳。其治法宜香薷飲加羌活秦艽。以通經發汗。若重者四肢厥冷。指中青黯。或瀉或不瀉。脈虛細而沈。此爲陰寒直入三陰。何曾有絲毫暑氣。急宜大順散溫通陽氣而散寒邪。此卽靜而得之爲陰暑也。

若行人或農夫于日中勞役得之者。名曰傷暑。其人必苦頭痛躁熱。惡寒肌熱。大渴汗泄。胸悶溺短赤。懶動面垢。脉洪而弱。爲天熱外傷肺氣。宜六一散白虎湯主之。汗多者。汗傷元氣。宜加人參。此養氣陰清暑熱之法也。

若身熱足冷。以暑必挾濕。陽不達于四肢。宜加蒼朮。如病者元氣不足。用前藥不應。則宜用清暑益氣湯主之。若無濕熱壅滯。必不見悶胸溺赤腹脹等症。當去黃柏澤瀉神麯等類。恐其尅伐而耗損眞陰也。凡此爲動而得之陽暑也。

更有生脉散一方。仍假其補肺斂肺清肺之功。能養氣陰而止汗，不特可以治病。又可爲夏月無病常服避暑解渴之方也。

推源仲景之論暑。則歸于太陽病。金匱要略有寒熱暍篇。暍說文云傷暑也。玉篇云。中熱也。是暍卽六淫中之暑病也。其言曰『太陽中暍。發熱惡寒。身重而疼痛。其脉弦細芤遲。小便已。洒洒然毛聳。手足逆冷。小有勞。身卽熱。口前開板齒燥。若發其汗。則惡寒甚。加溫針則發熱甚。數下之。則淋甚。』其義何也。經言。『長夏善病洞泄寒中。』又言。『傷於寒而傳爲熱。』蓋冬日之病。多屬實熱。而夏日之病。多屬虛寒。所以然者。隆冬氣寒。則人身之調節機能戒備嚴。肌腠固密。不使汗出。血脉之運勁疾。新陳代謝奮迅。全身機能亢盛。皆所以促體溫之生成。而阻其消散也。卒遇六淫刺激。則因機能亢盛而成實熱證。夏令則反是。蓋盛夏炎熇。則調節機能之戒備懈。肌腠疏鬆。汗流不絕。血脉之行弛緩。新陳代謝懈怠。全身機能衰弱。皆所以抑體溫之生成。而促其消散耳。當此時也。卒遇薄寒之中。或冷飲寒浴。或中宵露處。或恣啖瓜菓。營衞雖欲抵抗。而素不設備。遇敵退撓。任其直入。故機能衰弱者。因而成虛寒證。是以冬日之病多實熱。夏日之病多虛寒也。然暑病屬於虛寒。則與冬日之傷寒陽證不同。傷寒因體溫不得放散而發熱。因氣溫與體溫懸絕而惡寒。所謂陰勝則寒。陽勝則熱也。中暍之發熱。由於液津缺乏。其惡寒由於體溫不足。所謂陽虛而寒。陰虛而熱也。小便已洒洒毛聳者。因汗多傷太陽膀胱之表陽。蓋小便之積於膀胱。本與腹部有同等溫度。小便一出。人身驟失多量體溫。於是皮膚急起閉縮。使體溫消散於小便者。得以保持於皮膚。故小便已而毛聳也。手足逆冷者。因陽氣內聚。致體溫不能達於四末也。倘勞動則體溫興奮。而津液消耗。陽愈擾而陰愈虛。故小有勞。身卽熱也。病屬傷暑。因於暑。煩則喘喝。故口開。暑熱傷津。故前板齒燥。傷寒論作口開前板齒燥。金匱開前二字互倒。陰陽俱虛則當固陽益陰。若發其汗。則體溫消散愈多。故惡寒甚。若加溫針。則火熱內擾。故發熱甚。數下之則下焦愈虛。膀胱不能約束。故淋甚。其脈弦細而芤者。因津液不足。血中水分少故也。其脈遲者。因體溫不足。心臟搏動弛緩故也。其身重疼痛者。兼濕故也。且陰陽俱虛。不能煦濡神經。失養運動神經則身重。失養感覺神經則疼痛矣。傷寒選錄云。徐氏曰。此條無治法。蓋斯病既非後人之所謂陰暑。則香薷飲大順散皆所不宜用。又非純屬暑熱傷暑之症。則白虎湯暫難驟進。陳修園謂宜借用麻黃杏仁石膏湯參用麻黃連翹赤小豆湯。其意解表化濕熱。不爲無見。待其表症寒熱漸除。見裏煩渴。汗多時。再用白虎等淸法可也。東垣則以淸暑益氣湯主之。案醫壘元戎黃芪湯。乃治中暍脈弦細芤遲。人參白朮黃芪甘草茯苓芍藥生薑各等分。亦爲此證而設也。仲景又有以一物瓜蒂散治夏月暑熱之病。其症身熱疼重而脈微弱。所謂脈虛身熱。得之傷暑也。又謂夏月傷冷水。水行皮中。則是暑病而兼濕矣。瓜蒂苦寒。能吐能下。去身熱四肢水氣。令水去而暑無所依。此治中暑兼濕之法也。

更有伏暑暑厥二症。伏暑者其原因先受暑氣。繼爲風寒所閉。漸漸入內。潛伏于三焦胃腸之間。至秋或冬。久而始發。其病狀頭痛脘悶。漸至唇燥齒乾。內熱煩寃。或霍亂吐瀉。或腹痛下利。或瘧疾寒熱。治之之法。宜黃連淸膈丸等。見霍亂用藿香正氣散。見痢下用木香交加飲。見瘧疾用小柴胡湯加香薷黃連竹葉等。至於暑厥之症。其原由於暑穢薰蒸，鬱遏于內。閉塞孔竅。頓失知覺。此暑厥之所由。若忽然中暑。頓時神識昏迷。似厥而實非厥也。暑厥之狀。四肢逆冷。面垢齒燥。小便不通。神志昏冒。脈滑而數。暑迷則昏迷不省。欲睡嬾言。手足或亦厥逆。惟不若厥之勢急耳。其治療之法。先用牛黃丸至寶丹等。芳香利竅。神甦後用生地麥冬玄參連翹心竹葉心等清之。暑迷先用星香湯加香薷。神甦後用香薷飲。急則治標。乃不易之法也。

凡昏厥急救。更可用醋製半夏。研末服之。惟暑病昏厥可一不可再。一次服後。厥雖愈。症象必變。卽當繼以清熱之劑。他病昏厥。可連服數次也。

按中暑之症。起暑而勢急。延誤則易致邪陷而神昏。更暑迷一症。過服寒涼。必至吐利不止。煩躁多渴。外熱內寒。狀如陰盛格陽。若再誤投寒劑。其命立傾。愼之愼之。

暑病汗多者。忌利小便。恐重傷其津液也。若津液雖傷。而濕猶未化(苔必乾薄白)者。養陰則助濕。滲濕則傷陰。惟六一散爲最妙。以滑石能滲濕而不傷正。甘草又能甘守津還。復其已耗之津。而預顧其滲利之弊也。

夫暑病之名殊夥。各以其成病之因而異。故治法亦因之而不同。各有攸宜。不可混治。倘能精心審別。對證發藥。庶不舉手誤人耳。

痧疹之診斷及治療與預防法

張贊臣

痧與疹。亦是流行病之一種。古人列入幼科門內。以其多發於小兒故也。蓋小兒體質薄弱。抵抗無力。故疫邪傳染易而變症速也。昔人對此流行病之治法。有專主清涼解毒者。有專主辛溫解表者。診斷多歧。治法各異。此皆囿於成見之爲害也。余以實際經驗之所得。參以痧疹之原理。分述於下。以資研究。

(甲)痧疹之診斷

(一)原因——痧疹二症。皆緣疫邪從口鼻吸入。傳於肺胃。蓋疫入氣分者發而爲痧。疫入營分者。發而爲疹。然有單發痧而不發疹者。有單發疹而不發痧者。有痧疹並發者。總之疹之疫邪輕而痧之疫邪重。不可不察也。

(二)寒熱——感受疫邪。邪欲外泄。而腠理固密。則發寒熱。但痧疹屬陽。每致惡寒輕而發熱重。此病者所以覺熱而覺寒也。然和平而有汗。逾三四日而見痧疹者吉。熱壯甚而無汗。甫發熱而痧疹卽見者凶。

(三)徵象——發熱數日。咳嗽不已。膚現紅色細小顆粒者爲疹。暈紅不分顆粒者爲痧。若痧疹並發。則顆粒有分有不分矣。若疫重者。煩燥氣粗。譫語便溏。喉腐氣喘。音啞等象。均屬險候。倘痧後發現銀疹。(卽白痦)乃熱毒未盡。而繼之外泄也。多屬吉象。

(乙)痧疹之治療

(A)疹症治法

(一)第一期——發熱咳嗽。此邪欲泄而疹未出也。藥宜輕辛解表。如荊芥、薄荷、杏仁、桔梗、牛蒡、蟬衣、通草、等藥。使汗出表解。毛竅自開。疹乃暢出。

(二)第二期——疹暢出後。咳嗽不已。此肺經之餘邪未盡。藥宜桑葉、杏仁、桔梗、橘紅、山梔皮、枇杷葉等。

(三)第三期——疹暢出後。身熱不退。或灼熱增喘。此熱毒內熾。肺失清降也。桑葉、菊花、銀花。連翹、黃芩、山梔、知母、貝母、等藥。可按症選用。

(B)痧症治法

(一)第一期——身熱和平。微咳口乾。此邪由肺傳胃。且受疫不重之象也。宜用疹症第一期中諸藥。如赤芍、山查、使邪由毛竅而發於肌膚。則痧自出矣。

倘痧疹並發者。受病相同。治法亦然。

倘灼熱煩燥。咽腫便溏。或身甫灼熱。而痧卽現者。此熱毒重也。藥宜清散並用。可於前方中加連翹、山梔、甘草、貝母等。

(二)第二期——痧雖暢出。色紫且艷。灼熱煩燥。口渴咽腐。此疫重傷營。藥宜淸營解毒、如連翹、銀花、生地、元參、丹皮、赤芍、竹葉、蘆根、石膏、知母、犀角、羚羊角等。均可按症選用。

(三)第三期——疫毒逆傳心胞。神昏譫語。此危候也。藥宜芳香開竅。淸熱解毒。如牛黃丸、紫雪丹、至寶丹、宜按候速用。

(四)消毒——痧疹二症。每多濃眵黏住眼之外皮。濃涕焦塞鼻竅。俗謂封眼封鼻。但疫毒輕者。尙無大害。疫毒重者。因封眼而有毒之眵淚不能外溢。以致生翳損目。因封鼻而呼吸不利。以致毒難外泄。今擬消毒一法。用甘草一錢。煎取熱水。洗去濃眵濃涕。毋使封眼封鼻。既可泄其疫毒。且可免却諸弊。

(丙)痧疹之預防

(一)預防方法——時疫痧疹。最易傳染。如家庭中有患此症者。速令病者獨居。旁人不可接近。即使調侍之人。亦宜飽餐之後。方入病室。呼吸莫與病者相近。莫用病者所用物件。且宜常服預防藥。(另有單方列後)但病者所用之碗箸衣物等。均宜時常用開水洗之。以消其毒。病室亦宜時常洒掃。

(二)預防藥水——銀花二錢。元參二錢。蘇薄荷八分。煎水頻服。小兒減半。

(三)藥方理解——此避疫方也。蓋家中既有受疫之人。難免疫氣之不傳染。故以銀花辛涼解毒。清氣分之邪。元參苦寒養陰。解營分之熱。佐以薄荷芳香散熱。使疫邪不得內傳。庶可消患於無形。此猶西醫之打預防針也。

傷寒論之研究

方毓麒

仲景任太守於長沙。傷寒論將編成。適値兵燹擾亂之時。城陷而歿。哀哉是書不幸散佚失傳。叔和。仲景功臣也。爲繼續仲景計。爲拯救民生計。乃搜集遺篇。統成傷寒論一册。疏闢領標。遂告完備。迄後數百年遞傳抄襲以來。其間脫簡謬誤竄衍節錄處。所在皆有。或自作聰明。唯吾妄改者。亦指不勝屈。次序條例。每每顛倒是非。注釋諸家。甚或剖之類類。惜乎金科玉律一書。歷盡苦衷。幾失本來面目。是誠可謂生不逢辰。命途多舛者矣。麒讀傷寒。未能全悉其底蘊。聊幸稍得其領略。竊每以成無已注者尙稱完備。以其次序依然。條例無少異也。玆將西窗研究所得者。和盤托出。或然或否。敬俟指教。

讀傷寒論法　蓋凡事業成就推之所以能得心應手者。莫不有法。規矩權衡。皆法也。讀書豈無法哉。讀傷寒論法。必先呈具一種靈心。然後統讀全篇。不必逐條分晰。以全篇氣貫一串也。靈心者何。質疑之心也。書中然者疑之。非然者疑之。若然若非者亦疑之。乃後歷閱旣深。智識日闢。於是然者然。非然者非然。可以了然無誤。否則。然者非然者。皆置之不疑。且具仲景書無差忒之成見。宜其何者然與非然。茫無頭緒矣。其無進步也幾希。雖然。仲景書本無謬解。蓋亦後人妄改以致闕疑焉已耳。且又不可拘泥字句。須知拘者束也。讀書束則僨矣。泥者固也。讀書固則殆矣。孟子曰。盡信書。則不如無書。余亦曰。盡拘書。則不如不讀。夫以我活潑之心靈。而湮沒於呆死字句。良可慨也。讀傷寒論然。讀諸書無不皆然。

六經病理　陰陽各三。合之爲六經。厥少太少陽太是也。竊以仲景之意。殆不過引內經巨陽廣陽微陽之意。以辨別陰陽盛衰消長進退散伏深淺而言。或謂六經以配別臟腑者。麒以爲期期不可。否則。則太陽固膀胱。未嘗不可推之于小腸。陽明固胃。亦未嘗不可推之于大腸。少陽固膽。又未嘗不可推之於三焦。太陰固脾。而亦未嘗不可謂之曰肺。少陰固腎。亦未嘗不可謂之曰心。厥陰固肝。更未嘗不可謂之曰包絡。(包絡與三焦。並無此物。竊另有包絡與三焦攷一篇在。今引之者。殆以經爲證耳)。夫小腸也。大腸也。三焦也。肺也心也。包絡也。推之仲景。是書。合之六經病理。是否可以吻對。嗚虖。徒拘無益。死泥空然。竟欲眼前佛國。寧作苦海無邊耶。危矣。

六經傳變　或謂傷寒傳經。必有常法。引內經一曰太陽受之。二曰陽明受之。三曰少陽受之爲證。竊又以爲太拘。夫傷寒六經之傳變也。有傳有不傳者。有變有不變者。有始終在一經或三陽經者。或一經罷而爲轉屬他經者。或一經先病後與他經倂病者。或三陽齊病不傳。而爲同時合病者。有初起卽表裏相傳。而爲兩感病者。有初起卽少陽或陽明隨邪所中部位而病者。有初起卽直中三陰者。他如經所謂中于面則下陽明。中于側則下少陽。中於背則下太陽云云。以及本論曰。傷寒一日。太陽受之。脈若靜者爲不傳。頗欲吐。若躁煩脈數急者。爲傳也。傷寒二三日。陽明少陽證不見者。爲不傳也。傷寒三日。三陽爲盡。三陰當受邪。若其人能食而不嘔者。此三陰不受邪也。又曰。傷寒六七日。無大熱。其人煩躁者。此爲陽去入陰故也。更有吳又可九傳之說。其雖言疫。未嘗不可引以爲參攷。作爲研究之資料。諸凡等等。皆有不拘執者在耶。願學者三覆思之。

風寒—營衞—桂麻　故友袁養麟嘗謂余曰。攷桂麻二湯。同治太陽經病。仲景所以爲風寒初起未化熱者而設也。證情約略相似。治則判然不同。欲別其所以異者。則惟在有汗與無汗之間耳。凡論傷寒。相沿以爲不祧之定例。太陽病發熱而汗自出者。風傷衞也。蓋風爲陽邪。其性疎泄而迅利。外襲於衞。則腠理空鬆。外無約束之權。藩籬無守。所以汗能自出。當是時。衞已病矣。而營尚未病也。故選用以桂枝以祛衞分之邪。邪去而汗亦已。太陽病發熱而無汗者。寒傷營也。蓋寒爲陰邪。其性凝結而遲滯。外傷於營。則玄府閉塞。鬱而不宣。于城堅固。所以汗不得出。當是時。營已病矣。而衞亦同病。故選用以麻黃。以達營分之邪。邪泄而汗亦出。此二湯之分際如是。故當用桂枝時。不可早用麻黃。而當用麻黃時。不可泛投桂枝也。何則。蓋桂枝證本有汗出。若再以麻黃湯之麻黃發其汗。恐汗更出不止。如水淋漓。以致造成亡陽脫陰之四逆獨參證。或桂枝加附之候。此修園所謂服之汗出不止。有二慮者。良有以也。麻黃證本不得汗。若再進以桂枝湯之芍藥斂其汗。恐汗更不出。遏抑內伏。以致造成喘急煩躁之青龍芩連證。或白虎加參之候。此修園所謂服之不得汗亦有二慮者。豈徒然哉。是則欲更別之者。則在一有芍藥。一無芍藥上看。庶幾認證既淸。用藥既確。不難覆杯而愈也云云。竊亦以爲太拘。夫風傷衞寒傷營。相傳爲醫家之正鵠。然寒之傷營也。必從衞始。固亦可謂之寒傷衞。而風之傷衞也。日久未嘗不傷乎營。固亦可謂之風傷營。皆不可拘執成見。步武衆盲。吠影吠聲。胡盧依像。臨證時診其營衞俱靈用桂枝之調和營衞。察其表裏兩實。用麻黃之宣發其汗。適權衡制度。然後可無餘蘊也。

研究傷寒論的結果　結果者。結局也。凡事有開場而無結局。見首不見尾。其無成就也必矣。竊研究傷寒之結果凡八。曰倒裝句。曰簡誤句。曰竄衍句。曰質疑句。曰易謬句。曰連鎖句。曰似是實非句。曰似非實是句。……略標言之。並說其理。希君子之垂教。

A倒裝句　或謂仲景書。言既明而氣且順。無所謂倒裝云也。吾子胡不檢乃爾。竟欲自詡炫異耶。抑別有意致耶。曰倒裝者。文法也。非語句不通也。仲景書中倒裝句凡四見。貌視之。若錯簡。細究之。確倒裝。今先列本論一條。繼乃言其所以然。

太陽病。脈浮緊。無汗發熱。身疼痛。八九日不解。表證仍在。此當發其汗。服藥已微除。其人發煩目瞑。劇者必衄。衄乃解。所以然者。陽氣重故也。麻黃湯主之。

脈浮且緊。無汗發熱。身疼痛。八九日不解。表證仍在也。故曰當發其汗。夫發汗舍麻黃湯而爲誰。服藥已者。服是湯已也。質言之。卽服麻黃湯已也。發煩目瞑。劇者必衄。其非服是湯已而變證何。所以然者。陽氣重故也。既陽氣重。則不當仍用桂麻。須知桂麻陽藥也。陽病而與以陽藥可乎。既不可則不當麻黃湯再主之。是麻黃湯主之五字。當在此當發其汗之下也無疑。此倒裝所謂者一。

三陽合病。腹滿身重。難以轉側。口不仁而面垢。讝語遺尿。發汗則讝語。下之則額上生汗。手足逆冷。若自汗出者。白虎湯主之。

口不仁而面垢。讝語遺尿。淺則陽邪甚盛。重則府實無疑。惟其無腹痛拒按。大府不通。故只可與以白虎湯泄其陽邪。而顧其陰液。是若自汗出者。白虎湯主之兩句。當在是句之下。

此正治法也。若誤以發汗則譫語。以下則額上生汗。手足逆。則陽已盛不可汗。胃未實不可下之明證也。是兩句乃附句。非白虎所宜。故竊謂之倒裝者二。

傷寒心下有水氣。欬而微喘。發熱不渴。服湯已渴者。此寒去欲解也。小青龍湯主之。

心下有水氣。欬喘發熱。口不渴。不欲飲。小青龍證也。治之當以是湯。服湯已渴者。服小青龍後。寒邪既去。水飲已除。而作渴也。故曰此寒去欲解也。寒去欲解。則不當仍用小青龍。是句也當在發熱不渴之下。此倒裝所謂者三。

陽明病。脉浮而緊。咽噪口苦。腹滿而喘。發熱汗出。不惡寒反惡熱。身重。若發汗則躁。心憒。憒反譫語。若加燒鍼。必怵惕不得眠。若下之。則胃中空虛。客氣動膈。心中懊憹。舌上胎者。梔子豉湯主之。

或謂梔子豉湯主之六字。當在發汗燒針之前。竊以為非然。此節之意。貌之頗類倒裝。實似倒裝而非倒裝。攷其心中懊憹。舌上昭者。邪氣客於胸中使然。故與以香豉梔子吐胸中之邪。理彰彰而意昭。昭今並錄之。

B簡誤句　傷寒論自漢自今。難免間無錯誤。聊試言之。

服桂枝湯。大汗出。脈洪大者。與桂枝湯如前法。

非桂枝證而誤服桂枝湯。宜其大汗出脈洪大。陽邪為之化熱也。既陽邪化熱。則當施以泄陽邪而顧陰液。白虎一方。最為合轍。試讀下文。服桂枝湯。大汗出。大煩渴不解。脈洪大者。白虎加人參湯主之。推其大煩渴不解。乃熱甚傷津無疑。惟其傷津刼液。故以白虎加參。泄陽邪而救陰液。是句雖無煩渴句。然兩句已合是題。雖陰未傷。而陽邪已重。尚欲與桂枝湯如前法可乎。

傷寒脈浮緩。身不疼。但重。乍有輕時。無少陰證者。大青龍湯發之。

大青龍證而用大青龍。必脈浮緊。發熱。惡寒。身疼痛。不汗出而煩躁者方可服。今不過脈緩而已矣。矧以身又不疼。而曰大青龍湯主之。宜其服後變證必有可觀。

發汗後。不可更行桂枝湯。若汗出而喘。無大熱者。可與麻杏石甘湯主之。

既汗出則不當用麻黃。無大熱更不宜用石膏。簡誤耶。抑別有意致耶。付之闕疑。

婦人中風。七八日。續得寒熱。發作有時。經水適斷者。此爲熱入血室。其血必結。故使如瘧狀發作有時。小柴胡湯主之。

夫經行自淨。血室空虛。邪熱乘虛下陷。因而使如瘧狀。發作有時。故以柴胡提陷下之邪。而即以參甘大棗。補其虧損。正是藥投病合。無差忒也。竊以句中其血必結四字。當係衍誤無疑。抑或上下二條之錯簡耳。豈以其血已結。而尚更與以柴胡升之。參甘補之。一升補。試問得諸藥後。其變證當復奚如。

傷寒脈浮滑。此表有熱。裏有寒。白虎湯主之。

表熱裏寒。非白虎所宜。其謬誤也必矣。

C竄衍句　不學無能。徒讀簡略處。輒曰此脫簡也。此遺略也。乃唯吾個意。妄改妄塗。於是論中每有個字不通之句。何莫非此輩有以造之。叔和其一焉。嘉言其次焉。今試言論。

問曰。證象陽旦。云云。故知病可愈。

是節設問答以辨別陽旦。含糊不明。隱昧難瞭。仲景當無此等手筆。又係叔和竄入無疑。

脈按之來緩。而時一止復來者。名曰結云云。得此脈者難治。

按此節以辨別結代兩脉。死生勝復。辭語音氣。悉非仲景一脉。非叔和衍入爲誰。

D質疑句　凡句然若非然。非然若然。然耶非耶。猶豫難決。付之質疑。

太陽病不解。熱結膀胱。其人如狂。血自下。下者愈。其外不解者。尚未可攻。當先解外。外解已。但少腹急結者。乃可攻之。宜桃核承氣湯方。

太陽病。六七日。表證仍在。脉微而沈。反不結胸。其人發狂者。以熱在下焦。少腹當鞕滿。小便自利者。下血乃愈。所以然者。以太陽隨經瘀熱在裏故也。抵當湯主之。

太陽病。身黃脉沈結。少腹鞕。小便不利者。爲無血也。小便自利。其人如狂者，血證諦也。抵當湯主之。

傷寒有熱。少腹鞕。小便不利。今反利者。爲有血也。當下之。不可餘藥。宜抵當圓。歷觀傷寒論血結膀胱四條。竊疑者兩載矣。其證則少腹急結鞕滿。小便自利。身黃發狂。脈沈結。其治則桃核承氣。抵當湯。遂謂小便之利與不利。爲膀胱水蓄血蓄之分。飼鶴山人尤在涇和之。來蘇集柯韻伯亦和之。於是諸注釋家。莫不趨之若鶩。奉爲不刊之論。衆口一辭。數百年來膠漆之鉄案。至今未聞有剖晰之者。稠州何廷翊先生。衆醉獨醒。已有揭竿見影之倡。今余倣其意而倡和之。俾伈伈者之一博焉。

夫膀胱爲清靜之府。而主溺。一有他物阻滯於裏。則必濇而不宣。小溲隨之艱濇。滴瀝而不暢。如五淋暨跌撲傷瘀之證。其小便皆不暢舒。是可知血熱之結於膀胱腑者。則小便亦當如是觀。安有自利者何。推之膀胱與大腸。同居下焦。一司溲而一司便。所謂少腹結急鞕滿。而脉沈結者。安知其瘀血不結於膀胱。而獨結於大腸。竊讀葉案存眞暨古今醫案。夫血結之證。皆是大府結實。小溲自利。而施劑之後。則瘀血悉由大便而出。未聞有由小便溲出者。此其證者一。矧以用藥則硝黃。潤滌大府之劑。試問以潤府藥而治膀胱可乎。此其證二。由此觀之。血結陽明明矣。且夫仲景用五苓散也。必小便不利方可服。蓋蓄水病在膀胱。所以小便不利。蓄血病在大腸。所以小便自利。一則用芩澤。利其小便。桂枝以鼓舞眞陽。一則用硝黃。蕩滌大府。用桂枝以袪在表未盡之邪。鐘山西崩。而洛鐘東應。兩兩對堪。可以瞭然無疑義。

E易謬句　貌視雷同。實則淵異。讀之者。每有毫釐千里之嗟。論中是句頗夥。今摘其要者三。略言之。可以一隅三反矣。

燒鍼令其汗。鍼處被寒而赤者。必發奔豚。氣從少腹上沖心者。灸其核上各一壯。與桂枝加桂湯。

此節灸而引動腎家寒水上淩。故與桂枝湯加桂以鼓舞腎陽。

火逆下之。因燒鍼煩躁者。桂枝加龍骨牡蠣湯主之。

此節灸而引動腎家龍火上炎。故與桂枝解未盡之邪。而即以龍牡鹹寒潛其亢陽。

問曰。病有太陽陽明。有少陽陽明。有正陽陽明何謂也。

此之所謂太陽少陽正陽者蓋言其陽邪之輕重。太陽至陽也。言其陽邪至乎其極。少陽稚陽也。言其陽邪尚微未甚。正陽之正字。介乎太少之間。言其陽邪正。盛之候。仲景之意。甚爲明晰。若拘拘於經絡藏府殆矣。

F連鎖句　既有倒裝。安無連鎖。連鎖者。語句一貫而義各殊也。

太陽病。寸緩。關浮。尺溺。其人發熱汗出。復惡寒者。不嘔。但心下痞者。此以醫下之也。如其不下者。病人不惡寒。而渴者此轉屬陽明也。小便數者。大便必鞕。不更衣十日。無所苦也。渴欲飲水。少與飲之。但以法救之。渴者宜五苓散。

此節剖別三條。尚可解釋。若作一段講。則支强不甚舒暢。推之誤下之與否。以辨別胃家之實與未實。惡寒之與否。以辨別陽明之轉與未轉。渴飲之與否。以辨別津液之傷與未傷。三陽眞陽之俑與不俑。然後按圖索驥。跟步就班。方可對證施劑。

G似是實非句　仲景論中。是句頗多。蓋傳寫有以貼誤。抄襲有以妄删增衍耳。

本太陽病。醫反下之。因爾腹滿時痛者。屬太陰也。桂枝加芍藥湯主之。

太陰多寒濕爲病。腹滿時痛。寒濕爲患也。觀其自利可知矣。芍藥陰藥。非寒濕所宜。今云桂枝加芍者。實則去芍爲妥。或謂芍藥酸苦湧泄。正是腹痛針對藥。奈何自相矛盾乃爾。噫嘻。此中似是實非之毒深矣。試讀下文。其人續自便利。設當行大黃芍藥者宜減之。亦以其非寒濕所宜者明矣。

H似非實是句 詞淺而義奧。句略而意深。讀者每有望洋興嘆之慨。竊不得不揭其幕面。俾見廬山之眞面目焉。

三陽合病。脈浮大。上關上。但欲眠睡。目合則汗。

按金鑑謂脉浮大。上關上之上字。當是弦字。始合本論。三陽合病之脈。若是上字。則經論中無兩寸脉主三陽病之理。竊以爲否否。

夫三陽合病。病盛於陽經。故脉亦盛於陽位。關前爲陽。關後爲陰。惟陽盛故入于陽位。卽上關上也。因其熱勝而神昏。故但欲眠睡。胆熱則液泄。故目合則合也。試讀難經上魚入尺之脉。可以得一確據。

傷寒脈浮。醫以火迫刼之。亡陽。必驚狂起臥不安者。桂枝去芍加蜀漆龍牡救逆湯主之。

或謂蜀漆者。常山之苗也。爲吐痰之專劑。攷其苗之上升騰達。更不言而可知矣。今際此火刼亡陽之證。應以參附四逆大劑。並駕直追。惟恐不及。何堪反與以蜀漆。果吐其痰乎。抑回其陽乎。且夫此乃亡陽。無痰可吐。而是物之性質。又無可以回陽。既不能克奏膚表之功。抑且更助以升達。其有不死者鮮矣。然則仲景之於是證。而用以是物者。其故何歟。曰。慨夫醫理之精微奧博。仲師之意旨隱密。類非不學無術者。無能探其玄致也。原夫傷寒之脉。必浮而緊。斯爲寒邪緊束皮膚。氣機不暢之朕兆。今脉浮者。知其僅在表。而未及乎裏也。人惟感襲寒邪之初。必有灑淅之態。醫者徒見其畏縮寒慄也。必曰寒邪深入。于是以火刼迫汗。焠鍼灸炙。殊不知邪之在表者。發之散之。宣之展之。固可一汗而已。今脈浮不以汗法。而與以火法。且火刼逼汗。徒以擾動心陽。非特邪之不解。抑且更加遏抑。開門揖盜。轉致內陷 矧以汗爲心液也哉。（西醫以汗爲排泄物。言之于暑濕令固宜。若言之於冬令大汗出。抑或誤治汗出。而尙曰排泄物則不可。）宜其反愈結而不散。心神因之亡陽而浮越。

渙散不寧。故驚狂起臥不安也。此仲景所謂太陽傷寒。加溫針必驚者。豈無故哉。究其所以造成是證。何莫非一火有以誤之。則凡世之妄用香燥之劑。以刼液而致變證多端者。亦無非火迫之類也。然而所謂亡陽者。有亡腎中之陽。有亡胃脘之陽。有亡心中之陽。如發汗遂漏不止。淋漓肢厥。唇青目直者。斯亡腎中之陽也。如厥逆咽乾。煩躁吐逆者。斯亡胃脘之陽也。而心爲陽中之太陽。今已起居如驚。驚則渙散浮越。神不歸舍。千鈞一髮之間。安得不可謂之亡陽哉。故此證之所謂亡陽。非亡其腎中之陽。亦非亡其胃脘之陽。乃亡其心中之陽。必如此解釋所謂亡陽二字。始有着落。豈淺見之人所能窺其堂奧歟。惟其非彼之所謂亡陽。故不用參附四逆等回陽之劑。甯招納浮陽之法。脉浮邪猶在表。故仍以桂枝袪未盡之表邪既陷而結於內。非芍藥所宜。且酸苦之性。入心助火而增氣。故去之。然則是方之加入蜀漆者何。正有深意存乎其中。考是物之于本經。謂之辛平有毒。能散胸中結邪。由是可知仲景之所以加是物者。正以其性味辛平上升騰達。佐桂枝以袪其內陷轉結之邪。使從外解。龍骨牡蠣。甘平微寒。潛斂收納。正所以監制其慓悍之性。使不致過于猱升。並以伏其火迫之邪。招納已亡之浮陽。使心神歸於窟宅。甘艸緩其中。參棗調其營衞。有是證而有是藥。庸詎有逆不救者哉。

結論　前列數言。聊表研究所得。夫傷寒論中。精義處固多。而暗晦處亦有。今列數條。僅提綱領。聊供反隅云爾。至文筆不工。尚望指正。

萬氏十種

（又安）

明萬全字密齋。羅田人。隱於醫。尤精痘疹。有豪家少年聞其名。不爲心服。一日佯爲大病。重幃密室。邀全診脈。全診之曰。十五日當死。不可救。少年叱之曰。我何病。聊試汝耳。全曰。診視如此。不知病也。後果十四而亡。其神眞不可及也。著有養生四要。育嬰家祕。廣嗣精要。痘疹啓微等十種。而市上無流行。月前錢君購得全書。審係明板。聞將影印行世。亦醫林之好消息也。

醫案

一瓢硯齋醫案

薛文元

錢某　廿六歲　火鬱吐血　初診

氣鬱化火。火升於上。陽明絡傷。吐血暴湧。二日已滿數盆。兼有紫塊。今日時刻欲厥。四肢逆冷。脈象弦數。氣有餘便是火。火升血隨。法當苦洩降氣。氣降則血自止也。方候　高明正之。

川軍炭三錢　廣鬱金一錢五分　天花粉三錢　細川連八分　炙蘇子一錢五分

茜根炭一錢五分　炒子芩一錢五分　牛膝炭三錢　川貝母二錢　鮮蘆根一尺

童　便一杯先服

錢某　廿六歲　火鬱吐血　二診

昨投苦洩降氣。吐血已減其半。四肢得溫。而胸熱咳嗽。大便猶未暢解。口渴欲飲。脈象滑數。舌胎黃膩。陽明氣火尚未下降。昨方既獲小效。再從原意以冀血止脉靜爲吉。

川軍炭三錢　炮姜炭四分　炙蘇子一錢五分　鮮生地六錢　炒子芩一錢五分

牛膝炭三錢　炒丹參一錢五分　細川連八分　天花粉三錢　川象貝各二錢

鮮藕汁一兩　童　便一杯先服

錢某　廿六歲　火鬱吐血　三診

大便已見通解。吐血得止。欬嗆如昨。而胸熱未退。神志漸見清爽。飲食略進。脈來細數。舌紅。肺胃氣火得化。病機已入坦途。飲食勞動。尚須謹養。方無枝節之憂。惟血去過多。氣陰大傷。降氣洩熱中。當顧氣陰。是爲要圖。

鮮生地八錢　天花粉三錢　川貝母二錢　鮮金斛四錢　炙蘇子一錢五分
大麥冬三錢　西洋參一錢五分　海蛤殼六錢　桑白皮三錢　鮮藕汁一兩
鮮梨汁一兩

錢某　廿六歲　火鬱吐血　四診

血已全止。胸熱欬嗆諸恙均得向安。飲食漸能加餐。連服諸方。既能獲效。仍於調養氣陰。以善其後。

川石斛三錢　海蛤殼六錢　川貝母二錢　西洋參一錢五分　炒扁豆三錢
甜杏仁三錢　大麥冬三錢　炙甘草四分　瓜蔞皮三錢　炙枇杷葉三錢包煎

童世兄　十六歲　暑瘧變症　初診

始因寒熱類瘧。汗多口渴煩悶。服和解方。鼻中見血。前醫謂紅汗乃病退之象。連投和解。鼻衄盈碗。繼進大劑犀角地黃二劑。血更成塊而下。手冷面白。頭汗。脈象沉細。勢有欲脫之象。病已危險。陽氣欲散。急服固濇以救將亡之陽。方候　高明正之

生龍骨三錢　西洋參一錢五分　小木通一錢　左牡蠣六錢　炙甘草四分
牛膝炭三錢　杭白芍一錢五分　炮姜炭四分　生棗仁三錢　鮮藕汁一兩

童世兄　十六歲　暑瘧變症　二診

昨服固濇洩熱。鼻衄頓止。神志已淸。已能飲食。惟口乾唇燥。陰液內傷。險境已出。擬養陰以補脾腎。方候　哲正。

金石斛三錢　焦冬朮一錢五分　粉丹皮一錢五分　熟地炭三錢　淮山藥一錢五分
左牡蠣六錢　西洋參一錢五分　澤　瀉一錢五分　炙甘草四分　生熟穀芽各三錢

潛廬醫案

吳克潛

肝氣案

病者　張某。寓上海薩坡賽路。

病名　肝氣犯胃。

原因　素有肝疾。動輒作痛。比因感寒兼觸怒。遂至劇發。

症候　劇痛爬床搔席。汗出滿身。嘔逆兼作。

診斷　脈至弦緊數。舌苔薄白微膩。大便多日未更。胃本失降。兼以忿怒動肝。其氣遂爲上犯。更挾微感。因以逆嘔。脈緊者痛也。弦數者。肝氣之徵也。舌白微膩。胃家顯有未和。

療法　以疏肝和胃爲主。

處方　陳香櫞錢半　佛手柑錢半　小青皮一錢　左金丸錢半　紫蘇梗錢半
刺蒺藜錢半　瓜蔞皮三錢　姜半夏錢半　製香附錢半　鮮竹茹錢半

復診　一劑而痛止。餘波未平。腹部作脹。頭部昏沉。脈滑。苔中微黃而膩。邊白。用調氣和中化濕爲治。

次方　製川朴八分　台烏藥錢半　陳香櫞一錢　霜桑葉錢半　連翹殼錢半
老蘇梗錢半　白蔻殼八分　江枳殼錢半　大腹皮錢半　刺蒺藜二錢
苡米三錢　黑梔子錢半

效果　服後隨卽嘔止脹平。並得大便而愈。

肝傷血虧偏枯案

病者　岑西林太太。時寓上海新閘路。

病名　血虧偏枯。

原因　素有肝疾。乳部兩度生嚴。均經西醫割治。血分大耗。元氣遂虧。

症候　左手左足不仁。用膳時常左邊口角流出飲食。不能自持。脈左關實大而硬。舌全光而紅。小便頻數。入晚面紅火升。

診斷　肝陰之傷已甚。腎間陰陽兩虧。陰不含陽。虛火上浮。血分久耗。偏枯難復。

療法　以養陰潛陽爲主。佐以和痰活血。

處方　西洋參二錢　靈磁石三錢　製首烏二錢　（酒炒）左秦艽錢半　霍石斛錢半
桑螵蛸一錢　上阿膠一錢　大生地三錢　桑寄生錢半　淮山藥二錢
（酒炒）嫩桑枝三尺　炙龜板三錢

效果　不詳。

肺病嗽血案

病者　陳光遠君。現寓上海辣斐德路祥雲里。

病名　肺病咳血。

原因　曾因運動受傷。遂至嗽血。治愈不及二月。旋卽復發。迭由西醫診視。迄無少效。再進廣慈醫院治療。針藥並施。愈治愈劇。因之臥病不起。出院改中醫治療。

症候　痰中夾血。或成絲。或成點。嗽而不咳。痰出不爽。胸中時復覺悶。略有潮熱。大便忽乾忽溏。胃納不佳。病人見血。頗形恐慌。

診斷　脈數。舌苔糙黃而膩。症由肺絡受傷。故血由痰中帶出。時復覺悶。當有積瘀。且合之大便之忽乾忽溏。舌苔之糙黃而膩。中州尙有濕滯。脾爲生痰之源。肺爲貯痰之器。故痰出膩而不爽。尤應脾肺並顧。惟病經誤治。且曠日持久。殊覺不易收效也。

療法　以順氣化痰清瘀養肺主之。

處方　紫丹參錢半　旋覆花二錢　生白朮錢半　參三七二錢　製竹茹錢半

東白芍錢半　茜根炭一錢　陳　皮錢半　銀花炭錢半　加藕節五枚

復診　服藥後嗽血反多。紅紫雜出。呼吸仍熱不暢。脈似芤而數。雖宜養陰。究不能失之過膩。

次方　原方去丹參三七茜根白朮銀花。改用側柏炭錢半　炙蘇子錢半　川貝母錢半　地榆炭一錢

三診　服藥二劑痰中之血漸少。舌苔糙黃亦去。脈浮細。略有感冒。以致呼吸仍覺不暢。夜眠少寐。前法加輕宣。

三方　側柏炭錢半　光杏仁三錢　旋覆花二錢　炙蘇子二錢　霜桑葉錢半
湖丹皮錢半　款冬花二錢　川貝母二錢　製竹茹錢半

四診　服藥一劑。諸恙依然。且胃納不佳。夜臥不安。

四方　雲茯神二錢　炙蘇子二錢　製竹茹錢半　黑荊芥八分　川貝母二錢
帶衣杏仁二錢　夜交藤錢半　湖丹皮錢半　東白芍錢半　用鮮苗葉泡湯代
、煎藥水

五診　痰血已止。潮熱亦除。胃納較佳。惟痰出仍膩。間有遺精。大便堅。清金之外。宜兼顧脾腎。

五方　沙蒺藜二錢　東白芍錢半　旋覆花二錢　地榆炭錢半　炒白朮二錢
製竹茹錢半　湖丹皮錢半　肥知母二錢　炒蘇子二錢

六診　痰中帶血。旋愈卽發。肺絡之損已久。調復良非易事。但得天涼之後。有進補之機。較易爲力。舌紅脈數。擬養肺滋陰主之。

六方　北沙參二錢　霍石斛一錢　陳　皮錢半　北秫米二錢　原麥冬錢半
東白芍錢半　炙蘇子錢半　蛤粉阿膠珠一錢　鹽水炒黃柏四分　生棗仁一錢

七診　服藥數劑之後。痰中帶血及遺精幸未發作。其後八診九診十診。均側重養肺。而以順氣和脾悅胃堅腎。更迭爲輔。

十一診　形神較充。胃納頗佳。脈象輭於關部。而餘部較爲有力。擬淸補肺臟。佐以健脾和胃爲調理。靜待冬令進補。以期永絕病根。

十一方　北沙參二錢　東白芍錢半　生穀芽二錢　黑芝蔴拌蒸生白朮二錢（去芝蔴用朮）　冬虫夏草一錢　陳廣皮一錢　北秫米二錢　蛤粉阿膠珠一錢　炙蘇子錢半　雲茯神二錢

十二診　諸恙均痊。惟恆有此愈彼發之患。身體畏寒。遺精淸冷。上焦血分。尙有虛熱。值此隆冬。大可議補。以冀來春之平復。

膏方　炙黃芪一兩半　生地三兩　遠志肉一兩　生黃芪一兩半　冬虫夏草二兩
淮山藥三兩　炒白朮二兩　大丹參二兩半　辰茯神三兩　京川貝二兩
蛤粉阿膠珠六錢　茯苓三兩　夜交藤二兩　地骨皮一兩　陳皮一兩
澤瀉一錢　合歡皮六錢　萱草六錢　甘炙草六錢　穀芽二兩
加龍眼肉二兩　大棗二兩　用玄蔘驢皮膠各二兩半　修各

如服膏方覺悶。另煎服沉香末少許。
如略有停積胃或呆。另煎服神麯二錢。
如仍頻有痰血。輕方中加側柏炭一錢。
如再痰多氣不順。輕方中加製竹茹旋覆花各一錢。
如略有感冒。輕方中加老蘇梗錢半。
如略有便溏等情。輕方中除去瓜蔞一味。

附輕方　與膏方相間服。
炙蘇子一錢　瓜蔞皮錢半　東白芍錢半　霜桑葉一錢　秫米錢半
化橘紅一錢　生木香五分　辰燈芯一束

效果　自丁卯年七月起。至戊辰正月膏方服畢止。本元已復。其恙若失。

痢疾案

病者　陳某。寓上海薩坡賽路豐裕里四十六號。

病名　赤白痢。

原因　本有伏濕。兼感暑邪。食瓜解渴。晚遂腹痛滯下。

症候　腹部隨時作痛。臨圊重墜難下。呼號甚慘。每日五六十次。所下赤白相間。赤色較多。氣味頗臭。

診斷　體虛嗜烟。患痢後卽慮疲乏難任。曾有前醫一度診治。方中有葛根之升提。遂至滯下益甚。脈緊微數。舌苔糙黃。渴不欲飲。病由暑濕蘊於腸胃。邪無出路。不通則痛。决不可因神疲而姑息不下也。

療法　本宜以下爲主。慮其體虛。姑以和爲通。略佐攻下。

處方　製川朴六分　淡子芩錢半　東白芍錢半　左秦艽錢半　生木香六分
廣鬱金錢半　姜竹茹錢半　嫩前胡錢半　花檳榔八分　小青皮八分
紫蘇梗錢半　左金丸(呑)五分

復診　所下較多。痛勢依然。飢不能食。胸腹脹悶。病重藥輕。難關未過。

次方　製川朴八分　范志麯錢半　東白芍二錢　廣鬱金錢半　小川連四分
銀花炭錢半　姜半夏錢半　粉菖蒲四分　花檳榔錢半　淡芩炭錢半
嫩前胡錢半

三診　痛勢已定。滯下亦差。臨圊次數得減。大便黑而作粘。咳嗽痰出不爽。咳時牽引腹痛。用前法加減參以宣肺。

三方　嫩前胡二錢　細川連四分　東白芍二錢　赤苓三錢　淨蟬衣五分

姜半夏錢半　銀花炭錢半　粉菖蒲五分　白蔻壳一錢　地榆炭錢半

四診　便中有糞。下痢大瘥。舌苔依舊糙黃。脈至關位軟弱。胃納呆鈍。小便短赤。擬利濕舒脾悅胃。

四方　綿茵陳錢半　銀　花錢半　澤　瀉錢半　酒炒川連三分　粉萆薢錢半

黑梔子二錢　赤　苓三錢　陳　皮錢半　淨連翹二錢　原滑石三錢

大砂仁六分　生木香五分

五診　痢疾已止。胃口漸復。身體仍疲。肢節痠楚。咳嗽多痰。胸膈阻滯。舌苔糙黃已去。底質色紅。擬清理餘濕。以不傷陰分爲主。並進養肺順氣之品。

五方　旋覆花二錢　北秫米三錢　陳蒿梗錢半　款冬花二錢　硃茯神三錢

澤　瀉一錢　湖丹皮錢半　乾佩蘭錢半　砂　仁六分

效果　病約十餘天。四診之後。其疾大瘳。惟素有咳嗽肺熱之病。因以牽動復診二三次。而告痊愈。

赤痢夾紅痧案

病者　支某。嘉善人。寓上海。

病名　赤痢夾紅痧。

原因　體虛食積。

症候　霉令之後。本有濕滯。復感暑熱。再兼食積腹痛。瀉利嘔逆並作。

診斷　脈滑數。苔厚膩。三焦失化。濕熱方蒸。下利不暢。其數無度。

療法　和中消食。化痰清溼。

處方　製川朴八分　淡豆豉一錢　姜半夏二錢　紫蘇梗錢半　廣鬱金一錢

乾佩蘭錢半　范志麯一錢　炒苡仁三錢　姜竹茹錢半

復診　下痢紅色。日數十行。上有惡心。下卽欲便。後雖重而腹不痛。胸膈痞悶不堪。口渴脈數。邪之在上者宜輕宣。在中者宜順氣疏導。

次方　粉葛根錢半　扁豆衣錢半　江枳殼一錢　槐花炭錢半　大豆卷錢半
陳蒿梗一錢　姜半夏二錢　杜藿梗錢半　生木香一錢　白蔻殼一錢

三診　下痢赤色無度。渾身紅點隱現。但得暑溼之邪有路可出。則下痢自當減少。

三方　牛蒡子二錢　槐花炭錢半　姜半夏二錢　活水蘆根二尺　荆芥穗六分
地榆炭錢半　左金丸一錢　廣鬱金錢半　銀花炭錢半　白蔻殼一錢

四診　周身紅痧滿佈。胸悶因以大減。上面惡心得止。下痢次數遂差。胃納稍腹。病愈十分之七八。

四方　前方去荆芥銀花左金丸。加佩蘭葉煨木香各一錢。

效果　紅痧囘後。隨卽全愈起床。

澄齋醫案

謝利恆

時感風寒。發熱二三日。無汗頭昏。身痛腰疼。胸悶溺赤。脈緊數。舌乾白。先宜解表。

羌　活一錢　淡豆豉五錢　桔　梗一錢　赤茯苓三錢　防　風一錢
川桂枝七分　前　胡二錢　炙甘草五分　荆　芥錢半　酒條芩錢半
枳　殼一錢　六神麯三錢　速鬚葱白頭二枚　骨碎補五錢

風溫四日。肺胃灼傷。舌黃乾燥。溺紅便黑。皆司天燥氣所致。

大豆卷五錢　熱石膏五錢　天花粉三錢　京元參二錢　香白薇二錢
炒知母錢半　京赤芍錢半　大麥冬二錢　鷄蘇散包四錢　淡黃芩二錢
蘆茅根一兩五錢

風溫三日。有汗不能。頭疼身痛咳嗽。形寒身熱嘔噁。口渴溺赤。脈渾舌白。尚在氣分。先與疎達。

荆芥穗錢半　淡豆豉三錢　淡酒芩錢半　苦杏仁三錢　青防風一錢
黑梔皮錢半　眞川連五分　象貝母三錢　粉葛根錢半　桑皮葉各錢半
天花粉三錢　鷄蘇散包四錢　蘆茅根一兩　淡竹茹錢半　骨碎補五錢

時溫七日。頭疼。身痛。汗少。胸痞。泛噁。舌苔厚膩。口渴引飲。溲赤而少。脈渾弦。當與表裡兼治。

荆芥穗錢半　黑小梔二錢　炒枳實一錢　淡酒芩錢半　蘇葛根錢半
香白薇二錢　製川朴一錢　天花粉三錢　淡豆豉三錢　鷄蘇散包四錢
法半夏二錢　猪赤苓各二錢　淡竹茹錢半

勞乏感邪。時溫發經五日。表裡俱熱。無汗不退。曾經鼻衄。渴不能飲。飲則嘔噁。胸滿身疼。脛痠溺赤。病勞非輕。當與表裡並治。

淡豆豉五錢　黑小梔錢半　玉泉散五錢　淡酒芩二錢　香白薇一錢
製半夏一錢　天花粉三錢　赤茯苓三錢　薄荷葉二錢　炒枳殼一錢
淡竹茹錢半　蘆茅根一兩

外感時邪。但熱不寒。口苦脈數。用和解法。

銀柴胡一錢　大豆卷四錢　黑小梔二錢　連翹殼二錢　粉葛根二錢
酒黃芩二錢　天花粉三錢　赤茯苓三錢　鷄蘇散包四錢　鮮茅根一兩

時溫九日。身熱壯盛。有汗不解。疹粒隱約。欬嗽口乾。舌苔乾黃厚膩。脈數。邪鬱津傷。重候可慮。

大豆卷四錢　軟前胡一錢　酒黃芩二錢　淨銀花三錢　黑梔皮二錢

淨蟬衣一錢　知母二錢　淨連翹二錢　香白薇二錢　紫菀錢半
玉泉散包三錢　製大黃錢半　茆根一兩　滑石四錢

邪滯阻中。久延未退。與和化法。

黑山梔二錢　法半夏二錢　萊菔子三錢　鷄蘇散四錢　炒香豉四錢
廣陳皮一錢　炒枳實錢半　赤茯苓三錢　香白薇二錢　小川朴一錢
大腹絨三錢　焦六紬三錢　淡竹茹錢半

經絡痠疼。形寒身熱。脘腹不爽。宜和平滌熱。

炒香豉四錢　秦艽二錢　廣橘紅五分　鷄蘇散包錢　黑山梔二錢
青蒿二錢　大腹絨二錢　赤茯苓三錢　荆芥穗錢半　枳殼錢半
焦麥芽五錢

表寒裡熱。頭痛口苦而乾。胸痞脘疼。腰痛帶下。脉沉細。治在榮衞。

川桂枝五分　淡乾姜四分　大白芍二錢　炙鱉甲三錢　香青蒿二錢
細川連四分　左秦艽錢半　川續斷四錢　法半夏二錢　酒黃芩錢半
左牡蠣五錢　骨碎補五錢　淡竹茹錢半

風溫邪鬱少陽。口苦內熱。乾渴溺赤。咳嗽痰濃。夜不能寐。脉來沉鬱。慮延勞怯。亟爲和解。

青蒿二錢　蘇子梗各二錢　苦杏仁三錢　鷄蘇散包四錢　白薇二錢
嫩前胡二錢　製川朴一錢　天花粉三錢　豆卷五錢　淡酒芩錢半
大貝母三錢　炒知母錢半　淡竹茹錢半　枇杷葉二錢

風溫咳嗽。法在清疏。

薄荷五分　前胡二錢　黑山梔皮二錢　柴胡八分　荆芥錢半
大貝三錢　白薇二錢　酒黃芩錢半　防風一錢　連翹二錢

炙桑皮葉錢半　益元散四錢　茅　根七錢　蘆　根七錢

傷風不得汗。邪無出路。故頭痛發熱惡寒咳嗽諸症不解也。

荊　芥錢半　前　胡二錢　杏　仁三錢　法半夏二錢　防　風錢半
白　前二錢　大　貝二錢　製川朴一錢　蘇子葉二錢三錢　橘　紅一錢
萊菔子三錢　鷄蘇散包四錢　生苡米五錢　枇杷葉三錢

時溫三日。身熱形寒。頭痛如劈。噁心口苦。嘔吐黃痰。懊煩口渴胸痞。脉來滑數。舌紅苔黃。勢防延變。始進宣和。從陽明少陽主治。

荊　芥錢半　黑小梔錢半　法半夏二錢　猪赤苓各三錢　青　蒿二錢
酒黃芩錢半　川枳實錢半　瓜蔞皮三錢　豆　豉三錢　川黃連五分
製川朴一錢　鷄蘇散包三錢　姜竹茹錢半　鮮蘆根七錢

溫邪上受。肺胃內應。身熱旬日不解。咳嗽胸痞。以和劑宣揚之。

薄　荷五分　枳　殼一錢　黑梔皮錢半　益元散四錢　豆　卷四錢
桔　梗一錢　酒條芩錢半　象貝母二錢　白　薇二錢　連　翹錢半
瓜蔞皮三錢　枇杷葉錢半　茆蘆根各五錢

冬溫六日。表症未罷。下痢膿血。舌膩渴飲。脉細不揚。邪鬱不達。未經得汗。與表裡雙解。

羌　活一錢　青防風一錢　炒枳實錢半　赤塊苓三錢　葛　根三錢
酒條芩二錢　尖檳榔一錢　益元散五錢　柴　胡一錢　小川朴一錢
生赤芍一錢　荊芥炭二錢　香連丸五錢包　炒槐花三錢

溫病十餘日。値經後血室空虛。熱邪深陷榮分。下利色赤。口乾。舌燥黃焦裂。神識俱脫。脉沉不起。亟宜清熱救榮。以冀萬一之幸。

西洋參三錢　銀柴胡一錢　淨銀花錢半　大丹參二錢　鮮生地八錢

青蒿子二錢　牡丹皮二錢　炙黑草五分　鮮石斛六錢　香白薇二錢
地榆炭錢半　淡酒芩錢半　蘆茆根五錢　赤茯苓三錢

頭疼身痛。發熱無汗。時感爲病也。先予透解。

荆芥穗錢半　淡豆豉五錢　薄橘紅五分　六神粬三錢　青防風錢半
粉葛根錢半　淡酒芩錢半　赤茯苓三錢　川羌活錢半　薄荷尖一錢
茆　根一兩　骨碎補五錢

風溫久延。身熱便溏。嗽咳頭痛腰疼。脉渾。當與和解。

大豆卷四錢　枳　壳一錢　白　薇二錢　鷄蘇散四錢包　銀柴胡一錢
桔　梗一錢　酒　芩錢半　荆芥炭錢半　煨葛根二錢　前　胡二錢
腹　絨二錢　炒白芍錢半　蘆茆根各一兩

風熱上攻。齒痛。口糜。舌碎。苔黃。不渴。脉浮。治以辛涼輕劑。

薄　荷五分　白　芷五分　元　參一錢　益元散四錢包　荆芥穗錢半
連　翹二錢　炒知母錢半　桔　梗七分　黑小梔錢半　淡　芩錢半
池　菊錢半　燈　心廿錢　淡竹葉卅張

溫邪挾濕。病經六日。頭疼身痛。肢冷無汗。骨節重痛。嘔吐不渴。胸痞腹疼。自利溺赤。脉象濡渾。舌苔白膩。症非輕淺。達表和裡。兼而行之。

粉葛根二錢　羌　活錢半　小川朴一錢　赤猪苓各二錢　銀柴胡錢半
白　芷五分　大腹皮二錢　炒枳實一錢　製蒼朮錢半　川　連五分
法半夏二錢　淡竹茹錢半　生　姜乙片

溫邪挾濕。發已五六日。身熱暮寒。有汗不多。口渴舌膩。胸痞頭昏。徧體濕瘡。脈渾而數。姑與宣達。

大豆卷五錢　防風一錢　黑山梔錢半　鷄蘇散四錢包　香白薇二錢
萆薢三錢　淡酒芩一錢　天花粉三錢　荆芥炭錢半　枳實一錢
製川朴一錢　赤猪苓各三錢　淡竹茹錢半　蘆茅根各七錢

溫邪挾濕。七八日不解。無汗。壯熱。渴飲。胸膈煩悶。溺赤。頭身疼痛。脈來滑大。舌黃渴膩。透表清裡。兼而行之。

淡豆豉三錢　炒枳實一錢　熱石羔四錢　赤猪苓各二錢　粉葛根二錢
淡酒芩錢半　炒知母二錢　建澤瀉二錢　香白芷七分　眞川連五分
製蒼朮錢半　鷄蘇散四錢包　蘆茆根各一錢　淡竹茹廿張

寒凝氣結。胸痞腹痛。咳嗽。脈弦緊。舌白滑。議用和中。

南沙參四錢　炒枳殼一錢　大白芍二錢　青陳皮各一錢　炒蘇子二錢
製冬朮錢半　小炙草五分　製香附二錢　旋覆花包錢半　炮姜炭五分
烏梅安胃丸三錢

奔響腹飽。脘脇俱疼。夜不能臥。病由鬱而得。先從氣分主治。

旋覆花錢半　製半夏一錢　白芥子錢半　金鈴肉三錢　老蘇梗二錢
大貝母二錢　廣玉金錢半　延胡索錢半　製川朴二錢　甜杏仁三錢
台烏藥一錢　廣木香五分　生熟穀芽各四錢

氣滯食停。三焦不運。脘腹俱痛。亟宜化導。

製川朴一錢　炒枳實錢半　廣木香一錢　焦查炭五錢　檳榔片一錢
萊菔子三錢　縮砂仁一錢　炮生姜五分　青陳皮各一錢　生香附三錢
鷄內金炙枯乙具　焦麥芽五錢

胸腹脹悶。不思納穀。氣滯也。排氣飲主之。

製川朴一錢　青陳皮各一錢　廣木香五分　川枳壳一錢　姜半夏二錢
製香附二錢　台烏藥一錢　建澤瀉二錢　蘇藿梗各二錢　炒福粬三錢
大腹絨二錢　焦穀芽四錢　生姜一片

鬱怒傷氣。咽膈不通。飲食不下。排氣飲主之。

蘇藿梗各二錢　青陳皮各一錢　台烏藥一錢　春砂仁七分　製川朴一錢
製香附二錢　大白芍二錢　建澤瀉二錢　姜半夏錢半　炒枳壳一錢
赤茯苓三錢　沉香粬錢半　川鬱金錢半　范志粬三錢

胸腹已寬。熱勢已減。脈尚滑數。餘蘊未清。再為和化。

香青蒿二錢　薄荷八分　酒芩錢半　益元散四錢　香白薇二錢
連翹錢半　法夏三錢　赤茯苓三錢　大豆卷四錢　荊芥錢半
橘紅一錢　生穀芽四錢　茅根五錢　竹茹錢半

發熱口苦而渴。納少便洩。脈左弦右軟。乃少陽陽明餘邪未楚也。尙宜和解。

銀柴胡一錢　法半夏二錢　大白芍二錢　赤茯苓三錢　煨葛根三錢
小川朴一錢　廣陳皮一錢　淡竹茹錢半　紫丹參二錢　淡酒芩錢半
鷄蘇散包四錢　生姜乙片

中風醫案

盛心如

此案為民十五年春與吉鴻淵同志會診之方。病者為岳姓。年近五旬。計凡七診。雖未能竟全功。而得延五載。於今春。因患風溫外風挾痰熱喘厥而不救。爰為錄出。以供研究。

初診　右脉三至一停。左寸浮散。關尺沉微。病起於平旦。小便之後。因賊風之襲乘。腎氣之應。引動痰濁。上蒙神明。猝然昏厥。子病及母。喉聲如鋸。舌強口噤。閉不能語。肝風內動。手足瘛瘲。急宜化心包之痰。溫少陰之元。冀其痰降聲出爲幸。

製胆星二錢　左牡蠣一兩　上肉桂五分　粉丹皮錢半　姜半夏錢半

茯苓神各三錢　懷牛膝四錢　淡竹瀝四兩　化龍骨三錢　熟附片錢半

寒水石三錢　姜汁兩匙沖　三因控涎丹三錢先服　三蛇胆一瓶先服

二診　昨議扶陽達痰之劑。上焦之痰得吐。中下之痰得泄。診脉停至較亂。代象已去。左關細數。右關浮緊而沉弦。中宮痰濁猶甚。肝胆風火未泄。幸左尺之脉漸覺有神。喉中痰聲已平。舌黑轉灰。惟右寸沉結。心氣內虛。仍宗原方參加保養心氣之品。俾免痰濁上蒙。庶乎有濟。

原方去寒水石牛膝加紫石英五錢遠志錢半

三診　脉來三五不調。症情雖覺轉機。照脉恰還未可輕視。而神識若明若昧。此乃痰濁猶盤踞於上。而未能下降也。舌苔自黑而轉灰轉黃。乾燥乏津。蓋五藏之液。爲痰濁所遏。不能上承之故。兩進溫化達痰之劑。下焦寒邪已化。肺腎兩經。耗傷未復。當改與金水同治。偏重化痰。與仲聖麥門冬合旋覆代赭治之。

南沙參三錢　代赭石八錢　寒水石三錢　淡干姜八分　原麥冬三錢

旋覆花二包錢　竹瀝半夏二錢　粉丹皮錢半　川石斛五錢　青礞石三錢

川貝末二錢沖　白茯苓五錢

四診　神識漸清。得以安寐。舌苔黃燥。兩邊轉白。而臟府津液漸有上敷之象。診脉漸和。右細數。右關最爲無力。右寸獨浮。輕取則緩。重按猶帶結象。是肺氣不降。脾胃正氣內虛。痰濁盤踞未楚也。仍宗前議。參加培土之品。俾胃氣漸旺。金得土而受蔭。水得金而滋生。冀其循環來復。庶無後患之慮。

原方去乾姜礞石加淮山藥四錢用粳米五錢拌炒杭白芍二錢

五診　昨進培土生金。取金生水。兼化痰之法。頗合病機。今診脉象。緩而帶滑。舌苔漸化。足徵胃氣來復。惟痰濁留戀中宮。欲吐不出。肺腎升降之氣。難於相濟。幸神識清爽。症情漸趨正軌。不妨從原意進籌耳。

原方去川貝加於朮錢半

六診　脉象六部俱緩。左手帶細。惟來而乏力。此乃氣血之損。驟難復元。鎮日寐而少寤。喜舌濁已化。雖有津液。微嫌光滑。可知營陰素虛。故胃氣不易來復。痰嗽有聲。無力送出。語言少神。當改從氣血並調。兼交肺腎之氣。

土炒於朮錢半　蛤粉炒阿膠錢半　甘杞子二錢　粳米炒山藥四錢　南北沙參各三錢
山萸肉二錢　砂仁三分炒熟地二錢　原麥冬四錢　粉丹皮錢半　白茯苓六錢
竹瀝半夏一錢　川貝母二錢　橘紅絡各一錢

七診　脉象較前略小。右手帶滑。寸口短弱。左手虛濡。尺部獨細。陰虛氣弱之本象見矣。胃氣雖佳。被痰濁所阻、不能健旺。故舌胎偏左猶光。體重覺輕。重偏於右。蓋血為氣本。氣為血帥。營陰素虛。氣無所麗。用藥之道。合趨重於養血。所謂治風先治血。血行風自滅也。

白歸身三錢　蛤粉炒阿膠二錢　茯苓五錢　杭白芍二錢桂枝三分仝炒
砂仁三分　熟地三錢　竹瀝半夏一錢　土炒於朮錢半　土炒淮山藥四錢　川貝末二錢
左牡蠣一兩　粉丹皮錢半　海浮石三錢　南棗三枚

贈吉林辛瑞鋒君君從余游有年好學不倦天資過人雋才也　（伯未）

吾道已窮極。乃得子辛子。負笈來海上。不遠千萬里。初研岐黃言。繼探長沙旨。近參葉與吳。遠攻劉與李。早歲成大器。冠冕羣英士。毅心與毅力。學術資整埋。（君任全國醫藥總會學術整理委員）一朝駕言旋。使我重倚徙。惟醫術為仁。惟學境無止。努力向前程。甯僅智盡此。青色勝於藍。冰堅寒於水。何時重聚歡。會當刮目視。

紀載

會議紀錄

五月四日下午八時第七次常務會議

出席委員　黃寶忠　蔣文芳　朱南山　朱鶴皋　張贊臣

列席委員　包識生　夏重光

主席　蔣文芳　紀錄蔣有成

行禮如儀

報告

一　本會預備委員託辦登記除前已將一百廿七人履歷志願書等送呈市衛生局外現第二批三十四人定八日送往

一　收市衛生局批一件

一　蔡幼笙藥方鑑定書已於本日函送特區法院

討論

一件　市衛生局令將執照繳銷另由社會局管轄由

議决　遵令繳銷

一件　第七次執監會議决交付另覓本會址遷移案

將决　交庶務科辦理

一件　公共租界登記事已派員探詢消息據探西醫登記將擬開始中醫登記可由本會彙總代辦其手續如何須先備中英合璧公函妥洽等情一案

議決　照辦

一件　本會應否備置職員簽到簿案

議決　通過

五月十日下午八時開第九次執監聯會

出席委員　秦伯未　沈心九　傅雍言　陸士諤　張贊臣　薛文元　任農軒　陳湫庵　唐亮臣

包天白　張鴻遠　黃寶忠　蔣文芳　朱鶴皋　嚴蒼山　夏重光　包識生　沈建侯

丁仲英　丁濟華　朱小南　朱南山　徐志千

主席　陸士諤　薛文元

報告　薛文芳　紀錄　蔣有成

行禮如儀

報告

一　特區法院送請鑑定藥方案二起均已秉公具覆

二　公共租界醫生登記已由本會派員接洽事屬初創暫不查罰所有中醫登記准歸本會代送

三　本會向社會局立案業已批准並頒發第九號證書一紙圖記刊就續發

四　本會刊行現代國醫按月一册第一期業已付梓都百數十頁準十五日出版

討論

一件　各區分辦事處組織大綱業已草就請核議施行案

議決　先設浦東吳淞二區浦東指定沈杏苑先生籌備吳淞指定張慕岐先生籌備

附組織大綱

第一條　本市交通不便之各市區得照會章第二條之規定設置分事務所

第二條　分事務所設正副主任各一人幹事五人至七人分掌文書經濟組織交際庶務宣傳等事務由各該區會員公舉之

第三條　分事務所之職務如左　(甲)接受本會委托事件　(乙)聯絡各該區會員　(丙)條陳會務上之意見

第四條　分事務所不得對外發表意見關於重要事件須先請示本會

第五條　分事務所之經費由本會酌量各該區情形每月津貼若干如有特別開支時得請由本會許可另募特捐

第六條　分事務所應於每季報告工作狀況至少一次

第七條　分事務所辦事細則由各該所主任會員幹事擬具草案陳報本會核議施行

決議　浦東吳淞二處先行設備浦東吳淞指定沈杏苑張慕岐一致通過

一件　英租界登記應如何應付案

決議　暫緩進行本會先行報告接洽經過情形

臨時動議

一件　盛心如報告醫師公會擬具廢止中醫之提案應如何辦理案

決議　本會電致國民會議代表胡庶華推定陸士諤張贊臣蔣文芳擬稿

五月廿五日下午八時第十次執監會議

出席委員　秦伯未　徐志千　許壽彭列席　唐亮臣　薛文元　陸士諤　謝利恆　沈心九　蔣文芳

傅雍言　黃寶忠　楊伯藩列席　陳漱庵　吳克潛　朱鶴皋　張贊臣　包識生　郭柏良

張鴻遠　丁濟華　朱少武　江仲亮　沈建侯　陳小銘列席　盛心如　嚴蒼山　包天白

主席　薛文元　陸士諤　報告兼紀錄　蔣文芳

報告

一　市社會局發下社會圖記刊製章程令文一件

一　市民訓會訓令一件

一　吳淞張慕岐浦東沈杏苑復函各一件

一　市社會局令知全國醫藥總會撤銷令文一件

一　如皋國醫公會代電函各一件

討論

一件　特區法院函請解釋嚴孟丹鑑定書案

議決　交前委員會辦理

一件　公共租界衞生處函界內醫生登記案

議決　俟章程發表再議

一件　會員楊彥和函報神州中華中醫函請組織中醫登記委員會由

議決　派朱鶴皋調查後辦理

一件　本會址遷移案

議決　由庶務科覓得核議

一件　中國醫學院各級學生聲明包校長被人揑名攻訐由

議決　應毋庸議

一件　文牘張稚農關於個人三問題陳明意見由

(一)食的問題　擬從下月起仍在會包飯或起伙　(二)宿的問題　擬請購置床鋪俾便住宿會內以符初旨　(三)薪的問題　可否按照工作及生活情形暫時加以點綴以資挹注

議決　交常務委員會決議

案牘

□嚴□□醫士被控案（二）

本埠醫士嚴口口被蔡鏡清在特區法院控告一案前經特區法院將所有藥方發交本會審查業經本會秉公核議具復茲復該院函請解釋並經遵辦茲將法院公函及本會復函原文抄錄於下

（特區法院公函六六六九號）逕啓者查蔡鏡清訴嚴孟丹玩忽致人死一案前曾將醫方六紙送請　貴會鑑定旋准將鑑定書函復過院在案惟兩造對於鑑定按語尚有爭論非請解釋不足以資折服相應將解釋之點（開列於後）仍連同醫方六紙函請　貴會查照先今兩函詳爲解釋後函送過院以憑核辦爲荷此致

上海市國醫公會

計開應解釋各點

一丹痧爛喉痧有無區別如有區別其區別情狀若何

一丹痧喉腐與爛喉痧能否照白喉醫治

一丹痧既發現後是否宜用宣解藥品

一丹痧往往隨發喉症然在丹痧未發現前有無喉症能否視出

一死者病名丹痧喉腐在診視期內照各醫方視察應於何日知係此症

一荆芥防風羌活是否爲丹痧喉腐禁忌藥品

一桔梗薄荷獨活炰薑對死者之病是否宜用

一炰薑按照醫宗必讀血熱者只能用三四分而死者年纔六齡用炰薑一錢是否因此而入險境

（本會復函）謹復者接奉　鈞院第六六六九號公函內開查蔡鏡清訴嚴孟丹玩忽致人死一案（照叙至）以

憑核辦爲荷並於本月二十日函送自訴人副狀請爲查照各等因奉此業經交由本月二十五日例會討論僉以查敝會前奉　鈞院函囑鑑定嚴孟丹醫方一案以研究之態度作深刻之批評自難認爲足以起死回生之妙方而嚴醫係經公家許可之醫生對治療上自有相當之學識亦難於事後懸揣周納武斷謂致人於死核其所用藥物尚無禁忌之品足以指摘是以根據鈞函尾開各點以公正之態度作負責之斷語乃遭雙方之不滿致起爭執實深遺憾更閱自訴人副狀關於事實方面大致謂嚴醫連診四次病勢由淺入深卽無禁忌藥品服如未服日重一日已負玩忽之責任祇責敝會對于被告方案猶未寓目其實人之死亡自殺災變及暴死外無不由輕入重由重入死醫院病屍無莫非自來之病客若以服藥無效而死醫生卽負玩忽之責殊失事理之平關於學理方面大致謂丹痧白喉原爲病態之不同初無病質之差別其實二者非但症狀不同病源亦根本各異蓋一則外感時邪宜于宣解一則內蘊虛火宜于滋養也自訴人未明醫理發生爭執亦固其宜致于嚴醫對于敝會鑑定書之爭執無從明悉要皆主張偏面權利當可想見當經議决惟有以定鑑人之地位交付原鑑定委員會依照所詢各點逐條答復並經於二十八日開會議答交付常務委員會核復准函前因理合奉復卽希　查照是荷此致

上海特區地方法院

計開解釋各點

一丹痧爛喉痧有無區別其區別情狀若何

丹痧在皮膚發出紅痧成片色若丹霞爛喉痧咽喉腐爛而兼發痧粒

一丹痧喉與爛喉喉痧能否照白喉醫治

丹痧喉腐與爛喉不能照白喉醫治蓋白喉爲陰虛證與前者病原各別也倘已發淸宜用凉解藥品

一丹痧既發現後是否宜用宣解藥品

丹痧既發現後當視其曾否透澈倘未透澈宜用宣解藥品

一丹痧往往隨發喉症在丹痧未發現前有無喉症能否視出

不能視出良以丹痧有兼發喉症者亦有不發喉症者且發生至爲迅速事前殊難逆料

一死者病名丹痧喉腐診視期內照各醫方案視察應於何日知係此症

丹痧喉痧係兼發症廿九日各方醫案所列病狀可以察出

一羌活荆芥防風是否爲丹痧喉腐禁忌藥品

不能認爲禁忌藥品

一桔梗薄荷獨活炮薑對死者之病是否宜用

桔梗薄荷爲是症普通常用藥品羌活炮薑如脈見緩滞丹痧細不能透出恐防內陷時亦得配合酌用

一炮薑按照醫宗必讀血熱者只能用三四分而死者年纔六齡炮薑用一錢是否因此而入險境

薑在本草爲菜穀類生者即我人常食之生薑炮薑係用乾薑炮製而成炮薑炭係將炮薑炒至黑色如炭而成炮薑辛辣之味不如生畫炮薑炭更不如炮薑至其用量張仲景傷寒論咽喉痛麻黃升麻湯干姜用至一兩孫思邈千金要方治咽傷語聲不徹方用乾姜二兩半醫宗必讀則謂只得用三四分此皆私人著述各以其個人一己之經驗及意見列論現在本市醫士對於炮姜之用量大概自五分至五錢然湖南安徽等省來滬之醫生尙有沿其習慣用至一兩以上者良以姜之爲物究係食品並非毒劑藥物也至謂死者之病因服炮姜而入險境一層殊難武斷

贈吉林高仲山君

（佰未）

窮研經脈憶高期。又見傳薪得敏之。千里相從勞執卷。程門深負立多時。（君畢業醫校後。復從余游。）

中西陶冶腹便便。慧思華年豈偶然。昨夜千言新脫稿。獨看逌響嗣容川。（著有血證概要兩卷。頗精。）

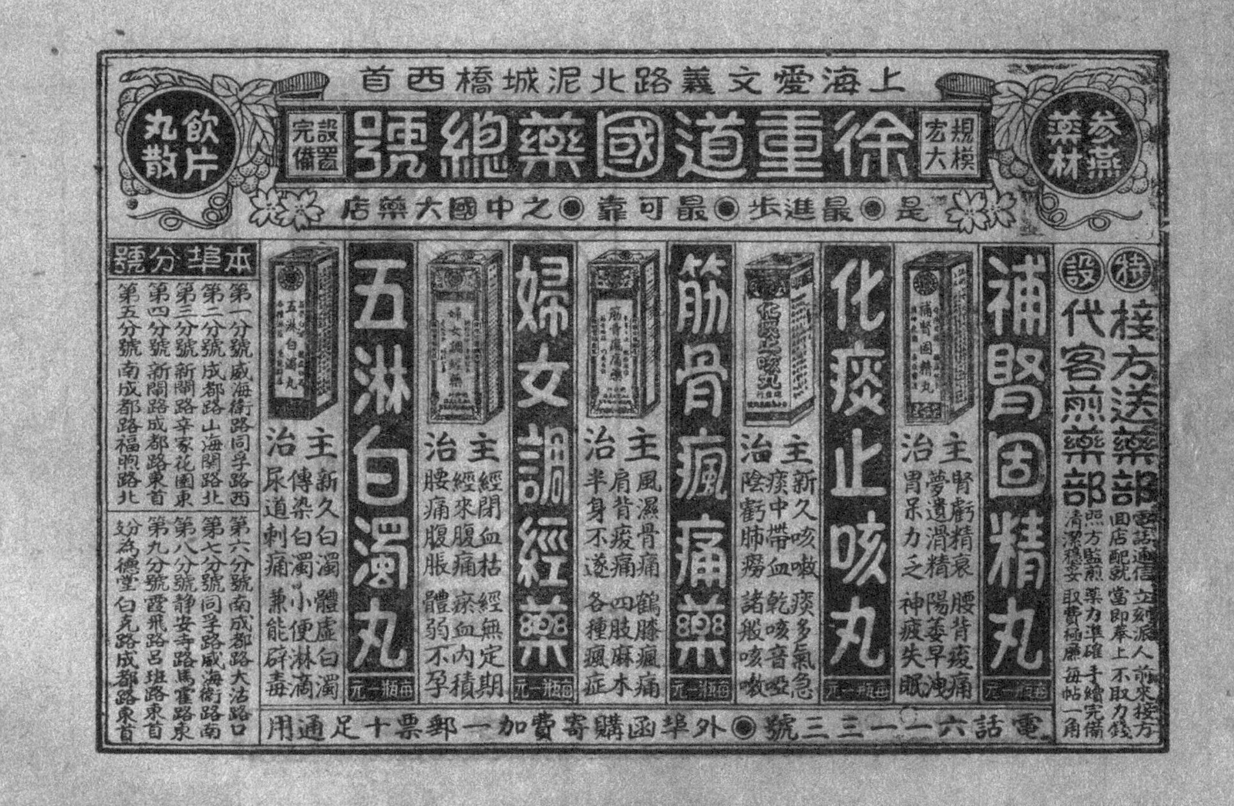

上海愛文義路北泥城橋西首
規模宏大
徐重道國藥總號
設置完備
是◉最進步◉最可靠◉之中國大藥店
參燕藥材
飲片丸散
特設
接方送藥部
代客煎藥部
補腎固精丸
主治 腎虧精衰 腰背痠痛 夢遺滑精 陽萎早洩 胃呆力乏 神疲失眠
每瓶一元
化痰止咳丸
主治 新久咳嗽 痰多氣急 痰中帶血 乾咳音啞 陰虧肺癆 諸般咳嗽
每瓶一元
筋骨瘋痛藥
主治 風濕骨痛 鶴膝瘋痛 肩背痠痛 四肢麻木 半身不遂 各種瘋症
每瓶一元
婦女調經藥
主治 經閉血枯 經無定期 經來腹痛 瘀血內積 腰痛腹脹 體弱不孕
每瓶一元
五淋白濁丸
主治 新久白濁 體虛白濁 傳染白濁 小便淋滴 尿道刺痛 兼能辟毒
每瓶一元
本埠分號
第一分號威海衛路同孚路西
第二分號成都路山海關路北
第三分號新閘路辛家花園東
第四分號新閘路成都路東首
第五分號南成都路福煦路北
第六分號南成都路大沽路口
第七分號同孚路威海衛路南
第八分號靜安寺路馬霍路東
第九分號霞飛路呂班路東首
電話六一一三三號◉外埠函購寄費加一郵票十足通用

國民政府註冊商標
萬里雪山天生特產
金耳
是補品中之王
金耳功效四時皆宜
送禮宴客最爲名貴
本公司發行之金耳業經中央衛生局化驗証明並經中西著名醫學大家所公認爲養生唯一之補品也君欲惠顧極誠歡迎另售躉批特別克己外埠函購原班回件奉送郵費迅速靈便
本公司謹啟
經理代售 特別歡迎
本公司爲推廣起見本埠外埠如有願爲經理代售者請逕至本公司接洽極表歡迎
上海經理處
永安公司
先施公司
新新公司
各大參藥號均有代售
總批發所 上海華發建業公司
地址 白克路寶隆醫院對門逸民里五三七號
電話三五一一一號
認明經理牌號以免劣貨朦混

醫藥精華集

◎近代名著◎不同凡作◎內容豐富◎無所不包◎請閱目錄◎便知精采◎

何以可貴 醫藥精華集。何以可貴。因醫藥精華集為醫藥新聞報之材料彙成。醫藥新聞報。為全中國最偉大之醫報。全國名醫之鉅著。悉萃於此。例如指導社會醫藥常識。箴砭醫界同人。厥功非細。而關於時令疫癘。醫藥新聞報所發表治法。隨時有獨到之處。今本書既為醫藥新聞報名貴之材料彙成。故醫藥精華集即為名貴之偉著。（本書分初集二集二種）

醫藥精華集初集 係醫藥新聞第一年全年材料彙成

醫藥精華集二集 係醫藥新聞第二年全年材料彙成

初集要目

■苔脈門■辨舌大要，舌苔學，脈學，辨脈知壽夭，孕脈辨，男女脈辨。■痧症門■痧子（即瘖，痲，）之最妥治法，斑疹白痦治法。■婦女門■婦女病大綱，陰戶奇病自療法，經病，產病，肝氣，積聚，乳房。■瘧痢門■瘧疾新論，治痢三大法，痢疾必愈，痢疾不能用利水藥辨，治瘧特法。■咽喉，咳嗽門■咳嗽特效治法，百日咳，喉症特效治法，喉症三忌，白喉與喉痧之分別，哮喘與短氣之別。■花柳門■花柳病與各方之關係，脫鼻重生法，陽物復長法，下疳，便毒，魚口，橫痃，赤濁，白濁，五淋，陰蟲，囊癰，結毒等自療法。■霍亂，腸胃門■似霍亂，寒霍亂，熱霍亂，霍亂新論，霍亂新新論，腹痛之辨別，嘔吐嚥之辨別，反胃：關格，胃痛，宿食。■溫病門■溫病淺釋，溫病宜急下不宜過表，釋春溫，釋秋燥。濕溫，濕溫證治。■中風，傷寒門■中風論略，中風不能用風藥辨，釋傷寒，夾陰傷寒辨。■遺精門■遺精與種種之關係，（與環境，震動。脚踏車，搥背，被褥，沐浴，便溺，性情，飲食等）遺精之種類，異識遺精病。外治遺精三法，脫陽急救，遺精目盲。其他痰病，頭痛，健忘，失眠，夢魘，肺勞，五官，推拿，剖解等門，均有名著，凡數十篇，子目繁多，限於篇幅，不能盡述，書後附有集益錄一百六十條，俱為不可多得之簡效方。

二集要目

■衛生門■肺臟強健法，心臟強健法，肝臟強健法，脾臟強健法，腎臟強健法，平時衛生，病時衛生，婦女衛生，小兒衛生，公共衛生，天氣突變之防範。■時症門■時症防預，關於腦膜炎之問答，腦脊髓膜炎，（按此等著作，去年刊載，萬人爭誦。）■戒烟門■戒烟必效法，戒烟善後問題。■病理門■不治自愈，非治不愈，雖治不愈，雖病不死，不病猝死，易治易愈，緩治方愈，愈後復發，傳染，潛伏，傳變，遺傳，六淫，七情、氣血的病理，我國談病理的書，可稱未曾有過，此篇洋洋數萬言，乃最新之發明，最新之傑構也。■性病門■性病之研究，遺精絕嗣，遺精之特異，遺精失血，遺精速愈。遺精自濁單方三十三條。■肺病門■名醫所述之肺病治法，肺病預防，白痰與吐血，瘀血問答，肺病驗案。■婦女門■胎成男女之研究，避孕新法（涼血，陰血離經，殺滅精蟲，精液避射，子宮墳塞，交媾前洗滌，交媾後洗滌，過期交媾，風流如意帶等法。）■小兒門■小兒病十一種詳細治法。其他如消渴，癲癇，黃疸，痔疾，眼疾，瘧痢，咳嗽，以及其他雜症治法數十門，子目不遑細述，書後附集益錄一百餘條，及急救方法五十則，搜羅齊備，堪稱全璧。

特點

○本書之特點甚多。而尤為社會人士所稱道者。其一為避孕法之新研究。及治腦膜炎之特法。為獨得之發明。海內任何醫書。無其詳備。其二為初集二集卷末。各附有靈驗秘方一百六十條。方方不同。皆為古今名醫不傳之祕。經本館搜羅而得。名貴異乎尋常。其三為百病療法。俱重實驗。普通人得之。亦能應用。至於裝釘之精美。猶其餘事。

價目

初集金裝一大厚冊計六百面定價二元特價一元四角二集金裝一大厚冊計六百面定價二元特價一元四角（寄費加一）

贈送

本館特向生生美術公司定造福壽籤數十萬，作為贈品，凡向本館直接購書者，每購一冊，贈送福壽籤百張，多購多贈，至在代售處購買者，恕不贈送。

總發行所 上海法租界薩坡賽路西門路豐裕里四一號 醫藥新聞報館

代售處 上海山東路十三號 中醫書局

（中醫書局）　**國醫小叢書三十六種**　（新書出版）

全書三十四冊◎定價三元四角

萬病皆鬱論……信陽源通穊
傷寒捷徑……羅東生
傷寒論校勘記……秦又安
類傷寒辨……吳友石
痧疫指迷……費養莊
吊脚痧方論……徐子默
霍亂平議……凌禹聲
疫痧草……陳耕道
伏邪新書……劉吉人
痼癥積聚編……大橋尙因
癆病指南……秦伯未
上池雜說……馮元成
發背對口治訣……謝應材
外科秘法……謝應材
江氏傷科學……江考卿
刺疔捷法……張鏡
七十四種疔瘡圖說……葉氏
疔瘡錄要……九一老人
攖科全書……梁希曾
集驗背疽方……李迅
顱顖經……四庫全書本
福幼編……莊一夔
小兒病叢談……聶子因
痘疹遂生編……莊一夔
時痘論……朱鳳穉
白喉治法捷要……張紹修
白喉忌表抉微……耐修子
秘傳喉科十八證……蔡鈞
白喉辨症……黃維翰
喉科秘訣……黃眞人
羚羊角辨……張錫純
經目屢驗良方……翠竹山房主
吐方考……日本獨嘯庵
洄溪老人廿六秘方……徐靈胎
脈訣秘傳……沈雲將
痧治心傳……袁體庵

內容提要

凡十四卷　三十萬言

影印古本醫學叢書第二集出版

難經懸解——黃坤載著——黃氏研究醫學甚深。其素靈懸解傷寒懸解。久已膾炙人口。玆書尤見精心結撰。馮承熙謂榛蕪路闢。匣鑰塵捐。宿障雲開。舊疑冰釋。推爲難經佳本。醫林祕笈。洵不誣也。

傷寒尋源——呂檪村著——書分三編。上辨風寒濕溫熱源流。及六經辨證諸法。中將各證辨別疑似。下將製方精義加以註疏。探歷聖之淵源。綜諸家之得失。是眞讀仲景書而善悟者。

金匱鉤玄——朱丹溪著——詞旨簡明。不愧鉤玄之目。經戴元禮校補。尤多精確。明史方技傳曾載此書於元禮傳中。而外間無有流行。讀者憾之。今本局覓得原刻。不啻海內之孤本焉。

醫門補要——趙竹泉著——馬培之序云。醫門補要如白香山詩。老嫗都能解說。而又擷經之腴。搜方之秘。其言甚簡。而其治甚驗。可以想見其內容。蓋與外科眞詮互相頡頏。同爲外科珍品也。

鍼灸要旨——高武著——鍼灸之法。足補湯液所不及。今日本肆力研究。而國中反漸失傳。殊堪痛惜。是書以內難爲經。各家爲緯。詳述各症之治法。較之鍼灸大成。精要切實。殆有過之。無不及焉。

特價辦法

一　本書多三十萬言。共計十四卷。一千三百餘面。六百餘頁。分訂十厚冊。布套上下二函。

二　每部定價六元。特價對折。僅售三元。外埠函購。每部郵費掛號費二角。特價截止後。概售七折。實洋四元二角。

三　本書用上等江南連史紙。將原本影印。與原書無二。清晰異常。

四　本書高八英寸。闊六英寸。厚四英寸。

五　特價期限。以二十年七月一日起。至七月三十一日止。外埠同時截止。

六　本書存者無多。概不分售。

七　特價銀以上海通用銀元計算。郵票代價九五折計算。

上海山東路十三號中醫書局啓

編輯委員會題名

薛文元先生
丁仲英先生
陸士諤先生
方公溥先生
陳存仁先生
陳漱庵先生
楊宗凱先生
盛心如先生
嚴蒼山先生

謝利恆先生
蔣文芳先生
吳克潛先生
張贊臣先生
朱鶴皋先生
沈心九先生
秦伯未先生
包一虛先生
許半龍先生

中華民國二十年六月十五日

現代國醫 第二期 實洋二角

編輯者 編輯委員會
出版者 上海市國醫公會 上海浙江路二七四號二樓十四號
發行者 上海市國醫公會 上海山東路南帶鉤橋十三號
寄售處 上海中醫書局 上海西藏路西羊關弄五〇三號 中國醫藥書局
印刷者 華豐印刷鑄字所

▲本雜誌每月一册。全年十二册。
▲每期實洋二角。預定全年連郵二元。
▲凡本會會員。一律優待減半。實收一元。
▲廣告價格。全張每期二十元。一面十二元。半面八元。長期八折。

每月刊

現代國醫

第一卷 第三期

中華民國二十年七月

上海市國醫公會編輯印行

發行 上海浙江路二七四號二樓十四號

編者小言

（伯未）

本雜誌發刊於茲。忽忽已第三期矣。重承會員之愛護。讀者之贊許。銷數日見增加。茲爲酬答雅意。除將內容力求精美外。希望會員及讀者。不時指教。惠賜宏著。本雜誌之光榮。即本會之光榮。亦卽本市國醫界之光榮也。不勝企禱。

藥籠小品。下期决定刊完。五期起當另擇長篇。分期刊載、同道中如有家藏秘本。至祈惠寄。以資衆覽。蓋先賢之著述。俱爲心血之結晶。後人之模範。先賢著述之苦心。不爲私人計。當爲公衆計。中醫既受守秘之積弊。際茲力圖振作之時。正宜公開研究也。

本雜誌文字。於評論重公正。學說重精邃。記載重切實。毫無私見混雜其間。故對於投稿中含有攻擊他人之文字。一槪割受。特此聲明。敬祈原宥。

現代國醫第一卷第三期目次

醫事雜評
職業團體與學術團體……秦伯未
誰之功過……傅雍言
新醫舊醫……陳煥雲
各國趨重中醫學說……鄭守謙
言論
中國藥醫研究之法門……李懷仁
國醫爲精神之科學……盧朋著
專著
藥籠小品（續）……黃退庵
學說
肺病救偏論……馮紹蘧
痧瘖庸言……顧小田
傷寒以六方提綱論……胡安邦
氣病概論……朱懋澤

痞塊結胸臟結三症之區别……陳叔翰
退熱論治……辛元凱
説當歸……嚴孟丹
醫案
淞南草廬新醫案……龔小悟
謙齋醫案……秦伯未
一瓢硯齋醫案……薛文元
澄齋醫案(續前)……謝利恆
紀載
會議紀錄
案牘
覆市衛生局函

補白

午日之藥物談屑(上)……秦又安
祝現代國醫……姜子房
午日之藥物談屑(下)……秦又安
醫林逸語……秦又安
贈張梅庵先生詩……秦伯未

醫事雜評

職業團體與學術團體

秦伯未

自本會改組健全。同時神州醫藥會。中華醫聯會。中醫學會等經當局訓令停止活動後。於是全上海市國醫之結合。惟本會是依。全上海市國醫之保障。亦惟本會是賴

然而本會之性質。爲職業團體。已使同道於職業上。得有相當之保障。似於學術本身。不能不謀同時進展。蓋有完美之學術。而後立於不敗之地。初非斤斤於保障職業。可使永固也。乃者中華中醫有改組之籌備。以冀聯合同道。切實研究。竊謂職業團體。不能有二。學術團體。不須限制。倘該會等亦能如本會之改組健全。與本會共謀發展。未始非本市醫界之福。惟核諸已往事實。學術團體往往侵涉職業團體之工作。使意見不合。行動不一致。則學術團體愈多。實際上未見若何成績。徒使職權方面。益增紊亂而已。余忝任本會職員。更兼任中醫籌備委員。深願各本宗旨。分別進行。互相扶助。同臻完善。越職越權之舉。勿再見於今日質之同道。以爲何如。

誰之功過

傅雍言

清光緒十九年夏。太倉州鎮洋縣境。時疫蔓延頗廣。凡能開方及針灸者。類皆忙碌。時先父具有盛名。果無片刻暇。卽於午後來邀不顧。每至夜深乃畢。余年方十八。略能知虛實。決死生。而處方之輕重。不能確切。理必然也。但亦就熟乘勝。大都能驗我斷者。延過秋令。入冬乃平。仍歸父親一手治理。適鄰人爲船埠頭者。其子名李二。年未三十。而鴉片之癮頗深。猝病變劇。急邀余診。蓋始由腹脹下利。既而胸悶噁逆。旋見身不清而寒戰大作。神情慌亂。脈沈弦如伏。知病鬱於半表。邪正交爭欲尋出路。勢有汗也。但素不自愛。一病即不能支持。至氣怯呻吟。恐汗大泄。必有亡陽。

倘戰不勝。邪不外達。必陷而厥。故方用芳香正氣。調達辟邪。定於二顛中。加以和陰固斂之品。倘恐藥力不週。有必死之道。及暮李姓又來邀我父同去。見其渾身淸冷。氣息喘微。六脈散漫。父笑曰戰汗方暢。何早有斂劑。答曰恐脫也。父告其家曰。再一時可以愈矣。不藥而返。至家曰。爾以爲藥力能愈此病乎。余不能答。父曰。病此之人。若有三五口。仰之而生活者。則雖不死。必不若是之易易也。此乃不務正業之人。內無憂急驚恐畏懼之勢。且世道衰微。天將大亂。冥王不肯收此類也。故若外邪深入而有內因者。斷難得戰汗而解。勢必陷而厥者。治病當注意於此耳。迄今四十年來。無日不兢兢於斯。信而有徵、豈敢忘哉。

今民國二十年立夏之後一日。始兼治中國醫院住院病人之責。當時在院者。不過三四人。殊無逆症。不出三日。來有一電車工人劉子者。年二十餘。病已多日。形脫色皏。目皖氣怯。唇焦舌黑。煩躁異常。脈來細緊。乃曰此屬陽症陰脈。氣色已有陷象。實屬可危。院中諸職員。因無太平門。急欲送出。或轉別家醫院。余曰醫院必須有太平門。急宜立時開闢。此病已屬可危。若再送出則使病人自知不救。謂心先死必無希望。是令其死也。故萬不可送出急爲之治。進以大靑龍加味。得厥汗而解。明日再於獨人重病房。移至三等病房。調理數日未痊。不意劉子之父。本爲裁縫。手無餘款。急欲籌備一切。全夜冒雨奔波。深受寒溼而病。來住院時。如病溫象。而脈結呃忒。胸痞腹有痃氣。治以常法無效。乃連進祛溼、散寒、破氣、溫通、而退。時其子愈。休養在院。乃父負氣而出。知必有變。不數日果復病又來院。較前有增無減。加以發黃。調治兼旬乃痊。不意其子與院內茶房口角。知非馴良之輩。出院後復來。意其有孝順之心。來問父病。詎料來與乃父索款。希圖自私自利也。吁。諸職員以爲得藥力。而愈此劉子之病。不知因此子害乃父連生兩次大病。而幾於危也。故如劉子者。亦屬先父所謂冥王不收之流也歟。記此以告世人往往有貪天之功。而不自知者也。

新醫舊醫

陳煥雲

世有自以爲漂亮人物。謬稱西醫曰新醫。漢醫曰舊醫。致無識之人。心目中重視新醫。鄙夷舊醫。以爲新醫勝於舊醫。卽漢醫亦有對於新醫。暗生艷羨。舍本逐末。一味改革表面。日日以革新爲口頭禪。襲拾新醫之牙慧。掇取新醫之皮毛。詡詡然傲其儕輩。以爲我亦新醫也。

殊不知醫無論東西新舊。其天然應盡之職業。及獲到之效果。均以治愈人病爲目的。能治愈人病。卽漢醫屬舊何妨。否則雖耀新醫之頭銜。而負殺人之罪惡。亦奚足貴。

況今日爲新。明日卽舊。今日爲舊。明日可新。學問經驗。日日當有進步。日日當有發明。新舊亦何常之有。是以醫生於學術上貴致力於根抵。不當隨他人名稱爲轉移。

譬如人造絲織物。非不光彩鮮新。令人賞心悅目。始以天然絲織物較之。反覺黯然無色。然服用經久。人造則不堪收拾。天然則再經洗染。改製衣服。依舊如新。可知無根抵之新。新卽易舊。有根抵之舊。舊可翻新。

蓋新醫舊醫者。不過名詞而已。不過東西醫之代名詞而已。乃自以爲漂亮人物之謬稱也。於醫之分名。何輕重軒輊之有。有某君者。平日議論風生。贊新醫爲科學化。有起死回生。不可思議神秘之妙術。詆毁舊醫至不堪言狀。一旦患病。被彼所極欽佩之新醫。千方萬法。治得輕病轉重。重病轉危。不省人事。奄奄一息。家人不得已請舊醫試診。孰知一劑知。二劑已。彼遂神清氣爽。竟向平素詆毁不遺餘力之舊醫。合十謝罪曰。南無救命王菩薩。而今而後。我不敢妄論東西醫矣。我不敢妄分新舊醫矣。由是觀之。醫者醫民病人也。固不在乎新舊。亦不在乎東西。均貴醫學之有根抵也。是以吾願同志益爲溫故知新之新。毋棄舊而爲舍本逐末之新。

各國趨重中醫學說

鄭守謙

民十八年十月二八日新聞報載。德國柏林中國醫學會。於八月三日開成立大會。來賓踴躍。除駐德蔣作賓公使訓詞外。餘賓講演頗多。茲不備錄。又前丙寅十一月十日新聞報載。中華古代醫藥。年來忽暢銷於美國太平洋沿岸各市都。深得美人信仰。舊金山有華醫七人。病者趨之若鶩。因舊屋不敷。另建三層洋房。以容病者。丁卯三月二十四日新聞報載。美國波士頓城。有中醫潘瑞。能治愈美國醫生不能救濟之病。彼都人士。竟聯合紳商二千餘人。公同簽字。請於當道。特准懸壺。綜上以觀。則知德美兩國崇信中醫之深。直有盡棄其學而學焉之勢矣。查日本自明治以前丹波元簡氏。編注「仲景傷寒」以後。而湯本求眞氏因讀其師和田啓十郎「醫界之鐵椎」一書。遂奮習漢醫。得明眞諦。直謂中醫學說。足以淩駕現代日新之醫學。乃本其所得。輯「皇漢醫學」一書。並用科學原理。解釋詳細。已足爲中醫改進之先聲。近且積極進行。而「有振興漢醫公會」之組織矣。他如法國巴黎大學。竟有「中醫講義」之編英國姆巴醫士亦有「中醫初步」之著。考其用意。皆本虛受之懷。博採吾國哲理之精華。藉補其學術之未備。而謀爲强種救國之作用。非僅襲取隣國之皮毛。以圖炫燿於本族也。然則反求諸已。正吾人刻不容緩之圖。而敢數典亡祖。以貽異邦人士之誚歟

午日之藥物談屑

秦又安

青木香屬蔓草類、辛苦而溫、俗名痧藥草、鄉人于端午日、取其根灑乾、可治痧症、咀爛開水送下

端午日取白茅花曬乾、功能止血、據本草吐血之因于虛寒者忌之、又天青地白、葉似艾而大、面青底白故名、取葉搗爛外敷、亦能止血

端午日捉蝦蟆、用雄黃好高粱酒和勻、强與之食、然後風乾、可治小兒驚癇、又用墨含蝦蟆口中、如上法曬乾後、取出、可治小兒熱癇及驚癇

言論

中國醫藥研究之新法門

李懷仁

近年來。我國的醫藥。發生了重大問題。一般的批評。謂本國醫藥。毫無科學性。爲不可靠。但是從事實上證明。實在不然。本國的醫藥。常能表現特種的功能。可惜在過去只有五行生尅制化的推論。而現在沒有人用科學方法去考證說明。所以使一般人懷疑。但是我國的醫藥。到底有不有科學呢。祇要我們去研究。就知道是有的。我現在把我所研究的。舉幾點出來作個證明。

▲國醫治病以脾胃爲主的科學解說

根據生理。胃中有胃液。胃液之主要成分爲鹽酸及一種酵素。能消化蛋白質爲配布通。(Peotne)營養身體。而脾臟則爲製造白血球之機關。白血球 (White Cordusols) 能游走於血管之內外。以吞食外來之病原。又赤血球缺乏時。白血球可生赤血球以補充之。培補脾胃。自然營養充足。而血液中之白血球增加。身體的抗毒素强。可以戰勝病菌。恢復健康。是國醫治病之脾胃爲主。是很科學的。是不錯的。

對於補脾胃之藥。則常用白朮淮山因白朮含有維他命及酵素。以陳壁土製之。則有沾鹽分及硅素。而淮山則含有多量之蛋白質與澱粉。兩兩化合。服食之後。經過胃部脾臟。自能燥溼。發酵作用醒。脾(製補白血球作用)以培補身體。

▲溫春症發生的科學原理

內經云。冬不藏精。春必病溫。又云。冬傷於寒。春必病溫。從科學方面考究。則與物理。生理。病理有密切關係。冬季氣候寒冷。氣壓高。人體肌肉收縮。受寒太重。則病原潛伏於內。至春季氣候溫暖。地溫上升。氣壓降低。人體肌肉弛張。病原外洩。故病隨時而發。冬不藏精者。則血液虧虛。至春季人體肌肉鬆散。血管澎漲。血行增速(春脈之所以弦亦緣此理)血液之成分既稀薄。則熱容易上升。成爲腦昏。(腦充血)及足無力。(血液上升之故)甚則胃發炎而口渴。全足煩熱。脈搏必在一百以上。根據以上之研究可以證明國醫對於春溫症之理論。很有科學性。很可靠。國醫對於是症之藥。以白虎湯爲主。白虎湯是石膏、知母。甘草。硬米所組成。根據化學。石膏硫酸化鈣。稍能解溶於水。性寒下降。和之知母。甘草。(有多量津液。屬有機的潤藥)。使化合成爲去胃火(卽胃炎)之劑。並引之硬米(因硬米含有蛋白質脂肪澱粒及含水炭素)。使稍能凝固於胃內並增加藥之體積。使潤及胃之全部。故白虎湯治是症爲很合於科學的治療。爲可靠。又國醫凡陽明腑證。均用白虎湯治之。陽明腑證。卽胃炎也。他如當歸(含蛋白質及脂肪)。和熟地(含鐵質及糖質)化合。則成爲補血之劑。黃連黃芩。(均含有苦汁)化合。可以補膽及治心臟炎。大黃與芒硝(硝酸化鈉)化合。成爲泄劑。皆含有重大科學性。

由上幾點。可以證明我國醫藥。很有科學性。只要我們詳細研究，一定有成績的、希望醫藥界人士。大家努力研究。把好的證明。把不好的去掉。提高國醫國藥的地位罷。

國醫爲精神之科學

盧朋著

國醫學者。一科學也。有謂國醫爲虛渺無憑者。有謂爲淵深莫測者。此無他。謂其不合於科學耳。彼詆毀國醫者。固不知科學之分量。而國醫之聞其言而自加貶損者。亦未明科學之分量也。一事也。一理也。必歷時更事易地而後見者。是謂定則。古未發現。今始發現者不少。其未發現者。尤必無盡。歷時多。更事多。易地多。皆可悟一時一事一地之非眞相。故猝然之辨別。謂之尋常智識。研究以後之辨別。乃爲學問智識。而條理完具。次序分明。旣可由淺入深並未能逐步覆按。然後爲科學智識。此所謂科學之分量也。吾國醫學。自農黃創制。垂五千年。豈徒積日累月。虛度此五千年哉。五千年中。固有歷代聖哲之保守之研究之經驗之發明之改革也。病證之繁。不知若干。幾經審定焉。然後括之以寒熱虛實表裏陰陽。而病證有定則矣。氣化之繁。不知若干。幾經審定焉。然後括之以風寒暑溼火燥。而氣化有定則矣。藥物之繁。不知若干。幾經審定焉。然後括之以寒熱平溫青黃赤白黑苦酸辛鹹。而藥物有定則矣。方劑之繁。不知若干。幾經審定焉。然後括之以補泄輕重宣通滑濇燥溼寒熱。而方劑有定則矣。脈息之繁。不知若干。幾經審定焉。然後括之以浮沉遲數滑濇虛實長短洪微緊緩絃革牢濡弱散細伏動促結代。而脈息有定矣。而又審證之間。括之以望聞問切。似非盡人而可能也。而望聞問切。實又盡人而可曉也。望有色。有色而不能望。必無目之人也。聞有聲。有聲而不能聞。必無耳之人也。問有答。有答而不能問。必無口之人也。切有象。有象而不能切。必無手之人也。有定則。徵諸實。何嘗遁於虛哉。若此者。考之萬病。而萬病不離其宗。推之萬人。而萬人不爽其效。於是垂之萬世。而萬世不改其度。所謂以顯見之事實爲主。而事實之所發生。析爲定義。一一歸納彼之事實。以造我定義。此科學之歸納法也。溯自神農著本經。於是乎始有醫藥。黃帝著內經。而臟象經絡病機脈要診候運氣審治生死之故。爍然大明。於是乎醫有所憑。漢張仲景著金匱玉函經。治傷寒雜病。於是乎經方大備。金元間劉守眞著原病式。暢論火病。張子和著儒門事親。專言汗下吐三法。皆伸引仲景之說。而補其所謂未言。李東垣著脾胃論而重益氣。是守眞子和言實證。東垣言虛證。東垣即補守眞子和所未言也。朱丹溪著金匱鈎玄而詳補陰。是東垣言氣虛。丹溪言血虛。丹溪即補東垣所未言也。明薛立齋著薛氏醫案。以六味八味補眞陰眞陽之虛。是補丹溪所未言也。張景岳著景岳全書。以左歸右歸補眞陰眞陽之純虛。是補立齋所未言也。清葉天士著溫熱論。王孟英著溫熱經緯。而溫病之法益精。是天士補守眞所未言也。孟英又從而經緯之也。若此者。合之兩美。離之兩傷。前作後述。同條共貫。此科學之有系統者也。既有歸納。又有系統。謂非科學得乎。其殆精神之科學乎。

專著

藥籠小品（續）

嘉善黃凱鈞退庵

何首烏益肝補腎。斂陰氣。烏鬚髮。須於冬季得大重斤者。竹刀刮去皮。切開。爛料豆汁拌蒸曝乾再蒸黑色爲度。七寶美髯丹。前明嘉靖初方士邵應節進上。世宗服餌。連生皇嗣。於是何首烏方。天下大行矣。

菟絲子補腎强腰膝。和平中正之品。千金大菟絲子丸。首用此味。凡脾疾久而不愈。必責諸腎。此丸是也。淘淨雜子煑透吐絲。搗餅酒炒。

覆盆子甘酸溫。益腎補肝。固精縮小便。女子服之多孕。小便不利忌。淘淨酒拌蒸。此味賤藥之金玉品也。

五味子收肺家耗散之金。一分肺邪未盡。用之即受其害。雖名五味。酸居其八。辛居其二餘味非我所知。其酸不亞於梅。即欲用之。只可十粒或一分。不宜多用。

天冬苦寒補水與地黃皆爲補北濟南之品。但脾胃虛寒者大忌。糖製者雖易其性。然亦能滑腸。大便不實者不宜食。

百部甘苦溫。潤肺經。治寒嗽久嗽。殺疣除虱燒烟薰樹蟲。傷胃滑腸。虛人須與補藥並行。酒浸焙。

馬兜鈴輕淸肺熱。苦辛降氣。治痰嗽喘促。若肺虛挾寒大忌。根名青木香。塗諸毒熱腫。

瓜蔞皮能和肝陽。開胸滌痰。瓜蔞仁潤肺療乾咳。便滑者忌。

天花粉(卽括蔞根)生津止渴。淸肺胃煩熱。和平之品。同地骨皮桑葉治客熱久而不愈。同漂靑黛治火嗆如神。

山荳根苦寒。瀉心火。保肺金。去大腸風熱。治喉癰喉風。能損脾胃。

金銀花甘平。除熱解毒。養血除痢。寬膨。治一切瘡疽。稟春和之氣以生。故無禁忌。其藤名忍冬。(凌冬不凋)治筋骨痺痛。按銀花無論外科與痢症。俱宜重用。

土茯苓甘淡。祛濕熱。利小便。止泄瀉。治筋骨拘攣。楊梅瘡毒瘰癧瘡腫。淡滲傷陽。肝腎陰虧勿服。有赤白二種。白者良。

萆薢甘苦。入胃肝祛風濕。治風寒濕痺。莖痛遺濁。腎虛無濕者禁。有黃白二種。白者良。

防已辛苦寒。行十二經。開太陽(膀胱)通膝利竅。瀉下焦血分濕熱。爲療風水之要藥。(木通苦寒瀉氣分濕熱防已苦寒瀉血分濕熱)兼治脚氣水腫。若下焦無濕熱忌、出漢中。根大而中通。名漢防已。治濕。更有木防已。治風。

木通(舊稱輕淸平淡)嘗其味實大苦。通臟腑之氣。消乳積。治熱淋。

通草降肺氣。利小便。同桑皮治水臌。水出高源。肺氣下降。則水亦泄矣。輕淸平淡。加諸通草則合。

葛根辛甘。輕揚升發。入陽明經。能助胃氣上行。生津止渴。開肌發汗。退熱。爲治淸氣下陷泄瀉之聖藥。血痢溫瘧。腸風痘疹。(凡斑疹。已見紅點不可更服)上盛下虛之人。須斟酌用之。

葛花解酒毒。欲緩其性。可煨用。

茜草色赤。入厥陰血分。消瘀通經。治風痺黃疸。(疸有五種茜草治蓄血發黃)無瘀滯者忌。

威靈仙辛溫。風藥善走。能宣五藏。通行十二經。治中風。痛風頑痛頑痺。癥瘕積聚。黃疸浮腫。一切冷痛。性極快利。治諸骨哽頗驗(威靈仙用糖酒煎一碗一氣飲下諸骨盡銷)大耗眞氣。不得已而後用之可也。

鈎藤甘苦微寒。除心熱。平肝風。舒筋除眩。治小兒驚啼瘈瘲。(伸縮不已俗謂之搐搦)味淡力薄。煎劑宜遲入。

使君子甘溫。殺蟲消積治五疳。爲小兒諸病要藥。

澤瀉利小便。消水腫。六味湯同茯苓並用。治肝腎虛火上炎如神小便不禁者忌用。

石菖蒲氣辛竄。惟痰火結於包絡用之。以開蒙塞。若小兒小有驚癇。自當散風清熱。平肝消痰消食。此味不可輕用因走竄眞氣。

蒲黃甘平。厥陰血分藥。(心包肝)生用行血消瘀。通經脈。祛膀胱之熱。同五靈脂名失笑散。治心腹血氣痛。炒黑性濇。止血治崩帶泄精無瘀勿用。

海藻苦泄結。鹹軟堅。寒滌熱。消瘰癧結核癥瘕。脾胃有濕勿服。

昆布用同海藻而性雄。除頑痰積聚治癭瘤陰㿉。

石斛入胃。穭豆皮入腎。虛而有熱宜之。二種皆輕清淡味。配入諸藥如饌中之蝦菜。無甚要緊。然不可缺。鮮石斛清養胃陰。調理之病。最妙之品。

骨碎補苦堅腎溫行血。補傷折。療骨痿。蜜拌蒸晒。

景天苦酸寒。純陰之品。入心清熱。爲末同菊葉汁療火丹。中寒者勿服。

馬勃辛平輕虛。清肺解熱。散血止嗽。治喉痺咽痛失音。將粉吹入治鼻衂。外用敷諸瘡良。

柏子仁色赤入心。補心益智。凡健忘多汗。驚癇。皆心氣不足。柏子仁湯主之。炒研。

側柏葉性濇而燥。清血分濕熱。凡治便血炒黑用。吐血衂血搗汁沖。

肉桂辛甘大熱。氣厚純陽入肝腎血分。補命門相火不足。痼冷沉寒之症。疏通血脈。小腹痛。奔豚疝瘕抑肝扶土。療寒熱久瘧。引火歸原，出交趾最貴。猺產其厚者亦可用去皮及油而止。

桂枝辛甘溫。氣薄升浮。入肺膀胱。溫經通脈。發汗解肌。治傷風頭痛傷寒自汗。同芍甘藥草薑棗名桂枝湯。能和營實表。陽盛之人。或挾暑熱，下咽生災。

沉香辛甘溫。能下氣理痰調中。治心腹痛。噤口毒痢。氣虛下陷切勿沾唇。入湯劑磨沖。入丸散鎊曝燥磨。忌火。

丁香辛溫純陽。溫胃煖腎。治心腹冷痛。挾寒白痢。痛經。同柹蒂生薑治嘔穢呃逆。痘瘡灰白不起。須同人參當歸非虛寒勿用。

檀香辛溫。調脾利膈。降眞香辛溫辟惡。止金瘡出血。

烏藥辛溫。上入肺脾。下通膀胱與腎。疏胸腹氣逆。兼能止痛。氣虛血熱勿服。

乳香苦辛溫。入心通十二經。去風伸筋。調氣活血。托裏獲心。生肌止痛。癰疽痔腫瘡疽。已潰勿服。

沒藥苦平。入十二經。散結通血。消腫定痛。出南番色赤如琥珀者良。

血竭甘鹹。散瘀生新。止痛生肌。善收瘡口。出南番。嚼之如蠟者佳。

安息香出安息國。樹脂熬成。外用瀝青爲殼。能辟邪氣。安五藏。至寶丹所以用之。

蘇合香通竅。開鬱辟邪。出諸番合衆香之汁煎成。故又名番合油。以筋挑起。懸絲不斷者眞。走竄眞氣。挾虛勿服。

龍腦香(卽冰片)出南番杉脂所化。辛溫。香竄善走。治用雖多。不外通竅引經。同火酒服殺人。

蘆薈木脂也。出波斯國。大苦大寒。功專清熱殺蟲。同胆草能瀉肝經實火。

黃蘗滋腎瀉火。炒用燥濕。凡下焦有濕熱者。必用之品。同熟地龜板知母爲大補陰丸治火有餘。而形不足者。無火忌之。

槐花子清大腸風熱治腸風便血。血痔。虛寒者忌。炒用。

金鈴子苦寒。能導小腸膀胱之熱下行。通利小便。爲疝氣要藥。同延胡索名金鈴子散。治肝火胃痛。川產良。用肉去核。

秦皮苦寒性濇。清肝平木。久痢可用。治目疾。洗服皆效。

樗根皮(卽臭椿根皮)苦寒濇。故能燥濕清熱收斂入血分。血痢腸風久而不愈有斷下之功。積滯未盡。免强固濇。必變他症。

訶子苦溫泄氣。酸濇收肺。大能化痰。久嗽久痢。略用可也。若早施之。爲害不測。

厚朴苦降瀉實滿。辛溫瀉濕滿。消痰化食。治嘔食瀉痢霍亂。一切客寒犯胃。濕氣侵脾之症。邪氣未解宜之。已虛者勿用。損胎元。榛樹皮也。前因兩川教匪擾亂。砍樹爲薪。紫厚者價至數換。薑汁炒。

皂莢性極尖利。搜風泄熱。通關竅。涌痰涎。宣壅導滯。以末搐鼻。立作嚏嚏。治中風口噤。胸痺喉痺。濟急頗有神效。稍涉虛者。切勿輕與。孕婦猶忌。

皂角刺辛溫。搜風殺蟲。鋒銳直達病所。潰癰疽。散腫毒。攻乳積(一名妬乳)爲癰疽未潰之神藥。已潰勿服。孕婦亦忌。

西河柳凡肺受寒鬱。氣不宣達。爲欬逆。或咽痛。或畏寒身熱。發痧發疹。皆宜用。按西河柳辛開肺鬱。溫散風邪。達表最要之品。枝葉並用。若無感無鬱者忌。

海桐皮入血分。祛風去濕。行經絡。達病所。凡病屬風濕者宜之。出廣南。皮白堅韌。作索不爛。

杜仲續絕補傷。强筋健腰。鹽水炒斷絲。青蛾丸同補骨脂核桃肉。治虛寒腰痛。凡腰膝不足者宜之。並能固胎。

合歡皮甘平安五藏。悅心志。和血止痛。明目消腫。續筋長肌。香油調末。治蜘蛛咬。得酒良。

蕪荑辛苦散滿。祛五藏皮膚肢節風濕。凡腹中有酒血氣所化成鼈者。惟蕪荑同煖胃理氣補血之藥。乃可殺之。

烏桕根皮。性能瀉下。故通腸利水功勝大戟。治鹹齁痰喘。

蘇木辛平。出蘇方國。入三陰血分。行血去瘀。同防風治血滯生風。產後瘀血上攻。排膿止血。無瘀者忌。

乾桼（即漆渣）辛溫有毒。功專行血殺蟲。血見乾桼。即化爲水。其能損血可見。炒用。

大風子出南番。辛熱有毒。治瘡癬疥癘。有殺蟲劫毒之功。中仁色白。去油用。

巴豆辛熱大毒。開竅宣滯。去藏府沉寒。爲斬關奪門之將。（大黃府病多熱者宜之。巴豆藏病多寒者宜之）以少許着肌膚即起泡。況腸胃柔薄之質乎。萬不得已。亦須炒熟去油。入少許即止。

桑葉瀉肝經之氣熱。與丹皮同用。大能泄木。同石膏生地。能療肺燥。同地骨皮又治盜汗。輕清之物。施用頗廣。須立冬後採。

桑皮蜜水炒。治肺火咳嗽。大能瀉肺。肺以降爲順。故瀉白散首用之。十劑中同通草能消水腫。所謂輕可去實也。蓋因肺氣降。水亦從茲而泄。惟客邪在肺。宜疎散則不可用。

楮實甘寒而利。消水腫。療骨哽。明目軟堅。古方取以爲補。惟還少丹用之。酒蒸皮可爲紙。

枳實摩堅破滯。能墜至高之氣。性猛而悍。小陷胸用之。瀉胸痞如神。稍挾虛者。犯之反生脹滿。切戒也。枳實如壯夫。枳壳如年長。血氣之勇已衰。惟能寬胸利氣。青皮能疏肝氣。枳壳并能疏肺氣。然皆氣滯始宜。

山梔清心肺熱。同香附能開鬱。涼藥之輕清者。同茯苓能瀉熱邪屈曲從小便出。近多炒用。用生者絕少。

棗仁安神。斂心陽。止虛汗。兼入脾。故歸脾湯用之。取火生土也。

蕤仁微寒。消風清熱。和肝明目。破心下結痰。除腹中痞氣。目病不緣風熱而因虛者。勿用。

山茱萸炒黑收肝風。其酸不亞於梅。六味用之。亦取其酸收納氣也。

金櫻子酸濇。固精秘氣。治滑精久痢。性濇滯。昧者喜其濇精而服之。致生別症。咎將誰執。熬膏用。

郁李仁行水破血潤燥。治大腸氣滯。關格不通。治標之藥。精液不足而便結者勿投。去皮尖研。

女貞子冬青樹子也。純陰之品。益肝腎。陰虛有火者宜之。揉去粗皮。蜜酒拌蒸。

五加皮苦辛。祛風勝濕。逐皮膚之瘀血。療筋骨之拘攣。莖節花皮根具五色故名。下部無風寒濕。及肝腎有火者。勿服。釀酒尤良。

枸杞滋補肝腎之要品。性平赤色又能補心。凡陰不足者相宜。產甘州爲上。入煎劑亦宜炒用。枸杞在處有之。肉薄子多。故不入藥。甘產則反是。抱樸子曰去家千里。莫食枸杞。謂能壯陽補腎。予謂采子之藥。古今相同。何昔能而今不能耶。按是書多有過譽者。如稱服菟絲子三月。能行及奔馬。飲啖如沃雪。然乎否乎。

地骨皮枸杞根也。降肺中伏火。除肝腎虛熱。能涼血。治五內煩熱。止肌熱虛汗。中寒者勿用。

蔓荆子輕浮升散。搜風利竅。治頭痛腦鳴目痛齒痛諸症。不因風邪。血虛有火者忌之。

木芙蓉涼血散熱。消腫排膿。治一切癰疽腫毒有殊功。用花葉搗敷四圍。瘍科爲清涼膏也。

密蒙花微寒。潤肝燥治目中赤脈清盲。膚翳赤腫。眵淚羞明。小兒疳氣攻眼。產蜀中其花繁密蒙茸故名。

竹葉清肺胃風熱。竹卷心清心火。竹瀝同老薑汁能消游行之痰。竹茹和胃止嘔。須炒。淡竹葉極消暑毒。能令從小便出。

天竹黃甘微寒。涼心去風熱。利竅豁痰。治大人中風不語。小兒客忤驚癇。出南海。大竹之津氣結成。片片如竹節者眞。

琥珀色赤入手少陰足厥陰血分。(心肝)能寧心定魄。消瘀血。破癥瘕。生肌合瘡。治五淋利小便淡滲之品。凡陰虛水虧者勿服。

茯苓滇產者。色紺堅實。可入補藥。其六安兩浙所出者。多斷松枝種成。數年可采。惟能利小便。不及滇產遠甚。茯苓必須用片。葉氏醫案每用塊苓。徐洄溪以爲雖煎終日。而味不出。此言自當遵之。抱木者爲茯神。安神寧心。

猪苓甘苦淡。泄滯利竅。在上能開腠發汗。入膀胱利濕行水。平陽陰。分消濕邪。淡滲亡津。無濕勿服。去皮切。

雷丸苦寒有小毒。入胃功專消積殺蟲。竹之餘氣。得霹靂而生故名。

桑寄生舒筋絡。利關節。除風濕痺痛之要藥。同他藥浸酒服良。

杏仁有甜苦二種。其甜者去皮炒研。潤肺降氣，消痰止嗽。有濕痰者不宜。其苦者瀉肺解肌。降氣利胸膈。同橘皮通大腸氣秘。(肺與大腸爲表裏)去皮研。表劑連皮研。因虛而嗽勿用。雙仁者殺人。

烏梅酸濇之品。入肺脾血分。治久嗽久痢久瘧。安蚘厥。病有當發表者大忌。更有留邪未靖。亦有害。

桃仁能治一切血瘀血積血痞血秘。皮膚燥癢(肌有凝血)發熱如狂。(畜血在小腹)若非瘀滯而誤用之。大傷陰氣。泡去皮尖炒研。

祝現代國醫

（姜子房）

醫本古學　何稱現代　顧名思義　須知警戒
歐風美雨　任意侵害　尚異炫奇　賤中尊外
神州國粹　日漸淘汰　非學之腐　實醫自敗
若再因循　何以挽蓋　時代精神　豈可稍懈
廢興存亡　責在吾輩　聯合改進　建設爲最
擴大規模　國民均賴　將吾國醫　普及世界
惟願同袍　互相勉勵　毋負斯刊　毋負斯會

學說

肺病救偏論

馮紹蘧

肺癆爲人類之大敵。歲死是症者。何可勝紀。西醫僅有預防之法。而無根本治療之術。國醫咸囂囂然謂是症乏良藥施治。則患是症者。須坐而待斃矣。有是理耶。考國醫迄乎今日。有四千餘年之歷史。千百年前。未聞有肺病猖獗之事。余甚爲不解。實國醫早有治法。但珠玉雜於瓦礫之間無人抉擇耳。自羅謙甫及吳參黃發明秦艽鼈甲散及柴前梅連散以來。空山足音。繼起無人。致聖旨雖驟然一現。依然泯沒不振。良深浩歎。病家競喜滋補。而醫家囿於丹溪之說。不再探究。代復相傳。使羅吳兩公。曲高和寡。然而患肺癆者寃矣。要知肺癆至第三期臟腑崩潰。雖有和緩。亦難回生，除此以外。雖至第二期。能治得其法。必十能愈十。

人之疾病不出三因。內由乎飲食起居情慾而起。外因感於六淫所致。不內外因者。凡不涉於前二者屬之。內外既明。治自不紊。今夫治肺病者。不明內外。套用時方。咳嗽則清肅。氣壅則降氣。喘促則溫斂。見紅則滋陰。不知清肅則入內。降氣則窒塞。溫斂則牢錮。寒涼則冰伏。滋陰則資敵。肺病雖以內傷。無不涉乎外感。慨以治內傷之法治之。是以難愈而反成癆也。經曰。風者百病之始也。清淨則肉腠閉拒。雖有大風苛毒。弗之能害。凡肺癆之起。由飲食失節。起居無序。曲運遠慮。作妄作勞。罔惜性命。先傷其眞。復襲外感。遂得成焉。精能生氣。氣能生血。今肝腎虧損。精虛不能生氣。則衛不能衛。氣虛不能生血。則營不能營。其易感外感也。從可知矣。吾敢曰。肺病之成。必內傷兼加外感所致。僅有內傷。決不成焉。斯西醫謂肺病由傳染而來。信不誣也。凡外邪由太陽而入。或爲傷寒。或爲他病。惟邪由皮毛太陰而入。幷於內傷。方成肺癆。故傷寒及他病。有三陽三陰之傳變。而肺病有始於一一。起于二二。通乎三三。干於四四。至於五五。其病乃深。與他症殊不同也。與西醫肺病有三期之說。亦適相吻合。仲聖治虛損立建中一方。爲萬世法則。方中參用桂枝以攘外。卽可以思其故焉。經曰。邪之所凑。其氣必虛。况是病既由內傷而起。其肌腠必虛。外邪不感而自感矣。外邪在表則表熱。在裏則裏熱，附骨則骨蒸。入肝則吐血。入腎則遺精。上炎咳嗽喉癢。口燥乏潤。兩顴發赤。或睡而汗出。蒸久則肉羸瘦。其標在內損。其本在外感。與純係內傷者迥別。內經無肺癆之文。惟稱風勞。實卽肺病也。經曰。風勞法在肺下。其爲病。使人强上冥視。唾出若涕、惡風而振寒。此爲勞風之病。巨陽引精者三日。中年者五日。不精者七日。咳出青黃涕。其狀如膿。大如彈丸。從口中出。不出則傷肺。傷肺則死矣。從可知肺癆由內傷夾感而起。更覺顯然。其不夾外感者。純屬內損。以昔賢治五勞六極七損之法治之。或補或滋。亦無不合轂。第肺癆斷不可用內損法治之。治之必成眞癆而死矣。經曰。百病之始期也。生於風寒暑濕。實發其端。故治之之法。欲補其虛。必先去其外邪。欲求其眞。必先求其假。欲治其內。必先治其外。能如是。庶合治法焉。或曰。內傷與肺癆相同。毫釐千里。何以別之。是易事也。肺癆之脉。細而弦。似數非數。硬小而碍指。卽有夾感。不能作虛損治。凡脉大爲虛。浮大爲虛。二關沈細爲虛。大而無力陽虛。數而無力陰虛。寸弱而輭上虛。尺弱而濇下虛。虛細微弱者爲盜汗。並無弦急碍指緊數之象。是皆虛損之脉也。至於症狀。亦各有異。肺癆蒸熱。無有定時。蒸時灑淅惡寒。微汗而熱退。退後又熱。與陽虛生外寒。陰虛生內熱之虛損。印定定刻者。殊不同也。辨症既明。玆言治法。治虛損不外虛者補之。損者益之。精不足者。補之以氣。形不足者。補之以味而已。治肺癆有辛涼解散法。有內托兼散法。有外散兼托法。有托補兼施法。有散清並施法。至外感全無。方可議補。他如夾濕祛濕。有痰豁痰。陰虛佐滋。陽虛益氣。神而明之。存乎其人。病情錯綜。方藥自繁。玆將效力。臚列於後。藉供同道之採用焉。

清健湯　治肺癆咳嗽失血痰黃氣結。

桔梗三錢　杏仁三錢　蘇子三錢或蘇梗亦可　鬱金三錢　前胡二錢　薄荷一錢　梔子一錢

海石一錢　半夏一錢　瓜蔞霜三錢

李士材治驗方　治肺癆吐血日久者。

薄荷二錢五分　桔梗一錢　蘇子一錢　甘草一錢　人參八分　橘紅八分　苓茯一錢

麥冬二錢

秦艽鼈甲散　治肺癆骨蒸。午後壯熱。肌肉消瘦。咳嗽舌紅。頰赤盜汗。目倦。脉來細數碍指。

柴胡　秦艽　鼈甲　當歸　青蒿　知母　烏梅　地骨皮　汗多加地黃

柴前梅連散　治肺癆骨蒸。久而不愈。咳嗽吐血。盜汗遺精。脉來弦數。

柴胡　前胡　胡黃連各一錢　猪脊髓一條　烏梅一個　韮白　猪胆汁

人參柴胡散　治邪客經絡。午前發熱。痰嗽。五心煩躁。頭目昏痛。夜有盜汗。及婦人虛勞骨蒸尤宜。

人參　白朮　茯苓　甘草　當歸　柴胡　乾葛　赤芍各等分

每服五錢。生姜三片。棗三枚。水煎乘熱服。

白朮除濕湯　治午後發熱。背惡風。四肢沉困。小便色黃。又治汗後發熱。

人參　赤苓　甘草　柴胡各一錢　白朮一兩　生地　地骨皮　知母　澤瀉各七錢

每服五錢。加有刺痛。如當歸七錢。小便利。苓瀉減半。

人參地骨皮散　治午後發熱。惡風。四肢沉困。小便色黃。又治汗後發熱。

地骨皮　人參　柴胡　生地各一兩五錢　茯苓五錢　知母　石膏各一兩　生姜三片

人參散　治邪熱客於經絡。痰嗽煩熱。頭痛目昏。盜汗倦怠。一切血熱虛勞。

即人參柴胡散　每藥一兩。加黃芩五錢。每服三錢。加姜棗煎服。

參歸散　治肺癆骨蒸

人參　秦艽　柴胡　北細辛　鼈甲各五錢　前胡　當歸　川常山　茯苓

甘艸各七錢　烏梅二個　地骨皮五錢

參蓍散　治肺癆氣喘。咯血聲啞。潮熱盜汗。

柴胡　阿膠　黃蓍　茯苓　紫苑　當歸　川芎　半夏　貝母　枳壳

桔梗　秦艽　甘艸各五錢　羌活　防風　五味子　人參　鼈甲各二錢半

桑皮　款冬花各二錢半

右爲末。每服二錢半。姜棗煎。食後服。

人參荊芥散　治肺癆吐血。兼有風邪者。

人參　白朮　熟地　酸棗仁炒　鼈甲童便炙　羚羊　枳殼　柴胡　荆芥各五分

防風　甘艸　川芎　當歸　桂心三分　加姜煎

加味十全大補湯　治體虛挾外感。發熱漸成肺癆。

人參　白朮　茯苓　甘艸　當歸　熟地　川芎　白芍　黃蓍　肉桂

柴胡　鼈甲　青蒿　胡連

地仙散　凡患肺勞潮熱。且不必補。宜先退潮熱。調理可愈。此方退熱甚驗。但熱退須止服。否則熱愈甚矣。

地骨皮二錢　薄荷葉　北防風各錢半　甘艸梢　烏梅肉各七分　水煎午後服

清骨散　治骨蒸勞熱。

銀柴胡錢半　胡黃連　秦艽　鼈甲　青蒿　地骨皮　知母各一錢　甘草五分

枳壳地骨皮散　治肺癆骨蒸壯熱。肌肉消瘦。少力多困。盜汗。

地骨皮　秦艽　柴胡　枳殼　知母　當歸　鼈甲　烏梅　桃柳頭七個

生姜三片

黃蓍鱉甲散　治男女肺癆客熱。五心煩熱。四肢怠惰。咳嗽咽乾。自汗食少。或日晡發熱。

黃蓍　鱉甲　天冬各五錢　秦艽　柴胡　茯苓　地骨皮各三錢　知母

生地　甘艸　桑白皮三錢半　人參　桔梗　肉桂一錢半

此方合黃龍湯紫苑建中湯地骨皮四方而成。用以補虛。兼止嗽止汗。退熱退蒸。甚驗。

秦艽扶羸湯　治肺癆肺痿。骨蒸。或寒或熱。或勞嗽聲啞體虛自汗。四肢怠惰。

秦艽　柴胡　鱉甲　人參　當歸　紫苑　半夏　甘草　地骨皮　加姜棗煎

大無柴胡散　治肺癆羸瘦。面黃無力。食減盜汗。咳嗽不止。

柴胡　知母　鱉甲　地骨皮　五味子

右爲末每三錢。烏梅二個。青蒿五葉。水煎調下。

肺熱久嗽方　治痰中吐出有小白泡。當於肺中洩火。

枇杷葉　木通　紫苑　杏仁　款冬花　大黃減半　桑白皮等分

蜜丸如櫻桃大。夜臥時或食後。噙化一丸。

愈嗽湯　治肺癆日久。咳嗽吐痰潮熱。

荆芥　秦艽　白前　桔梗　甘艸　紫苑　百部　橘紅　當歸　赤芍

桑葉

風火刑金方　風邪久鬱。火尅肺金。咳嗽不止。

桔梗　蘇梗　半夏　麥冬　紫苑　橘紅　茯苓　甘艸

乾咳無痰方　脉浮弦而數。乾咳無痰。午後潮熱。飲食減少。四肢倦怠。痰鬱火邪之症。

桔梗　枳殼　貝母　杏仁　黃柏酒炒　青黛　瓜蔞仁　胆星　竹瀝

地黃煎丸　透邪解勞。生肌活血。

生地汁　杏仁汁　藕汁　鵝梨汁　生姜汁　薄荷汁各一升　法酒　沙蜜各四兩

以上慢火熬膏入後藥

柴胡　秦艽　桂枝二兩　熟地四兩　木香　枳殼　山藥　茯苓　遠志

人參　白朮　柏子仁一兩　麝香

右爲末丸如桐子大甘草湯下

團魚丸　治久嗽不止漸成肺癆

貝母去心　知母　前胡　柴胡　杏仁各四錢　大團魚一個重十二兩以上者去腸

右藥與魚同煎熟。取肉連汁食之。將藥渣焙乾爲末。用魚骨煑汁一盞。和藥爲丸。如桐子大。每服二十丸。麥冬湯下。日三服、

金鼈丸　治肺癆吐血咳嗽。

柴胡二錢　川芎一兩　當歸　阿膠五錢　杏仁　知母　貝母三兩

右爲粗末。用活鼈一個。生宰去頭。用酒五升。並藥與血同浸一宿。厚紙密封。次早慢火同煎極爛。候香熟。取鼈肉。令病者隨意食之。只留鼈甲并骨。并藥焙乾爲末。以浸藥酒汁調米粉糊爲丸。如桐子大。每服七十丸。不時米飲下。

方中有用人參者。係元氣不能托送外邪用之也。故喻嘉言曰。雖用柴葛。全藉參芪之力。方能達其外邪。若謂內虛夾感。何可用之。是趙括讀父書而喪師之流矣。昔賢立方。如風症之小續命湯。侯氏黑散。寒症之參附湯四逆加人參湯。暑症之生脉散清暑益氣湯。濕症之活人防己湯中滿分消湯。燥症之炙甘草湯麥門冬湯。火症之人參白虎湯半夏瀉心湯升陽散火湯。皆御參於其中。皆有深義。非可厚非也。柴前梅連散中。用烏梅。不知者以其性酸斂。似非所宜。然欲引諸藥入骨除蒸。非此不可。況加韮白以嚮導。補中有發。散中有收。碍而不碍。可謂巧於用藥者矣。

疹痦膚言（下）

顧小田

乙（一）痦之原因

白痦之發。大抵可分爲三種原因。一種係本體先有伏濕。復受外界溫熱所襲。數星期漫熱不退。先發紅疹。後現白痦。其色白爲水晶而瑩亮者。是謂濕溫白痦。是屬自然見症。施治得法。卽漸可痊。一種係內先有積溼。而外受風邪。醫在于始。不去宣解在外之邪。驅逐在裏之濕。使邪鬱不透。汗出不徹。似罨麴相似。任其醞釀鬱蒸而成白痦。是屬人造見症。恆多纏綿可厭。一種係本體陰虧。適患濕熱。遷延日久。正氣攸虧。津液受耗。自汗不已。隨汗而佈現身腹。纍纍然色白而枯。空乏漿液。大如小綠豆者。是屬津枯白痦。頗多險惡難治。今爲明瞭三種原因起見。摘引前賢論治以證之。

葉香巖溫熱論云。有一種白痦小粒。似水晶色者。此溼熱傷肺。邪難出而氣液枯也。必得甘藥以補之。或未至久延傷及氣液。乃溼鬱衞分。汗出不澈之故。當理氣分之邪。或枯白如骨者多凶。爲氣液竭也。陳平伯溫病論云。風溫症。熱久不愈。咳嗽唇腫。口渴胸悶。不飢。身發白疹。如寒粟狀。自汗脈數者。此風深挾太陰脾溼發爲風疹。用牛蒡荊芥防風連喬陳皮甘艸之屬以涼解之。（註）謂風溫本留肺胃。若太陰舊有伏溼者。風溫之邪與溼熱相合。流連不解。日數雖多。仍留氣分。由肌內而外達皮毛。發爲白疹。蓋風邪與陽明營熱相併。則發斑。與太陰溼邪相合。則發疹也。又有病久中虛。氣分大虧。而發白疹者。必脈弱而氣倦怯。多成死候。不可不知。王士雄曰。白疹卽白痦也。雖挾溼。久不愈。而從熱化。且汗渴脈數。非荆防之可再表。宜易滑石葦莖通艸。斯合涼解之法。若見虛象。當予甘藥以滋氣液……。縱觀數條。可知白痦之發。大要咸由風溫之邪。與溼熱之邪。互相凝結。繾綣纏綿煎迫衞氣。氣液爲溼熱所傷。遂隨汗而泄。從玄府達皮毛發佈于外也。故發佈愈多。則氣液傷耗愈甚。每至津液枯涸。而現成昏變痙厥。所以前人昭戒。宜見而不宜多也。

(二)痦之治法

白痦原因既如上述。而扼要治法。自當維護正氣。顧全津液。乃爲識者所共認。顧間有謬誤者。每以白痦之發佈，未悉其底蘊。而概投表汗透提。直至津液枯竭。昏糊痙變。猶云發佈未清。而變生危殆。病者未知。治者盲施。可勝悼惜。爰錄一二治法于后(一)風濕溼熱白痦。咳嗽身熱。胸脘少適。審知其邪蘊未透。病延未久。而發佈未清者。可用杏蘇散並銀翹法。酌加蘆根滑石等。以輕宣透引之。(二)溼溫白痦。病經遷延。而發現于紅疹之後。形細而色光亮。舌苔仍膩根厚。或黃。溺少不利。身熱不減者。此蘊濕尚未清化也。宜清熱化濕以理氣分之邪。用三仁湯並銀翹散。酌斟加減之。如舌膩已淨。或轉紅絳。口乾身熱似潮熱。來往不清。痦形粗細不一。形色枯澤各半。此濕熱已傷氣液也。宜易濡潤養津之味。即前言當予甘藥以滋氣液。必投甘藥以補之之類。用甘露飲。加沙參地骨皮天花粉鮮首烏等。大劑甘涼滋液。養陰退熱。若犯透提。必致枯竭棘手(三)所謂津枯白痦。大概係身體虛弱。陰虧濕熱。病久不愈。又爲過服解表。以致氣液受傷。玄府洞開汗泄不已。隨汗而佈。形色較大。如綠豆狀。內乏漿液。或完全空殼。脈象濡微。或虛數。苔糙不潤。胃納不欲。此肺津胃液。已先消耗。而元氣大虧。凶險難治之候也。宜以『生脉散。』或『復脉湯。』去姜桂並加首烏白薇地骨參鬚橘絡炙鱉甲等。挽救陰液，宣引胃氣。或見漫熱神昏譫妄兼彷前述治疹例。『以清宮湯』『牛黃丸』『至寶丹』等。按症擇宜。隨機斟酌，或可圖治。否則易致敗壞也。大凡疹痦之發見。皆由內伏之邪從外而泄。故發出宜神情清爽。爲外解裏和之兆。如發出而神志昏迷。譫言不息。此屬病邪深盛。正氣內虧即是正不勝邪之危侯。轉瞬變端立至也。此病發現時期。每始于春。滋蔓于夏。盛于初秋。歛于冬令。以春爲氣候始溫。人冒外感。即屬風溫。迨夏由溫轉熱。天地發泄。溼熱蒸騰。人處氣交。軀體受病。溫溼並勝。命名溼溫秋爲暑之餘燄。末退又當溼爲用事之令。外感新涼。內動伏邪。每易釀成是病。故尤多見。至冬氣候已束。溼熱歛戢。除犯正傷寒外。輕不過傷風感冒而已。故疹瘩因之少見。由是可知是病之發。完全係受時令氣候之遞嬗。與夫濕熱之薰蒸。爲一大主因。故療治方面。首須以辛涼清透。淡滲宣化。爲解熱滋液。和濕逐邪之最上策乘。此本內經必伏其所主。而先其所因之旨也。故用藥除在三四期危境。需要貴重品外。如桑菊銀翹梔豉丹皮牛蒡前杏貝母滑石通艸等。輕清透化。爲初起必用之品。若麻桂升柴葛根羌活等。乃辛溫大刼表。燥津助熱。非溫病所宜。因是吳氏條辨。所載太陰溫病不可發汗。而發汗不出者。必發斑疹。發斑者化斑湯主之。發疹者銀翹散。去豉。加生地。丹皮大青。玄參主之，禁柴葛升防羌治白芷。香燥之品。神昏譫語者。清宮湯主之。牛黃凡。紫雪丹。至寶丹、亦主之……又載陽明溫病。斑疹溫毒。溫瘡。發黃。神昏譫語者。安宮牛黃丸主之。……觀此。可知先哲治療溫熱疹瘩之要旨矣。司命者。應宜於平時玩索而熟識之。縱使病機萬變。則臨床運用。了然于胸。自能應變無窮。措置裕如。造福病家。昌隆信譽。在指顧間耳。

傷寒以六方提綱論

胡安邦

仲景以六經分治。曰太陽。曰陽明。曰少陽。曰太陰。曰少陰。曰厥陰。此六經之見證各別。而治法亦隨之不同。治法之大綱凡四。曰汗。曰吐。曰下。曰和。汗則麻桂。吐則瓜蒂。下則承氣。和則小柴胡。而一百十三方於是變化出焉。我今除瓜蒂而得傷寒提綱之六方。卽解肌和營衞之桂枝湯。解表發汗之麻黃湯。和解之小柴胡湯。清熱之白虎湯。救陽溫寒之四逆湯。救陰下積之承氣湯等是。蓋此六方實各有界限而統握一百十三方之總則。爲傷寒全書之六大提綱也。故傷寒論論此六方爲最詳細。豈無故哉。雖然。何以言之耶。曰。仲景云。「太陽病。頭痛、發熱、汗出、惡熱。桂枝湯主之」此爲桂枝湯所主治之症。又曰。「下利腹脹滿。身體疼痛者。先溫其理。乃攻其表。溫裏宜四逆湯。攻表宜桂枝湯。」下和腹脹滿。身體疼痛者、雖有表症。亦當以四逆輩先溫其裏。裏溫則四逆不可再投。若食古不化者流。默記此章。今日予服四逆而裏溫。明日投以桂枝而病重。於是迷惑不悟。不願讀書矣。此之謂死煞句下。有負仲景之苦心。而不明傷寒六方提綱之法也。意者。仲景所謂某湯主之者。是非此不可也。所謂宜與某湯者。是某湯一類之方也。綜觀全書一百十三方除我所提綱之六方曰可與某湯。曰宜某湯等名詞外。皆曰。某湯某丸、等散主之。而此類名詞爲絕無僅有則可以知仲景明意之所在矣。仲景所謂裏溫復以桂枝攻之者。明邪雖在表。而非麻黃所可治。非謂投四逆溫裏後。絕對非桂枝不可也。又如曰。「傷寒不大便六七日。頭痛有熱者。與承氣湯。其下便清者。知不在裏。仍在表也。宜桂枝湯。」蓋此條與上條同意。謂裏和則爲調和營衛之事。不必須投桂枝湯也。况有服四逆承氣輩裏溫胃和之後。可以不藥而自愈者乎。是則治法存于一矣。我以爲桂枝係別乎麻黃而言。而麻黃又時兼桂枝而發也。又如曰。「脉浮者。病在表。可發汗。宜麻黃湯。」又曰。「陽明中風……刺之小差。外不解。病過十日。……脉但浮、無餘證者。與麻黃湯。」脉浮。病在表。不可以與桂枝湯乎。故曰。宜與麻黃湯者。邪不在裏。桂麻可見證而施也。又曰。「太陽病頭痛發熱。身疼腰痛、惡風無汗。麻黃湯主之」既曰麻黃湯主之。則桂枝決不不亂投。此不可不知者也。夫小柴胡爲和解半表裏之一大提綱。亦最活變之湯方。觀其加減之法可知。曰若胸中煩不嘔者。去半夏。人參。加栝蔞根。若渴。去半夏加人參。若腹中痛者。去黃芩。加芍藥。若脅下痞鞕。去大棗加牡蠣。等等。所謂和解云者。溫涼消補。可隨手增損也。又如曰「傷寒中風。有柴胡證。但見一證便是。不必悉具。」此明教人見有柴胡某一證者。卽當用某藥以和解之也。又曰。『傷寒差以後。更發熱者。小柴胡湯主之。」差後發熱。非汗吐下所可强攻。而爲溫涼消補(和解)之餘事矣。柴胡之提綱爲和解。而承氣則主救。陰下積。如曰。「陽明病。其人多汗。以津液外出。胃中燥。大便必硬。硬則讝語。小承氣湯主之。」又曰。「陽明病潮熱。大便微硬者。可與大承氣湯。」上條津液外出。則胃中燥而大便必鞕矣。鞕而甚至於讝語。曰小承氣湯主之。下條大便微鞕。而曰可與大承氣湯。夫人人皆知大承氣甚於小承氣。何顛倒置之耶。則曰。可與大承氣湯云者。卽承氣之類也。若調胃。若脾約。皆無何不可。小承氣湯主之云者。調胃脾約決不克勝任。由此觀之。仲景所下之字。誠極有斟酌也，或曰仲景明曰。可與大承氣湯。而子偏以爲三承氣脾約皆可得而投之。如此則傷寒論將不分黑白矣。曰。唯唯否否。仲景不云乎。「自利不渴者。屬太陰。以其藏有寒故也。當溫之。宜服四逆輩。」四逆輩者。指四逆理中附子等湯而言也。仲景以爲藏有寒。當溫之。然則究宜服四逆理中歟。抑宜服附子等歟。則全賴醫者之診斷正確。而處方隨機應變矣。此之謂活法。而我所提之六大提綱。咸作如是觀也。故曰四逆。則理中、附子、救陽溫寒諸方屬之。曰麻黃。則大小青龍發表出汗諸方屬之。四桂枝。則除麻黃外之諸解表調和營衛方屬之。曰白虎。則竹葉石羔清熱諸方屬之。曰大承氣。則三氣氣脾約麻仁等救陰下積諸方屬之。曰小柴胡。則除上五方所統領外皆歸屬之。總之。諸證俱歸六經。而諸治皆統於六方。我爲此論。倘不及我所欲言者十分之一。他日當長文詳論之。至於六方提綱之說。然乎。否乎。願先進者有以教我。

氣病概論

朱懋澤

百病之始生。無不與氣有關。故氣貴流通。循環有度。如能戒除酒色。節制飲食。調和寒熱。則藏府和平。安有不幸之疾病發生哉。茲爲便於說明計。姑分之曰營養之氣與升降之氣。營養之氣黃者何。卽上焦之宗氣。中焦之中氣。下焦之元氣。周身之衞氣是也。升降之氣者何，卽肺降氣。腎納氣。脾氣升。胃氣降。肝氣升。胆氣降是也。宗氣者。積於胸中。出於喉嚨。以貫心脉而行呼吸者也。中氣者。停於胃中。運化水穀之精氣。卽胃脘之陽也。元氣者，十二經脉之根。呼吸之門。三焦之原。卽生生之氣也。衞氣者。循皮膚之中。分肉之間。熏於肓膜。散於胸腹。捍衞諸部者也。是故宗氣虛而下陷者。症見短氣。努力呼吸似喘。胸中滿悶等。治宜補氣升陷。中氣不足者。症見形體瘦弱。飲食不壯等。治宜補中益氣元氣衰微者。症見腰膝痠痛。黎明泄瀉等。治宜溫補命門。或元氣上浮者。症見喘逆迫促等。治宜補腎納氣。衛氣不充者。症見自汗惡寒等。法宜補衛固表。此營養之氣之治法也。肺不降氣每與腎不納氣相隨而作。症見咳嗽喘逆等。治宜降氣納氣。蘇子杏仁萸肉磁石之屬。脾氣不升者升之。症見腸鳴飱泄等。治宜升麻柴胡桔梗之屬。胃氣不降者降之。症見吞酸嘔吐等。治宜陳皮半夏竹茹生薑之屬。肝氣不升者升之。症見頭重目眩精神昏憒等。治宜柴胡當歸女貞子之屬。胆氣不降者降之。症見神志不甯躁擾狂越等。治宜白芍龍胆草川楝子之屬。此升降之氣之治法也。雖然。升降之氣之屬於肝胆者。固不能顯明分別。蓋肝爲厥陰之藏。中寄少陽相火。言肝則胆在其中矣。故治肝者恆養肝柔肝平肝諸法同施。惟用藥偏於肝者。或偏於胆者。略有差別耳。夫氣之賴以升降者。實脾與胃也。故脾氣升則肝氣隨之而升。胃氣降則胆氣隨之而降。脾胃不和則氣化升降失常。肺腎交通被阻。此疾病之所由生也。故治肝胆者。當兼治脾胃。而治脾胃者。亦不可不治肝胆也。至若氣升則痰升。氣降則痰降。氣行則血行。氣滯則血濇。則氣與痰與血。其關係之密切。益可想見矣。

痞塊結胸藏結三症之區別

陳叔翰

病症中之形狀相類。而虛實迥異者。則胥乎醫者之辨察間矣。否則實實虛虛。助紂爲虐矣。而其中最不易診斷確切者。則莫過于痞塊結胸藏結三症也。蓋此三症者。俱有心下滿硬。脘腹窒塞等證。不知其中大有虛實攻補之異也。一旦昧然施治。能不憒事哉。日長多暇。爰別類一述梗概。

痞塊——原因脾胃失運。氣機不利。客邪乘伏。與痰食血相搏而聚。聚久失散遂成。伏于胸膈之間。皮裏膜外。大小不等。平時潛伏不動。至身體乏力時。或客邪引動。或思慮憂鬱。則或撑痛。或脹悶。甚或推入上脘。胸爲之塞。呼吸維艱。脈象弦數。或弦。或濡小無力。苔色薄白少華。間或有淡紅者。此痞塊之候也。治宜安胃理脾。佐以順氣化滯是矣。

結胸——原因爲胃家實熱。下後乘虛入裏而成。(傷寒初起。失表誤下屢成此症。)症見心下硬滿。疼痛拒按。呼吸短促。煩躁懊憹。甚或胸中高起。舌上燥乾。日晡潮熱。脈來沉實有力。或弦滑而勁。(傷寒論。結胸熱實脈沉而緊。)胎現根膩微黃。或垢濁滿布。一派實象外現。治法當遵仲景大小陷湯丸爲主。其意蓋在瀉去實邪也。

藏結——實熱下後。乘虛邪結三陰。與結胸相似。(卽心下滿脹。呼吸不舒。)然治法則與結胸逈異。傷寒論曰。何謂藏結。如結胸狀。飲食如故。時時下利。以其飲食如常也。故知邪不在胃。以其時時下利也。故知腸無留滯。脈寸浮。關小細沉緊。舌白薄。脈證相參。其爲陰邪也。顯見矣。至其治法。當用理中溫中輩。非可以結胸症之用陷胸湯丸之猛劑。所可同日而語也。

退熱論治

辛元凱

傷寒之兼濕熱者甚多。惜乎古所未詳。近亦罕講。丹溪雖闡濕熱法門。然其所論。皆外淫之濕。而未及本身之濕熱也。嘗讀仲景書。有論寒濕者。有論風濕者。以其兼外感之邪。故列之太陽例中。其但言濕者。則與暍痓同列。當知暍痓亦不離乎濕熱也。及觀痞論中。則治本身中濕熱之方具在。祇限無人道破。以致蒙昧千秋也。蓋傷寒誤下。則有痞滿之變。然亦有不經攻下而痞者。皆由其人素多痰濕。因外邪觸動所以逆上而滿。故仲景特立瀉心諸法。正以袪逆上之濕熱也。羅謙甫云。瀉心湯諸方。取治濕熱最當。惟乾姜宜量加酙酌。以熱則生火於中恐反助濕熱爲患矣。又有脾濕肺燥之人。則陰中之火。易於上升。上升則咽喉作痛而乾欬。須用貝母之潤。以代半夏之燥。乾姜之柔。以易乾姜之僭。更加姜汁竹瀝以行其滯。此在臨症時之變通耳。又有胸中寒。丹田熱者。黃連湯。或小陷胸合理中。其在感邪之初。未見痞滿之時。可用辛凉解表。然必兼理痰氣爲要。至若停食感冒。更兼痰濕內盛。則當胸逆滿。氣道阻礙。津液固結。三四日間。便見舌胠送刺。喘脹悶亂者。不急治。脹悶而死。連與涼膈散加葶藶甘遂白芥子各等分。庶可十全二三。但須明瞭用藥。不可輕投差之毫厘。失之千里。不可不愼也。在傷寒則下不厭遲。獨此症切勿延緩。稍遲則胸腹堅如鉄石。下無及矣。况濕熱內盛之人。卽延至十日半月。內終不結。但蒸作極粘膩臭穢之物。縱使得下。百不一生也。蓋此證外因感冒。內有痰食。故爾不得不下。以圖徼幸。設無外內合邪屬不可下也。下後熱退氣平。脉減少者。爲易治。下後痞滿稍減。而熱不止也。頻與小陷胸加竹瀝姜汁。下後熱勢彌甚。氣愈上逆。脉仍實强。反加燥亂者爲濕熱內潰。終難奏効。所以此證之脈。最忌滑實堅强。堅强則胃氣已竭。滑實則邪氣方張。在老人尤爲不宜。若得輭大柔和。差堪調理。然雖合劑。爲効甚難。引復蠱工不察。每以寬膈理氣消尅之劑治之。則正氣愈耗。濕邪愈逆。有如陰霾四塞。六合皆昏矣。消尅不已繼以硝黃下之。蓋濕熱痰飲隨氣升降。或時腸胃胸脇或時經絡肌腠。豈攻下所能除去者乎。與外感傳經熱結。內傷飯食之邪。絕然不同也。嘗見屢服硝黃脹滿愈甚。喘急不通而死者。有攻之驟脫熱去寒起。遂至呃噦而死者。更有見其肢體重痛。不能轉側。而用羌防星半風藥者。蓋純是外感。六淫之邪。可以汗解。此兼濕熱痰飮。其根本在胃。不惟汗之無益。且風藥性升濕得之則乘風上湧。平地尚爲波瀾。况元氣素有坎陷者乎。所以愈增逆滿。在所必至也。大抵蒼黑肥壯之人。及酒客之輩。素與濕熱相依爲命。其在氣血强盛之年。非惟不能爲患。反能轉助作爲。遲至中年後。正氣向衰。漸難駕馭其濕。有時摶聚於腸胃之間。則胸中嘗覺痞滿不快。或不知飢餓。或腹滿腹鳴。或行動喘促。有時溢出乎軀殼之外。則遍身脹痛。或胸脇腿脛煩疼或手足重着攣痺當此之時。雖無客邪。尚難調治皆微受外感之引動。其泛濫之勢。則胸滿喘促。腹脹身疼。惡熱煩悶。嘔逆自利。無所不至矣。此非外邪勢重而然也。乃本身中素與元氣渾合之邪。一旦乘機竊發。同舟皆敵國矣。素有濕熱而挾陰濕者。少壯時每多患此。較之中年已後。觸發者更劇。又與尋常濕熱逈異。當推河間東垣輩中風例治。庶或近之。蓋濕熱已是痼疾難除。兼之下虛所攻。將何所恃。若更加好感。卽倉扁復生。難於圖治矣。

說當歸

嚴孟丹

當歸爲溫補血液之品。數千年來。相傳至今。其功效無不知之。卽指中藥爲無用之外人。亦知當歸含有鐵質。提精用之。吾國醫者。療治肝陰虛者。與芎藥同用。調和血分。與地黃同用。和風邪。與川芎同用。四物湯所以爲血分補劑也。近自川產不多。且以種種關係。致價値奇昂。眞貨難得。于是有日本產之當歸代替焉。質非川產。性則大熱。用于貧血之婦女。少用尙無大碍。用于血熱之病症。不但不去病。反見加重。如肝氣痛絡氣痛結血痛瘀結痛等症。國醫以爲痛則不通。溫通則不痛。勢必用當歸或歸鬚歸尾。甚至輕用不效。加重用之。曾有歸鬚用至五錢而痛更加重。有患者姓名住址可證。而見效之藥。適與當歸相反。服茜草根血餘炭黃芩葛根等味。痛反立止。考其故。始悉外來之當歸爲大熱品。如肝虛大盛瘀結作痛之症。得淸熱化瘀之品有效。用外產之當歸反無效。特錄之。貢獻于同道。爲用當歸而不見效者得一證也。

午日之藥物談屑

秦又安

蒼蒲根、卽蒼朮、苦溫、爲健脾燥濕之要藥、

艾葉、苦辛、能理氣逐寒濕煖子宮止血溫中、爲女科調經之聖藥、針科用以爲灸、能透諸經、俗于端午日、

用菖蒲艾蓬懸之門首、謂可以辟邪、

珍珠米鬚、曬乾後、裝旱煙筒中、當煙吸之、治腦漏極驗、歷試多人、其應如響、此物生時適當端陽時節、故

亦類及之、

淞南草廬新醫案

龔小悟

▲鎖喉風案

病者　朱星江年四十餘歲業商住滬西朱家宅八號

症名　鎖喉風

原因　平昔嗜飲。濕熱內蘊。近感外邪。引動內風。風能動火。火動痰生。痰得火而沸騰。火得痰而煽熾。熱勢上攻。致成此恙。

病狀　咽喉赤色。腫脹疼痛。呼吸困難，遶項鎖腫。角弓反張。搐搦顫動。神志模糊。痰壅喘嚮。舌苔焦黃。漿水不得通納。脈象洪數而沉。其凶可畏。勢已危篤。將及禍變。據云。前經他醫治以辛散無效。後經西醫注射血清。反致增劇而成險症矣。

診斷　脈象洪數而沉者。乃緣內積濕熱於胃。外感溫邪於肺也。外邪煽動內風。風動火發。痰隨上升。遏阻咽喉兩關。而致內外俱腫矣。舌苔焦黃。實熱可知。治宜清涼。而佐消痰。

治法　先用擒拿法。拉開咽喉二關。次用針刺腫處。以洩毒血。而後吹珠黃散。以止其痛。外項用金黃散。社醋調敷。以退其腫。再服湯藥。以清其火。

處方　羚羊尖五分　淨連翹錢半　眞川貝二錢　昆　布二錢　黑元參二錢　炒蔞仁三錢

鮮生地四錢　海　藻二錢　淡黃芩錢半　海浮石三錢　加燕竹瀝一兩

▲覆診

病狀 昨進藥後。喉風腫脹退減。呼吸稍利。神志亦清。稠痰較前稀少。外項腫勢略退。搐搦已止。今晨食粥碗許。惟脈象依然洪數如故也。

診斷 神清搐搦定。肝風已熄。脈形洪數。肺胃之火。尚未清也。仍防反覆。不可勿慎。

治法 可商前意清火之法。增損之

處方 鮮生地四錢 焦山梔二錢 黑元參二錢 海浮石三錢 鮮石斛(先煎)三錢 大連翹錢半
京川貝二錢 炒蔞仁三錢 淡黃芩錢半 金銀花三錢 加燕竹瀝一兩

▲三診

病狀 前投清火之法。咽喉痛脹已止。外項腫勢亦退。今日已進午餐。惟痰尚稠湧攪擾。按脈數象亦減五六矣。

診斷 痰粘湧多者。肺經餘熱未盡也。

治法 再與清肺滌痰。可告痊愈矣。

處方 小生地四錢 浙貝母二錢 淡黃芩錢半 淡天冬二錢 炒蔞仁三錢 淨連翹錢半
京元參二錢 金銀花二錢 海浮石三錢 湖丹皮錢半 加燕竹心卅針

▲四診

病狀 接服清肺滌痰藥後。稠涎已清。惟脈來細軟。神疲力乏耳。

診斷 餘熱已告退淨。脈細神疲者。病後脾胃虛弱之故也。

治法 宜以扶土而資化源。

生熟地各二錢 炙甘艸五分 炒白朮三錢 炒白芍二錢 黨參稍四錢 霍石斛先煎三錢
當歸尾二錢 雲茯苓三錢

謙齋醫案

秦伯未

嚴左 ▲燥症

肺與大腸。相爲表裡。肺燥則津液不佈。腸燥則濁氣不降。故上則乾欬無痰。下則大便爲難。頭痛偏額。乃屬陽明熱鬱。脈數帶軟。尤見氣陰受損。專與清上通下。無益也。宜玉女煎加減。執中樞以治之。

鮮生地四錢　生石膏四錢　大麥冬三錢　肥知母三錢　肥玉竹三錢　甜杏仁三錢

大麻仁三錢　生甘艸八分

陳左 ▲虛勞

頭暈心悸。失眠遺精。不耐用腦。嬾於作事。作事則腰骨如折。用腦則昏沉似醉。脈形兩手沉細。左部尤甚。左部爲心肝之位。心營肝血。交相疲憊。血不濡養。則肝陽易浮。而腎陰之不能涵潤。亦昭昭矣。從心肝腎三臟合治。

製首烏三錢　大熟地二錢　潼沙苑三錢　穭豆衣錢半　巨勝子三錢　川杜仲三錢

酸棗仁三錢　煅牡蠣五錢　金櫻子三錢　合桃肉三錢

徐左 ▲遺精

遺洩三載。春夏爲多。初有夢。繼無夢。左脈弦。右脈輭。相火偏旺。腎陰暗傷。陰傷則火更易動。兩者互相倚伏。今擬滋陰以治其本。淸火以治其標。

生熟地各三錢　山萸肉錢半　炙鱉甲六錢　川黃柏二錢　炒淮藥三錢　煅牡蠣六錢

藭芡實三錢　炒條芩錢半　建蓮鬚八分

羅左 ▲痰飲

脘中痞塞不舒。動則嘔噁白沫。欬嗽頭暈。脈象沉弦。金匱云。脈雙弦者飲也。明屬痰飲留滯中宮之症。奈何一載以還。羣認肝氣。其不成痼疾者幾希。

川桂枝六分　生白朮三錢　雲茯苓三錢　仙半夏二錢　化橘紅八分　福澤瀉三錢

遠志肉錢半　淡乾薑錢半　白芥子錢半　縮砂仁八分

姜右　▲調經

經行不調。中挾瘀塊。先期腹痛腰痠。四肢常覺淸冷。脈形沉弱。舌質淡紅。衝任虛寒。腎命衰弱。治以溫補下焦。調經在是。求嗣亦在是。

炒當歸二錢　酒白芍二錢　川桂枝六分　炮薑炭錢半　艾絨炭錢半　大熟地三錢　厚杜仲三錢　菟絲餅錢半　益智仁錢半　香附炭錢半

錢幼　▲久瘧

瘧疾五載。午後則發。凛寒不熱。面白無華。腹部膨脹。食慾減少。正氣大損。邪踞甚深。肝脾之氣。鬱結難伸。脈沉軟舌淡白。爲擬扶正祛邪。頗慮延成瘧痨。則難爲力矣。

炒黨參二錢　焦白朮二錢　川桂枝五分　炒白芍錢半　軟柴胡八分　仙半夏二錢　煨草果半錢　大腹皮三錢　新會皮錢半　生　薑二片　大紅棗三枚

奚左　▲濕溫

溫邪挾濕。留於腸胃。午後熱高。神糊胸悶。腹滿便溏。面晦日膩。脈象弦滑而帶數。舌苔厚黃而質絳。已經十日。疊進清化。按葉氏溫熱論。原有苦泄之法。蓋積熱積濕。膠結已深。不從下奪。無從宣達。依拙見立方。當瀉陽明。俟陽明鬆暢。再宗成法。

生川軍二錢　江枳實錢半　塊滑石三錢　淡黃芩二錢　大腹絨三錢　淡竹葉錢半　佩蘭葉三錢　川鬱金錢半　薑竹茹錢半　荷梗一尺

曹左　▲傷寒

凛寒三日。頭項强痛。無汗溲短。胸悶肢痠。脈象浮數。舌苔白滑。仲景云。太陽病或已發熱。或未發熱。惡寒體痛。脈陰陽俱緊者。麻黃湯主之。此蓋傷寒初起。邪鬱於表。亟宜發散。汗透卽已。愼勿疑爲寒濕，專事溫中。

炙麻黃六分　香紫蘇錢半　川桂枝五分　苦桔梗八分　江枳殼錢半　新會皮錢半
象貝母三錢　葱白頭兩枚

一瓢硯齋醫案

薛文元

王君　十九年六月四日　初診

體豐於外。氣弱於內。氣弱則聚濕成痰。痰阻心脾之絡。風陽與痰濕乘勢內煽。遂致舌强難言。手足運行不利。神呆悲感。不能自主。脉來弦滑。舌苔胖膩。濕痰得風而愈熾。風挾痰而益旺。此類中重症。非可旦夕言愈也。擬補氣之不足。瀉痰之有餘。佐以熄風宣絡。冀神清爲幸。

羚羊片一錢　明天麻煨一錢　陳胆星一錢五分　台參鬚二錢　製殭蠶二錢　遠志一錢
姜半夏二錢　廣玉金一錢五分　橘　絡八分　鮮竹瀝一兩姜汁少許拌冲服

王君　十九年六月六日　二診

四肢漸見活動。言語蹇澀如前。喉中痰鳴。脉象弦滑。此氣虛濕痰入絡。類中之症。難望近功。

潞黨參三錢　石菖蒲五分　遠　志一錢　羚羊片一錢　茯　苓三錢　橘　絡一錢
姜半夏二錢　陳胆星一錢五分　炙殭蠶二錢　製茅朮二錢　焦苡仁四錢　竹瀝達痰丸三錢

王君　十九年六月十日　三診

氣虛痰濕入絡。類中之後。兩進益氣化痰熄風之方。肢體漸能自如。知覺亦能清楚。而舌强痰多。脉來弦滑。苔膩。惟向安之期。尚難輕許。前方既可獲效。毋事更張。

潞黨參三錢　全瓜蔞四錢　遠　志一錢　左秦艽二錢　姜半夏二錢　陳　皮一錢
製殭蠶二錢　炒於朮一錢五分　江枳壳一錢五分　茯　苓三錢　酒桑枝六錢　大活絡丹一粒

王君　二十年二月十日　四診

類中經半年有餘。諸恙次第向安。近來過食油膩。昨夜喉間驟然痰鳴。神志惛迷。舌强不語。兩手緊握。時作抽搐。脉象浮滑。痰滯阻於脾胃。心竅爲蒙。其勢頗兇。擬豁痰化滯以通脉絡。

白附子一錢　製殭蠶二錢　姜半夏二錢　枳　實二錢　炙蝎尾五分　六神粬二錢

石菖蒲五分　竹　茹一錢五分　陳胆星一錢五分　焦查炭二錢　橘　絡一錢　局方牛黃丸一粒

王君　二十年二月十四日　五診

前進豁痰化滯。神識已清。四肢得舒。而不能安睡。言語蹇澀。大便艱行。脉來弦滑。方既獲效。再踵原意增減。

陳胆星一錢五分　潞黨參二錢　六神粬二錢　左秦艽二錢　竹瀝夏一錄五分　江枳壳一錢五分

橘　絡一錢　炒竹茹一錢五分　廣玉金一錢五分　茯　苓三錢　製殭蠶二錢　人參再造丸一粒

澄齋醫案（續前）

武進謝觀利恆著

蔡右　四十三　肺風爲咳。治以肅降。

炒蘇子一錢五分　萊菔子三錢　象貝母三錢　款冬花三錢　嫩前胡二錢

白芥子一錢五分　杏仁泥三錢　紫苑茸三錢　淡竹茹一錢四分　枇杷葉三片去毛包

王右　四十四　肺風爲欬。胸次脹滿。仍宜疎降。

嫩前胡二錢　旋覆花二錢包　光杏仁三錢打　萊菔子二錢　蘇子梗二錢

川鬱金一錢五分　大貝母二錢　廣橘紅七分　嫩薄荷八分　川朴花一錢

炙桑皮二錢　枇杷葉三片去毛包

王右　六十三　咳嗽氣逆。痰多濃厚。喉痒。舌黃膩。先與通降。

炒蘇子三錢　苦杏仁三錢打　炙紫苑二錢　萊菔子三錢　嫩前胡二錢

大貝母三錢　款冬花三錢　白芥子一錢五分　川鬱金一錢五分　枇杷葉五分去毛包

炙百部三錢

徐四十咳嗽氣急。痰吐濃黃臭濁。內熱舌紅。脈象滑大。痰火交熾。治宜清洩。

炙蘇子一錢五分　淡黃芩一　五分　細生地四分　生苡米四錢　甜杏仁三錢打
海浮石三錢　炒白芍一錢五分　鎊沉香五分　炙桑皮一錢五分　黛蛤散四錢包
乾蘆根七錢　枇杷葉二錢去毛包

王右四十四肺有伏風。痰凝于絡。咳逆撐急。痰不易吐。脈沉而細爽。此虛症也。

南沙參五錢　甜葶藶一錢五分　紫苑茸二錢　炙百部三錢　炒蘇子二錢
炙桑皮二錢　炙款冬三錢　嫩白前一錢五分　旋覆花三錢包　苦杏仁三錢打
生姜片一片　黑棗三枝

曹三十肺風挾痰。欬嘔夜熱。喉鳴氣急。脈濡舌白。治以通降。

炒蘇子二錢　甜葶藶一錢五分　白芥子一錢五分研　生紫苑二錢　嫩前胡二錢
炙桑皮二錢　苦杏仁三錢打　嫩白前一錢五分　苦射干一錢　萊菔子三錢
大貝母二錢　生苡米五錢　蜜炙枇杷葉四張

僧三十二風熱傷肺。咳引膈痛。痰色先紅後白。偏體痠疼。舌白。口乾。脈滑浮。宜投清降。

青防風一錢　嫩前胡二錢　川枳殼一錢　炙桑皮一錢五分　炒蘇子一錢五分
光杏仁三錢打　生苡米四錢　淡酒芩一錢五分　蘇薄荷八分　大貝母二錢
瓜蔞皮三錢　炒知母一錢　蘆根五錢　枇杷葉七錢去毛包

王右四十四欬嗽。脘痛。氣急。再與調暢氣路。

炒蘇子一錢五分　苦杏仁三錢打　製香附一錢五分當歸鬚二錢　旋覆花二錢
大貝母三錢　青陳皮一錢各　白芍藥二錢　黃鬱金一錢五分　白芥子一錢五分
烏藥片一錢　佩蘭葉三錢　枇杷葉三片去毛包

紀載

會議紀錄

六月一日下午八時第八次常務會議

出席委員 蔣文芳 丁仲英 薛文元 朱南山 朱鶴皋 張贊臣 秦伯未 黃寶忠

主席 丁仲英 紀錄 張稚農

報告

一 市社會局批一件

一 公共租界工部局醫生登記事已經致函納稅華人會及華董會

討論

一件 上屆執監聯會交議職員加薪案

議決 每人照原薪加十分之二辦公時間星期日下午三時至九時餘日自上午九時至下午九時

一件 公共租界登記問題案

議決 函納稅會

一件 職員懲戒辦法案

議決 凡逾辦公時間一小時以上不到者扣薪一元每月三次遲到者革職

一件 中國醫院院長虛懸應如何辦理案

議決 先行聘請朱南山爲正院長薛文元丁仲英爲副院長

一件　中國醫學院董事會久不健全應如何補救案
　議決　先行摘定郭伯良（交際）朱鶴皋（經濟）蔣文芳（秘書）等三人爲常務董事設法使之健全
六月七日下午八時第九次常務會議
出席委員　薛文元　朱南山　朱鶴皋　秦伯未　黃寶忠　蔣文芳
主席　薛文元　紀錄　蔣文芳
　討論
一件　上海租界納稅華人會復函一件
　議決　存案
一件　上海籌募江西急振會函一件
　議決　通告會員量力捐助逕送該會
一件　陳鳳鳴函一件
　議決　函復俟該會員入會時充分注意至未入會前如有玩忽業務情事儘由病家通告本會不予保護
一件　中國醫學院呈報第二班畢業試驗派員監考由
　議決　派傅雍言　蔣文芳
一件　衛生局令知法租界登記事交涉結果圓滿情形特製小執照補充辦法由
　議決　通告會員準備手續
一件　醫院院長案
　朱鶴皋提議三院長負責惟正院長應推薛文元担任
　議決　通過
六月十日下午八時開第十一次執監會議

出席委員　黄寶忠　徐志千　秦伯未　陸士諤　夏重光　任農軒　盛心加　張贊臣　朱小南

朱南山　朱鶴皋　包天白　朱少武　張鴻遠　傅雍言　蔣文芳　唐亮臣　沈建侯

沈心九

主席　薛文元　陸士諤　紀錄　蔣文芳

行禮如儀

（甲）報告

（一）衛生局來函法租界登記一次爲限凡非住在法租界之醫生如須至法租界出診者免向法工部局登記但須向衛生局領取小執照以憑查驗是項小執照並不收費但收印花費大洋乙角並二寸半身照片一紙一俟印就再函領取由

（二）本會辦中國醫學院舉行畢業考試請由本會派員監試業經常務委員會推請監察委員會主席傅雍言秘書處主任蔣文芳前往監視由

（三）本會所辦中國醫院業經社會局立案並通告各工廠指定爲工人就醫之場所現在診務極爲忙碌

（四）英租界工部局來函請由本會將會員名册抄錄以便登記

（乙）討論

（一）中國醫院業已成立惟院長未便虛懸業經常會擬請薛文元朱南山丁仲英暫爲担任並一面廣徵院董以維久持請予通過案

議決　通過

（二）中國醫學院院董會頗形散漫業由常會指派郭伯良（交際）朱鶴皋（經濟）蔣文芳（秘書）負責整理請予通過（以上常會提出）

議決　通過

（三）中國醫學院前院董應否通函請予繼續担任並請函復以明責任案

議決　通過
(四)本會應否通知法租界以外之會員準備二寸半身照片以便請由衛生局發給小執照案
議決　通過
(五)夏重光宣明齋介紹陳谷聲宣景遠入會聲明限於經濟請免入會費案
議決　通過
(六)醫院學院經濟劃分但醫院學院辦事上應通力合作並以醫院爲學院實習處所案
議決　通過
(七)本會應否組織交際委員會案
議決　通過並推請　楊彥和　樊發源　張三省　莊虞卿　王樾亭　朱叔屏　夏理彬　張梅庵等八人担任之

六月十五日下午八時第十次常務會議
出席委員　黃寶忠　秦伯未　蔣文芳　丁仲英　張贊臣　朱南山　薛文元
主席　薛文元　紀錄　張稚農
報告　蔣文芳

報告
一件　本會現代國醫已向市政府登記由
一件　本會發出通告會員書
一件　本會函請市衛生局主持公共租界登記以所頒大小執照爲準由

討論
一　楊彥和先生提議新度量衡法實行應否推定委員研究並通函國藥業釐定析合辦法請公決案
議決　推朱鶴皋蔣文芳會同藥業辦理

六月廿二日下午八時第十一次常務會議

出席委員　蔣文芳　朱南山　朱鶴皋　黃寶忠　丁仲英　薛文元

主席　丁仲英　記錄　蔣文芳

討論

一件　關于英租界登記及發給小執照問題應否派員向衞生局接洽案

議決　推薛文元　包識生　蔣文芳　於明日(二十三)下午二時聚集本會前往

一件　本會經費支絀財政科減少職員薪給應請各處科一致縮減案

議決　通過

一件　中國醫院院長應卽定期就職案

議決　定于廿五日就職

六月二十五日下午八時第十二次執監會議

出席委員　陳存仁　黃寶忠　吳克潛　陳漱菴　唐亮臣　陸士諤　沈心九　沈建侯　傅雍言

薛文元　包識生　張鴻遠　許壽彭(列席)　朱鶴皋　朱南山　嚴蒼山　張贊臣　夏重光

徐志千　包天白　成心如　丁仲英　蔣文芳　任農軒

主席　薛文元　陸士諤　紀錄　蔣有成

報告　蔣文芳

行禮如儀

(甲)報告

一件　赴衞生局接洽經過情形

一件　教育局派員調查當地醫藥團體組織情形

一件　中國醫院院長已呈報社會局

（乙）討論

一件　十一次常會提本會經費支絀財政減少職員薪給應請各處科一致縮減案請執監會復議核奪

議決　應毋異議

一件　中國醫院應請院長趕速計劃發展案

議決　通過

一件　上海衞生局（六五九八號）公函略開本市醫生對于貧民應略盡義務云云

議決　函復並通告會員

醫林逸語

秦又安

上海慈善團董。黃丈星階。避雨于輔元分堂。與家君閒談。因述及丈有族姪女。幼雇乳母。時適初夏。乳母胸臂患濕瘡。若隱若顯。故不介意。斷乳後。姪女耳際亦患濕瘡。知爲乳母所傳染。遂訪珠溪陳蓮舫徵君診治。曰可弗服藥。回家用綠豆甘草煑湯代茶。日飲自愈。厥後不匝月。而瘡果霍然矣。夫菉豆甘草、本爲清熱解毒之品。然其能淺薄。非對症發藥。安能彰其效用哉。

案牘

覆市衛生局函 六、二九。

謹復者。接奉鈞函內開。爲令飭事。案准中國國民黨上海市執行委員會函開。案據本會屬第六區黨部呈爲本市登記醫生，對於貧民應略盡義務。請咨市衛生局令飭遵辦等情。據此查本市人口衆多。苦力貧民又居大半。平日挹彼注兹。饔飧尙虞不繼。一日病魔纏身。呻吟顚沛。呼籲無門。甚有一人病而全家待斃者。常所聞見。及至夏秋兩季。特爲尤甚。故宜廣設施診所以惠貧病。況濟病救災醫病。更爲本黨政綱所規定。滬地首當見諸實施。爰經本會第一一四次常會議決修正轉市政府在案。相應檢同副呈函達。卽希查照核辦見復爲荷等由。准此合行令仰該局核辦具報。此令等因。奉此查醫生原以慈善爲懷。對於貧病之人。應酌予施診。除分令外。爲此函達。卽希查照轉知各醫生醫士酌量實行。以惠貧民而符善懷爲荷。等因奉此。查國醫治病。向以慈善爲懷夙有貧病不計之成例。敝會特爲顧及平民康健起見。設立中國醫院。以應社會之需求。已蒙社會局備案。其他國醫施診處所如仁濟堂。廣益中醫院。謙益傷科醫院。滬北廣益中醫院。廣益善堂。滬南神州醫院。福履醫院。博濟善會。廣仁善堂。至聖善院。位中善堂。一善社。聯義善會。元濟善堂。粵商醫院。中國醫院。華隆中醫院。潮州和濟醫院。四明醫院等。或施診給藥。或備病房留治。對於社會。尙覺稍盡棉薄。奉函前因。除通告會員外。兹將本市國醫施診處所地點時間辦法。列表附奉。希爲登報公告。俾益平民。實非淺鮮。此復。

上海市衛生局

附本市國醫施診處所一覽表

上海市國醫公會造送本市國醫施診處所一覽表

名稱	地址	旅診時間	有無病房	是否給藥
仁濟善堂	六馬路雲南路口	上午九時至十二時	無	給藥
滬南廣益中醫院	城內石皮弄	上午九時至十二時	有	給藥
滬北廣益中醫院	曹家渡	仝上	無	給藥
謙益傷科醫院	海甯路天保里	仝上	有	給藥
廣益善堂	河南路鐵大橋堍	仝上	無	給藥
滬南神州醫院	城內肇家路寶祥里口	仝上	有	給藥
福履醫院	城內梅溪弄前面福綏里	仝上	有	給藥
博濟善會	虹口華德路保定路口	仝上	無	給藥
廣仁善堂	北成都路廣仁里	仝上	無	給藥
至聖善院	虹口兆豐路	仝上	無	給藥
位中善堂	南市郎德路	仝上	無	給藥
一善社	新縣署後淨土街	仝上	無	給藥
聯義善會	滬甯車站北	仝上	有	給藥
元濟善堂	虹口	仝上	無	給藥

粵商醫院	天通庵路	仝上	有	給藥
中國醫院	小西門黃家闕路	仝上	有	給藥
華隆中醫院	華格臬路呂班路口	仝上	有	給藥
潮州和濟醫院	法界呂班路鴻安坊	仝日	有	給藥
四明醫院	法界坟山路	仝日	有	給藥

張君梅庵出素箋索畫爲寫梅庵圖並題一律贈之

秦伯未

結屋岩阿絕點埃。山前山後亂花開。十年文字交如水。一樣丰姿瘦似梅。豪氣每隨春釃滿。風流不買美人囘。清狂瀟洒誰堪侶。應有林逋入夢來。

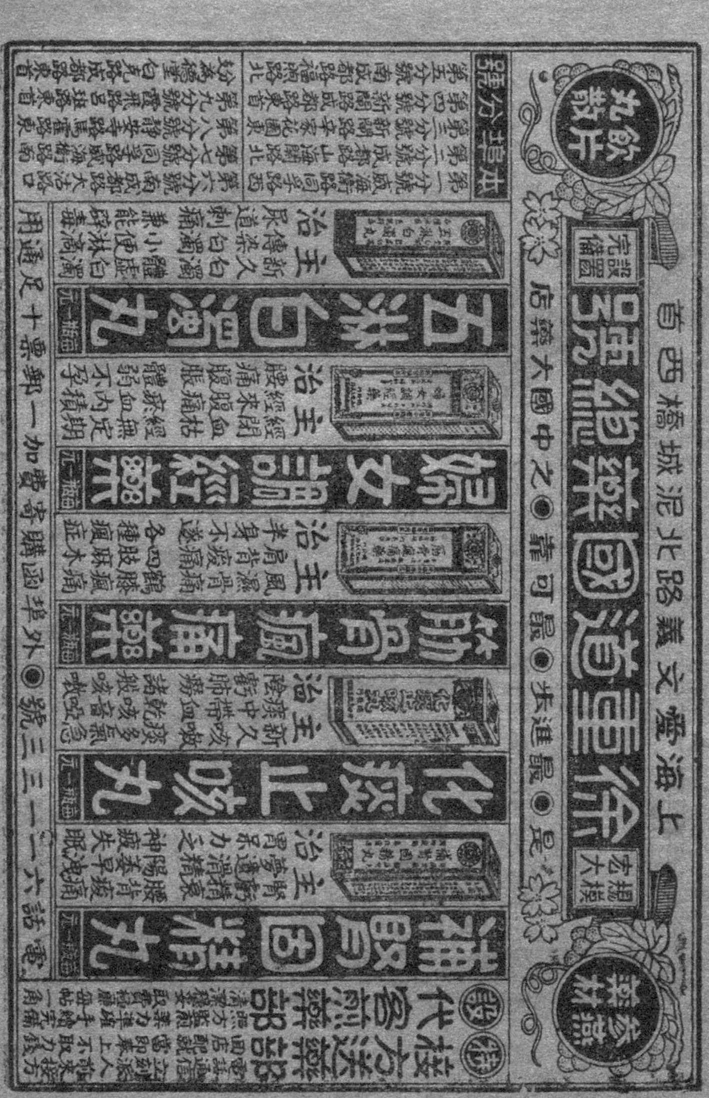
上海愛文義路北泥城橋西首
徐重道國藥總號
是◉步進最◉靠可最◉之中國大藥店
補腎固精丸
化痰止咳丸
筋骨瘋痛藥
婦女調經藥
五淋白濁丸
電話一六二三三號◉外埠函購寄費加一郵票十足通用

國民政府註冊商標
金耳
是補品中之王
金耳功效四時皆宜
本公司發行之金耳業經中央衛生局化驗証明並經中西著名醫學大家所公認為養生唯一之補品也君欲惠顧極誠歡迎另售躉批特別克己外埠函購原班回件奉送郵費迅速靈便　本公司謹啟
經理代售　特別歡迎
本公司為推廣起見本埠外埠如有願為經理代售者請逕至本公司接洽極表歡迎
上海經理處
永安公司
先施公司
新新公司
各大參藥號均有代售
總批發所　上海華發建業公司
地址　白克路寶隆醫院對門逸民里五二七號
電話三五一一一號
送禮宴客最為名貴
認明經理牌號以免劣貨朦混

醫藥精華集

○近代名著○ ○不同凡作○ ○內容豐富○ ○無所不包○ ○請閱目錄○ ○便知精采○

何以可貴

醫藥精華集。何以可貴。因醫藥精華集為醫藥新聞報之材料彙成。醫藥新聞報。為全中國最偉大之醫報。全國名醫之鉅著。悉萃於此。例如指導社會醫藥常識。箴砭醫界同人。厥功非細。而關於時令疫癘。醫藥新聞報所發表治法。隨時有獨到之處。今本書既為醫藥新聞報名貴之材料彙成。故醫藥精華集即為名貴之偉著。（本書分初集二集二種）

醫藥精華集初集 係醫藥新聞第一年全年材料彙成

醫藥精華集二集 係醫藥新聞第二年全年材料彙成

初集要目

■苔脈門■辨舌大要，舌苔學，脈學，辨脈知壽夭，孕脈辨，男女脈辨。■痧症門■痧子（即痦，痲，）之最妥治法，斑疹白痦治法。■婦女門■婦女病大網，陰戶奇病自療法，經病，產病，肝氣，積聚，乳房。■瘧痢門■瘧疾新論，治痢三大法，痢疾必愈，痢疾不能用利水藥辨，治瘧特法。■咽喉，咳嗽門■咳嗽特效治法，百日咳，喉症特效治法，喉症三忌，白喉與喉痧之分別，哮喘與短氣之別。■花柳門■花柳病與各方之關係，脫鼻重生法，陽物復長法，下疳便毒魚口橫痃赤濁白濁五淋陰蝨囊癰結毒等自療法。■霍亂，腸胃門■似霍亂，寒霍亂，熱霍亂，霍亂新論，霍亂新新論，腹痛之辨別，嘔吐嚥之辨別，反胃：關格，胃痛，宿食。■溫病門■溫病淺釋，溫病宜急下不宜過表，釋春溫，釋秋燥。濕溫，濕溫證治。■中風，傷寒門■中風論略，中風不能用風藥辨，釋傷寒，夾陰傷寒辨。■遺精門■遺精與種種之關係，（與環境，震動，腳踏車，搥背，被褥，沐浴，便溺，性情，飲食等）遺精之種類，異哉遺精病。外治遺精三法，脫陽急救，遺精目盲。

其他痰病，頭痛，健忘，失眠，夢魘，肺勞，五官，推拿，剖解等門，均有名著，凡數十篇，子目繁多，限於篇幅，不能盡述，書後附有集益錄一百六十條，俱為不可多得之簡效方。

二集要目

■衛生門■肺臟強健法，心臟強健法，肝臟強健法，脾臟強健法，腎臟強健法，平時衛生，病時衛生，婦女衛生，小兒衛生，公共衛生，天氣突變之防範。■時症門■時症防預，關於腦膜炎之問答，腦脊髓膜炎，（按此等著作，去年刊載，萬人爭誦。）■戒烟門■戒烟必效法，戒烟善後問題。■病理門■不治自愈，非治不愈，雖治不愈，雖病不死，不病猝死，易治易愈，緩治方愈，愈後復發，傳染，潛伏，傳變，遺傳，六淫，七情、氣血的病理，我國談病理的書，可稱未曾有過，此篇洋洋數萬言，乃最新之發明，最新之傑構也。■性病門■性病之研究，遺精絕嗣，遺精之特異，遺精失血，遺精速愈。遺精白濁單方三十三條。■肺病門■名醫所述之肺病治法，肺病預防，白痰與吐血，瘀血問答，肺病驗案。■婦女門■胎成男女之研究，避孕新法（涼血，陰血離經，殺減精蟲，精液避射，子宮墳塞，交媾前洗滌，交媾後洗滌，過期交媾，風流如意帶等法。）■小兒門■小兒病十一種詳細治法。

其他如消渴，癩痲，黃疸，痔疾，眼疾，瘧痢，咳嗽，以及其他雜症治法數十門，子目不遑細述，書後附集益錄一百餘條，及急救方法五十則，搜羅齊備，堪稱全璧。

特點

本書之特點甚多。而尤為社會人士所稱道者。其一為避孕法之新研究。及治腦膜炎之特法。為獨得之發明。海內任何醫書。無其詳備。其二為初集二集卷末。各附有靈驗祕方一百六十條。方方不同。皆為古今名醫不傳之祕。經本館搜羅而得。名貴異乎尋常。其三為百病療法。俱重實驗。普通人得之。亦能應用。至於裝釘之精美。猶其餘事。

價目

初集金裝一大厚冊計六百面定價二元特價一元四角二集金裝一大厚冊計六百面定價二元特價一元四角（寄費加二）

贈送

本館特向生生美術公司定造福壽箋數十萬，作為贈品，凡向本館直接購書者，每購一冊，贈送福壽箋百張，多購多贈，至在代售處購買者，恕不贈送。

總發行所

上海法租界薩坡賽路西門路豐裕里四一號 醫藥新聞報館

代售處

上海山東路十三號 中醫書局

（中醫書局）　**國醫小叢書三十六種**　（新書出版）

全書三十四冊◎定價三元四角

- 溫病者鬱論……信陽源通魏
- 傷寒捷徑……羅東生
- 傷寒論校勘記……秦又安
- 類傷寒辨……吳友石
- 痧疫指迷……費養莊
- 吊脚痧方論……徐子默
- 霍亂平議……凌禹聲
- 疫痧草……陳耕道
- 伏邪新書……劉吉人
- 疝瘕積聚編……大橋尚因
- 癆病指南……秦伯未
- 上池雜說……馮元成
- 發背對口治訣……謝應材
- 外科秘法……謝應材
- 江氏傷科學……江考卿
- 刺疔捷法……張鏡
- 七十四種疔瘡圖說……葉氏
- 疔瘡錄要……九一老人
- 癧科全書……梁希曾
- 集驗背疽方……李迅
- 顱顖經……四庫全書本
- 福幼編……莊一夔
- 小兒病叢談……聶子因
- 痘疹遂生編……莊一夔
- 時疫論……朱鳳衢
- 白喉治法捷要……張紹修
- 白喉忌表抉微……耐修子
- 秘傳喉科十八證……蔡鈞
- 白喉辨症……黃維翰
- 喉科秘訣……黃眞人
- 羚羊角辨……張錫純
- 經目屢驗良方……翠竹山房主
- 吐方考……日本獨嘯庵
- 洄溪老人廿六秘方……徐靈胎
- 脈訣秘傳……沈雲將
- 證治心傳……袁體庵

影印古本醫學叢書第二集出版

內容提要

凡十四卷　三十萬言

難經懸解——黃坤載著——黃氏研究醫學甚深。其素靈懸解傷寒懸解。久已膾炙人口。茲書尤見精心結撰。馮承熙謂榛蕪路闢。匣鏡塵捐。宿障雲開。舊疑冰釋。推爲難經佳本。醫林祕笈。洵不誣也。

傷寒尋源——呂榛村著——書分三編。上辨風寒濕溫熱源流及六經辨證諸法。中將各證辨別疑似。下將製方精義。加以詮疏。探歷聖之淵源。綜諸家之得失。是眞讀仲景書而善悟者。

金匱鉤玄——朱丹溪著——詞旨簡明。不愧鉤玄之目。經戴元禮校補。尤多精確。明史方技傳。曾載此書於元禮傳中。而外間無有流行。讀者憾之。今本局覓得原刻。不啻海內之孤本焉。

醫門補要——趙竹泉著——馬培之序云。醫門補要。如白香山詩。老嫗都能解說。而又攝經之腴。搜方之秘。其言甚簡。而其治甚驗。可以想見其內容。蓋與外科眞詮互相頡頏。同爲外科珍品也。

鍼灸要旨——高武著——鍼灸之法。足補湯液所不及。今日本肆力研究。而國中反漸失傳。殊堪痛惜。是書以內難爲經。各家爲緯。詳述各症之治法。較之鍼灸大成。精要切實。殆有過之無不及焉。

特價辦法

一　本書多三十萬言。共計十四卷。一千三百餘面。六百餘頁。分訂十厚冊。布套上下二函。

二　每部定價六元。特價對折。僅售三元。外埠函購。每部郵費掛號費二角。特價截止後。概售七折。實洋四元二角。

三　本書用上等江南連史紙。將原本影印。與原書無二。清晰異常。

四　本書高八英寸。闊六英寸。厚四英寸。

五　特價期限。以二十年七月一日起。至七月三十一日止。外埠同時截止。

六　本書存者無多。概不分售。

七　特價銀。以上海通用銀元計算。郵票代價。九五折計算。

上海山東路十三號中醫書局啓

編輯委員會題名

中華民國二十年七月十五日

現代國醫

第三期 實洋二角

編輯者 編輯委員會

出版者 上海市國醫公會 上海浙江路二七

發行者 上海市國醫公會 四號二樓十四號

寄售處 上海中醫書局 上海山東路南 帶鈎橋十三號

中國醫藥書局 上海西藏路西羊 關弄五〇三號

印刷者 華豐印刷鑄字所

▲本雜誌每月一冊。全年十二冊。
▲每期實洋二角。預定全年連郵二元。
▲凡本會會員。一律優待減半。實收一元。
▲廣告價格。全張每期二十元。一面十二元。半面八元。長期八折。

現代國醫新書

上海中醫書局出版

地址上海山東路第十三號

書名	著者	冊數	定價	折扣
讀內經記	秦伯未	一	六角	七
內經類證	秦伯未	一	六角	七
難經註疏	日本玄醫	一	八角	七
古本難經闡註	丁錦	一	六角	八
難經古義	滕萬卿	一	七角	七
金匱直解	程雲來	一	一元	七
傷寒纂方辨要合刻	栗園淺田	一	六角	七
傷寒撮要	王夢祖	四	二元四角	八
傷寒六書	陶節菴	一	一元	七
影印宋本傷寒論	張仲景	四	一元四角	七
溫病賦	姜子房	一	二角	七
溫病條辨症方歌括	錢文驥	一	三角	七
中西匯通簡明醫學	卜子義	一	八角	七
醫學見能	唐容川	一	四角	七
百病通論	秦伯未	一	二角	七
燥氣總論	陳葆善	一	五角五分	七
秦批全生指迷	王晛	一	三角	七
中醫病理學	張恭文	一	三角	八
瘋癆膨膈辨	林翼臣	一	一角	七
外科真銓	鄒五峯	二	一元四角	七
外科學大綱	許半龍	一	五角	七
傷科大成	趙竹泉	一	三角五分	七
胎產證治	王肯堂	一	二角	七
女科秘旨	釋輪應	二	一元二角	八
幼科易知錄	吳溶堂	一	五角	七
幼科祕訣	陳氏	一	三角	七
治痔全書	董西園	一	四角	七
中國痘科學	卜惠一	一	三角	七
白喉條辨	陳葆善	一	二角	七

書名	著者	冊數	定價	折扣
疫喉淺論	夏春農	二	四角	七
藥徵全書	東洞吉益	一	一元	七
藥物形態學	沈嘉徵	一	三角	八
本草衍義	寇宗奭	二	一元二角	八
藥性提要	秦伯未	一	二角	七
中國藥物學史綱	何霜梅	一	五角	七
清代名醫醫案精華	秦伯未	四	三元	七
清代名醫醫話精華	秦伯未	四	三元	七
肘後備急方	葛洪	四	一元	七
膏方大全	秦伯未	一	三角	七
怪疾奇方	費伯雄	一	三角	七
萬有丹方治病指南	九一道人	一	六角	實
汪氏湯頭歌訣新註	李盎春	一	二角五分	七
驗方類編	秦伯未	一	二角	七
丸散易知	秦伯未	一	二角	七
診斷大綱	秦伯未	一	二角	七
辨脈平脈章句	周學海	一	六角	八
辨脈指南	郭元峯	一	六角	七
歷代醫學之發明	王吉民	一	三角五分	七
國醫小史	秦伯未	一	二角	七
醫學筆塵	王肯堂	一	四角	七
中醫學綱要	楊影廬	一	五角	八
飲食指南	秦伯未	一	二角	七
國醫小叢書	全書六輯	卌四	三元四角	七
中醫叢刊	第一輯	十	四元五角	七
家庭醫學常識叢刊	秦伯未	六	一元二角	七
影印古本醫學叢書	初二集	廿	十一元	七
實用中醫學	秦伯未	四	二元八角	七
銅人經絡圖	赤城醫廬	四張	一元	七

外埠函購郵費加一郵票代洋九五折算

每月刊

現代國醫

第一卷 第四期

中華民國二十年八月

上海市國醫公會編輯印行

發行 上海南京路香粉弄八十八號

編者小言

（伯未）

本期中盛心如君投寄之尤在涇晚年醫案。丁仲英君之五法總論。爲不經見而極有價値之作品。謝利恒君之澄廬醫案。在年內擬付印單行本。茲承擇尤在本刊發表。俾資先覩爲快。均見愛護本刊之熱忱。不勝感謝。

夏重光君秉性耿介。傅雍言君秉性仁厚。對於會務多賴襄助。觀其國醫今後之努力暨誰之功過二文。情溢言表。不啻如見其人。夫爲公衆服務。最屬不易。往往心勞力瘁。而橫遭嫉忌。誹語四起。二君獨視事理所當然。毅然言之。毅然任之。不顧一切。洵可敬也。

本市神州中華中醫三學術團體。俱有悠久之歷史。中間雖一度受民訓會之訓令停止活動。今已相繼改組成立。竊謂研究學術。爲中醫進展之惟一途徑。非特不能停止。且當設法擴大。嗣後行見其學術上多所貢獻。惠我同道。本刊既負宣傳國醫文化爲旨。深願竭力匡扶。共謀發展。尤願三團體同仁。不時指教。

現代國醫第一卷第四期目次

醫事雜評

論國醫……陸士諤

新中醫……秦伯未

誰之功過(二)……傅雍言

言論

今後國醫界的努力……夏重光

中醫與中藥同時改進説……姜子房

專著

藥籠小品(續)……黃退庵

五法總論……丁仲英

診病奇侅……松井操譯

學説

喉痧探源……盛心如

病的簡便辨別法……胡佛

人有中興逆順之數論……張汝偉

書陰陽應象大論後……胡安邦

肺病標本虛實寒熱用藥法……翟冷仙

醫案

尤在涇晚年醫案……盛心如錄
腦疽醫藥……高錦庭
澄廬醫藥……謝利恆
一瓢硯齋醫案……薛文元
方劑
紅白痢驗方……汪友松
瘟疫時症經驗良方……汪友松
戒烟神方……楊道南
急治小兒驚風方……楊道南
汗臭方……楊道南
治禿妙方……楊道南
治吐血方……楊道南
紀載
會議紀錄
案牘
一致法租界納稅華人會函
二朱囗囗醫士被控案
補白
中國醫藥界的可喜消息……任農軒
爲鄉村的醫生進一砭……沈禮同
流注驗案……單厚生

醫事雜評

論國醫

陸士諤

西醫在時事新報大罵國醫。謂激於義憤。稍稍著論駁斥。在鑽報小閒話中。陸續披露。不意西醫集矢諤身。漫罵之函。鑽報館接到有二三十封之多。余雲岫在時事新報著長論。且指名大罵。此種因公受罵。雖辱猶榮。然平心而論。吾國醫確有短處。氣化空論。無補事實。五行生尅。實太穿鑿。諤邇來治學。惟知認症。對於氣化五行。雅不願多談。竊謂症之眞憑實據。不過是體用兩個字。國醫有之。西醫亦有之。國醫在用字上着眼。西醫在體字上注意。解剖學。微菌學。症之現於體者也。吾傷寒論之種種症狀。症之現於用者也。吾輩國醫當以傷寒論爲南針。研究用字上種種證據。熟讀牢記。於某經某證。絲毫不錯。行有餘力。再參攷體字上之證據。所謂生理解剖。病理微菌等泰西學說。原無不可。乃近來有所謂新中醫者。舍固有之用字上病證功夫不做。偸取西醫皮毛自命爲科學化。既不會解剖之手術。又沒有化驗之儀器。於國醫既全無根底。於西醫亦未獲皮毛。講幾句不中不西非驢非馬的話。自欺欺人。乃無識者流。反奉之爲中醫之進化派。噫。國醫之亡。不在西醫。乃在此輩。或曰。世界潮流。日趨進化。吾醫學豈能例外。採人所長。補己所短。胡可厚非。諤則謂欲採人之長。必須先知己之所短。欲知己之所短。必須先知己之所長。今於用字上之種種病症。茫然不知。長且不知。何論於短。更何有於採。昔吳鞠通創跳出傷寒圈子之論。諤則謂既未跳入。從何跳出。身處圈外。必須先做跳入功夫。故欲參攷西醫認症之學。必須先從國醫認症學入手。不然。吾儕對於西醫之事。未嘗學問。毫無憑藉。大海撈針。試問從何着手研究。卽使其人絕頂聰明。研究有得。既於國醫毫無根底。亦不過造成一個半路出家之西醫。與國醫無涉也。於國醫之進化。國醫之改良。更無關涉。質諸同道。以爲何如。

新中醫

秦伯未

海上揭新中醫之旗幟者。當以新中醫社爲最早。余曾代擬宣言萬餘言。雖激於一時。語多憤慨。而目標在整理舊學。融化新知。不幸未成事實。遽告渙散。嗣後借新中醫號召者。不乏其人。追念前塵。冷觀現狀。不禁重有感焉。夫新中醫豈易言易行哉。以吾所知。一爲急進派。視中醫一切學術。幾無完善可法。指謬吹疵。竭力以西說爲宗。意爲改造中醫。舍此莫由。一爲折衷派。視中醫一切學術。無處不與西說相合。旁徵繁引。竭力以中西治爲一爐。亦意爲改造中醫。舍此莫由。吾今以旁觀者視之。則前者失之偏。而後者失之拘。夫必欲以中醫學說爲無可法而擯棄之。則何不直習西醫。出主入奴之見。勢不至爲西醫隸僕不止。若必欲以中西匯通。方謂之新。則中西醫根本立足點先多異歧。勢必牽强附會。其流弊蓋所謂舊不澈底。而新亦不澈底。皆非創造新中醫應取之態度及步驟也。

新中醫應取之態度。其心目中當以中醫爲主體。時時于中醫本身上謀改進及創造。其步驟。當就中醫固有學術。先加以切實之研究。愼密之攷慮。孰爲有用。孰爲空言。孰爲至理。孰爲邪說。然後存其所當存。汰其所當汰。於其所存者。復加以校正或補充。使理論上事實上。兩相妥洽。則精華自現。光采自浮。名之曰新中醫。庶當之而無愧。若斤斤剿襲西醫。自詡爲新。直西醫化之中醫耳。豈中醫之新耶。然而吾爲此言。須知非絕對禁中醫之取西說也。正如先總理所謂發揚吾固有之文化。且吸世界文化而光大之。又謂我們固有的東西。如果是好的。當要保存。不好的。才可以放棄。蓋深願于采取西說之前。先于中醫學說加以攷量。則本固枝榮。方能顯出獨立之精神。否則拔苗助長。自召其亡。此倘亦可爲知者道。難與俗人言者乎。

誰之功過（二）

傅雍言

國醫之衞生學。在內經有四氣調神。養生等篇。及至現代。不甚相容。而於繁盛市場。更屬難合。蓋因人民之貧富懸殊。無論衣食住行。四者之一。斷難相提並論。而欲與外僑媲美。豈不難哉。故曰養尊處優。反有失精脫形。莫如素富貴。行乎富貴。素貧賤。行乎貧賤。方可相安自得也。至於國人之病傳染者。雖不在少。其實死於癆者爲最多。癆卽勞病。勞字之義。如用力則君相二火上炎。靜之逸之。自然可愈。但觀夫國事多端。家累繁重。依人作嫁。苦學艱辛。不克間斷休養。與經濟壓迫。其屬於國人之素性儉勤歟。抑亦國醫之權力薄弱歟。吁。如農工界。衣粗布。食藜藿。住茅舍。行崎嶇。而於冬令。則能守藏。卽工者終歲勞苦。而每於夜分。得無擾筋骨。無見霧露。故山野之間。都有享高壽者。士商界。而能每日得有清靜養神者。則內腠閉拒，雖有大風苛毒。莫之能害。其於士人爲最難。往往知識高深。向上心切。不克自守。而明知故犯者。特士界之女子。爲尤甚焉。例如中孚銀行。李君長源夫人。自幼勤學。在母家已師範畢業。又在浦東創設學校。滲淡經營。奔波勞瘁。曾經觸穢感冒。病菌潛伏。强力從事。旋又及期而嫁。受娠惡阻。仍教課無間。標本兼病。以致不克支持。及胎居七月。而形瘦骨立。氣怯神疲。咳嗽必須有人。用手壓其肩膊。否則一咳。氣走於背而癱。乃其肺已破損矣。方邀余診。知病至三期。無能爲力。惟尚能食粥一盞。思可假其胎元之生氣。而或可進補。竟延至其產。然產時頗難勝任。而仍假以藥力與人工。至產後生氣脫離。氣血不能抵抗。所有潛伏未發之病。亦乘此加劇。仍屬不救。然所生女孩。迄今四五歲。而尚屬健者。嗚呼。其死於勞。而勢不能間斷休養之爲尤者也。今中國醫院內。在立夏後第三日。卽見有一中學生王女士。發痏痧。稍有咽痛未爛。前診之醫。方中有黃芩白朮。猶以爲未妥。乃專以透感時邪。及病毒外達。餘熱不清。意必伏於營分。將臨經耶。詎知該女生已嫁。而又惛懷孕生產。曾求前醫墮之。故爲其稟安胎也。乃囑其不可欲速。當徐徐清化。不意該婦在校。必須大考。方可畢業。不得已而帶病出院。從事考試矣。至小暑後四日。復來求治曰。頭昏午暉。面赤時浮。咽乾喜冷。食少便艱。脈數舌紅。而少腹常痛。胎元未墜。乃仍以清營安胎之法。而謂之曰。痧後留邪。終身之患。迄今圖治。或可減去胎元之遺毒耳。噫。現代之男女並權。在醫學立場上。我恐遺害亦正無窮。故愈開化。而愈不衞生。余嘗曰。在山野間。有眞正衞生家。若於本埠求之。抑末矣。

中國醫藥界的可喜消息

任農軒

中國醫藥術。經由數千年的研究進化而趨于完成。當然有他的相當價值。可是我們國人的時髦病。多很歡喜戴着一個歐化病的名色。服外國藥調治。在心理上似乎覺得安慰些。以此因由。便造成海關數千萬元西藥進口的可怕數額。不禁令人想到印度人擁護國藥抵制西藥的精神。覺得着實可以欽佩。我們中國人不應菲薄自己本國的國粹醫術。有竭力維護的必要。何况國聯衞生機關。最近也有信仰中國醫藥術的表示。謂研究學者。能考查中醫眞正的科學原則。定可獲得切實結果。卽將指派中日印美與其他各國代表。組織考查團專司其事……云云。這一個可喜的消息。我要及早的奉告國醫專家。須知這一件事是我中國醫藥術獲得世界地位的惟一機會。也就是我中國國醫復興的緊要關頭。我們該如何聚精會神。聯合研究。提供材料。準備給予考查團作切實的審察。這的確是最切要的一個問題哪

言論

今後國醫界的努力

夏重光

上海市國醫公會正式成立了。中央國醫館。於本年三一七日正式大會已開幕了。嗣後正副館長一經產生出來。那麼國醫的科學化。將見發揚光大了。以上這兩件事。在職業上得到一個保障。在學術上更有一種新進步。這是何等可賀可歌的事情。所以上海的國醫界人。頗抱樂觀的態度。推而至於全國的國醫界。亦莫不是額手稱慶。我們雖然是這樣的欣幸。但是另有許多人在那裏妒忌呢。說是中央行政。倏而設立衛生部。倏而設立衛生司。倏而設立衛生署。還又說是。每月拿出許多錢來。培植國醫。好像是不對的。怨謗的話。見三一七日申報載在來函欄內。我那日下午。由首都趁火車回滬。在車中閱見此報。發生出一些感想來。投函這報稿的人。這不是我們中國有用的人才嗎。這不是我　先總理的信徒嗎。怎麼偏偏對於　總理遺教上。民國十二年十二月二十一日。　總理在嶺南學生歡迎會演講詞中第九段上說。(我們立志還要合乎中國的國情)的話。大相反嗎。在當時　總理說。像四十多年前。中國派許多學生到外國去留學。尤其以派到美國的爲最早。他們到了美國之後。不管中國爲甚麼要派留學生。學成了以後。究竟於中國有甚麼用處。以爲到了美國。只要學成美國人一樣便夠了。所以他們在外國的時候。便自稱甚麼『佐治』『維廉』『查理』連中國的姓名也不要。回國之後。不徒是和中國的飲食起居不能合宜。就是中國話也不會講。所以住不許久。便厭棄中國。仍然回到美國。當中也有立志稍爲高尚一點的。回到美國之後。仍然繼續研究學問的。不過那一種學生。對於中國的飲食起居和人情物理。一點兒也不知。所以的思想行動。和美國人絲毫沒有分別。所以他們不能說是中國人。只可說是美國人。至於下一等的回到美國。便每日遊手好閒。無所事事。因爲不是學生。取消官費。或家庭接濟。弄到後來。甚至個人的生活。都不能維持。於是爲非作歹。無所不做。完全變成一種無賴的地痞。以中國的留學生。不回來做中國的國民。偏要去做美國的地痞。那是有甚麼好處呢。甚至在美國的時候。連中國人住的地方。都不敢去。逢人說起國籍來。總不承認是中國人。試問這種學生。究竟是何居心呢。這種學生。可以說是無志。只知道學人。不知道學成了。想自己來做事。』又在這演講詞中第三段上說。（中國人讀書思想。都以爲士爲四民之首）在這一段內有說是近代人類立志的思想。是注重發達人羣。爲大家謀幸福。用事實說。我們中國青年。應該有的志願。是在甚麼地方呢。是要把中華民國。重新建設起來。讓將來民國的文明。和各國並駕齊驅。我們現在的文明。都是從外國輸入來的。全靠外國人提倡。這是幾千年來從古沒有的大恥辱』我當時在這遺教上感想。覺得另有許多人。就不該妒忌國醫。應該充份的提倡國醫。使得國醫產生出一種最新的科學。推行於各國。教中國像唐朝的時候。外國人到中國來留學有三萬多人。纔是我們的唯一光榮呢。不過我們國醫也不要夜郎自大。平心定氣的。考察世界文化好的。應吸收之。取他人之長。補自己之短。更要拿我的智識。研究他人長處的實際結果。來產生我們一種長處。補救我們自己短處。並不是略知他人的長處皮毛。就盲說我們自己總是短處。如果自己認清自己長處。就應該想出法子來。盡量推行我的長處。去補救他們的短處。這不就是將民國的文明。和各國並駕齊驅。一洗我們近年來的大恥辱嗎。總之我願我國醫界。不要在鄙外媚外上着想。要在自求自給上做去。但是要自求自給。現在社會進化。不是空談可以做到的。那末怎樣做法呢。簡單的說一句。就是在擁護合法的團體上着手。這是我個人希望今後國醫界。向這一點上努力。

中醫須與中藥同時改進說

姜子房

中醫具數千年之成績。彪炳日星。遽爾落伍於西醫之後。西醫方一二百年之研究。程度幼稚。突然超過中醫之前。豈西醫之技能。果神奇歟。非也。中醫之學說。果腐敗歟。亦非也。其內容之眞相。實西醫尙形式上之精神。中醫抱因循之態度。如行路然。健步者自恃其行之速。中途優游。跛足者自虞其脛之弱。積極進行。不轉瞬間。跛足者已至。而健步者落後矣。豈健步者之能力弗及跛足歟。未發展其精神耳。今日中西醫之現象。應作如是觀。

西醫形式上之精神。尤以宣傳藥品爲前提。凡試驗一種藥品。認眞化煉。美麗裝璜。登報宣傳。推銷各地。爲某醫士之發明。某藥房之出品。一旦暢銷。則該醫士之名譽。隨之日振。營業亦隨之日隆。社會上被其鼓吹。競奇尙異。輕於購服。咸謂可免延醫之費。又徒便於携帶。較中藥湯劑。節省麻煩。抑或病起倉卒。一時良醫難求。良藥難得。不若西藥之捷便也。由是社會信仰性。漸轉移矣。然究其實際之功效。亦無十分把握。流弊亦所不免。攷之中藥。古人創制之奇方。其功用效果。較諸西藥。實具超過之程度。如(千金)(外台)諸書。所選之方。按法炮製。若再加以改進方法。自然效若轉丸。所惜中醫。溺於因循。不肯試驗進化耳。此西醫戰勝中醫之要點。卽在宣傳藥品形式上之精神。而不在學說上優劣之一大明證。

且醫猶將也。藥猶兵也。古今良將。未有不在暇時。訓練精兵。以供臨敵之驅使。若僅恃運籌幃幄之中。卽可決勝千里之外。鮮有不僨事者。今之中醫。於臨症時。書一湯劑方單。卽可了事。在通商巨埠。尙有可靠之道地藥材。應方奏效。若在小市。及僻壤間。僞藥劣貨有之。陳腐霉爛有之。此缺彼充有之。方每對症。藥不應手。病家不知藥之不良。而咎醫之不善。然此固非醫者之過。而醫者亦不能辭其責。良由平時。不在行道範圍內。與藥舖研究藥品。又不悉心試驗古法良方而修合之。以補湯劑之不逮。及供僻壤之需要。致失社會上之信仰。由是一大吠形。衆犬吠聲。卽此而觀。中醫名譽之失敗。果學說上眞相歟。抑精神上未發展歟。茲幸諸先進。固結團體。以互相研究。設立醫校。以挽救國粹。每月出刊。以提倡改進。一面與西醫奮鬬。一面喚起同志。大聲急呼。一片熱忱。可欽可佩。照管見所及。倘再於學說改進方面。加以提倡藥品。試驗良方。果有奇效卓著者。改進修合。亦如西藥之宣傳推銷。灌輸社會上腦精。外可以抗拒嫉風妒雨。內可以補助湯劑所不逮。予故謂醫乃藥之將。藥爲醫之兵。先聖云。（工欲善其事必先利其器）醫與藥。實有互相維繫之關係。西醫所以賴鼓吹西藥。得樹價值之先聲。

試再以中西藥品比較論之。攷西藥之靈驗最著者。莫如調經之（女界寶）（月月紅。）治瘧之（金雞納霜。）治梅毒之（六零六）（九一四）等品。予嘗同時治兩婦人經血不調。症狀相似。一令購西藥（女界寶）（月月紅。）輪流服之。一令購中藥（加味逍遙丸）（白鳳丸）輪流服之。以研究中西藥品功用之比較。服中藥者。甫經一月。經調病愈。服西藥者。延至三月。竟無效果。反增便溏食減之變症。因令改服（逍遙丸）（白鳳丸）佐以健脾和血湯劑。月餘而痊。至購服（金雞納霜）愈瘧者固多。不應者亦復不少。且多愈而復發之弊。多服早服。亦能中毒。變成痞脹黃腫等症。不一而足。多致不救。中藥治瘧之秘方甚夥。均有奇效。惜醫者不肯試驗。病者不肯試服。深負古人創方之苦心。予家數世醫業。相傳（瘧痢救苦丹。）不但治瘧。並且治痢。無論一二三日瘧疾。一服即止再診其致病之因。佐以湯劑。輕者一二帖。重者三四帖。永無復發之虞。亦無變幻他症之危險。惜限鄉隅。未能推廣。再攷梅毒用西法功效雖速。流弊實多。良以注射等法。刺激收斂。將毒汁排入骨髓。取效一時。日久變成結毒。殘廢終身。情深可憫中。藥治梅毒之方。實穩固於西藥。外治如（黃升丹）（紅升丹）（白降丹。）量症淺深。摻以他藥。內服如（五寶丹）（小金丹）（九龍丹）（龍胆瀉肝湯）（防風通聖散）諸方。量症輕重。體質强弱。是在醫者調劑得當。加減合宜。靡不按期奏效。我中醫果能將中藥良方。與學說同時改進。當然有百跌不破之眞價值。彼尚形式者。吾恐炫燿一時。如雲霧之與日星。光芒終難久掩。

尤有奇者。西醫不但鼓吹西藥。爲彼樹價值之先聲。並且襲取中醫。早經發明有價值之中藥。改頭換面。大肆鼓吹。爲舶來最上品。以愚惑社會。欺壓中醫。如（杏仁露）（大黃粉）（當歸精）等類。其原料。本爲我中國數千年天然之特產。其治療功用。早經中醫發明。歷數千年之成績。若

（杏仁）之去皮尖。研如泥。（當歸）之用酒洗。或醋炒。以及用頭用身用尾用全。（大黃）或生用。或酒炒。或同（石灰）拌炒爲（桃花散）。均因症而施。各盡其炒。何待彼用機器製造。將（杏仁）釀爲露。始能利肝止咳。（當歸）煉成精。始能理血調經。（大黃）製成粉。始能蕩滌腸胃耶。况彼鼓吹各藥之功用。均不出中醫發明之窩臼。彼不過添一番修飾。多一番裝璜。好奇者。便認爲無上珍品。如造屋然。始經瓦工之磨琢。與木工之雕刻。嗣經漆工添些顏料而塗墁之。便成華屋。遂將造屋之功。完全歸諸漆工。而訾瓦木工之腐敗。不亦誣乎。西醫更有誣陷中醫之語云。中醫可廢。中藥有可存之價値。不知發明中藥者。中醫也。既有發明中藥之學識。其價値當然與中藥共存不朽。豈有偏廢之理。矛盾之言。不辨自明。此種黑幕。一經揭破。醜態何掩。且我中醫非無改進中藥之程度。如（六神丸）（戈製半夏）（驥製半夏）等。均係晚近發明。各有特殊之功用。及推銷之暢達。何嘗不駕西藥之上耶。倘能於其他藥品及驗方。亦如此研究。逐漸改進。內濟生命。外挽利權。闡揚國粹。抗拒詖辭。卽在此千金鈞一髮之時代。

吾是以深願諸先進。於改進醫學世代。同時改進中藥。辨別眞僞。改良炮製。將已經普通暢銷之靈驗丸散。加以改良修合。其有秘而未發之驗方。試驗發明。宣傳推銷。以補湯劑之不逮。顯其特效。以樹中醫中藥之眞價値。並願海內有志之諸同袍。如有獨得之秘方。和秘製之靈藥。和盤貢獻。以供團體之研究。庶幾將吾國寶貴之秘粹。及先賢之心傳。一齊披露。實現於世界。庶幾吾國之醫藥之聲價。不抬而自高。舶來品不戰而自退。

上海市國醫公會，是上海市國醫唯一之職業團體。
現代國醫月刊，是上海市國醫發表言論及討論學術之論壇。

專著

藥籠小品（續）

嘉善黃凱鈞退庵

大棗甘溫補中益脾。同老薑和營衛。和百藥。惟嫌助火。胃熱齒痛所忌。

梨汁涼心潤肺。除煩解渴。熬膏代蜜丸。一切治肺之藥。最妙。

柿霜乃柿之精液北地用膏粱粉者。淸上焦心肺之熱。柿蒂止呃逆。（濟生方加丁香生薑尤妙）

木瓜酸濇而溫。調營衛。利筋骨。治霍亂轉筋（能理脾伐肝也）

山查健脾行氣。消食磨積。（麥芽消穀食山查消腥羶）散瘀化痰。發小兒痘疹。行乳積。止兒枕痛（惡露留於小腹名兒枕痛）同茴香療小腸疝氣去核炒。

橘皮脾肺腸胃之氣藥。舊有國老之稱。謂其於補於表於踈劑中。皆能相助成功。同杏仁能治老人便閉。去白入肺達表。橘白和中止胃痛。淸異錄名橘皮爲貴老。取陳而紫色者佳。

枇杷葉淸肺和胃。降氣消痰。治熱欬嘔逆。拭淨毛蜜炙。可入肺寒之劑。去粗莖。用手揉軟。可入肺熱之劑。

石榴皮酸濇。治久痢下血。煆存性爲末。冲服。崩漏脫肛。煎湯洗。若血痢留邪未盡。忌之。

胡桃肉潤皮濇。同補骨脂治虛寒腰痛。胡桃人參湯。觀音夢傳於洪輯子治痰喘。去皮無効。連皮有功。蓋皮能歛肺也。一切筋骨痛皆可除。

荔枝核治睾丸脹痛。取象形之義。須配入平肝祛風濕劑中。燒存性研冲。

龍眼甘溫。補心益智。惟嫌助火。故胃熱者服之。多作齒痛。

松子潤腸。開胃悅肌膚。散風止嗽。治大便虛閉。

梹榔尖長如雞心者苦辛溫。能破滯散邪。瀉胸中至高之氣。使之下行。攻堅去積。消食行痰。逐水殺蟲。墮諸氣至於下極。氣虛下陷者。所當遠避。雖能辟瘴。耗損眞氣。多食少壽。更有花紋者。只可行滯消食。(陰毛生虱煎湯洗之卽除)

大腹皮辛溫。泄肺運脾，寬胸利水。爲諸腹腫脹之首推。鴆鳥多棲其樹。故須泡用。

川椒辛熱有毒。入肺發汗散寒。入脾煖胃燥濕。治心腹冷痛。腎寒水腫。若陰虛火旺者大忌。微炒去汗。椒目苦辛行水消水蠱。除脹定喘。秦椒(俗名花椒)主治。與川椒相同。

胡椒辛大熱有毒。溫中下氣。快膈消痰。治寒痰冷痢。陰毒腹痛胡椒走氣助火。最能損肺。莫以其快膈而嗜之。

吳茱萸辛苦大熱。有小毒。疎肝燥脾。溫中下氣除濕解鬱。治厥陰腹痛。嘔逆吞酸。善能降濁陰上僭。利大腹壅氣。病非寒滯有濕者勿用。滾湯泡去辛烈。止嘔黃連水炒。治血醋炒。

茶甘苦微寒。上清頭目。醒昏睡。消油膩。解肉毒。

瓜蒂苦寒。能吐陽明風熱痰涎。上膈宿食。(瓜蒂散加淡豆豉赤小豆同爲末開水調服取吐)

西瓜甘寒。解暑毒。除煩清熱。翠衣入心包絡。退熱涼心清暑之品。

蔗漿甘微寒和中潤燥。治嘔噦噎膈翻胃。(和薑汁服)大便燥結。取漿須備器杵之。

蓮子象心寧心益脾。與龍眼肉煮湯長服。大益心脾。痢之重者。以此調治。無損有益。故東垣治毋高年病痢。首用此味也。去心炒。蓮鬚濇精固胎。

石蓮子苦寒清心。除煩去濕熱。專治噤口痢。

藕甘寒涼血散瘀。節功用相同。

荷葉色青而仰。象震。于發陽氣。凡肝經病用此引經甚妙。

芡實扶脾益腎。性濇。精不禁者宜之。煖腰膝。散瘀血。治噎膈翻胃。多食神昏目

韭辛溫補腎暗。忌蜜。韭子辛溫補腎。助命門。故五子衍宗丸用之。蒸晒炒研。

葱白辛散。發汗解肌。通陽氣。多食神昏。青葱管同紅花杏仁。能入絡治肋痛。

薤白辛溫而滑。下氣調中。治胸痺刺痛。肺氣喘急。滑利之品。無滯勿用。

大蒜辛熱有毒。開胃健脾消食。去寒滯。利小便消水腫。其氣專筋入髓。與麝臍同功生痰助火。散氣耗血。昏神損目。虛熱之人切勿沾唇。獨頭者切片灼艾。治一切癰疽惡瘡妙。

白芥子辛溫入肺。能發汗散寒。祛皮裏膜外之痰。消腫止痛。芥菜辛熱。多食昏目。發瘡。

萊菔子辛溫。長於利氣。生用豁風痰。散風寒。炒熟定痰嗽消食除膨。肺虛者勿服。萊菔生食升氣。熟食降氣。制麵毒。

生薑辛溫。行陽分祛寒發表。宣肺解鬱。和胃止嘔。薑皮辛涼行水。故五皮飲用之。煨薑與大棗並用。行脾胃之津液。和營衛之氣。

乾薑辛熱。能溫經散寒邪客寒犯胃作痛。厥陰濁陰上僭。必用之品。同五味子治寒嗽通關節宣脈絡。爲用甚廣。

炮薑辛苦大熱。能使陽生陰退故吐衄下血。有陰無陽者宜之。亦能引血藥入氣分。故入四物湯。血虛發熱。產後大熱者宜之。即乾薑炮黑。陰虛有火者勿服。孕婦尤忌。

大茴香產寧夏。辛溫。煖丹田。補命門療小腸冷氣。癩疝陰腫。(疝有七種皆屬於肝)小茴香辛平理氣入腎治腰痛。入肝治腹痛兼療陰疝。

菠菜根取老菠菜直下根。治老人大便難下最妙。須佐補養氣血之藥。

蒲公英苦甘寒。化熱毒。消腫核。治乳癰乳積之聖藥。

山藥培脾益腎。強骨節。一切滋補藥。不能成丸者。用此收之。

百合象肺。保肺之藥。百合固金湯是也。若肺家有邪。疎之不暇。固之豈無害乎。

冬瓜子肺脹喘急。非此不療。兼消水腫。亦因利肺氣也。

胡麻潤調腸胃。益五藏。大便滑者忌用。

火麻仁治陽明燥熱難便。走而不守。腸滑者忌。

小麥涼心止汗。治盜汗。須浮者炒用。

麥芽健胃快脾。消積滯。化一切米麵食積。尤善通乳。能墮胎。炒用。

糯米和胃育陰生津。糯米飲同人乳服。治藥傷胃口。食入卽吐如神。古稱貧人無補。以糯爲補信然。凡麥冬用粳米拌炒。滋肺而不妨脾。稷(俗名珠子粟)小兒切不可食。堅而難化。脹而壅胃。曾見有失命。爲長者預宜禁之。

苡仁甘益胃。淡。滲濕。治水腫泄瀉。補脾炒用。利水生用。其力緩。須倍於他味。

罌粟殼酸濇。斂肺固腸。治久嗽瀉痢脫肛。兒攝太過。故必留邪。淨盡。庶用少許。否則大忌。

赤小豆細而色暗者入藥。通小腸。行水散血。消腫解毒排膿。同芙蓉花搗爛敷一切瘡疽。取效甚速。須出瘡頂腐豆水浸胖搗爛。塗痘瘡翻疤。亦有神效。

菉豆甘寒。淸十二經熱毒而解渴。凡肌膚熱瘰。菉豆皮治之。肉壅氣。能緩藥力。煨蠶豆能實大腸。

藊豆生用淸暑。炒用淡補脾胃。惟病後煨食。極能滯氣。去皮煮至稀爛。少食可也。

淡豆豉苦泄肺。寒勝熱。發汗解肌。同梔子治懊惱不眠。同蘇葉治寒月感冒。同薄荷杏仁治暑風。身熱無表邪者勿用。

神麯調中和胃。治痰逆。消積滯。同香附黑梔能開鬱氣。附造麯法。以白麵百觔。靑蒿蒼耳野蓼各取自然汁三升杏仁泥赤小豆末各三升。以配六神。通和作餅。楮葉包署待生黃衣。晒乾炒。

穀芽快脾開胃。下氣和中。消食化積。生用運化爲多。炒用開導爲多。味甘氣和。健脾之良藥也。

飴糖(卽餳也)和中潤肺止嗽。有痰火者忌之。建中湯用之。取其甘緩和平也。

酒溫熱行經。甘者滿中。淡者利小便。用爲向導。可以通行一身之表。引藥至極高之分。熱飮傷肺。冷飲傷胃。少飲和血壯神。禦寒辟邪。過飲亂神。耗血損胃。生濕痰。助慾火。爲病百端。無灰酒入藥。火酒燥烈尤甚。不可多飲。葛花菉豆。能解酒毒。

金箔辛平有毒鎮心肝。安魂魄。治驚癇。風熱肝胆之病。

白石英甘辛微溫潤燥。治肺痿吐膿。欬逆上氣。紫石英性味相同。安心神。煖子宮。女子血海虛寒不孕者宜之。火煅醋淬。研末水飛。

硃砂甘涼。體陽性陰。色赤屬心鎮心定驚。瀉熱辟邪。多用令人神呆。明透者良。研細水飛。

雄黃辛溫有毒。入肝氣分。殺百毒。辟鬼魅。治驚癇。又能化血爲水。明徹不臭者良。

石膏色白入肺。兼清胃火。熱邪在氣分。口渴齒燥引飲非此不爲功。石膏爲水藥。燥熱如焦釜。沃以水。氣出蒸蒸然。此無汗能發之謂也。暑熱爍津則汗出不休。石膏能寒肺氣。此有汗能止之謂也。凡瘧疾寒輕熱甚多汗者用之最勝。一切肺燥發熱欬喘急者。須同清滋之品。治之多效。白虎湯之知母粳米。玉女煎地黃是也。石膏能行秋肅之令。肺胃無火者大忌。

滑石利毛竅。清濕熱從小便出。暑必挾濕。得甘草良。令鋪中六一散。用漂滑石收甘草湯者佳。

赤石脂甘溫酸濇。能收濕止血。固下療腸澼泄痢。久不愈可用。研水飛。

禹餘糧甘平性濇。入胃大腸血分。能固下。治血痢血分。研漂。

爐甘石甘溫。能止血消腫。收濕祛痰。退眼疾赤爛翳膜。煅紅童便淬七次研漂。

海浮石鹹軟堅。寒潤下。色白體輕。入肺止嗽。化老痰。消癭瘤結核。水沫結成。

滋石辛鹹。能引肺氣入腎通耳氣火煅醋淬研漂。

代赭石苦寒入心包肝血分同旋覆治氣逆噫氣頻頻。虛人須加補益。

青礞石色青入肝。治頑痰癖結。（痰着礞石即化爲水）滾痰丸所以用之。虛人大忌。須揀有金心者方入藥。

花蕊石入肝血分。能化瘀血爲水。下死胎胞衣。大損陰血煅研水飛。

芒硝軟堅。卽皮硝之在上者。三承氣所以用之。同大黃枳實推蕩燥糞。疫邪之要藥。克削藏府。故調胃承氣卽不用者。恐其誅伐無過。元明粉功用相同。霸性稍減。

石硫黃味酸有毒。大熱純陽。補命門眞火。若陽氣暴絕陰毒傷寒久患寒瀉。亦爲救厄上藥。治老人虛閉（半硫丸主之）用之不當。貽害匪輕。番舶者良。最難得。土硫黃止可入瘡藥。臭不可服。

白礬酸鹹寒。性收濇。燥濕追涎。化痰墜濁。解毒殺蟲。

地漿掘黃土地作坎深三尺。入新汲水攪濁少頃取淸用。解一切魚肉菜菓藥物諸菌毒。誤食馬蝗生子腹中。用此下之。

伏龍肝（卽對釜臍之土）辛溫。調中去濕消腫。治久痢不愈。

燕窩養肺陰。滋脈絡。骨節有聲。用糯米煑粥服卽瘥。肥白爲佳。多痰者忌。

五靈脂甘溫。生用能通血閉炒黑治經水過多一切瘀滯作痛。必用之藥。酒漂去砂。

牛黃同珍珠治痰迷心竅。丹藥采用至廣。如至寶丹抱龍丸清心丸皆用之。病在心包絡之要藥。霞天膠健脾補血。胆星消包絡積痰。

阿膠補血淸血熱。止血妄行。爲血分要藥。蛤粉炒。但眞者絕少。黃明膠治瘡疥血虛不肯結痂。

虎骨頸骨補天柱無力。膝補疲痿。能潛陽伏風煎膠用。

犀角涼心解毒。凡一切心經蓄熱。必用之品。又能和陽。療鼻衂。

羚羊角輕淸肝經血熱。和陽熄風。兼淸肺火。平隱好藥。鎊用。

鹿角溫經强筋補血。治顚頂虛寒。頭痛。稍涉熱體。服之卽鼻衂便血。其性溫熱可見矣。煎膠茸力更大。

麝香麝之臍也。西產爲上。川產次之。能開通十二經氣閉。走竄之品。凡丹藥用之。取其開竅通氣也耆敗瓜果。亦能墮胎。

桑螵蛸益精固腎治夢遺白濁。縮小便。卽螗螂子也。

蟬蛻其體輕清。故除風熱。解肌發症疹。退目翳。治中風失音洗用。

蜂蜜秘密之謂也。解腸胃。和百藥。不可同葱食殺人。黃破止痛生肌。凡被毆或跌傷見風。多致不救一方用荆芥黃蠟魚鰾炒黃色各五錢艾葉三片。入無灰酒一碗。重湯煑一炷香。熱飲之。汗出立愈。惟百日內不得食雞肉。

五倍子酸澀斂肺。鹹寒降火化痰。治下血脫肛。有外感非虛脫禁用去蛀屑。

殭蠶去齒足炒治風痰之要藥。痧痘症多用之。取其散風消痰也。日本國有人病殭蠶爲上藥。非此不治。猶唐古忒之需大黃也。

蟾蜍微毒。入胃退虛熱。行濕氣。治小兒勞瘦疳疾。

海參色黑補腎。產北洋者大而刺密。沿緣石上。一擒而獲。若再敗之。寗敗不移。便滑者莫多食。

龍骨攝斂收濇。無過此品。故能鎭心濇精斂汗。收飛越孤陽龍齒主治相同猶療驚癇。煅用。

龜版鹹寒。至陰之品。益腎滋陰。治眞水不足。勞熱骨蒸。腰脚痠痛之症。腎虛無熱勿用。去墻酒炙搗。

鼈甲入肝經血分。治勞瘦骨蒸。日久往來寒熱。瘧痞作脹。炙搗。

牡蠣生能補肝滋腎。斂精止汗。凡應表之症用龍牡貽害非細。

石決明鹹涼除肺肝風熱。療目疾內外障。亦治骨蒸勞熱煅研。

珍珠固心。消熱痰。清神明治驚癇。所以至寶丹用之。

淡菜味鹹補陰潛陽。凡虛火易陷者宜之。

人中黃甘草爲末。入竹筒中瀝靑封固臘月浴於廁中。交春取出。漂淸破竹懸風處陰乾。解血分毒。

人中白多年溺器中如菪而厚者。漂清煆用。解血分毒。喉科要藥。

金汁入地愈久愈佳。瑩白者入藥。清血分熱毒大寒之品。無火者切忌。

童便止熱血妄行。爲吐血產後之良藥。患吐血。自服溲溺。百不一死。皆能從其類而治之也。秋石鹹。滋腎水陰虛。火升者宜。

人乳補血上品。上爲乳汁。下爲月水。本屬血化。胃陰受戕納食卽吐。同糯米飲緩緩服之。便能受物。

（藥籠小品終）

五法總論

丁仲英錄

或問曰。傷寒爲病。證何獨多。治傷寒之法。法何獨煩。不知何道之從。得其要法而不畏其證之多也。予曰。春氣溫和。夏氣暑熱。秋氣清涼。冬氣嚴寒。此四時正氣之序也。若春應溫而反大寒。夏應熱而反大涼。秋應涼而反大熱。冬應寒而反大溫。此四時不正之氣也。四時不正之氣。。能傷人。而寒之傷人獨多。以冬寒凜冽。萬物閉藏。人若愛護不周。起居不節。以致寒邪侵入皆或中之重者。與人之怯弱者。此時卽病。名正傷寒。或感之輕者。與人之壯實者。時不卽病。邪氣藏於肌膚間。至春因溫氣觸發。名曰溫病。至夏因暑氣觸發者。名曰熱病。乃因天時之氣以名病。約而言之。以寒爲本。然有由太陽自表傳裡者。有不由太陽而直中少陰者。夫人之一身。經有十二。獨此二經受傷。何也。蓋腎與膀胱俱屬水。正司各寒之令。故寒氣得以侵之。若他經則各司其季。爲溫爲暑爲涼。嚴寒之令。何由犯之。故傷寒之病。雖然居多。而先入太陽少陰者此也。夫傷寒之病。固皆由寒氣侵忤而成。然其爲病也無常。或入於陰。或入於陽。初無定體。若弗明辨精切。一時猝難下手。予將仲景全書。反覆潛玩。一旦豁然於心。以之臨證。無有不中。奈仲景之書。迄今千有餘年。殘闕不少。致學者無門可入。雖諸家百出。了無頭緒。未得其奧。

故仲景之法。不明於世者久矣。仲不自揣。祖述仲景。設立五法。以爲治傷寒之綱領。一日發表。二日解肌。三日和解。四日攻裡。五日救裡。學者誠能領畧於此。庶麻黃承氣。用之無悞。姜附理中。投之必當。不特三百九十七法。可坐而得。即千變萬化。亦皆範圍於此矣。至於傷寒相似症。尤易惑亂。不可以不辨。有少陰發熱。而悞認爲太陽發熱者。有陰極反躁。而悞認爲陽躁者。有太陽腑病。而悞認爲裡症者。有陽明腑病。而悞認爲經病者。有如狂而認爲正狂者。有熱厥而認爲寒厥者。有動陰血。而認爲鼻衂者。有瘀血發黃。而認爲鬱熱發黃者。有直中咽痛。而認爲陽熱咽痛者。有津液內竭。小便不利。而妄利小便者。有太陽無脉。正當發表。而名曰死證者。亦有太陽脈如少陰。而錯發表者。有熱霍亂而認爲寒霍亂者。有中暑而認爲熱病者。予復條析於後。反覆辨論。使各得其所。若表裡不清。脈證淆亂。汗下一差。生死之判。內經曰。無實實。無虛虛。遺人夭殃。無致邪。無其正。絕人長命。可弗慎歟。

(待續)

診病奇侅

沈叙

上聖之治病也。明於陰陽之變遷。達於藏府之輸寫。究察病能。故如燭照數計。無所隔閡。是以或聞而知之。或見而知之。羣工不逮。必按動脈。詳問外候。而後能得其隱微。腦腹足踝諸動氣。切脈之一端也。中土醫家。惟癥結異疾始診之。而東國之醫。雖六氣之診。七情之鬱。亦以是考驗虛實。爲攻補之準則。三松氏集諸家緒論爲一書。曰診病奇侅。松井子靜。將刋而行之。屬余發明其義。嗟乎。六診七鬱。并而爲病。其變化不可思議。答僅恃人迎寸口。以審其受之源。邪之積。幾何其不失於鹵莽也。五藏六腑。九竅四肢。百脈二便。其機皆息息相通。苟因此診而推廣之。其於活人。思過半矣。夫奇侅者。軍中所用之隱祕。見漢書藝文志。三松以名篇。而松井能肄習之。然則如松井者。亦醫學之孫吳歟。

光緒四年戊寅孟秋。大清出使隨員正五品陝西候補直隸州知州姚江沈文熒叙。

序例

一　診腹者。四診外。不可缺之一診法也。皇朝先哲。發明者多矣。茝庭多紀先生。以不世出之才。該博純正之學。舉諸家之粹。著診病奇侅一篇。以賚後學。永爲醫家診病之表準矣。而西土夙絕此法。醫牘有詳說。余近接清國公使隨員沈文熒。(字梅史)。韓來隨員感洛基(字健之)。二子頗知醫理。而至診腹。則皆不知焉。且曰。我國無此法。是余所以有此譯也。

一　先生姓丹波。字多紀。名元堅。字亦柔。一字茝庭。號三。松實先師雲從先生之父也。

一　此書原用國文。事既足矣。然不及諸遠。不能保諸久。今譯以漢文者。欲使清韓之醫。有從事於是。然後重譯。以及泰西諸邦。是余願也。

一　國文與漢文。字句之轉倒自不同。況行文之間。有重復者。有不得移數句於上下者。又方言俗語之難譯者。語氣曖昧不明了者有焉。故或從意譯。或從直譯。其例不一。唯要不失原意。

一　原文用漢文者。香川秀庵、竹田陽山、無名氏、和田春長、荻野台州、五子。及原序跋也。台州有漢文國文之二體。一曰腹脉診奥。用國文寫之。一曰腹候祕傳。用漢文寫之。其用漢文者。皆不敢改一字。下必註原文二字。緣恐以訛傳訛。遺誤甚大。閱者諒之。

一　新註者。加鱗圈以別原註。

松井操謹識

原序

皇國候腹之訣。於古聖診法之外。別闢門徑。實與望聞問切。足以相表裏。蓋是二百年前名醫之所發悟。而後人推演。其說稍繁。余嘗戢孴爲編。以資日用。茲除煩存要。類而次之。俾子弟易于尋繹。以其非四診正法。故以奇侅名焉。抑余亦竊不能無一得。然秀庵所謂可以口傳。不可書傳者。此其所以不敢孱入也。天保癸卯菊月三松拙者。題于存誠藥室

卷上目錄

叙說　下手之法　平人腹形　部位　一通腹形證　虛里
腹動通說　胸上　心下　中脘　水分
卷下目錄
臍中　小腹　腹中行　腹兩傍　肋下　腹痛（心痛）
腹滿　婦人　姙娠　小兒　衆疾腹候　死生
附載
五雲子腹診法
診病奇侅採摭名氏
北山壽安　竹田陽山　森中虛　粟屋宗栁　堀井對時
香川秀庵　烏巢道人　味岡三伯　久野玄悅　橘　玄悅
白竹子　山脇東洋　萩原春庵　腹診祕事
（佚氏名）無名氏　淺井某　淺井南溟　高郵良務
畑　黃山　福井楓亭　和田東郭　荻野台州
饗庭　某　津田玄仙　太田隆元　原　南陽
高階枳園　有持常安　和久田寅　和田春長
柘　叔順　今泉玄祐　俱三十二家

漢譯診病奇侅卷上

丹波茝庭先生類次　再傳弟子松井操子靜漢譯

叙說

胸腹者。五臟六腑之宮城。一身資養之根本。陰陽氣血之發源。外感內傷之所位。古來診法多矣

若欲知其臟腑如何。則莫如診其胸腹。（對時論）

古人云。外感病切脈可知。而內傷病非診腹不能知也。胸腹者。病之本位。診之於此。察其厚薄虛實。則可預知其一二年後之病。（白竹）

診腹之訣。本載在內經刺禁論。難經。八難。十六難。三篇也。其他諸篇往往及之。然不止三篇也。抑素難之論病也。先論平人。而次論病變。及論脈也。先論平脈。而次論難經。（玄悅）

欲工其術者。可致思診腹矣。知人之死生。病之輕重。莫切於診腹。欲詳其法。先須知平人之腹象。然而推考之。朝夕用功揣摩。則必得其精微。不可忽略而模棱自矜。（南陽）

凡診腹之要訣。可察其平不平。如其細微在醫之自得。積聚癥瘕。水腫。皷脹者。病形實於外。而元氣虛於內。正邪相離。腹狀多不見虛候者。宜從脈證。而治其病。特泥腹狀。妄用駿藥。則破虛宜切。戒之（對時）

外感病以診腹不可爲據。傷寒卽外感病也。腹候佳象。而死者有焉。然腹皮潤澤。而元氣張者。邪熱雖劇。其熱易去。焉得腹皮無潤澤。元氣不張。陰分衰弱。虛火亢者死。內傷病以診腹爲要脈象雖不佳。腹候佳者可不死。（良務）

內傷之病。腹必有滯礙。腹者臟腑之居。臟腑病。則外證未起。身亦不覺病。而腹既生滯礙矣。故善診腹者。診平人而可預知其他日有大病將起也（同上）

▲下手法

凡醫診病者。要無一毫之雜念。彼我之神氣相合。先問食之早晚。來之遠近。二便之有無。自遠方來者。使少時休憩。瘦人而大便後。腹力益弱。肥人而大便燥結者。腹力益强。醫宜察於此。先使病人仰臥。胸前拱手。兩足直伸齊跟。若腹皮强張。動氣不見者。使兩足少屈。則可診得焉是意齋之教也（中虛）

病人仰臥。而醫雖診。不得其病根者。使病人左邊横臥。尙不見者。右邊横臥。手掌與腹皮和合。而可決其死生吉凶也。中虛贈南條玄什書曰。醫者手指與病人皮肉相忘。而認得吉凶也。最腹脉之樞要。先生（△操按先生指中虛）平生所用工夫。而有得者也(同上)

凡診腹先使病人心寧靜。若努力則腹皮張。恭敬則腹皮堅。笑語則氣散。腹皮變動。不能見其眞。婦女幼童卑賤之人。誤以恐畏。不呼吸爲寧靜。故教病者呼吸平和。如常眠之。是令寧靜之捷法也。(對時)

凡診腹之法。須醫與病人。倶心氣平穩。胸中安定。而後下手。使其仰臥。閉眼如眠。徐徐撫胸上二三次。要手裏輭輭。隨呼吸行。無阻其氣。而先察膚理之精粗疎密。次撫其左右。上自缺盆。下及乳下。以知其肥瘦。而候乳下之動。動有浮沈。氣有緩急。肉厚者動伏不應。次按心其下。輕按候其氣。重按察其形。輕按平穩。無衝氣滯結。重按和緩。無塊物痞鞕者。於形狀盈爲平。而中脘及臍中。候之部位不亂。臟腑相配。宗氣充內。推左脅而右張。推右脅而左張者卽。實也。推之部位。內移者。虛也。爲病難愈。臍下丹田。眞氣之所聚集。應要最有力。上腹而臍下無力。是有所失也明矣。若按之有物。重按之拘攣。于上下脅肱。腎堂（公豐按腎堂腰也）或痛不欲得按者。病已成不淺也。此爲診腹之大要。(陽山△原文)

下手之法。輕重大抵可準於難經菽法也。輕手循撫。自鳩尾至臍下。而知皮膚之潤燥。定部位之相應。中手尋捫。而問疼不疼。以知邪氣之有無。察臍下諸空所之强弱。動氣之靜否。重手推按而更問疼痞。察臟腑之虛實之沈積之如何。動氣之深淺。(對時○南溟引古傳)

下手次第。先撫下胸膈。次胃經。次任脈。次脾經。天樞。次臍下。次諸空所。（諸空所之謂腹之四隅骨者際會也。距臟腑遠而空軟處故名焉。）再按胃經。着着潛心熟察以自得。大筋之候。而知陰陽虛實。及男女年齡之異同。抑診腹之要有二。曰觀相應。曰知定位。相應者。何謂。男女幼兒壯老肥瘠。及百般氣象。其病之新久輕重。彼此相應也。定位者。何謂胸腹任脈。天樞及諸空所。各其位置。以此二者熟察下手工夫。則病之眞假。可分別也。(同上)

凡按腹專尙左手。右亦非不可。唯使左爲佳。先將左手掌上齊鳩尾。魚際。當右肋端。掌後側肉當左肋端。指根肉當中脘。始輕輕按過。漸漸重押。三肉遞推。左旋右還。將動無休。不宜少移。良久掌中與腹皮相合。摩其間。似熱非熱。溫潤似汗爲度。如是則掌下腹裏滯結之氣。融和解散。莫不猶開雲見日也。唯以久按。靜守半時許爲妙。若夫苦手溫和掌。謂可賢者之富貴矣。然此係于天資。非可强求。（苦手溫和掌見玉櫃經○秀庵△原文）

診腹醫坐腹者之右。不可使病者披襟受風。醫潛心先按其左肋下。至右肋下。次中脘水分。兩天樞。及天樞左右下邊。後氣海。丹田。中極。一一按撫。。可以上中下。浮中沈之九侯推求焉。覺手掌澁滯。有血積筋攣肉起疙瘩等者。是非平腹也。（白竹）

診腹之法。正心端整。容貌舒緩。手貌安靜。最忌粗厲。（時寒冷。請爐火或懷手先試自己之膚。）而後令患人仰臥。安手伸足。解帶暫候其呼吸調和。而後先摩擱胸上。以至腹臍。診其周圍及高下平直。至胸上察腠理之潤枯。皮膚之堅脆。虛里之動。以知心肺之虛實。三脘脾胃之部。兩脇下肝之候。以至臍下。元氣之所繫。十二經之根本。診之最要者也。是其大概。至于其細詳錄于後也。（無名氏△原文）

凡腹診之法。以得呼吸陰陽和爲至要。而後診虛里。以候宗氣之虛實。輕手按心下。緩緩循兩肋而及脅下。手法輕重得宜。報大腹漸漸至臍小腹焉。（黃山△原文）

凡診腹宜早晨未食之前爲佳。醫者須坐病者之左。潛心就事。先以食中二指候虛里。而後自膻中至丹田循撫二三遍許。（安病人之心氣又爲令逆氣下降也）次按心下三脘及少陽陽明兩脅小腹。最後察神闕。是其大綱也。診已遍宜摩胸腹一過。（台州△原文）

診腹醫宜使指掌平坦。不然。則使病者覺苦悶也。先診鳩尾。次水分。順序撫下。任脈至臍下。而診任脈之動。分別本位之動。與他處之動。不細密分別於此。則處方相違矣。診腹之順序。初鳩尾。次水分。次左右。而察積氣入胸骨下否。又診左右章門。最後診虛里。是診腹之大法也。(東郭△操按。下手順序。陽山對時無名氏。初於胸膈。台州黃山和久田。先診虛里。秀庵初於鳩尾。本條亦初於鳩尾。而最後診虛里。諸說不同。學者從其便而不拘其一可也。)

察腹形宜按撫數回。或沈或浮。以察腹力及腹之堅軟。又輕輕撫下。而察皮膚。可以知虛實也。(同上)

診腹醫先使神氣寧靜。而以右手掌輕輕徐徐。按撫鳩尾。承滿上脘。中脘。天樞。及臍。以察其腹皮之緩急。有痞而堅乎和乎。全腹脹乎。將不脹乎。痞在上乎。在下乎。小腹痞而左乎右乎。腹如無物。腹皮附着背乎。又靜按中脘而察寒熱。浮中沈。又以二指指臍。臍者人身之根本也。臍與腎間之動。診腹之樞要也。(同上△操按。秀庵白竹用左手坐病者右邊。求古館醫譜。亦用左手坐男之左女之右。最拘泥。皆不便。台州和久田。與本條用右手坐病者左邊似得。)

凡診腹之法用左手。患人男則坐其左。女則坐其右。若不便。反之亦可也。而手掌與五指伸展。平板先停住膻中。察氣之緩急。遷停住虛里。診其動之高低。而徐徐左右光過。至兩側脅肉外。如此數次。而至鳩尾。醫手掌魚腹外側指根三肉。與病者皮膚相襯着。而久停住。初輕軟。漸重墜。使手掌與患者肌膚相和。而溫融手掌魚肉當肋下。掌側肉當肋上。極按肋骨際左右排押。而至兩側脅肉外。如此各十數次。以察肋下之堅軟攣緩。塊之有無隱顯。次至大腹停住。三指密排診尺脉。(尺脉者。臍上左傍上三寸許。處脉動是也。脉之根元。一身之動脉。淵源於是)手掌當腹之正中。以察氣之動靜。動氣之有無高低。大絡之拘攣軟緩。任脉之浮漫沈整。而左右排按。及兩側脇外廉。如此各數十次。以察塊之有無隱顯。次至臍上。掌肉當臍亦停住。魚腹外側指根三肉。遞推按察。以臍之緊實虛軟。臍蒂有力否。深淺凸凹。次至小腹。又停住察氣之默躁。力之有無。動之應否浮沈。大絡之急強濡弱。任脉之浮見沈伏。而左右排按。及兩側腰髖外。如此各十數次。察塊之有無露伏。若胸膺大小腹三處。俱手掌難探求者。併齊指頭以察之。復再如初。手掌與五指伸展而襯着病者之皮膚。上從膻中下至橫骨。左右中央三行。排按各十數次。每時醫之氣息。與患者氣息照應。以察過不及。而究胸膺之肥瘦廣窄高低。腹形之廓大隘狹。上低下豐。上豐下低。緩漫緊收。虛弱充實。肉之肥胖瘦削。皮之薄軟厚强。膚之潤澤枯索。熱之淺深。有蒂無蒂。腹之滿脹低減。塊之大小長短。圓扁軟硬。水之有無多少。冷之厚薄漫結。是其梗概耳。如其纖細悉盡者。足諦知其證。候審辦。其用藥。是診法所以按腹迥出於切脉之右也。然其按探押索。自有微妙存者。口可以授。書不可以傳。非敢秘惜也。上文之序次。醫者初診患人之法。其再次三次者。則唯取其要而省其他可也。若有不解者。則數數診按如初。診法得解而後止。（求古館醫譜）

爲鄉村的醫生進一砭

沈禮同

諸君：在這裏我所要說的，就是關係我們鄉村醫生的話，說起我們鄉村的醫生，到了現在已覺腐敗極了，這不是我說得太過，抹然一切，是事實給於我們如此，若不信，不妨大家到鄉中去問『這裏有幾位明哲的醫生？』他便回答你「極少數的」。的確，在我們鄉中講到明哲的醫生，最多也不過三四個。除了三四個以外，大都是平凡的罷了。那末鄉村中爲什麼沒有好的醫生呢？這原因極簡單的，第一、自已有了學識，不願埋沒在沒人知曉的窮鄉僻地，第二、認差了目的，自以爲具了學識，應要金錢，在都市裏啊，第三、見大家都度着和尙生活，何必我獨自頂眞呢，第四、……………。好了，不去說他吧，總之差了，完全差了，爲金錢而做醫，眞羞死他啊！醫之目的在什麼，他們是絕對不知道的，不然……

話回轉來了，我們處在鄉村的醫生啊，我們若錯認了目的，那是一椿多麼的險底事啊！牠會置我們於沉淪不拔之地的，我們的目的是活人，診金是病家一些酬勞的意思呵！所以希望我們鄉村的醫生，有空閒的時候還是多研究幾部有益的醫書，和多瞧瞧世界的局面，因爲我們生在這個時代，是無時不競，無時不進，況且敵人(自稱新醫的西醫者)正描準着我們呢。完了，我大聲疾呼，鄉村的醫生們！快快覺悟起來，不要鑽在金錢的牢籠裏！

學說

喉痧探源

盛心如

喉痧一症。近百年來。每至流行時期。慘遭橫夭。罹其害者。於嬰兒爲尤甚。徒以古來罕有斯症。而醫籍中所載。咽喉與痧疹。類多各爲一科。不相連屬。雖有諸家。以其所見。附於咽喉之後。及附於疫痧之中者。而用藥不詳。主溫散則禁寒涼。主清解則禁溫散。遂使閱者目炫神迷。無所適從。動手便錯。其釀爲疫癘。又何足怪乎。間嘗取內經而尋繹之。讀至運氣篇少陽司天條下。有客勝則丹疹外發。及爲丹熛瘡瘍。嘔逆。喉痺。頭痛。嗌腫。血溢。內爲瘈瘲之文。不禁拍案驚奇。而大聲疾呼曰。此非近年爲禍最烈之喉痧症乎。內經一書。爲盡人所皆讀。何無人焉注意及此。雖景岳全書。摘錄於咽喉篇中。而彼時尚未發現此症。故治療從缺。斯則不能不歸咎於醫者之未能勤求古訓。縱發明於數千年前。而對於正當之治療。徒自暗中摸索。各逞其詞鋒。庸不深可歎耶。從內經原文而審之。可得以下二斷語。一曰。喉痧發病之因。火與濕二者而已。（客氣初之氣爲少陰。二之氣爲太陰。三之氣爲少陽。）一曰。喉痧受病之處。肺與胃二經而已。（咽喉既爲肺胃之門戶。而皮膚與肌肉。亦爲肺胃二經之所司。）良以濕熱時邪。蘊釀於氣交之中。而從口鼻吸受者爲多。鼻竅於肺。口通於胃。肺胃之分野。受濕熱所薰蒸。壅遏於內。上衝於咽喉。外發於皮膚。準此以觀。在初起之時。在痧疹未透以前。則當以痧疹爲重。治宜輕清宣達。在痧疹已透之後。則當以咽喉爲重。治宜寒涼泄熱。況流行時期。往往盛於春夏之交。其有發於冬令者。則以非時暴熱。寒燠反常。實時病中溫疫之類也。內經曰。少陽之勝。治以辛寒。佐以甘鹹。火邪挾濕。而熱爲重。則濕化於天熱。反勝之。治以苦寒。佐以苦酸之例。可並參也。

此證治療。竊以爲類證治裁。最爲妥貼。附摘於下。以資參考。初起憎寒壯熱。咽痛煩渴。先宣解表。務令透達。或兼清散。若驟服寒涼。外邪益閉。內火益熖咽痛愈劇。潰腐日甚矣。至痧透發。已無惡寒等症。則宜寒涼泄熱。不宜雜進辛散。煽動風火。致增腫腐。必至滴水下咽。痛如刀割。蓋此症由風火濕熱時邪而發。治法。因風熱者。主清透。普濟消毒飲。去升麻柴胡。因濕熱者。主清滲。甘桔湯。加括蔞通草燈心。因痰火凝結者。主消降。清氣化痰丸。去半夏加貝母竹茹。邪達則痧透。痧透則爛止。利膈湯。清咽太平丸選用。

▲附方

(一)普濟消毒飲　黃芩　黃連　連翹　薄荷　牛蒡　馬勃　板藍根　元參　殭蠶　升麻　柴胡　陳皮　人參　甘艸

(二)甘桔湯　甘草　桔梗　荊芥　防風　杏仁　葛根　石膏　牛蒡　元參　前胡

(三)清氣化痰丸　胆星　半夏　陳皮　枳殼　杏仁　瓜蔞　黃芩　茯苓

(四)利膈湯　銀花　荊芥　防風　黃芩　黃連　桔梗　山梔　連翹　牛蒡　元參　大黃　朴硝　甘艸

(五)清咽太平丸　川芎　防風　桔梗　甘草　薄荷　犀角　柿霜

以上所選諸方。適與內經旨相符合。但亦示人以規矩準繩之意。凡遇此症。先使胸有成竹。從而神明變化。庶不致臨時慌張。而有隕越之虞。斯則纂述之微意。願與諸同志共勉者也。

病的簡便辨別法

胡佛

辨病的法子。第一要把患病的是內傷。外感。表裏。寒熱。虛實辨明白。再依病看脈去下藥。那就不至錯用藥了。這辨症的法子。很是簡單。如今把他寫在下面。

(一)人的口鼻。就是出氣的門戶。若病人口鼻的呼吸。又粗又疾。這是邪氣盛。就是外感。

(2)病人口鼻的呼吸又微又慢。這是正氣虛弱。就是內傷。

(3)病人發熱狂躁。說糊話。揭衣去被。手足外露。這是伏邪在內。

(4)病人雖發熱。尙能安靜睡臥。這是邪在表面。

(5)病人口渴心煩。是熱症。

(6)病人口不渴。心不煩。只是怕冷。是寒症。

(7)口雖渴。并不欲飲茶水。這是內中有溼。

(8)外面怕冷而口渴心煩。這外面的冷。是假寒。是有伏熱在內。

(9)外邊面紅。身似發熱。而口不渴。心不煩。這是虛陽外越的假熱。

上面說的幾種。雖是掛一漏萬。但辨病的大致。不過如是。患病的能夠照這幾條自己先辨淸楚。那也可不致被人看錯誤服藥劑了。

人有中興順逆之數論

張汝偉

自伍廷芳博士發明靈魂學。宣言全壽可在百歲外。靈魂學遂風行一時。近年來。西學有返老還童法。受術試驗者不乏其人。然因之而殞生者實多。殊不知舉凡新理之發明。無一非舊學之已有。無如人之見異思遷。喜新惡舊者多年。偉讀張景岳之中興逆數二論而有感矣。夫人生一世。自初生以至壽終。中間循環剝復。命運固由數定。人力亦有斡旋。譬之一國。水旱盜賊之災。在所不免。苟中央之措施有方。則能轉危爲安。如中央之不順民意。卽莫可挽。救故前賢之戒人君也。首舉安不忘危。所以履險如夷。卽人一身。何莫不然。人不能無病。如果善爲調治。則病去而身且轉強。惟至四十以後。陰氣自平。古有倒倉一法。取甘溫崇土之牛肉。以寓得爲補之法。起沉疴而堅筋骨。中年後。行一二次。能却疾增壽。此爲中興之外治者也。且幼年筋骨不堅。血肉未豐。壯年欲望過奢。事煩責重。對于肉體上。精神上。最易耗傷之時。若不從事整頓。則一過中年。便老景頹唐。齒搖髮脫矣。故有道之士。知名利色慾之足以損精。則恬淡自養也。知勞力過度之最能耗氣。則行藏有定也。知七情過度之易于傷神。則喜怒有節也。精氣神常保其有餘。復繼于自然之吐納。使心火常明。（王陽明之所謂良知良能是也）一點靈光。不至盡爲後天濁氣所掩。此爲中興法之內治者也）。至于順數逆數之說。今就現代之淺近易知者言之。舉凡心目中所愛所欲之形形色色。而事實上不能辦到者。卽謂之逆。則當權之于心。此事苟無損于公衆。而有益于吾身者。雖一時不能達到。惟勉力做去。勿生畏難之心。勿存必得之意。則心地光明。于精神上無損而有益也。如純爲個人之私慾。且有碍于公衆者。則當用快劍斬斷。不可稍有留戀。以存渣滓。此爲處逆數之道也。現代靑年男女。磨醉于金磅失戀之事者。可以鑒諸。若夫處順境者。事事如意。件件稱心。宜乎有益無損矣。殊不知情欲無窮。而物之可以足吾欲者更無窮。得隴必且望蜀。人之常也。倘得隴不以爲喜。且以不能得蜀爲悲。所以人處順境之時。更宜常存滿覆盈溢之理。以自警惕。勿使身心過放。一旦有逆。反致窘促而不堪也。由是言之。伍博士之靈魂學。西說之返老還童術。吾國前賢。先發其軔。人自不察耳。至于現代之太極拳。柔軟體操等運動。亦頗有益。惟人有七情之變。境有順逆之異。非從根本著想。烏能望其中興哉。偉鑒現代之處世不易。爲一般未病同胞。謀曲突徙薪之計。不辭譾陋。敢質高明。以爲何如。

書陰陽應象大論後

胡安邦

吾讀仲景自序至「感往昔之淪喪。傷橫夭之莫救。乃勤求古訓。博采衆方。撰用素問九卷。八十一難。陰陽大論。胎臚藥錄。并平脉辨證。爲傷寒雜病論合十六卷。雖未能盡愈諸病。庶可以見病知源。若能尋余所集。思過半矣……觀今之醫。不念思求經旨。以演其所知。各承家技。終始順舊。……夫欲視死別生。實爲難矣。云云。」乃綜觀仲景全書不見引證內經。幾無迹象可求。苟非仲景自言。直不知傷寒論從素問陰陽大論而出也。陰陽大論。歷代都不能考據。其出處吾意卽素問中之陰陽應象大論、陰陽離合論、及陰陽別論是也。仲景所以別乎素問言者。取者獨多也。或當仲景之時。此三篇陰陽論合爲一卷。合曰陰陽大論。爲後世編入素問中以致歷代無所據耳。於是可知陰陽論三篇。實爲素問全書精華之所在。苟能熟讀神悟之。讀內經傷寒又如破竹解矣。吾今讀陰陽應象大論一篇。略書數語於後。

夫「治病必求於本」本陰陽也。蓋陰陽者天地之道也。萬物之綱紀。變化之父母。生殺之本始。神明之府也。陰靜陽躁。陽生陰長。陽殺陰藏。陽化氣。陰成形。陰在內陽之守也。陽在外陰之使也。夫陰血也。陽氣也。心生血。在體爲脉。脉四五至爲和平。過則爲速。不及爲遲矣。皆氣爲之使也。試觀劇烈之運動。振作精神。鼓其全身之氣力赴之。氣生則血長。是以此時之脉波必倍加速。此之謂陽生陰長也。乃其旣爲休息以後。加速之氣。遂漸下降。而血脉亦隨之漸如平常。又如陽氣虛者。面白無血色惡寒脉遲。此皆陽殺陰藏也。故曰陰陽者。萬物之能始也。所以善診者。察色按脈。先別陰陽。然后審清濁而知部分。視喘息。聽音聲而知所苦。觀權衡規矩而知病所主。按尺寸。觀浮沈滑濇而知病所生以治。無過以診則不失矣。夫陰陽之道貴乎調和。偏盛偏衰。皆能致病。故陽勝則熱。陰勝則寒。陽虛則寒。陰虛則熱。四者爲百病之總則也。陰虛則熱。補陰而陰不虛。其熱自退。陽虛則寒。補陽而陽不虛。其寒自滅。此淺層之治法也。但陽勝則身熱。腠理閉喘麤。爲之俯仰。汗不出而熱。齒乾以煩寃。腹滿死。能冬不能夏。陰勝則身寒。汗出身常清數慄而寒。寒則厥。厥則腹滿死能夏不能冬。此陰陽更勝之變病之形態也。帝曰。調此二者奈何。岐伯曰。能知七損八益。則二者可調。不知用此。則早衰之節也。七損八益。爲全出之關鍵係深一層之治法也。上古天眞以女爲七。故曰女。子七歲腎氣盛。七七衰矣。以男爲八。故曰丈夫八歲腎氣實。八八衰矣。又曰男不過盡八八。女不過盡七七。準此。七爲女屬陰。八爲男屬陽。七損八益者。陰損陽益也。損爲不足。是以陰症從治。益爲有餘是以陽症正治。故陽勝無消陰之法。而但有補陽以破陰之法。補其陽始足以敵其陰也。仲景深知此理。所以治陰勝則寒之病。有四逆理中眞武之救陽諸陽方也。陰勝則寒。可補陽以敵陰。陽勝則熱。勢有不能補陰以敵陽者矣。今人一遇陽明症。卽投以石斛增液湯。以滋補其陰。冀救其陽。致僨事者比比。此不知七損八益之道也。蓋陽勝傷陰。必先令陽退而陰乃保。故陽盛無補陰之法。而但有伐陽以保陰之法。於是仲景又出白虎承氣諸方。伐其陽所以補其陰也。蓋陰難得而難失。陽易得而易失。惟其如此。所以陰虛者非長久補陰不爲功。陽虛者二三劑補陽卽復。此難得易得故也。陰盛者須補囘其陽以敵陰。陽盛者卽可直伐其陽。此難失易失之由分也。朱丹溪以爲陰常不足。陽常有餘。果祗知其一面耳。故曰能知七損八益。則二者可調。不知用此。則早衰之節也。謂欲調和陰陽須知七損八益。八盛則七損之。七盛則八益之。卽陽盛則陰伐之。陰盛則陽補之。必如此。則陰陽能調和。否則早衰之道也。當能知七損八益之治法。則其餘之治法迎刃解矣。又曰「淸陽爲天。濁陰爲地。淸陽出上竅。濁陰出下竅。淸陽發腠理。濁陰走五藏。天有四時五行以生長收藏。以生寒暑躁溼風。人有五藏化五氣以生喜怒悲憂恐。故由天地者萬物之上下也。苟治不法天之紀。不用地之府。則災害至矣。故邪風之至疾如風雨。故善治者治皮毛。其次治肌膚。其次治筋脈。其次治六府。其次治五藏。治五藏者半死半生也。故因其輕而揚之。因其重而減之。因其衰而彰之。形不逆者溫之以氣。精不足者補之以味。其高者因而越之。其下者引而竭之。中滿者寫之於內。其有邪者漬形以爲汗。其在氣者汗而發之。其慓悍者。按而收之。其實者散而瀉之。審其陰陽以別柔剛。陽病治陰。陰病治陽。定其血氣各守其鄉。血實宜決之。氣虛宜掣引之。」凡此種種。仲景傷寒論莫不引爲要則。至於論及五藏五竅五色五味五音五聲五行之生理變動等。尤爲診斷之要據。吾故曰。仲景所撰用之陰陽大論。卽此三篇陰陽論是也。

肺病標本虛實寒熱用藥法

翟冷仙

靈樞經脈篇云。肺經動。則病肺脹滿。膨膨而喘咳。缺盆中痛。甚則交兩手而瞀。此爲臂厥。是主肺所生病者。欬、上氣、喘渴、煩心、胸滿、臑臂內前廉痛。厥掌中熱。氣盛有餘。則肩背痛、風寒汗出、中風。小便數而欠。氣溺則肩背痛、寒、少氣不足以息。溺色變。爲此諸病。盛則瀉之。虛則補之。熱則清之。寒則溫之。（靈樞經原文所言補瀉寒熱治病之法。均以鍼言。今以用藥代之。故解云。熱則清之寒則溫之。）

動者。動穴也。以各經之穴動。則知其病也。所生病本經自病也。諸病。他經合病也。或由本經而累及他經。或由他經而干犯本經皆是也。氣盛、邪氣之盛也。氣虛、正氣之虛也。統自病合病氣盛氣虛四項。而病情約略殆盡。其間每項各舉數證以見意。他經亦有止言自病合病二項。不復詳言盛虛諸病者。蓋即此可以類推也。如肺脹滿致膨膨而喘急欬嗽。此臟病也。缺盆中痛。甚則交兩手而瞀。此經絡病也。缺盆大腸所經之地。而絡脉交於大腸。仍肺經絡也。故皆爲肺生之病。以下爲欬爲喘。病與上同。而與上氣。渴煩心等病並舉。則他經所累也。胸滿亦與脹滿相同。脹滿專以肺言。此則兼諸氣之憤鬱也。臑臂內痛。亦本經之病。與上兩手掣痛無異。而與厥掌中熱並言。則心與心主所累及也。肩背疼痛。氣盛氣虛皆同。而所因異也。汗出中風。肺主皮毛故也。小便數而欠。與溺色變。皆腎與膀胱之病。母病累及子也。少氣不足以息。本臟病也。以上所叙諸證甚詳。其有未備者。更以下列臟腑虛實標本諸病參看。

本病（臟腑之病）

諸氣憤鬱。（肺主氣）諸痿。（肺爲五臟華蓋。故五臟之痿。皆屬於肺。）喘。（同經）嘔。（氣逆故嘔）氣短。欬嗽、上逆。（同經）欬唾膿血。（肺癰也）不得臥。（肺臟魄也）小便數而欠。遺失不禁。（同經）

標病（經絡之病）

灑淅寒熱。（肺主皮毛）傷風自汗。肩背痛冷。臑臂前廉痛。（同經）

氣實瀉之

肺主氣。實者、邪氣之實也。故用瀉。分四法。

(1)瀉子

水爲金之子。瀉膀胱之水。則水氣下降。肺氣乃得通調。澤瀉(入膀胱利小便)葶藶(大能下氣。行膀胱水)桑皮(下氣行水)地骨皮(降肺中伏火。從小便出。)

(2)除溼

肺氣起於中焦。胃中溼痰凝聚。其氣上注於肺。去胃中溼痰。正以清肺。半夏(除溼化痰。和胃健脾。)白礬(燥溼追涎。化痰墜濁)白茯苓(利竅除溼。瀉熱行水。)薏苡仁(甘益胃。土勝水。澹滲溼。)木瓜(斂肺和胃。去溼熱。)橘皮理氣燥溼。導滯消痰。)

(3)瀉火

肺屬金畏火火有君相之別。君火宜清。相火有從逆兩治。氣實只宜逆治。粳米(色白入肺。除煩清熱)石膏(色白入肺。清熱降火)寒水石(瀉肺火胃火。治痰熱喘嗽)。知母(清肺瀉火。潤腎滋陰。)訶子(斂肺降火。泄氣消痰。)

(4)通滯

邪氣有餘。壅滯不通。去其滯氣。則正氣自行。枳殼(破氣行痰)薄荷(辛能散。涼能清。搜肝氣。抑肺盛。)生薑(辛溫發表。宣通肺氣。)木香(升降諸氣。泄肺疏肝。)厚朴(辛溫苦降。下氣消痰)杏仁(瀉肺解肌。降氣行痰)皂莢(通潤吐痰。入肺大腸。)桔梗(入肺瀉熱。開提氣血。表散寒邪。)蘇梗(下氣消痰。祛風定喘。)

氣虛補之

正氣虛。故用補。分三法。

（1）補母

土爲金母。補脾胃。正以益肺氣。

甘草（補脾胃不足。）人參（益土生金。大補元氣。）升麻（參耆上行。須此引之。）黃耆（壯脾胃補肺氣。）山藥（入肺歸脾。補其不足。）

（2）潤燥

補母、是益肺中之氣。潤燥是補肺中之陰。金爲火刑則燥。潤燥不外瀉火。瀉實火則用苦寒。瀉虛火則用甘寒。

蛤蚧（補肺益精。定喘止嗽。）阿膠（淸肺滋胃。補陰潤燥。）麥冬（淸心潤肺。强陰益精。）貝母（瀉火散結。潤肺淸痰。）百合（潤肺安心。淸熱止嗽。）天花粉（降火潤燥。生津滑痰。）天冬（淸金降火。滋腎潤燥。）

（3）斂肺

久嗽傷肺。其氣散漫。或收而補之。或斂而降之。宜於內傷。外感禁用。

烏梅（斂肺濇腸。淸熱止渴。）粟殼（斂肺濇腸。固腎止嗽。）五味子（收斂肺氣。消嗽定喘。）白芍（安脾肺。固腠理。收陰氣。斂逆氣。）五倍子（斂肺降火。生津化痰。）

本熱淸之

淸熱不外瀉火潤燥。前分虛實。此分標本寒熱。意各有注。故藥味亦多重出。

淸金

淸金不外滋陰降火。甘寒苦寒。隨虛實而用。

黃芩（苦入心寒勝熱。瀉上焦中焦實火。）知母（苦寒瀉火。）麥冬（甘寒潤肺。）巵子（苦寒瀉心肺邪熱。）沙參（甘寒補肺。滋五臟之陰。）紫苑（潤肺瀉火。下氣調中。）天冬（甘苦大寒。淸金降火。）

本寒溫之

金固畏火。而性本寒冷。過用淸潤。肺氣反傷。故曰形寒飲冷則傷肺。

溫肺

土爲金母。金惡燥而土惡溼。淸肺太過。脾氣先傷。則土不能生金。故溫肺必先溫脾胃。亦補母之義也。

丁香（辛溫純陽。泄肺溫胃。）藿香（快氣和中。開胃止嘔。入手足太陰。）款冬花（辛溫純陽。溫肺理氣。）檀香（調肺。利胸膈。引胃氣上升。）白豆蔻（溫暖脾胃。爲肺家本藥。）益智仁（燥脾胃。補心腎。）砂仁（和胃醒脾。補肺益腎。）糯米（甘溫。補脾肺虛寒）百部（甘苦微溫。潤肺殺蟲。）

標寒散之

不言標熱者。肺主皮毛。邪氣初入。則寒猶未變爲熱也。

解表

表指皮毛。屬太陽。入肌膚則屬陽明。入筋骨則屬少陽。此解表解肌和解。有淺深之不同也。

麻黃（辛溫發汗。肺家要藥。）葱白（外實中空。肺之藥也。發汗解肌。通上下陽氣。）紫蘇（發表散寒。袪風定喘）

醫案

尤在涇晚年醫案

盛心如錄

長洲尤在涇先生。爲有清一代名醫。著有傷寒貫珠集。金匱心典。金匱翼。醫學讀書記等。早已流傳杏林。獨其醫案不多覯。僅柳選四家醫案。及秦輯清代名醫醫案精華中。錄存一卷。茲於友人處借得晚年醫案二卷。案語用藥。可謂爐火純靑。特商請發表本刊。以資衆覽。惟友人對於此書頗矜重。故禁止轉載及私刻。合併聲明。至希諒詧

▲風寒

風寒鬱閉。氣道不宣。胸滿乾嘔。心悸惡寒。便溏不實。法當調暢三焦。

藿梗　半夏　枳殼　陳皮　炙艸　白蔻仁　川朴　桔梗　茯苓　生姜

足寒鼻冷。防其脫。

桂枝　白芍　炙艸　廣皮　附子

客寒外襲。正氣不達。

蘇梗　淡豆豉　通艸　廣皮　生姜　杏仁　炙艸

風寒在表。濕熱在裏。脉數口燥。肢體惡寒。先宜辛達。

桂枝　花粉　茯苓　杏仁　生姜

內虛寒鬱。

桂枝　杏仁　花粉　生姜　炙艸　白芍　陳皮

時邪挾氣。

薄荷　桔梗　枳殼　淡豉　連翹　川朴　通艸

手足厥冷。腹痛氣喘。譫語。邪入陰經。證非輕淺。

柴胡　白芍　炙艸　枳實　杏仁　通艸

中寒氣結。上逆爲嘔。

半夏　吳萸　乾姜　川朴　廣皮　茯神　粳米

鬱熱。惡寒。口鼻氣熱。

薄荷　豆豉　杏仁　鬱金　枳殼　桔梗　黑梔　連翹

外熱內熱。治宜辛凉。

薄荷　連翹　杏仁　鈎鈎　甘菊　竹葉

風邪勞倦。

薄荷　枳實　杏仁　秦艽　豆豉　連翹　陳皮

又方。

當歸　防風　炙艸　丹皮　秦艽　陳皮　杜仲　紅花

但寒無熱。胸中氣窒。口乾而不欲飲。泛泛欲吐。邪氣閉鬱。陽氣不宣。非小證也。治宜宣通上焦。

桂枝　杏仁　半夏　通草

頭面腫痛，此風邪上盛。宜辛凉解散。

荆芥　杏仁　桔梗　牛蒡　連翹　薄荷　甘草　蒼耳　馬勃

表虛易感風邪。裡虛易於作瀉。上虛則眩。下虛則夢泄。宜玉屏風散。

黃芪　防風　白朮　茯苓　炙草　牡蠣

體虛受邪。肢冷身熱。不可攻散。惟宜輕劑解散而已。

薄荷　杏仁　連翹　黃芩　廣皮　淡豆豉

伏熱未消。更感外寒。法宜辛涼。

薄荷　杏仁　連翹　山梔　淡豉　黃芩　甘草

邪客於表。氣滯於裡。胸滿脇痛。寒戰而不熱。將作瘧矣。以法和解之。

柴胡　枳殼　陳皮　當歸　赤芍　半夏　炙草　香附

身熱肢寒。病入少陰。與邪在陽經者不同。擬仲景通逆法主之。

柴胡　白芍　枳實　甘草

氣閉邪塞。肌寒心熱。宜急通之。否則成大病矣。

紫蘇　杏仁　淡豉　蔻仁　枳殼　桔梗　山梔　鬱金

肺虛氣散不散。噓涕不止。易感風邪。宜玉屏風散。

黃芪　白朮　防風　牡蠣　炙草　茯苓

寒熱。舌白膈痛。

藿香　厚朴　杏仁　神麯　半夏　陳皮　查炭　滑石

病氣退舍。胃氣未清。和之養之。自可霍然。

人參　茯苓　粳米　陳皮　半夏　益智仁

又導氣歸陰之劑。

熟地　五味　龜板　肉桂　白芍　茯苓

邪從汗解。不可止之。脉象調達。諒無變證。

半夏　茯苓　川朴　陳皮　黃芩　炙草　生姜

▲暑濕

暑濕合邪。

半夏 白蔻仁 杏仁 滑石 川朴 黃芩 陳皮

暑風挾濕。

香薷 厚朴 杏仁 滑石 通艸 竹叶

暑風挾痰。頭痛身熱。胸滿腹痛。轉瘧則輕。

藿梗 厚朴 杏仁 赤苓 薄荷 陳皮 木瓜 滑石

暑風痰飲。相合爲病。高年氣衰。最要小心。

藿梗 半夏 陳皮 茯苓 杏仁 六一散

內虛復感暑風。宜先清邪而固中。

香薷 川斛 茯苓 竹葉 生艸 生扁豆

又方。

白朮 廣皮 香薷 茯苓 神麯 益智仁 厚朴 木瓜

濕熱內鬱。

淡豉 秦艽 茵陳 木瓜 陳皮 山梔 升麻 木通 赤苓

又方。

葛根 炙艸

暑濕風露。雜合成疾。

香茹 川朴 陳皮 木通 杏仁 防風 連翹 竹葉

風濕相搏。

薄荷 黃芩 淡豉 枳殼 秦艽 防風 杏仁 陳皮

暑邪鬱閉。燥熱汗多。以辛甘涼劑。

白虎湯

燥熱已止。喘息亦定。汗多不止。

桂枝　黃芩　炙艸　陳皮　白芍　半夏

汗止宜和胃氣。

川斛　陳皮　穀芽　枳實　甘艸　淡竹葉

伏暑挾寒飲。治之非易。

柴胡　半夏　川朴　白蔻仁　黃芩　炙艸

和營衛。健脾胃。

茅朮　廣皮　白朮　荷蒂　澤瀉　神麯　白芍　茯苓皮

便溏溺赤。水穀酒食不運。此必挾濕以阻氣化而然。雖病已十年。未明起病之由。而治此之疾。無非分消一法也。

米仁　茯苓　猪苓　川朴　白蔻仁　茵陳　澤瀉

又方。

香砂平胃散加　茯苓　茵陳

臍中時有濕液臭腥。按脉素大。此少陰有濕熱也。六味能治腎間濕熱。宜加減治之。

六味去山藥加　黃柏　萆薢　車前　女貞子

暑熱未清。眞氣已漓。心中覺熱而神殊倦。擬和胃清中法。

人參　石斛　茯苓　陳皮　竹葉　蘆根

不寒而熱。汗多不渴。舌白心下痞。此濕溫之邪也。

藿香　厚朴　滑石　半夏　陳皮　杏仁　竹葉

身疼中痛汗多。至晚寒熱足冷。此病外受暑濕。內挾食滯。

藿香　淡豉　廣皮　通草　木瓜　川朴　半夏　神粬　茯苓

復感痧穢。熱悶腹痛欲嘔。宜辛開酸泄。

藿梗　厚朴　半夏　杏仁　陳皮　木瓜　蔻仁

發熱五日不止。頭汗足冷。舌白胸悶惡心。此時邪挾食。交結不解。而正氣逼虛。非小恙也。

藿梗　半夏　厚朴　淡豉　陳皮　葱白

高年氣衰。復受時邪。不發則邪不出。發之則氣不支。姑以輕劑解之。

藿梗　半夏　陳皮　杏仁　竹茹　生姜

下體失血之餘。陰氣必傷。暑邪乃得乘虛直入陰中。挾身中之虛陽而上逆矣。頭熱肢寒。欬嗆氣衝。至夜尤甚。皆無驗也。此證邪少虛多。下虛上實。不與大概時病同法。此愚一偏之見也。未識高明以爲然否。

生地　茯苓　麥冬　炙草　白芍　元參

▲燥火

肺主皮毛。而開竅於鼻。肺氣虛則畏風鼻常塞。肺陰虛則皮膚燥癢生白屑。宜以滋養爲主。祛風通竅。皆非所宜。

生地　阿膠　麻仁　當歸　甘草　桑葉

木火交熾。

小生地　丹皮　黑梔　甘草　白芍　木通　竹葉　燈心

令火既炎。眞火復熾。一陰獨虛。不能制之。法宜滋降。

熟地　牡蠣　石斛　女貞　天冬　龜板　茯苓　甘艸　丹皮

氣鬱成火。適與令火相感。齦腫舌糜。肌生痤疿。當以微辛微涼之品解之。

荆炭　連翹　丹皮　竹葉　甘艸　石斛

心脈獨動。知平素用心太過。血少而火多。故每有思維。則血不用而火先動。宜以養血爲主。清火次之。

生地　茯神　天竺黃　甘艸　元參　柏子仁　遠志　棗仁

煩勞太過。心陰不足。口乾脉燥。多夢紛紜。腰膝少力。病在神精二藏。

柏子仁　棗仁　麥冬　元參　茯神　炙艸　石斛　丹皮

飲食既少。血去復多。憂勞驚恐。志火內動。陰氣益傷。致有心煩體痛口乾頭痛等症。是當滋養心肝血液。以制浮動之陽者也。

生地　石斛　麥冬　丹皮　元參　茯神　炙艸　知母

濕熱。不與清利。而與溫燥。致傷肺肝之陰。目赤口乾。欬嗆臂脛俱痛。宜淸燥導溼。

羚羊角　生地　炙艸　茯苓　丹皮　菊花　木通　淡竹葉　燈心

▲風溫

風溫襲入肺胃。

桑葉　連翹　黃芩　貝母　杏仁　花粉　陳皮　蘆根

風溫挾虛。身熱足冷。腰痛脉軟。不可過與攻法。議進輕劑淸解。

淡豉　連翹　陳皮　查肉　葱白　薄荷　黃芩

汗出熱不退。面赤戴陽。腰痛足冷。身痛。風溫挾虛。非輕症也。

秦艽　豆豉　杏仁　廣皮　連翹　通艸

風溫未盡。脉象無神。正虛邪滯。亦危症也。

川斛　竺茹　貝母　蘆根　陳皮　粳米

風火閉塞。太陰不清。治宜辛濕解散。

牛蒡　杏仁　桔梗　花粉　連翹　甘艸

風濕。身熱汗出。以疹出邪透爲佳。

薄荷 枳壳 荊芥 杏仁 牛蒡 連翹 桔梗 甘艸

邪欝不達。疹出則解。當因其勢而導之。

牛蒡 枳壳 蒺藜 廣皮 荊芥 桔梗 桑皮 粳米

風火身熱肢痛。邪在陽之經也。

薄荷 淡芩 秦艽 防風 連翹 炙艸

風溫結痰。留滯上焦。辛涼解散。允爲合法。時至自解。不足憂也。

牛蒡 連翹 薄荷 甘艸 土欠 豆豉 杏仁 桔梗 葱白

風溫欝於肺胃。欬而胸滿痰多。脇下痛。脉數口乾。

蘆根 瓜蔞 米仁 炙草 杏仁 紅花 桃仁 貝母

風熱氣欝交結。治宜疎達。

半夏 川朴 木通 杏仁 玉金 廣皮 枳壳 蘇梗

風溫襲肺。欬而喘滿。寒熱煩渴。年高脉虛。最要小心。

桑葉 菊花 蘆根 知母 杏仁 貝母 橘紅 炙草

風熱入裏。口鼻氣熱。大小便俱熱。

薄荷 連翹 山梔 木通 竹葉 菊花 炙草

風火氣滯。

前胡 桔梗 紫苑 川芎 玉金 枳壳 杏仁 香附 黑梔

▲濕熱

夜熱中痛無汗。

淡豉 山梔 只實 陳皮 杏仁 川朴

熱傷津液。脉細口乾。難治。

蘆根　知母　石斛　梨汁　山生地　麥冬　甘草　蔗漿

汗出身熱足冷。宜湯旦湯。

桂枝　白芍　陳皮　生姜　炙草　淡芩　川朴　大棗

發熱無汗。脉小無力。非輕證也。

青蒿　葛根　淡豉　黃芩　知母　甘草

身熱足冷。汗出不解。正虛邪實之候也。

青蒿　豆豉　連翹　甘草　山梔　通草

汗出熱不退。脉軟膈悶。

瓜蔞　半夏　竹茹　枳實　杏仁　淡芩　橘紅　甘草

時邪發熱。七日不解。脉虛形瘦。恐防增劇。

蘆根　花粉　桔梗　貝母　杏仁　枳壳　連翹

熱久傷陰。脉得亦至。

柴胡　鱉甲　白芍　廣皮　青蒿　丹皮　黃芩　甘草

熱退脉未靜。

川斛　茯苓　陳皮　白芍　丹皮　鱉甲　甘草

邪氣未退。精液已枯。舌乾而光。神倦瞳高。亦危證也。

小生地　麥冬　知母　廣皮　玉竹　蘆根　甘草

寒熱往來之證。轉而爲發熱不止。且腰痛足寒。此挾內虛。非輕症也。

桂枝　炙草　當歸　茯苓　柴胡　淡芩　生姜

發熱十六日不解。汗少口乾。乾嘔胸滿。失於解散故也。

葛根　蘆根　通草　川朴　竹茹　陳皮　杏仁

汗出熱不退。氣促脉虛。非小恙也。

生地　石斛　靑蒿　丹皮　茯苓　知母　杏仁

身痛發熱。舌白胸滿。濕溫暴感。治宜淸解。

薄荷　連翹　秦艽　杏仁　黃芩　淡豉

身熱足寒自利。七日不解。尙防增劇。

柴胡　枳實　白芍　甘草　陳皮　黃芩

溫熱未退。

淡豆豉　壳枳　薄荷　黃芩　連翹　竹葉

身熱已退。胸滿未釋。

蘆根　玉金　杏仁　知母　花粉　竹葉

熱已復發。汗多不解。

桂枝　知母　杏仁　花粉　白芍　厚朴　炙草　黃芩

熱不止。頭痛未已。紫班如錦紋。咽痛下利。表裡邪盛。最爲重證。

犀角　淡豉　赤芍　元參　牛蒡　丹皮　黃芩　甘草

病後復受熱邪。氣喘口渴。脉虛。亦危證也。

竹葉　蘆根　知母　麥冬　甘草　粳米

熱病十二日不解。舌絳口渴。胸滿氣促。邪大爲患。亦已甚矣。宜景岳玉女煎淸熱存陰。否則神識昏冒矣。

生地　石羔　麥冬　知母　竹葉　甘草

舊邪未盡。新邪復襲。熱久不止。喘欬不食。脉虛而數。宜急轍其熱。毋致流連成疾。

青蒿 知母 鱉甲 丹皮 茯苓 枳殼 甘草

虛實混淆。邪正不敵。殊爲棘手。若得轉瘧。庶可無虞。

荊炭 當歸 鬱金 青蒿 連翹 枳殼

又方。

白芍 茯神 石斛 穀芽 炙草 茺蔚子 丹參 當歸

冬溫。

牛蒡 連翹 半夏 陳皮 犀角 蘆根 竹茹

冬溫重症。

蘆根 半夏 橘紅 知母 竹葉 枇杷葉

嘔逆稍緩。而喉中痰聲如沸。胸滿不舒。誠非輕症。

半夏 橘紅 杏仁 竹茹 瓜蔞仁 蘆根 知母 鬱金

冬溫之邪。襲入厥陰之絡。腰痛小腹拘急。此與三陰受邪者不同。

金鈴子 橘核 赤芍 當歸 木通 茯苓

舌乾無液。脈細無神。津氣並竭。亦險候也。

小生地 麥冬 知母 蘆根 鬱金 蔗漿

正虛邪實。不可攻發。強主弱客。是其正法。

川斛 茯苓 穀芽 通草 廣皮 蘆根

脈虛症實。調治不易。

土瓜蔞 黃芩 杏仁 枳殼 桔梗 通草

復熱。手足腫痛。

淡豉 谷芽 陳皮 木瓜 神麯 澤瀉

冬月濕邪內伏。入春寒熱。欬嗽身痛。微汗不解。溫瘧同法治之。

桂枝白虎湯

溫邪未爲清理。食腥太早。蘊熱攻絡。欬嗽失血。必薄滋味可愈。

茅花　百合　麥冬　桑葉　米仁　大沙參　地骨皮　甘草

熱病四日不汗。而舌黃中痛下利。擬先裏而後表。不爾恐發狂也。

大黃　柴胡　枳實　厚朴　赤芍

冬溫不解。液涸氣衰。若非急救陰津。不能爲功。

生地　麥冬　知母　花粉　蘆根　蔗漿

脉右大。舌黃。不渴。嘔吐黏痰。神躁。語言不清。身熱不除。此勞倦內傷。更感溫邪。須防變症。

川朴　茯苓　陳皮　六一散　白蔻仁　淡竹葉　細菖蒲根汁

熱退身涼。脉和舌潤。可以無恙

犀角　生地　丹皮　白芍　鬱金　炙草

正虛之體。邪氣欲出。必與正氣俱出。所以汗出肢冷。茲症氣不加喘。脉尙完固。不必慮其脫矣。當以甘辛溫輕劑主之。

人參　白芍　陳皮　炙草　桂枝　茯神　生姜　大棗

背不惡寒。肢臂已溫。陽氣漸復。兩足尙冷。胸膈未暢。濁陰不降。

人參　桂枝　肉桂　茯苓　白芍　牡蠣

又方。

人參　茯苓　益智　木瓜　粳米　半夏　廣皮　天麻　石斛

時邪肝氣。內外合病。

薄荷　川朴　廣皮　川楝　木通　山查　赤芍

痛定熱退思食。可以無恙。

脉數食少。便溏欬熱。稚年陰虧。防成弱證。

川斛　廣皮　木通　丹參　穀芽　木瓜

白芍　炙草　陳皮　澤瀉　麥芽　川連　茯苓　神麯　砂仁

發熱七日不解。口乾胸滿腿痠。脈耎虛實混淆。最要小心。

薄荷　淡芩　川朴　陳皮　豆豉　甘草　知母

脉虛津少。雖頭痛身熱。不可發汗。惟宜輕劑調之。

淡豉　知母　花粉　桑寄生　秦艽　葱鬚

又方。

杏仁　玉竹　枳殼　陳皮　石斛　炙草

舌乾脉數。汗爲熱隔。雖發亦不得。惟宜甘寒養液。雖不發之。汗當自出。然必足溫而後熱爲吉。

青蒿　知母　蘆根　生地　蔗漿　竹葉

腦疽醫案

高錦庭遺稿

高錦庭先生係錫山名醫。著有謙益齋外科醫案行世。爲哲嗣鼎汾先生所輯。道南所校。茲錄腦疽一案。先後凡十七診。病情反覆。措置裕如。洵高手也。道南誌。

楊　悲哀惱怒則傷肝。肝陰傷則虛陽上亢。爍及三陽。從三陽總會之所。而瘍生焉。症名腦疽。迄今兩候有餘。膿水已見而不多。火勢極盛。腐肉未化。堅腫未消。診脉左部弦洪。右部細小。大便堅結。小溲頻數。顯係氣虛下陷之體。肝陽上旺之病。夫氣虛宜補。肝陽宜鎮。鎮肝抑火。固外瘍所必然。而補托化膿。亦高年所宜。所慮者陰分不充。氣將日陷。肝陽無制膿水腐肉。無朝生暮長之氣血以滋生。勢將漸陷於陷機。擬方呈政。

羚羊角　石決明　綿芪　細生地　川貝　丹皮　茯苓　製蠶　半夏　橘紅　竹茹

又　議扶正潛陽。氣血並顧。與徐先生同定。

參鬚　當歸　石決明　細生地　茯苓　半夏　黃芪　粳米

又　昨投補托。參入鎮肝。小溲之數大減。不可謂非佳兆。從此陷者可升。氣漸蒸騰而上。可爲生肌去腐之助。所以昨晚定方。竟從十全大補參商。乃藥未服而胸脘似乎痞悶。自云平素之肝氣。因交芒種而發。夫肝氣者肝火衝擊胃脘之痰也。痰飲宜化。氣虛宜補。既用補托。不得不先化痰飲。因思舌苔白膩。胸悶嘔噦。前人每用溫胆一法。此症既屬高年氣虛。古人補法之中。未始無兼而行之者。則十味溫胆之謂也。仿其意以立方。補不嫌滯。化不嫌燥。參酌至當。庶幾內藏安而外瘍有益。

昨方加　麩炒枳殼　香附　廣鬱金　蔻仁　姜竹茹

又　從十味溫胆立方。並無脹滿悶滯等患。且能安寐兩時。受補可知。惟左脉之弦洪不減。酉戌之交。煩燥不安。心火大旺。膿水較多。終未能暢。根盤稍和。究未能化。仍恐火勢太甚。乘氣虛而內陷。擬清心化熱之品。與補托藥相輔成功。

眞珠粉三厘　西黃　血珀各八厘　燈芯五厘　心煩時藕汁調服

又　日中至黃昏爲陽中之陰。此時痛勢最甚。必有陰火上乘。邪火因而愈熾。昨用補托。膿水甚多。想正氣得扶。毒能化腐。今晨診脉。左部略平。惟髮際之堅腫火色未退。而脾胃仍不思飲食。當從昨方。運以調胃之品。鎮火之法。備正。

鹽水拌參鬚　於朮　決明　細生地　川貝　枳殼　姜汁炒竹茹　另水炙黃芪壹兩　夏枯草壹兩　煎湯代水

又　膿水淋漓。毒從外泄也。小溲能暢。火從下降也。所以面赤火升得平。痛勢亦減。左脉之洪數亦較平於前日。種種佳兆。皆由升降職其司。升降之職其司。未始非補托之助。氣盛則上下咸宜也。然則前日之方。宜增不宜減。

參條　細生地　川貝　決明　鮮斛　麥冬　銀花　赤芍　歸身　陳皮

另炙黃芪一兩　藕一兩　夏枯草五錢　煎湯代水

又　夫外瘍以候數言者。取七日來復之義。此其大略也。而人之氣血。强弱不同。少長各異。有未至而至。即有至而不至。仲景先師。分明言之矣。此症昨交三候。方見膿水大暢。瘡口開放。痛勢大減。意者高年氣血。生長稍緩。藉補托以相助。而後霞蔚雲蒸。火毒外潰乎。今診脉兩部。大得和緩之意。所謂胃氣也。飲食不須苦勸。胃和可知。所嫌陰中之陰之候。脉左關加弦。痛勢加增。煩燥亦甚。不無陰火內動。此時定方。補氣養營之外。不能不兼顧陰中之火。

參條　當歸　白芍　生地　丹皮　牡蠣　川貝　鮮斛　陳皮　另黃芪藕夏枯草各一兩

煎湯代水

又　補氣顧陰爲劑。昨日自朝至暮。神氣清朗。胃氣亦開。脉情亦和。何樂如之。據述丑寅之。交。自覺不適。似夢非夢。語言錯誤。此心營內虛。相火外乘之故。夫調理高年重虛之體。因事制宜者。尤當因時服藥。鄙意欲陽分服補氣之方。一交陰分。加養陰之品。質之同道先生。以爲然否。

條參　白朮　生地　辰砂拌茯神　川連汁炒棗仁　川貝　杏仁　麥冬　歸身　陳皮

芪藕煎湯辰初服一盞其第次加赤芍　夏枯草　牡蠣　丹皮　金箔三張　燕窩三錢　煎一小盞送珠粉一分　酉正服

又　統觀脉症之發於外者。痛止火退膿多。但腐未脫耳。其在內者。苔舌灰濁。胃氣不開。據述昨日不時煩悶。且云腹痛乾嘔而嗆。自覺有時糢糊。種種見證。由藏府不和。濕熱乘虛而入。夫病後宜補。一定之理。而補法亦有因時制宜之道。古人六府以通爲補。猶五藏之以塡爲補也。况時令濕氣欝蒸。弱體尤見其累。擬暫去參芪。從胃府立法。俾胃和再商圖本。

炒川貝　只壳　赤苓　橘紅　石斛　苡仁　豆卷　炒竹茹　另參鬚煎湯送珠粉壹分

又

從胃立法。煩悶等症頓除。自覺脘中空爽。口味大和。藥能應手。何其進也。今晨診脉左三部較和於昨。右關亦旺。蓋久病宜調脾胃。胃和則夜能安寐。升降自調。轉運得所。生長之機自復。唯每日下午精神較怯。睡覺每是精神恍惚。神氣不安。長至在邇。陰氣大剝之候。而體中眞陰大傷者。未免因時而動。動之太過。則有飛揚之虞。不能不過慮及之。而目前所宜。仍當從胃立法。而從柔從潤。未始不顧及陰分也。用薛氏鹽降法如味。

百合　川貝　海參　蛤壳　辰茯神　海蟄　苡仁　橘葉　荸薺　藕節　荷葉　粳米

又

右關一部和緩有神。不特飲食知味。而夢寐亦安。快何如之。至左脉之弦。亦和於昨。此波平浪靜之時。正休養生息之日。愼勞動。節飲食。培埴脾胃。以扶初生之陰。其在斯時乎。

另　卯刻服參壹錢　酉正服珠粉壹分

蒸於朮　茯苓　川貝　橘紅　麥冬　黃芪　五味　參條壹錢　煎湯送下

另　煎燕窩湯送珠粉壹分　晚服

又

腐肉能脫。營衞和矣。眠食能安。藏府和矣。目前之病。謂之已愈。無乎不可。何以昨日未申之交。氣之升降失調。脘悶自汗。不能偃臥。脉亦不調。如是數刻而復。自云素有之肝氣。逢節而發。將交夏至。似乎近之。而其實非也。夫舌苔濁厚而帶灰色。胃中濕濁。分明外見。有證可據。以有濕之胃。而當濕令大行之時。高年氣弱。不能運行食物。午後陽中之陰之候。氣爲陽刼。益見陰弱。宜其濕濁當權。反刼正氣。此卽世俗所謂痞脹也。雖屬素有之病。而不能得謂之非病。從此立方。似乎見症治症之道。

又　藿梗　醋半夏　赤苓　豆卷　炙烏梅　蘇梗　橘紅　白蔻仁　枳殼　荷葉　粳米　參鬚壹錢

過藥

又　用補從濕熱一邊着手。隨補隨通。濕去而正自復。此東垣先生所以高於諸名家也。而於秋夏爲尤宜。昨日立方。從此着想。竟能安適。夫病者自云安適。則眞安適矣。今既脉靜神怡。陰生之節。已在目前。補氣調胃。和平其制。此際立方。正無事求奇也。

川貝　橘紅　苡仁　茯苓　荷葉　粳米　海蟄　荸薺　穀芽　另煎參條貳錢　朝暮空心服

又　古人夏至之日有定心氣之文。又謂靜以待晏陰之成。此無他。動則耗陰。靜則生陰也。養病之道。何獨不然。寡言語以養氣陰。愼思慮以養心陰。從此日積月充。卽前日視多怪。夢寐多勞等症。亦可因陰壯而安。所謂陰能斂陽也。用藥亦不外乎此。

鹽水炒棗仁　辰麥冬　川貝　鹽水炒玉竹　橘紅　荷葉　粳米　枇杷葉　磨冲獺肝一分

另煎參條二錢空心服

又　脾宜升則健。胃升降則和。便溏數次。脾氣不氣也。宜其神情稍倦。左脉帶弦。右部略耎。腹中隱痛。必有冷稍留於腸胃之間。幸納食尙多。胃氣尙和。高年當大節之後。亦不宜多降。擬錢氏參苓白朮散加味。

茯苓　於朮　扁豆　陳皮　淮山藥　炒神麯　炮姜　苡仁　砂仁　蓮肉　大棗　另參條一錢　煎湯過藥

又　諸氣膹鬱。皆屬于肺。諸腹脹滿。皆屬于脾。內經文也。太太從前膹鬱之病已安。昨日腹中脹痛。豈非脾病乎。夫便溏必兼腹痛。雖屬脾虛。必有積滯。昨從錢氏法加入溫消之品。腹痛已和。便溏亦止。胃氣亦調。今晨之脉象。右亦有神。目前論治。仍須從脾胃着手。昨錢氏法去其溫消之品可也。

參苓白朮散去乾姜加穀芽

又　諸恙已安。而舌苔之灰色者亦淨。胃中濁降可證。宜乎飲食滋味。較勝於前。昨晚少寐。尙是心神欠安。再當從此立方。

棗仁　龍齒　辰茯神　川貝　柏子仁　首烏　荷葉　粳米

澄齋醫案（續前）

武進謝觀利恆著

季左　五十四　咳嗆頭疼。胸膈滿痛。腹脹。脉浮滑。宜和氣分。

金沸艸包錢半　炒荆芥錢半　炒枳壳一錢　法半夏錢半　炒蘇子二錢　嫩白薇二錢　苦杏仁三錢打　全瓜蔞三錢　嫩前胡二錢　薄荷葉一錢　製川扑一錢　大腹絨二錢　黃欝金錢半

王左　五十五　肺氣失治。久咳不已。舌白邊絳。脉來虛細。宜投淸潤。

桑皮葉錢半包　炙蘇子錢半　大貝母三錢　炒白芍錢半　地骨皮二錢　甜杏仁三錢　生苡米四錢　枇杷葉錢半去毛各　瓜蔞皮三錢　橘白絡五分各　肥玉竹四錢　生熟穀芽各三錢　淡竹茹錢半

袁左　四十五　肺風久欬。劇于夜分，面浮肢脹。脉弦舌白。愼防喘發。

炒蘇子二錢　旋覆花二錢包　生白朴二錢　炙桑皮二錢　嫩前胡二錢　萊菔英三錢　川桂枝一錢　猪茯苓三錢各　嫩白前一錢　白芥子錢半　大腹絨二錢　建澤瀉三錢　煨生姜三片

朱左　五十二　節後傷風。欬嗽氣急。寒熱交作。脉浮舌膩。治以疎降。

川桂枝一錢　蘇子葉三錢一錢半炒　苦杏仁三錢打　淡酒芩一錢　荆芥穗錢半　蘇薄荷一錢　萊菔子三錢　淸炙艸六分　嫩白薇二錢　嫩前胡二錢　白芥子錢半　小川扑一錢　生姜三片　荸薺四枚

李右　四十六　形寒。身熱。頭疼。咳嗽。嘔逆。脉浮數。風傷肺胃。治以疏降。

大豆卷四錢　炒蘇子二錢　連翹壳錢半　甜杏仁三錢打　炒荆芩錢半　嫩前胡三錢　薄橘紅一錢　大貝母三錢　蘇薄荷一錢　香白薇二錢　薏苡仁八錢　枇杷葉三錢去毛蜜炙　炒竹茹錢半

徐　五十四　咳引腰背少腹俱疼。寒熱摸糊。脉弦。舌白邊絳。歲金太過病也。

炒蘇子二錢 青蒿梗二錢 法半夏錢半 川楝子三錢 嫩前胡二錢 瓜蔞皮三錢 大貝母二錢 黃鬱金錢半 旋覆花錢半包 香白薇錢半 酒芩炭錢半 淡竹茹錢半 骨碎補七錢

張 四十 咳輕熱減。惟咽痛身疼足軟。舌紅抽心。內燔乾渴。乃陽傷之象。依前加減。

南沙參三錢 炒蘇子錢半 嫩白薇二錢 細生地四錢 大麥冬二錢 甜杏仁三錢打 炙桑皮錢半 川斷肉四錢 肥玉竹四錢 大貝母三錢 元參二錢 骨碎補五錢 枇杷葉三錄去毛包 蘆根七錢

一瓢硯齋醫案

薛文元

初診陳小姐 初因攻讀考試。勞心過度。心陰本傷。暑邪直入胞絡。陽明熱熾。壯熱潛多。神昏譫語。鼻煽目赤。大便溏泄。口渴多飲。脈象弦數。舌苔焦黑。尖紅起刺。見症邪熱方盛。胃陰先傷。勢甚危險。擬養陰托邪。以救津液。冀其轉機。再商方候 高明正之

玉泉散二兩 鮮石斛四錢 銀花炭三錢 天花粉三錢 (淡豆豉三錢同打)鮮生地八錢 連翹三錢 粉丹皮一錢五分 生苡仁四錢 黑山梔二錢 炒子芩一錢五分 肥知母一錢五分 鮮竹葉三十片 鮮蘆根二尺

二診 譫語鼻煽。較昨略減。壯熱有汗。口渴多飲。今日更加頭痛頗甚。目紅。大便溏泄。小水不多。胸腹煩悶不安。脈象弦滑而數。舌苔稍見津液。焦黑稍化。病勢稍見小效。胞絡之邪未達。胃陰耗傷不復。症情尚在險境。再從養陰宣化。方候 高明正之

(淡豆豉三錢同打)鮮生地一兩 廣玉金一錢 連翹二錢 銀花炭三錢 黑山梔三錢 鮮石斛四錢 知母一錄五分 鮮竹葉三十片 嫩鈎屯後入三錢 玉泉散一兩 炒子芩一錢五分 鮮蘆根二尺

三診 兩進養陰徹邪。舌苔焦黑已退其半。譫語鼻煽亦安。壯熱漸淡。而口渴汗多，鮮象弦數帶洪。營分之邪已有外達之機。肺胃陰液耗傷。勢有出險之機。昨方增減。以觀後效。

鮮石斛四錢 廣鬱金一錢五分 銀花炭三錢 鮮沙參四錢 天花粉三錢 知母一錢五分 連翹二錢

炒子芩一錢五分　天竺黃一錢五分　鮮蘆根二尺　鮮荷梗一尺

四診　壯熱已退。神志得清。焦黑之苔驟化白膩。胸腹氣悶。口乾。時覺煩燥。脉象滑數。營分之邪得達。三焦濕熱瀰蔓。病已轉機。可望出險。法當宣化。以洩氣分之濕。

鮮佩蘭四錢　廣鬱金一錢　川通草六分　仙半夏一錢五分　赤苓三錢　生苡仁四錢　光杏仁三錢　澤瀉一錢九分　炒竹茹一錢五分　鮮蘆根二尺

五診　昨夜寒熱復作。黎明卽退。此伏邪外達應有之現象也。

青蒿一錢五分　炒子芩一錢五分　川通草六分　六一散包煎三錢　瓜蔞皮三錢　生苡仁四錢　仙半夏一錢五分　赤苓三錢　炒竹茹一錢五分　鮮荷梗一尺

六診　諸恙均退。漸思飲食。而口乾。時刻噯氣。肺胃氣機未宣。當從肺胃調治。以淸餘波。

川石斛三錢　仙半夏一錢五分　瓜蔞皮三錢　鮮佩蘭三錢　六一散包煎三錢　生穀芽三錢　光杏仁三錢　焦神粬一錢五分　炒竹茹一錢五分　鮮荷梗一尺

論黃祈甫之內人患紅崩症

朱介福

黃祈甫之內人。年三十許。身體不豐。忽於春月患紅崩症。數日一發。發則數日。臥床不起。腰腹俱痛。口苦而渴。五心煩燥。潮熱不眠。善飢不能多食。脈象弦數。形容黃瘦。先延某醫診治。大半溫補氣血中。兼佐以辛竄之劑。服藥後。卽下紫血數塊。舉家駭極。轉而求診於余。余斷爲血熱妄行。得補增劇。卽用四物湯加黃芩黃柏青蒿知母龜板茅根石斛阿膠丹皮竹茹等類。以養陰淸熱。出入加減。再大藕節七个煮湯煎藥連服二劑而愈。蓋該婦善怒多鬱。肝火妄動。以致肝不藏血。肝火逼血妄行。與脾經虛寒不能統血者不同。若仍用溫補辛燥之劑。再耗眞陰。愈動肝火。鮮有不敗者。夫醫乃活人之術。臨證之頃。可不詳察寒熱虛實而忘行補瀉者乎。

方劑

紅白痢驗方

汪友松

（藥物）硼沙三錢要白如雪者　辰砂二錢　木香二錢　丁香二錢　沉香二錢　當歸二錢　甘草二錢　生軍二錢　巴豆霜二錢

（製法）共藥九味。俱不要見火。各味共研細末。用磁瓶收貯。不要洩氣。

（服法）凡水痢疾者。只用八厘。開水吞下。即下大便而愈。重者再用八厘。無不全愈。此方愈人無數。效驗如神。

瘟疫時症經驗良方

江友松

（藥物）猪牙皂三錢半　正硃砂二錢半　蘇薄荷二錢　北細辛三錢半　藿香三錢　明雄黃二錢半　枯礬一錢　白芷一錢　橘梗二錢　法夏二錢　防風二錢　木香二錢　貫衆二錢　陳皮二錢　甘草二錢

（製法）以上十五味。共研極細末。磁瓶固封。切勿洩氣。

（服法）此藥專治瘟疫時症。忽然腹痛。手足厥冷。面色青黑。上吐下瀉。霍亂抽筋。急痧等症。先用一二分吹入鼻內。通其關竅。後用薑五片。煎水一杯。冲散溫服。輕者一錢五分。重者三錢。小童減半。症過重者。多服無妨。服至止疴定痛平安爲止。

戒烟神方

（藥物）甘草八兩。川貝母四兩。杜仲四兩。

（製法）右藥三味。用淸水六斤。熬至一半。用粗白布。濾汁去渣。用小火熬濃。再加好紅糖一斤。膏成用罐收藏。

（服法）每日服藥膏三錢。照平時吸煙頓數。分服。用開水。加生煙。沖下。每頓吸煙一錢者。頭三天。加入生煙一分。第四五六天。加煙八釐。第七八九天。加煙六釐。第十十一十二天。加煙四釐。第十三十四十五天。加煙二釐。第十六天至第二十五天。加煙一釐。以後不須加煙。服完此膏。煙癮自斷。其煙癮大小不同者。每頓所加生煙。照上分量。比例加減。並無難受。及一切毛病。眞神方也。正戒煙服藥時。忌食酸味。並忌房事斷癮後。切忌再吸至要至要。

（防法）戒煙時。萬一發生別種毛病。可按期。每頓多加煙一倍。不宜過多。自然病愈。萬無一失。此方治好多人。有每日吸煙二三兩者。均服一料斷癮。不但無病。而且精神强健。極靈極效。

急治小兒驚風方

楊道南

小兒之急慢驚風。往往有之。或時在夜半。不及延醫。或居鄉里。無醫可請。以致誤命者甚多。茲得一簡便之法。用之無不見效。用鷄子煮熟。去殼去黃。內置雙角之小銀幣一枚。外包白而且薄之布。在全身揩擦。若是驚風。銀元變成黑色。另換小銀元及蛋白。在手足部再擦。及至銀元不變色爲度。其病卽愈。若初起揩時。小銀元不變色者。便非驚風也。

汗臭方

楊道南

汗臭。卽狐臭。乃腋下素腺之分秘物。發生臭氣所致。每於夏季其臭更甚。常爲人所厭惡。雖屬微恙。久之腋下皮膚濕而發爛。苟欲去此疾者。用龍腦一分。白礬二分。合硏細。每次浴後塗之。

治禿妙方

楊道南

取肉荳蔻。芳香油。混和而塗之。

治吐血神方

生梨一個去心 柿餅兩個 紅棗兩個 荷葉一張(無鮮的乾的亦可) 鮮藕一斤打汁 四味煎湯冲藕汁服。

流注驗案

單厚生

梁君伯年三十五歲。因患流注年餘。醫不得法。牽延難愈。時當仲秋。挽余往診。余見腰脇之間。破潰數處。常流清水。時作刺痛。因謂之曰。此症由肝腎兩虧。眞陽衰敗。氣血兼傷而成。審其脉沉細無力。脉證合參。非溫化不可。遂用陽和湯加黃耆。令服十劑。然後再議。病者照服後。來寓求診，余審視其患處。色已紅活。變出稠濃。而腫痛亦漸消散。余恐潰破處。傷其內膜。乃擬原方重加白芨白蘞。護其內膜。以防內潰。又令服十劑後。原處將愈過半。病者再求更方。余復令照服二十餘劑。而病始全愈。可見藥貴對證。證雖沉重。亦能生痊。足徵古人立方。可以爲法於後世矣

紀載

會議紀錄

◉七月十日下午八時第十三次執監聯會

出席委員　朱南山　朱小南　朱鶴皋　沈建候　黃寶忠　包天白　唐亮臣　沈心九　傅雍言　盛心如　蔣文芳　嚴蒼山　夏重光　謝利恆　包識生　丁仲英　江仲亮　張贊臣　張鴻遠　任農軒　朱少武　郭伯良

主席　蔣文芳　謝利恆　紀錄　繆曙初

行禮如儀

(甲)報告

一件　本會所設中國醫學院院董會業已成立並經決定下學期進行方針

一件　六區十分部來函案奉市黨部層轉衛生局報告租界中醫登記已入停頓狀態領有衛生局執照至租界行業有無被罰情事

一件　本會與國藥全業公會發起追悼張始生先生已于本日開會追悼

(乙)討論

一件　上屆議決案執行狀況

一件　第六屆國醫登記已將辦竣領照國醫所開藥方應誌標記以便病家識別並免藥舖留難案

議決　本會會員均經衛生局試驗合格呈報市政府備案准許開業應通告會員將藥方送交本會加

一件　蓋鋼印並通告國藥界對于本會會員藥方不得留難
一件　函請國藥全業公會通告各藥舖對于藥包外所標先煎後入包煎等字勿得潦草並於可能範圍內配齊藥引以免貽誤而利病家案
議決　通過
一件　呈請黨政機關審核各中醫學術團體章程並指令各該學術團體將業經開業之會員概行介紹入會以重組織案
議決　通過

◉七月十八日下午八時臨時執監聯席會議

出席委員　黃寶忠　徐志千　盛心如　蔣文芳　陸士諤　秦伯未　包天白　謝利恆　任農軒　朱小南　朱南山　朱鶴皋　丁仲英　張贊臣　薛文元　傅雍言　夏重光　沈建候　包識生

主席　蔣文芳　陸士諤　紀錄　蔣有成

行禮如儀

(甲)報告

一件　天津市國醫研究會函詢改組及備案手續由

(乙)討論

一件　中國醫學院校友會函請備案案
議決　函復認可
一件　本會會所設備不適應否遷移案
議決　交庶務科辦理
一件　法租界會員報告法界當局舉辦醫生營業稅請核議案
議決　函請法租界華人納稅會及工部局勿收醫生營業稅

一件　上海地方法院函送鑑定醫方案

議決　推定陸士諤盛心如張贊臣三人起草鑑定書

◉七月二十五日下午八時第十四次執監聯席會

出席委員　徐志千　唐亮臣　任農軒　蔣文芳　陸士諤　沈建候　吳克潛　傅雍言　朱南山　朱小南　朱鶴皋　薛文元　沈心九　張鴻遠　夏重光　嚴蒼山　包天白　陳潄安　丁濟華　黃寶忠　盛心如　謝利恆　郭伯良

主席　夏重光　郭伯良　報告　蔣文芳　紀錄　蔣有成

行禮如儀

（甲）報告

一件　本會會員方牋自通告均須加蓋鋼印後來會蓋印已有數百人都六十萬餘頁

一件　法工部局函復一件

（乙）討論

一件　本市學術團體會員蔡陸仙等三十餘人要求免繳入會費加入本會案

議決　學術團體會員經本會二人以上介紹並證明者得免繳入會費

一件　阮晉康已領有衞生局開業執照現已加入本會但無介紹人應如何辦理案

議決　俟領小執照時函請來會面詢後再行核辦

一件　地方法院函請鑑定醫方案

議決　准照鑑定委員起草之鑑定書即日函復

一件　本會會所長此租賃終非久計擬自行建設現已有丁仲英認捐一千元丁濟華五十元朱鶴皋一千元以爲之創當如何籌劃進行案

議決　推定丁仲英朱鶴皋郭伯良陸士諤蔣文芳等五人爲籌建會所設計委員並指定朱鶴皋爲召集人定星期二在丁仲英處開第一次會議

案牘

致法租界華人納稅會函

謹啓者前爲法工部局舉辦醫生登記曾由敝會暨上海市衛生局先後與法工部局協商業蒙允許登記以一次爲限收費貳元界外醫生毋須登記並經函復到會在案現據敝會會員報告藉悉法工部局於登記之外更復比附衛生捐名目派員通告各醫生每年納捐二元爲數雖微但與該局二月廿七日到敝會函件內開登記收費一次爲限之意思不無抵觸且醫生爲自由職業之一種其性質與律師會計師相同斷難歸入飲食店之列而加以衛生局捐之名目使年負納捐之責任卽其他華租各界亦無責令醫生納捐之前例強令納捐非特徒滋紛擾且其全數亦不滿千元殊爲該局所不取竊念貴會係法租界納稅團體爲華人之喉舌乞卽轉函法工部局對于醫生衛生捐一項免予徵收實深企禱此致

法租界華人納稅會

上海市國醫公會啓

朱□□醫士被控案

本埠醫士朱□□被章金發在上海地方法院提起控告上海地方法院將所有藥方發交本會審查茲將法院公函及本會函復原文抄錄如下

(江蘇上海地方法院公函第六九號)本院受理章金發訴朱□□過失業務致人于死一案據章金發訴稱民妻章吳氏生有疾病於六月六日請朱□□醫治當卽診斷處方翌日腹漲如鼓大小便均不通六月八日又請朱□□復診處方詎至下午四時胎胞崩破遂送廣仁醫院求診醫生謂若剖腹取出已死之小孩尙有

挽回生命之希望否則無救濟之法民不得已聽其施用手術不意于十六日死于院中當民妻前往朱□□處診治時業已懷孕三月朱□□謂係停經并非懷孕其所處方單含有反對胎產之藥品致民妻服後演成胎胞崩破之慘劇復因施救此項危難致人身死請依法核辦等情并坿呈藥方二帋到院查朱□□所處藥方有無過失之處非送請鑑定不克明瞭相應備文送請貴會希卽鑑定明白尅日見復爲荷此致

上海市國醫公會

謹復者接奉

鈞函內開本院受理章金發訴朱○○過失業務致人於死一案照叙至尅日見復爲荷等因奉此遵於本月十八日舉行臨時執監聯席會議交付討論僉以朱醫六月六日八日二方案語均無懷孕字樣其最後最直接之死因爲施行剖腹手術無效于十六日身死所謂胎胞崩破之斷語出自最後剖腹治療無效之醫院是否足信應請法院澈查事實外遵就所送藥方秉公鑑定以憑函覆當經推定敝會監察委員前中醫試驗委員陸士諤執行委員現任中國醫學院教授盛心如醫界春秋社主筆張贊臣共同草擬鑑定書草案並經敝會于二十五日第十四次執監聯席會議通過交由常務委員會核發奉函前因合將鑑定書隨函附奉並乞澈查是案事實以明眞相實爲公便此復

上海地方法院

計附鑑定書一紙還藥方二張

朱○○醫士診治章吳氏藥方鑑定書

查閱兩方形式殘缺不全均無服藥者姓氏其一且無處方醫生之姓名殊出一般常例之外頗滋懷疑更查兩方所列病狀與用藥尙屬相符惟第二方有桃仁一味如果有胎不甚相宜顧其藥性雖能動血亦無崩破胞胎之力量合爲鑑定如右

上海市

國醫公會遷移會所

本會原假浙江路二七四號益衆公司二樓爲會所現因設備不週不便辦公茲已遷入南京路日昇樓後面南香粉弄八十八號門牌照常工作恐未週知特此公告

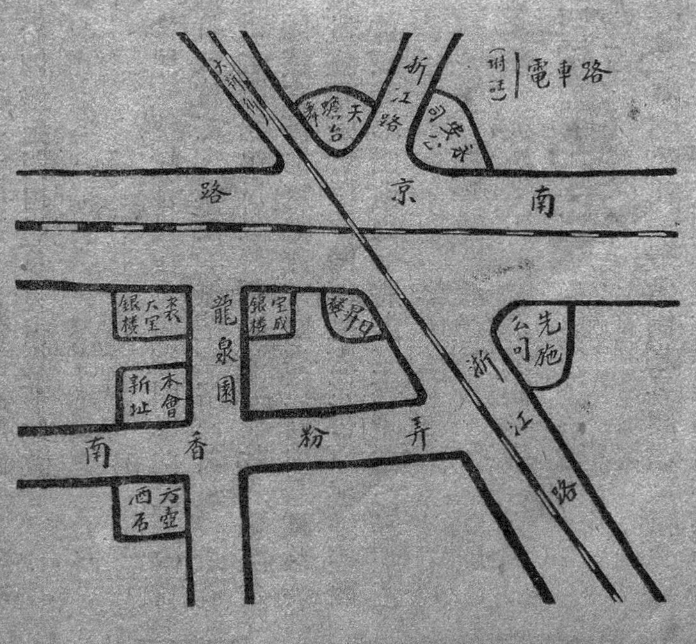

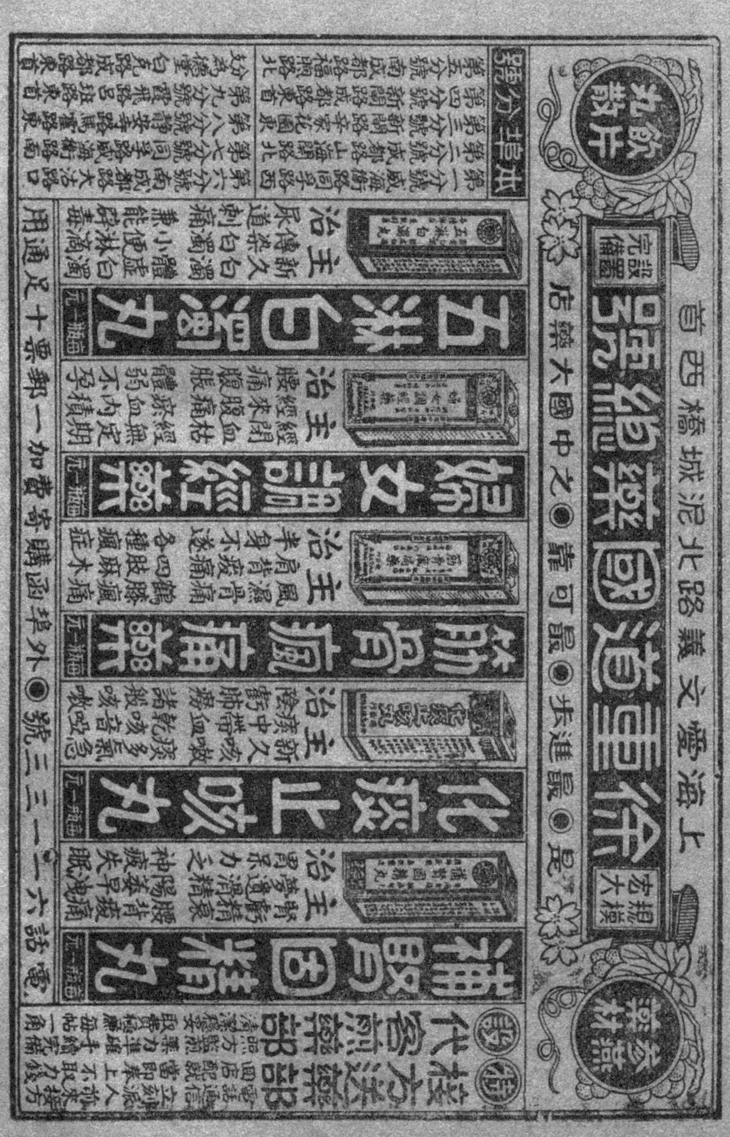
上海愛文義路北泥城橋西首
規模宏大
徐重道國藥總號
設置完備
是◉最進步◉最可靠◉之中國大藥店
參燕藥材
飲片丸散
特設
接方送藥部
電話通信 立刻派人 前來接方 回店配就 當即奉上 不取力錢
代客煎藥部
照方監煎 藥力準確 手續完備 清潔穩妥 取費極廉 每帖一角
補腎固精丸
主治 腎虧精衰 腰背痠痛 夢遺滑精 陽萎早洩 胃呆力乏 神疲失眠
每瓶一元
化痰止咳丸
主治 新久咳嗽 痰多氣急 痰中帶血 乾咳音啞 陰虧肺癆 諸般咳嗽
每瓶一元
筋骨瘋痛藥
主治 風濕骨痛 鶴膝瘋痛 肩背痠痛 四肢麻木 半身不遂 各種瘋症
每瓶一元
婦女調經藥
主治 經閉血枯 經無定期 經來腹痛 瘀血內積 腰痛腹脹 體弱不孕
每瓶一元
五淋白濁丸
主治 新久白濁 體虛白濁 傳染白濁 小便淋滴 尿道刺痛 兼能辟毒
每瓶一元
本埠分號
第一分號威海衛路同孚路西
第二分號成都路山海關路北
第三分號新閘路辛家花園東
第四分號新閘路成都路東首
第五分號南成都路福煦路北
第六分號南成都路大沽路口
第七分號同孚路威海衛路南
第八分號靜安寺路馬霍路東
第九分號霞飛路呂班路東首
為德堂白克路成都路東首
電話六一一三三號◉外埠函購寄費加一郵票十足通用

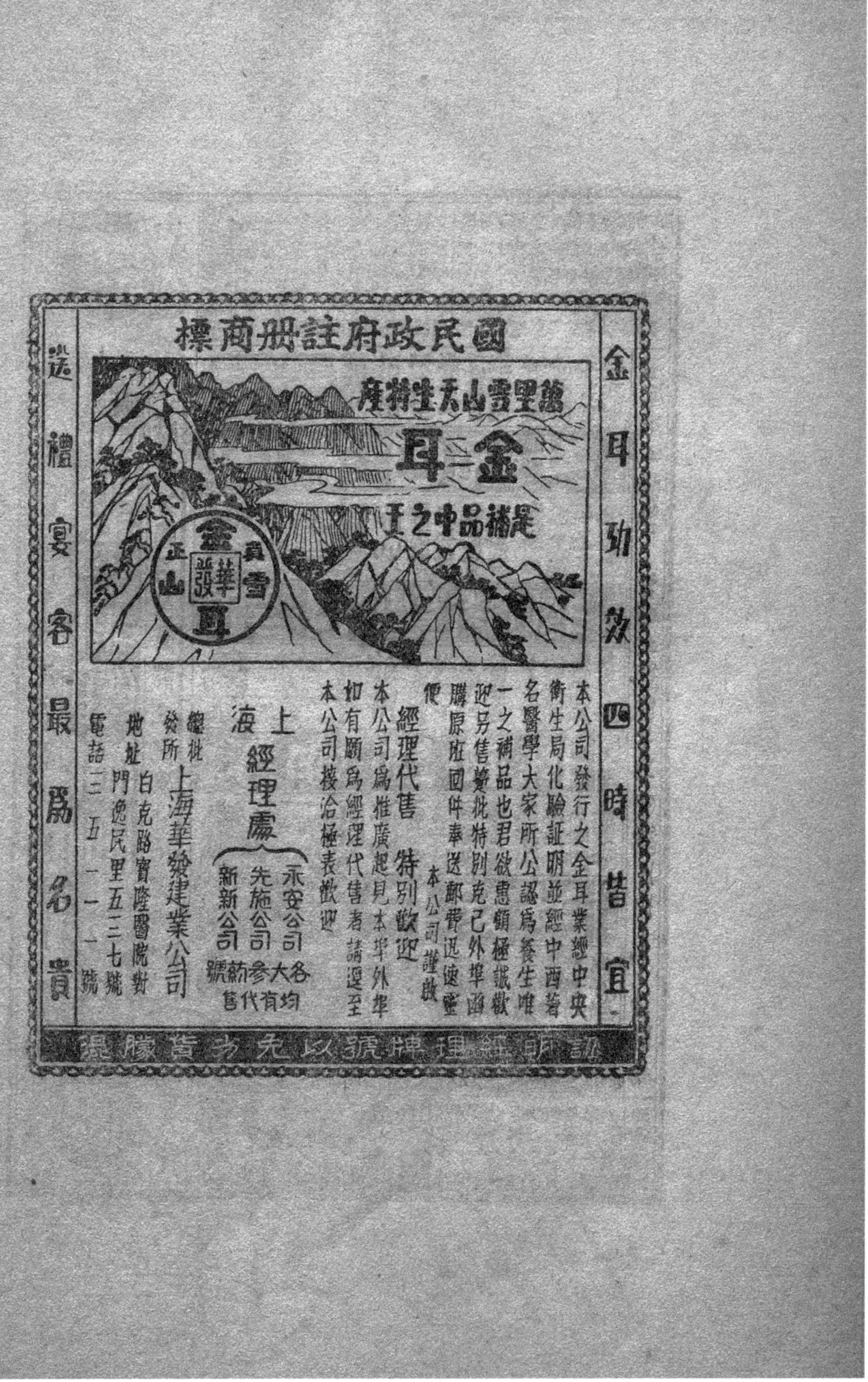
國民政府註册商標
萬里雪山天生特產
金耳
是補品中之王
華發
金耳功效四時皆宜
送禮宴客最爲名貴
本公司發行之金耳業經中央衛生局化驗証明並經中西著名醫學大家所公認爲養生唯一之補品也君欲惠顧極誠歡迎另售躉批特別克己外埠函購原班回件奉送郵費迅速靈便
本公司謹啟
經理代售 特別歡迎
本公司爲推廣起見本埠外埠如有願爲經理代售者請逕至本公司接洽極表歡迎
上海經理處
永安公司
先施公司
新新公司
各大參葯號均有代售
總批發所 上海華發建業公司
地址 白克路寶隆醫院對門逸民里五二七號
電話三三五一一一號
認明經理牌號以免

傅氏三書

題

譚組庵氏 唐蔚芝氏 蔡孑民氏 胡展堂氏 于右任氏 戴季陶氏 陳陶遺氏 陳无咎氏 楊杏佛氏 黃炎培氏 李夢覺氏 錢龍章氏 沈湘之氏

序者

沈維賢氏 施今墨氏 楊富臣氏 薛逸山氏 謝利恆氏 薛文元氏 汪紹周氏 張杏蓀氏 蔡濟平氏 王一仁氏 秦伯未氏 郁佩瑛氏 葉惠鈞氏

全書內容提要

本書爲劉河名醫傅雍言氏之尊人耐寒先生所著凡四冊

一 醫經玉屑……一冊

就內經中摘補三十七條發揮其奧旨註解五十一條以完各家未暢之旨今人能研古學者絕鮮得此可知內經中自有精粹之處特患不能悟會耳

二 醫案摘奇……二冊

此爲先生心得獨到之作險症百出獨能處置裕如從容投藥其三折肱案尤非學識並長者不能道隻字實可媲美葉氏醫案潛齋筆記不可多得之作也

三 舌胎統志……一冊

歷來辨舌之書都以胎色分部此書能獨出手眼不循尋常谿徑以舌色爲主分爲八門綱舉目張法賅用宏蓋能悟徹標本奧旨者也

全書四冊布套一函 定價二元七折

外埠加郵費一角四分

中醫書局發行

寄售處 上海市國醫公會

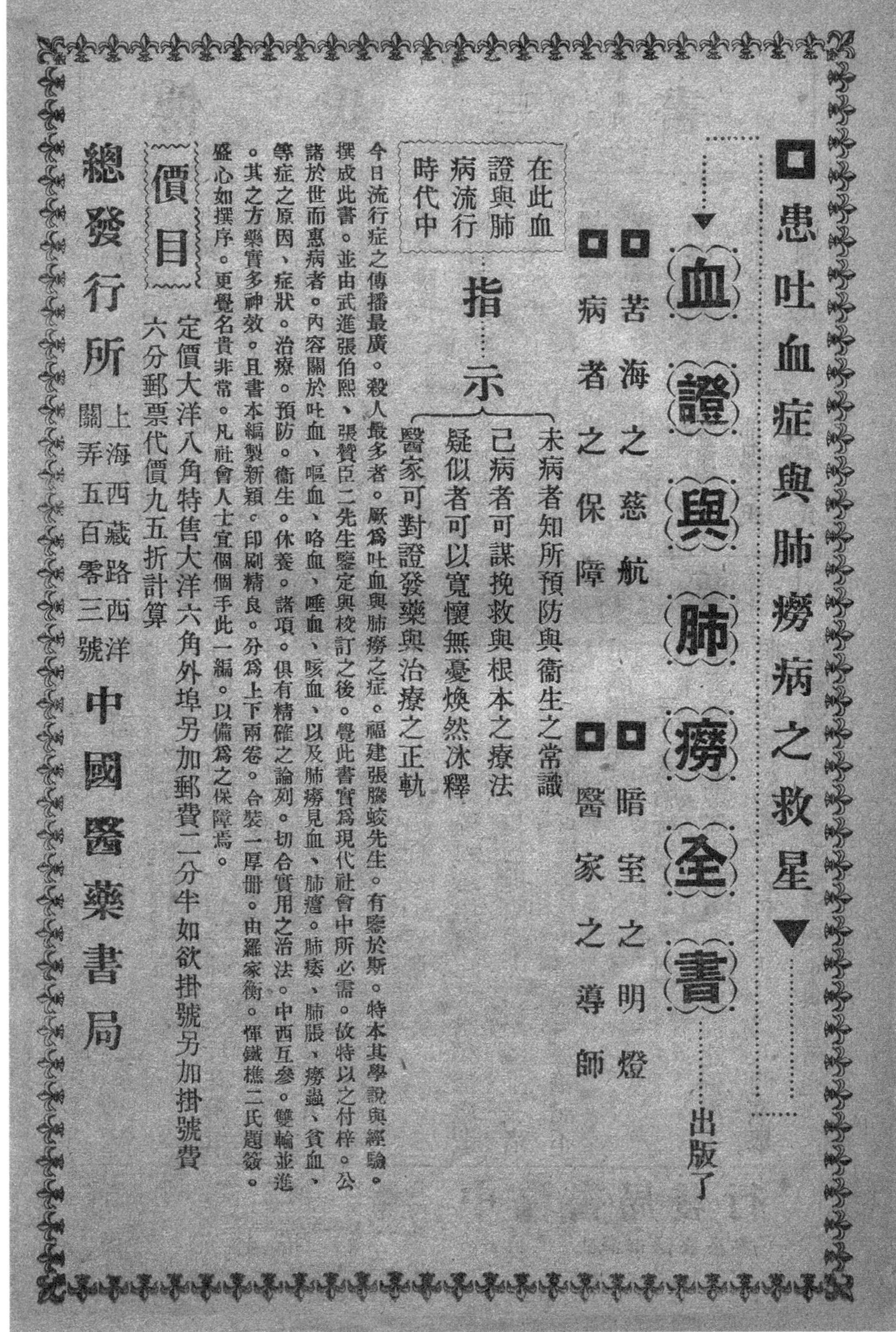
患吐血症與肺癆病之救星
血證與肺癆全書
出版了
苦海之慈航
暗室之明燈
病者之保障
醫家之導師
在此血證與肺病流行時代中
指示
未病者知所預防與衛生之常識
已病者可謀挽救與根本之療法
疑似者可以寬懷無憂煥然冰釋
醫家可對證發藥與治療之正軌
今日流行症之傳播最廣。殺人最多者。厥爲吐血與肺癆之症。福建張騰蛟先生。有鑒於斯。特本其學說與經驗。撰成此書。並由武進張伯熙、張贊臣二先生鑒定與校訂之後。覺此書實爲現代社會中所必需。故特以之付梓。公諸於世而惠病者。內容關於吐血、嘔血、咯血、唾血、咳血、以及肺癆見血、肺癰。肺痿、肺脹，癆蟲、貧血、等症之原因、症狀。治療。預防。衛生。休養。諸項。俱有精確之論列。切合實用之治法。中西互參。雙輪並進。其之方藥實多神效。且書本編製新穎。印刷精良。分爲上下兩卷。合裝一厚冊。由羅家衡。惲鐵樵二氏題簽。盛心如撰序。更覺名貴非常。凡社會人士宜個個手此一編。以備爲之保障焉。
價目
定價大洋八角特售大洋六角外埠另加郵費一分半如欲掛號另加掛號費六分郵票代價九五折計算
總發行所
上海西藏路西洋關弄五百零三號
中國醫藥書局

醫藥精華集

何以可貴

◎近代名著◎ ◎不同凡作◎ ◎內容豐富◎ ◎無所不包◎ ◎請閱目錄◎ ◎便知精采◎

醫藥精華集。悉萃於此。何以可貴。因醫藥精華集爲醫學新聞報之材料彙成。醫藥新聞報。爲全中國最偉大之醫報。全國名醫之鉅著。例如指導社會醫藥常識。箴砭醫界同人。厥功非細。而關於時令疫癘。醫藥新聞報所發表治法。隨時有獨到之處。今本書既爲醫藥新聞報名貴之材料彙成。故醫藥精華集即爲名貴之偉著。（本書分初集二集二種）

醫藥精華集初集　係醫藥新聞第一年全年材料彙成

醫藥精華集二集　係醫藥新聞第二年全年材料彙成

初集要目

■苔脈門■辨舌大要，舌苔學，脈學，辨脈知壽夭，孕脈辨，男女脈辨。■痧症門■痧子（即瘖，痲，）之最妥治法，斑疹白瘖治法。■婦女門■婦女病大網，陰戶奇病自療法，經病，產病，肝氣，積聚，乳房。■瘧痢門■瘧疾新論，治痢三大法，痢疾必愈，痢疾不能用利水藥辨，治瘧特法。■咽喉，咳嗽門■咳嗽特效治法，百日咳，喉症特效治法，喉症三忌，白喉與喉痧之分別，哮喘與短氣之別。■花柳門■花柳病與各方之關係，脫鼻重生法，陽物復長法，下疳便毒魚口橫痃赤濁白濁五淋陰蟲囊癰結毒等自療法。■霍亂，腸胃門■似霍亂，寒霍亂，熱霍亂，霍亂新論，霍亂新新論，腹痛之辨別，嘔吐噦之辨別，反胃：關格，胃痛，宿食。■溫病門■溫病淺釋，溫病宜急下不宜過表，釋春溫，釋秋燥。濕溫、濕溫證治。■中風，傷寒門■中風論略，中風不能用風藥辨，釋傷寒，夾陰傷寒辨。■遺精門■遺精與種種之關係，（與環境，震動。腳踏車，趨背，被衛，沐浴，便溺，性情，飲食等）遺精之種類，異哉遺精病。外治遺精三法，脫陽急救，遺精目盲。其他痰病，頭痛，健忘，失眠，夢魘，肺勞，五官，推拿，剖解等門，均自名著，凡數十篇，子目繫多，限於篇幅，不能盡述，書後附有集益錄一百六十條，俱爲不可多得之簡效方。

二集要目

■衛生門■肺臟強健法，心臟強健法，肝臟強健法，脾臟強健法，腎臟強健法，平時衛生，病時衛生，婦女衛生，小兒衛生，公共衛生，天氣突變之防範。■時症門■時症防預，關於腦膜炎之問答，腦脊髓膜炎，（按此等著作，去年刊載，萬人爭誦。）■戒烟門■戒烟必效法；戒烟善後問題。■病理門■不治自愈，非治不愈，雖治不愈，雖病不死，不病猝死，易治易愈、緩治方愈，愈後復發，傳染，蓄伏，傳變，遺傳，六淫，七情、氣血的病理，我國談病理的書，可稱未曾有過，此篇洋洋數萬言，乃最新之發明，最新之傑構也。■性病門■性病之研究，遺精絕嗣，遺精之特異，遺精失血，遺精速愈。遺精白濁單方三十三條。■肺病門■名醫所述之肺病治法，肺病預防，白痰與吐血，瘀血問答，肺病驗案。■婦女門■胎成男女之研究，避孕新法（涼血，陰血離經，殺滅精蟲，精液避射，子宮填塞，交媾前洗滌，交媾後洗滌，過期交媾，風流如意帶等法。）■小兒門■小兒病十一種詳細治法。其他如消渴，癲癇，黃疸，痔疾，眼疾，瘧痢，咳嗽，以及其他雜症治法數十門，子目不遑細述，書後附集益錄一百餘條，及急救方法五十則，搜羅齊備，堪稱全璧。

特點

本書之特點甚多。而尤爲社會人士所稱道者。其一爲避孕法之新研究。及治腦膜炎之特法。爲獨得之發明。海內任何醫書。無其詳備。其二爲初集二集卷末。各附有靈驗祕方一百六十條。方方不同。皆爲古今名醫不傳之祕。經本館搜羅而得。名貴異乎尋常。其三爲百病療法。俱重實驗。普通人得之。亦能應用。至於裝釘之精美。猶其餘事。

價目

初集金裝一大厚冊計六百面定價二元特價一元四角二集金裝一大厚冊計六百面定價二元特價一元四角（寄費加一）

贈送

本館特向生生美術公司定造福壽籤數十萬，作爲贈品，凡向本館直接購書者，每購一冊，贈送福壽籤百張，多購多贈，至在代售處購買者，恕不贈送。

總發行所　上海法租界辣斐德路貝勒路東維厚里二十三號醫藥新聞報館

代售處　上海山東路十三號　中醫書局

編輯委員會題名

中華民國二十年八月十五日

現代國醫

第四期 實洋二角

編輯者 編輯委員會

出版者 上海市國醫公會 上海南京路南香粉弄八十八號

發行者 上海市國醫公會

寄售處 上海中醫書局 上海山東路南帶鈎橋十三號

中國醫藥書局 上海西藏路西羊關弄五〇三號

印刷者 華豐印刷鑄字所

▲本雜誌每月一冊。全年十二冊。
▲每期實洋二角。預定全年連郵二元。
▲凡本會會員。一律優待減半。實收一元。
▲廣告價格。全張每期二十元。一面十二元。半面八元。長期八折。

每月刊

現代國醫

第一卷第五期

藥物專號

中華民國二十年九月

上海市國醫公會編輯印行

發行 上海南京路南香粉弄八十八號

編者小言

（未伯）

初西醫之反對中醫。謂中國醫藥。無一可取。挽近西醫之反對中醫。則謂中醫當絕對廢除。中藥尙多可取。此種嫉妬式之批判。完全不顧事實。完全不知中醫藥之精神。固無辯斥之價值。然竊謂中醫藥在數千年之過程中。經歷代賢哲之發揮。理論之繁。實不容不加以整理。汰其沙石。顯其精英。使醫界得一精確之標準。非醫界得一簡明之比觀也。其整理之工作。當以邏輯爲第一步。但頭緒紛紜。眞有如二十四史。從何讀起之慨。

本會委員陳存仁先生。獨知而能行。行而不畏艱難。從藥物入手。纂述三百餘萬言。蒐集之富。今所未有。每藥名詞、產地、形態、種類、栽培、采取、泡製、性質、效能、以及中外古今之論述。靡不畢具。恍游五都之市。目不暇給。蓄蓄志於此。已歷多年。收藏藥物書籍。多至三百餘種。均古今之巨著。難能而可貴者也。茲承以一部份發表。特刊專號。俾覩一斑。他日全部書成。其貢獻於中醫藥界。較本草綱目爲尤甚。彼初西醫之反對。烏知其妙。繼稱中藥尙可取。更烏知有如是之偉大耶。設有以此冊遍贈若輩。當一一如寒蟬之噤口。（按陳氏原作。每藥均有五彩圖畫。今因製版需時甚久。不及刊入。）

現代國醫第一卷第五期目次

藥物專號

人參……陳存仁
處方用名、古籍別名、外國名詞……一
花名及土名、參商隱名、異類參名……一
基本……二
產地……三
形態……四
種類……五
種植、栽培之要點……七
採取、泡製……八
性質……九
近世應用、效能、醫治、作用、主治……九
張仲景之發明……一〇
歷代記述考證……一二
魏、華陀
唐、李珩　甄權

宋、蘇頌　食華子　陳自明
金、張元素
元、王好古　李東垣
明、李時珍　張介賓　陳嘉謨　倪朱謨　薛立齋
清、陳士鐸　張石頑　楊時泰　黃宮繡　鄒澍

日本學者之研究……………………………………二〇
藤谷功彥　湯本求眞　猪子　富田長壽成　井上圓治氏　牛山香月啓蓋
齋藤系平
成分……………………………………………………二五
辨僞……………………………………………………二六
近人學說………………………………………………二九
配合應用、用量、施用宜忌、配合宜忌……三〇
收藏法…………………………………………………三三
防霉時期………………………………………………三四
政府專賣………………………………………………三四
專門著述………………………………………………三四

古今藥學書目攷……………………………………陳存仁

附近代各雜誌藥學稿件索引

人參

陳存仁

【處方用名】吉林參　野山參

【古籍別名】參　蓡　人蓡　人葠　人身　人銜　土精　玉精　地精　白物　精艸　海腴　鬼蓋　黃石　黃參　血參　湯參　棟參　白修參　羊角參　孩兒參　百尺杵　皺面丹　皺面還丹　金井玉欄

【外國名詞】GINSENG（英美）ニンジンカノニダグサ（日本）

【花名及土名】人參品尊價昂。參農參商。各創花名。以標新異。或從產地取名。或從品質色澤形狀等次取名。詳列於次。

一、遼東參　二、百濟參　三、邊江參　四、紫團參　五、新羅參　六、廠參（以上均從產地立名）　七、老山參（久年山參也）　八、大山參（山產大參也）　九、石柱參（形如石柱）　十、野山參（產於山野者）　十一、移山參（由山移植家圃者）　十二、棒椎（參農隱名）　十三、放山（參農隱名）　十四、秧子參（白色參種）　十五、白抄參（白色參種）　十六、麗參（移植而生者）　十七、養參（人工培養者）　十八、白參（未蒸製者）　十九、扒山參（扒出移種者）　廿、水質參（由水中挖出）　二十一、紅參（蒸製二次者）　二十二、統貨（參之上等者）　二十三、拗色（參之中等者）　二十四、泡丁（參之下等者）

【參商隱名】參至店家。必逐一細揀。分等次第。以定價値。各自多立名色。取五六十名。以眩外行。移步換形。難以執論。總在識者辨別。今將通行之名色列下。

一、拔項。熟紅潤圓綻全段是肉。每枝重一錢至四五錢者。及參之最紅熟者。不拘大小。塘西所行。故最高熟參謂之塘西貨。揚州之行熟參。次於塘西。

二、統項。細紅皮肉圓滿。六七分至八九分一錢者。

三、二項。細紅皮肉。或色滯稍較項熟身瘦怯。六七八分者。

四、次項。細紅皮肉稍癟皺。或色滯或瘦長。或武相。五六七分者。

五、大揀熟。細紅皮肉。圓滿短壯。四五分。

六、中揀熟。細紅皮肉。或色滯身長三四五分者。

七、中熟。細紅皮肉。圓滿二三分成枝者。

八、小熟。細紅皮肉。一分四五釐至二分以外者。

九、條小熟。細紅皮肉。身長圓瘦。有頭尾一分以外者。

十、短中細。紅圓滿成枝一分上下者。

【異類參種】下列各品。因地土及種植關係。均與人參異類。

一、黨　參。潞黨參。上黨參。詳見『黨參』條

二、高麗參。朝鮮參。韓國參。詳見『高麗參』條

三、西洋參。花旗參。美國參。詳見『西洋參』條

四、東洋參。日本參。詳見『東洋參』條

五、太子參。詳見『太子參』條

六、珠兒參。詳見『珠兒參』條。

七、人參鬚。人參蘆。人參葉。此係人參之附屬品。用途不同。詳『人參鬚』『人參蘆』等條。

【基本】人參爲山草類植物。入於五加科人參屬。Panax ginseng, C. A. mey. 係多年生植物宿

根。

【產地】參之著名產地爲高麗、中國、美國、日本。其中國人參之產生詳下。

一、產於吉林南遼寧東之長白山。及吉林省之甯安縣。野生者爲最佳。河北省永年縣。山西省長子縣。（清屬潞安府。）雲南省姚安縣。（清爲姚州。）安徽省舒城縣等。其山海關以東之遼寧吉林兩省所產者。稱關東人參。撫松、寬甸、通化、臨江、興京、者次之。其他奉吉界屬。近山各縣亦多產之。惟功用稍差。吉林南境。濛江迤東。如南嶺北山等處參營遍地。皆由人工栽種。功力薄弱。近時各省所市賣者。皆此類也。

二、大抵天然產之山參。咸於上述各山陰處見之。若在山陽。易遭動植物侵害。得之甚稀也。（梵天廬叢錄）

三、人參生於極濕潤之處。故稟性屬陰。不若其他植物。多生於陽處。而喜受日光。藉以生發。獨參見日卽爛。故多生於深山密林之中。賴濕潤以生長。產參之區域。山勢極多險峻。週圍千餘里。皆崇山大川。環繞其間。森林茅草遮掩遍山。晨起視之。瘴霧迷漫終年不見日光。寒風透骨。甚有終年冰雪不能溶化之處。（藥物游記錄）

四、人參今之用者。皆河北榷場博易。高麗所出。率虛軟。味薄不苦。潞州上黨者。味厚體實。有據土人得一窠。則置於版上。以色絲纏繫。根頗纖長。不與榷場者相類。根下垂有及一尺餘者。或十歧者。其價與銀等。稍爲難得。（本艸衍義）

五、人參在明時。心州、高麗、邯鄲、百濟、澤州、箕州、幷州、幽州、嬀州、易州、平州均產參。而上黨山谷出者爲最。上黨卽今潞州也。太行紫團山所出者爲紫團參。紫色稍扁。百濟參白堅且圓。名曰條參。俗名羊角參。高麗參近紫體虛。新羅參亞黃。味薄肖人形者神。類鷄腿者力大。高麗百濟新羅三國今屬朝鮮。其參有子。十月下種。如種菜法春生苗。多於深山背陰處。初生小者三四寸。一椏五葉。四五年後生兩椏。未有花莖。十年後生三椏。年深者四椏。葉各五。中心生一莖。俗名百尺杵。三四月有花細如粟蕊如絲。紫白色。秋後結子。如大豆。七八枚。生靑熟紅自落。秋冬採者堅實。春夏采者虛軟。淸季獨重遼參。以人參乃神草。時人目爲鍾靈之處生者。味勝而力洪也。

鳳凰城貨雖地道。所出不一。大略早出白秀體鬆而瘦長者。皆名曰鳳凰城。土人採取出山甚早。五六月卽可掘采。九十月賈人開價矣。故其質不堅。皆由未經霜雪。行根未久。統貨糙多熟少。此種低貨。惟行銷於兩廣江西。一過年。春風透時。熟則變糙。糙則更變。癟皺不堪矣。

去鳳凰城三四千里。名曰船廠。其地多巨木屋宇。道路橋梁皆巨木所建。相傳以開海禁時。曾於是地造洋船出洋。故名船廠。其處二百里內外。所產較鳳凰城稍堅實。且紅潤可觀。但其中空鬆者確不少。土人幷以鉛條等插內。以圖利大。約六七月采取出山。冬初出市。鉛條來源。蓋土人採參者。不過藏精於橐以充食。鉛壺貯酒以供飲。酒罄卽剪壺作條。以插參中。其貨稍遜。

臺貨者。寗古臺所出之貨也。地處極北。去船廠五千餘里。地極厚。天極寒。深秋之時霜雪卽已載道。總在八九月採。其體質皆由地土旣厚。出山又甚遲晚。所以堅實圓滿。熟多糙少。卽或間有糙皮而肉必紅結。幷無藏鉛之弊。夫鳳臺廠三處此蓋總羅大地之名而言。其各有所屬一隅。如老城新城等處。地道甚雜。稱名甚多。難以盡舉。產莫悉別。必須憑貨品題。難以懸擬。大要以色光體圓質熟肉滿四項兼者爲上耳。（唐秉鈞人參攷）

【形態】

一、花莖形色　東陲遊記云。遼東人參。產甯古塔。卽今吉林甯安縣。三四月發芽。草本方梗。對節生葉。掌上複葉。形如秋海棠。六七月開小白花。地白如韭。大者似碗小者如鐘。八月結子。若小荳而連環。色正紅。久之則黃而扁。初生一椏。四五年兩椏。十年三椏。久者四椏。每椏五葉莖直上。卽扈從東遊日記。所謂百尺杵也。高者數尺。低者尺餘。凡山林野生之花草。多叢雜一處。開花數朵。或數十朵不等。參獨不然。花開獨一枝。單生一莖。不與俗草爲伍。他花隨風飄動。而參花風不能搖。而反靜。誠仙草也。故入山採參者。類多識之。摩樵人參栽培法云。人參第三年始開花。卽由一個長花柄之頭部。簇生數多之花梗。開白色之小花。是年亦能結實。然結子形小而少。不能爲種子用。

二、宿根形狀　人參者。植物類多年生宿根。長至六七寸。肥至四五分許。短者二三寸。分歧略似人形。或缺臂少腿。或如蝦蟆形者。種類甚多。大概近人形者。約十之六七。似他動物形者十之三四耳。其外皮葱黃色。內部類白色。稍帶柔韌性。味甘微苦。有芳香氣。

三、葉　葉狀複葉。輪生。小葉五。片卵形。葉緣有小鋸齒。

【種類】一、人參一爲野生。一爲人工栽植者。東三省栽植之人參。每斤價目二兩至十二兩。深山自生者。有時每斤價有至銀數千兩者、野生人參。年數愈久。價亦愈昂。辨別年數。視莖外面之目點。卽可知其老嫩。

二、梵天廬叢錄云。人參可分爲三種。卽山參。移參。養參三種。山參係山中自然生成者。品質最美。價值最高。移參。就自然生成之參苗。再行移植培養者。俗名移山參。品價次之。養參。以參籽播種而成者。俗名秧子參。市上所賣。率以養參爲多。李春芝曰人參可分老山、大山、扒山、移山、石柱、秧參、爲六種。老山。係產於長白山者。年代在二百以上。至少五六十年者。能補將絕之元氣。爲最佳品。大山。凡生於山中。在數十年者。無論大小。統名之曰大山。療法雖與前同。而功力較薄耳。扒山。爲山野所生。苗將出未出之際。或被獵人或禽獸蹂踏。參苗陷入土內。再數十年復萌。或有至四五十年始萬者。爲採參者所得。故名扒山參。治療之力。與山參同。惟形狀略差耳。移山。亦野生。在三五十年不等。爲採參者所見。明知年限尚少。又恐被人採去。將其掘起。栽於家園或植於山野者。故名移山參。治療功力。較大山。扒山。次百分之六十五。其性稍異。石柱參。產於寬甸之石柱溝者。惟園種頗多。其效用較大山參減百分之八十。俗名石柱子。秧參。卽各縣參圃所栽種者。大多出於人工。且有赤白二種。其性味帶燥。惟補氣尚可。

三、由形色鑑別之。一則老山。大山。等參。其嫩皮如錦而實堅。紋細而膩。蘆頭與鬚之傍。天然長成珠結。一年一結。蘆長二三寸許。細驗卽知其年限。家園秧參。皮粗紋劣。或上身有紋。亦係製作。而無珠結。總之無論作者如何精巧。其珠結不易僞造。更不能續接也。卽此一法。亦可知參之眞僞矣。龍紅鄉土志亦云。野山參。有米珠在鬚。其紋細。橫秧子參。順紋無米珠。米珠卽珠結也。所謂秧參。卽鳳凰城及濛江產之參生蒸者。形色白秀。體鬆而瘦長。皮色多糙紋。皮熟細緻者少。味甜無餘味。近人所謂白抄參。秧子參。太子參。皆爲白參。卽其類也。船廠產者。其地週二百里內外所產。較鳳凰城堅實。且紅潤可觀。味苦微甘。其空鬆者亦多。俗所謂廠參。邊江參是也。皆非道地之品。

四、由性質鑑別。則人參野生。歷年愈久。性愈溫和。其精力亦足。因其吸天空清靜之氣足。受地脈英靈之質厚故效力巨也。梵天廬叢錄云。產野參之地。其樹色鮮秀。樹枝葉堅茂。蓋其土性特異也。且人參形狀。代有變態。據近時辨之。雖野山參不可得。而秧參辨之。體質宜堅白。皮宜細緊。有橫縐紋。蘆蒂宜凹陷。蘆上揼節宜多。揼節多。卽年份多故也。味宜甜中兼苦。且有清香氣。而有回味。方是上品。否則皆側路。此曹炳章氏經驗所考得也。

【種植】分移種、苗種、整畦、播種、移植・五項。

一、移種　取野生者。年限未足。掘取移栽於家園。或山野者。梵天廬叢錄云。其年份不足之小參。下山移植參營者。卽爲移參。形質堅者。價亦昂。其移種法。與下列移種第二本圃法同。

二、苗種　李春芝曰。栽種人參之法。將參圃內掘成大溝。上搭天棚。使不見日。以避陽光。將參移種於溝內。二三年內。始行生苗。將苗挖出。倒栽地下。以其生殖力向下。故灌漑蘆頭。使其肥大。以壯美觀。七八年間卽長成。

三、整畦　梵天廬叢錄云。種參之圃。名曰參營。凡三種。一爲苗圃。發參苗用者。一爲第一本圃。發苗後移種用者。一爲第二本圃。種至三年後。再行移植者。地址。擇向陽斜面地。每圃叠土爲畦。高二尺。寬五尺。長三丈。上用山灰。質軟色黑腐蝕土。施以牛馬糞。攪週佈細。每畦距約三尺。以資排水。而便人行。每畦周圍樹立木架。架上蓋木板。前高後低。以便流水。山民稱參營、又稱板子營。栽參一畦、稱爲一架棚。每年擇春秋季。揭板向陽三五次。至霪雨連綿時。放雨一二次。皆有程期。

四、播種　其栽種之法。預選最良種子。秋季窖地。次年芒種後取出。在苗圃畦上。每間一寸五分。播下數粒。上撒土灰。或覆乾草樹葉。不過旬日。芽卽發現。培養至秋分後。卽移到第一圃內。排列插蒔。每株相距約四五寸。參之所忌。爲烈日水濕。參之所害爲雜草蟲鳥。此後生長發起。防護宜愼。

五、移種　經三年後。第一圃不能容受。再移至第二圃。每株相距一尺以外。是以第一圃之畦。爲數倍常種苗圃。第二圃苗數。更當倍之。因參秧移植後。發育甚速。佔地甚廣。如是再四五年。前後約八年。卽行收獲。泡製出售。

【栽培之要點】一、擇地　人參爲冷帶植物。性好寒冷。而忌溫熱之氣候。土質以礫質壤土最適其生長。其餘一切土地。皆不宜也。否則品質下劣。收量減少。欲使其生長。亦已難矣。

二、整地　宜選定適當之土地。而後作二三尺之高畦。土塊必須細碎。作畦既畢。乃可播種。（播種法見前）

三、施肥　肥料以人糞尿、木灰、肥堆等爲主。於種子未播以前。可混和木灰於堆肥中。每畝地積。用木灰五六百兩。堆肥三四百斤。人糞尿四五百斤。共施與三分之一。作爲基肥。而播種之後。迨其發芽成長。可再施以三分之二之混和肥料。（木灰、堆肥、人糞尿）是謂補肥。分作三四次施與之。以助其生長。如此則甚適當也。

四、摘芽　栽培經三年。漸有花梗抽出而開花。此時宜行摘芽法。以防其根部養分之流失。法用銳利之長剪。於其花梗部。剪斷之。止其生長。若不剪去其花梗。則其根部之養分。必爲所奪吸。以致生根甚少。其品亦劣。收量又少。故摘芽一事甚要。

五、收穫調製　採收之期。當在第四年八九月時。可以用鍬採收之。採收之時。不可損傷其根。若損傷其根。則形狀不正。品質下劣。價亦減低。採收之後。乃去其根毛以洗滌之。再晒於日光中。俟其乾燥後而調製之。再擇適宜之處、貯藏之可也。

【採取】一、採參組織　梵天廬叢錄云。長白山北。有老林地方。處處產參。清初禁止採挖。參客諱參曰捧椎。採參爲挖捧椎。亦名放山。採參者。人持一棍。名索羅木棍其放山分三期。初夏爲放茅草。其時百草甫生。參芽發露。覓之尚便。夏季秋初爲放黑參。時則叢林濃綠。辨別最難。秋季爲放紅頭。則參苗頂心。結子淺紅。識之甚易。又云放掃籌頭。事畢下山。曰輟棍。

二、挖參狀況　當進山時。有把頭者。名曰山頭。領其夥伴。遠望各山。把頭者。驗得參苗。卽剝樹皮蓋窩棚。相偕出尋。各人距丈許。執索羅木棍。將草撩撥。詳細注視。參苗高數寸。苗頭平分數莖。每莖五葉。形如掌狀。瞥見參苗。卽招集各人。左右前後。再三搜覓。緣有苗不止一處。偶有孤苗挺生者。亦百中之一耳。挖參時。量參草之大小。刈其四週之草。而後向內刨挖。一面起土。一面用骨簪撥辨草莖。恐防參之根鬚損傷也。挖出之後。裹以靑苔。包以樹皮。俗稱捧根。大者每株二三兩。李春芝云。採參者。多於每年六七月間。由初伏日起。至末伏日止。採取之人。多結數十人爲一幫。凡遇人參。首由頭目驗視。確定後。支配數人。持械掘取。拂以泥土。包之而回。携水質參加以製造。始行出售。

【泡製】梵天廬叢錄云。人參在白露節後起土。先用小毛刷洗去泥土。而後泡製。泡製俗名做貨。做時以沸水煑到半熟。刷去浮皮用白線小弓剔盡參紋中塵土。再以冰糖熬成淸汁。將參皮浸漬一二日。再排列於蒸籠。上鍋蒸熟。蒸籠須用馬尾毛編成細絲形。蒸煑時候。火力大小。務宜合度。過蒸則爛不足則有腐敗之虞。蒸至適當火候。取參出籠。排在長方之火盤內。下用文火烤乾。約一晝夜之久。至不黏膩而不過燥爲度。後移於別器。置於坑上。俟其徐徐收乾至八九分。始畢其事。亦有不煑水。不浸糖。而生刷蒸者。名曰麗參。卽假高麗參之粗製法。其效則一。山參、移參、養參、製法皆同。惟李春芝之製法。略有不同。附錄於下。以備參攷。李春芝曰。製作人參。分爲二步。初糖製。將人參取來。用水洗淨。剝去老黑皮。再用絨製之弓。將參之週身拉成細紋。用針遍刺出孔。以糖鍋一只。先以白冰糖。同水煎熟。糖亦溶解。移時候冷。將參擲於鍋內。以糖汁浸一宿。翌日取出陰乾。爲免壞爛之虞。名曰白參。及蒸煑。亦用前法。將參洗淨。用蒸籠乾蒸之後。取出晒乾卽成。名曰紅參。

【性質】甘微寒。無毒。

【近世應用】人參爲唯一補劑。大補元氣。添精神生津液。久病元虛將脫者必用。病後欲求恢復元氣者常服之。

【效能】人參之主要效能。爲強壯藥。凡肺癆神經衰弱陰萎遺精衰老貧血與腎臟病子宮病。及一切體力消耗所起之病皆可用。於神經衰弱之頭痛眩暈尤有特效。但久用人參。則呈頭痛頭重等腦充血及便秘胃呆之症狀。

【醫治】心臟衰弱及神經衰弱之消化不良症。

【作用】入胃後能助胃之消化力。一部分與胃酸化合。而含水素與類似葡萄糖之糖質至小腸始被吸收而入血中。能促進血液之進行。助長血球之產生。使精神振興。體力強健。

【主治】補五臟。安精神。定魂魄。止驚悸。除邪氣。明目。開心益智。久服身輕延年。(本經)療腸胃中冷心腹鼓痛。胸脇逆滿。霍亂吐逆。調中止消渴。通血脈補堅積。令人不忘(別錄)

【張仲景之發明】人參一藥。張仲景氏之實驗。認爲有『主治心下痞堅。痞鞕。支結。旁治。不食嘔吐。喜睡。心痛。腹痛。煩悸』等作用。考徵如下。

一、木防己湯證曰心下痞堅。

以上一方人參四兩。

二、人參湯證曰。心中痞。又曰喜睡。久不了了。

三、桂枝人參湯證曰。心下痞鞕。

四、半夏瀉心湯證曰。嘔而腸鳴。心下痞。

五、生姜瀉心湯證曰。心下痞鞕。乾噫食臭。

六、甘草瀉心湯證曰。心下痞鞕而滿。乾嘔。心煩。又曰。不欲飲食。惡聞食臭。

七、小柴胡湯證曰。默默不欲飲食。心煩。喜嘔。又云。胸中煩。又云。心下悸。又云。腹中痛。

八、吳茱萸湯證曰。食穀欲嘔。又曰。乾嘔。吐涎沫。

九、大半夏湯證曰。嘔而心下痞鞕。

十、茯苓飲證曰。氣滿。不能食。

十一、乾姜黃連黃芩人參湯證曰。食入口。卽吐。

十二、桂枝加芍藥生姜人參新加湯證。不具也。(說在互考中)

十三、六物黃芩湯證曰。乾嘔。
十四、白虎加人參湯證。不具也。(說在互考中)
十五、生姜甘草湯證曰。咳唾涎沫不止。
以上十四方。人參皆三兩。
十六、柴胡桂枝湯證曰。心下支結。
十七、乾姜人參半夏丸證曰。嘔吐不止。
十八、四逆加人參湯證，不具也。(說在互考中)
以上三方。其用人參者。或一兩半。或一兩。
十九、附子湯證。不具也。(說在互考中)
廿、黃連湯證曰。腹中痛。欲嘔吐，
廿一、旋覆花代赭石湯證曰。心下痞鞕。噫氣不除。
廿二、大建中湯證曰。心胸中大寒痛。嘔不能飲食。
以上四方，人參皆二兩。

觀右歷諸方。人參主治心下結實之病也。故能治心下痞堅。痞鞕。支結。而旁治不食。嘔吐。喜唾。心痛腹痛煩悸。亦皆結實而所致者。人參主之也。

互考

一、本防己湯條曰。心下痞堅。愈復發者。去石膏。加茯苓芒硝湯主之。是人參芒消。分治心下痞鞕之與痞堅也。於是乎可見古人用藥不苟也。蓋其初。心下痞堅猶緩。謂之痞鞕亦可。故投以人參也。復發不愈。而痞之堅必矣。故投以芒消也。半夏瀉心湯。脫鞕字也。甘草瀉心湯。此方中倍甘草。生姜瀉心湯。加生姜之湯也。而共云治心下痞鞕。則此方脫鞕字也明矣。

二、吳茱萸湯。茯苓飲。乾姜黃連黃芩人參湯。六物黃芩湯。生姜甘草湯。皆人參三兩。而云治欬唾涎沫。嘔吐下利。不云治心下痞鞕。於是綜考仲景。治欬唾涎沫。嘔吐下利方中。其無人參者。十居八九。今依人參之本例。用此五湯施之。於心下痞鞕。而欬唾涎沫。嘔吐下利者。其應如響也。由是觀之五湯之證。皆心下痞鞕之毒也明矣。

三、桂技加芍藥生姜人參新加湯。其證不具也。其云。發汗後身疼痛。是桂枝湯證也。然則芍藥生姜人參之證。闕也。說在類聚方。

四、白虎加人參湯四條之下。俱是無有人參之證。蓋張仲景之用人參三兩。必有心下痞鞕之證。此方獨否。因此考聚千金方。外臺祕要。共作白虎主之。故今盡從之。

五、乾姜人參半夏丸。依本治之例。試推其功。心下有結實之毒。而嘔吐不止者。實是主之。大抵與大半夏湯之所主治者。大同小異。微有緩急之別。

六、四逆加人參湯。其證不具也。惡寒脈微而復利。是四逆湯之所主。而不見人參之證也。此方雖加人參。僅一兩。無見證。則何以加之。是脫心下之病證也明矣。附子湯證不具也。此方之與眞武湯。獨差一味。而其於方意也。大有逕庭。附子湯。朮附君藥。而主身體疼痛。或小便不利。或心下痞鞕滿。眞武湯。茯苓芍藥君藥。而主肉瞤筋惕。拘攣嘔逆。四肢沉重疼痛者。

七、旋覆花代赭石湯。其用人參二兩。而有心下痞鞕之證。此小半夏湯加減之方也。二兩疑當作三兩也。

【歷代記述攷證】 神農本經及別錄等已見主治條下。

魏、華陀、中藏經論人參曰。人參與側柏葉荊芥穗燒爲末。和飛羅麵。治氣血妄行。心肺脈破。口鼻血出如湧泉者。

唐、甄權、藥性本草論人參曰。人參主五勞七傷。虛損痰多。止嘔噦。補五臟六腑。保中守神。消胸中痰治肺痿。及癇疾。冷氣逆上。傷寒不下食。凡虛而多夢紛紜。

唐、李珩、海藥本草論人參曰。人參能止煩渴。

宋、蘇頌、嘉祐圖經本草論人參曰。相傳欲試人參。使二人同走。一含人參。一空口。各走三五里許。其不含人參者必大喘。含者氣息自如。

宋、食華子、諸家本草論人參曰。人參消食開胃。調中治氣。殺金石藥毒。

宋、陳自明・產論集論人參曰。人參與石菖蒲石蓮肉。同治產後不語。

金、張元素、珍珠囊論人參曰。人參治肺胃陽氣不足。肺氣虛促。短氣少氣。補中緩中。瀉心肺脾胃中火邪。止渴生津液。

元、王好古、湯液本草論人參曰。人參補五臟之陽。沙參補五臟之陰。雖補五臟。須各用本臟之藥佐使引之。

元、李東垣、用藥法象論人參曰。人參補肺中元氣。肺氣旺則四臟之氣皆旺。精自生而形自盛。肺主諸氣。故也。仲景法病人汗後身熱亡血脈沉遲者。下利身涼。脈微血虛者。並加人參。古人血脫益氣。故補氣用人參。血虛者亦須用之。

明、李時珍、本草綱目論人參曰。治男婦一切虛證發熱。自汗眩運。頭痛反胃。吐食痎瘧。滑瀉久痢。小便頻數。淋瀝勞倦。內傷中風。中暑痿痺。吐血嗽血。下血血淋血崩。胎前產後諸病。

明、張介賓、景岳全書論人參曰。陰虛而火不盛者。自當用參爲君。陰虛而火稍盛者。但可用參爲佐。若陰虛而火大盛者。則誠有暫忌人參。而惟用純甘壯水之劑。庶可收功一證。不可不知也。予非不善用人參者。亦非畏用而不知人參之能補陰者。蓋天下之理有對待。謂之曰陰虛必當忌參固不可。謂之曰陰虛必當用參亦不可。要亦得其中和。用其當而已矣。

明、陳嘉謨、本草蒙筌論人參曰。人參補虛。虛寒可補。虛熱亦可補。氣虛宜用。血虛亦宜用。但恐陰虛火動。勞嗽吐血。病久虛甚者。不能抵當其補耳。非謂不可補也。如仲景治亡血脈虛。非不知動火也。用此以補之。謂氣虛血弱。補氣則血自生。陰生於陽。甘能生血故也。葛可久治勞瘵。大吐血後。亦非不知由火載血上也。用此一味煎服。名曰獨參湯。蓋以血脫。須先益其氣耳。丹溪治勞嗽火盛之邪。製瓊玉膏以爲之君。或以此單熬。亦曰人參膏。服後肺火反除。嗽病漸愈者。又非虛火可補之明驗耶。

若古方書云。諸痛不宜服參芪。此亦指暴病氣實者而言。若久病氣虛而痛。何當拘此。

東垣治中湯同乾薑用。治腹痛吐逆者。亦謂裏虛則痛。補不足也。

肥白人任多服。蒼黃人宜少服。丹溪云肥白氣虛。蒼黑氣實。然考醫按中。證虛色蒼者。亦每多用此。云其常猶當應其變也。

丹溪治外感夾內傷症。但氣虛熱甚者必與黃芪同用。托住正氣。仍恐性緩。不能速達。少加附子資其健悍之性。以助成功。是知火與元氣勢不兩立。一勝一負。輒用匡扶。經曰邪所湊正必虛是也。

明、倪朱謨、本草彙言論人參曰。人參與麥冬黃芪白芍皂角刺肉桂穿山甲。同治痘瘡灰白乾枯不起者。

明、薛立齋、薛氏醫書十六種論及人參者有四條。一則曰。人參一品。醫者但泥於作飽。而不敢用。蓋不知少服則滋壅不行。多則反宣通不滯矣

一則曰。人參但入肺經。助肺氣而通經活血。乃氣中之血藥也。補遺所謂入手太陰而能補陰火者。正此意也。

一則曰。人參一品。古方解散之藥。及行表藥中多用此者。亦取其通經而走表也。

一則曰。人參運用之性頗緩。補益之性最充。但虛火可禦。而實火難用。以其甘能生血。故有通脈之功。

清、陳士鐸、本草新編論人參曰。夫獨參湯乃一時權宜。非可恃爲常服也。蓋人氣脫於一時。血失於頃刻。精走於須臾。陽絕於旦夕。他藥緩不濟事。必須用人參一二兩。或四五兩。作一劑煎服以救之。否則陽氣遽散而死矣。此時未嘗不可雜之他藥。共相挽回。誠恐牽制其手。反致功效之緩。不能返之於無何有之鄉。一至陽回氣轉。急以他藥佐之。總得保其再絕耳。否則陰寒逼人。又恐變生不測。可見人參必須有輔佐之品。相濟成功。未可專恃一味。期於必勝也。又曰當今之世。非畏人參。卽亂用人參。畏用之弊。宜用而不用。亂用之弊。不當用而妄用。二者均殺人。余故言人參之功。增畏用者膽。辨人參之過。誅亂用者所能入五臟六府無經不到。非僅入脾肺心。而不入腎肝也。五臟之

中尤專入肺入脾。其入心者十之五。入腎者十之三耳。世人止知人參爲脾肺心經之藥。而不知其能入肝入腎。但肝腎乃至陰之經。人參氣味陽多於陰。少用則泛上。多用則沈下。故遇肝腎之病。必須多用之。於補血補精之中助山萸熟地純陰之藥。使陰中有陽。反能生血生精之易也。

清、張路玉、張氏醫通論人參曰。傷寒有宜用人參入藥者。發汗時元氣大旺。外邪乘勢而出。若元氣虛弱之人。藥雖外行。氣從中餒。輕者半出不出。留連致困。重者隨元氣縮入。發熱無休。所以虛弱之人。必用人參入表藥中。使藥得力。一涌而出。全非補養之意。又曰古今諸方。表汗用參蘇敗毒。和解用小柴胡。解熱用白虎竹葉石膏湯。攻下用黃龍湯。皆領人參深入驅邪。卽熱退神清。從仲景至今。明賢方書。無不用人參。何爲今日醫家屏絕不用。以阿諛求容。全失人參應用之長。殊不知誤用人參殺人者。皆是與黃芪白朮乾薑當歸肉桂附子同行溫補之誤所致。不與羌獨柴前芎半枳桔等同行之法所致也。安得視人參爲砒鴆刀刃。固執不用耶。又痘疹不宜輕用人參者。青乾黑陷。血熱毒盛也。若氣虛頂陷色白皮薄。泄瀉漿清。必用也。

參鬚價廉。貧乏之家。往往用之。其治胃虛咳嗽失血等證。亦能獲効。以其性專下行也。若治久痢滑精。崩中下血之症。每致增劇。以其味苦降泄也。

清、楊時泰、本艸述鈎元論人參曰。先哲云。虛火可補。參芪之屬。實火可瀉。芩連之屬。四語還費商酌。必須精淅火與熱之辨。而後可。夫陽之由陰而生。復由陰而化者。始名爲少火。若離陰以爲陽生。則生之原絕。離陰以爲陽化。則化之機窮。得不謂之壯火乎。故少火能生氣者。陰合陽而氣生也。壯火反食氣者。陽離陰而氣盡也。經故曰。陰虛則無氣。無氣則死矣。卽斯以明虛火實火之治。假如形證與脈。俱慮其不足。祗屬陽分之虛。而無干於陰虛。是爲虛熱。可補陽也(參芪任用)若由眞陰之虛。以致陽不足者。

是謂虛火。必補陰而並裕陽。苦寒固未宜。若竟以參芪補之。恐甘溫祇以益陽。反損其陽生之原也。是則可投參芪者。乃止屬陽分之虛。名爲虛熱。不名爲虛火也。又如形證與脈俱據其有餘。止屬陽分之實。而無干於陰虛。是爲實熱。可瀉陽也。(芩連任用)。若由至陽之盛。以致陰不足者。是謂實火。必抑陽而並滋陰。辛熱固不宜。卽概以芩連瀉之。恐苦寒反致劫陰。先絕其陽。化之原也。是則可用芩連者乃止屬陽分之實。名爲實熱。不名爲實火也。總之虛實兩治。一干於陰虛。便費商酌有如此者。更專言虛火之治。凡人身半以下屬陰。身半以上之屬陽。假如陰分陽虛。不由眞陰之虛而致之。則當直補先天之眞陽。如桂附之屬。參芪可以佐之。一由於陰虛而致者。卽當以養陰爲主。而寓扶陽之義。獨任參芪。非的劑也。又如陽分陰虛。不由至陽之盛而致之。則當滋益後天之元陰。如歸芎之類。參芪亦可以佐之。一由於至陽盛而致者。卽當以抑陽爲主。而寓生陰之義。參芪正以貽害耳。至陰陽各分之中。又各有陰陽何者。勞倦飲食。損傷氣分。固有陰氣陽氣之分。而思慮色欲。損傷血分。又有陰血陽血之異。蓋血陰氣陽者。分陰分陽之義。而氣血各有陰陽者。陰陽互根之理也。大法陽氣虛者。宜桂附兼參芪峻補。陰氣虛者。參朮甘草緩而益之。陰分血虛者。生地元參龜板知柏補之。陽分血虛者。茯苓參歸遠志之類補之。此實前人之所未發也。統治諸證。總先明於火與熱之分。先哲言陽虛生寒。寒生濕。濕生熱。陰虛生火。火生燥。燥生風。此火熱之介。然而不移者火固熱也。第所謂少火者。乃陰中之眞陽。不指氣之熱者。以名火也。若指氣之熱者。以爲火是屬壯火。而非少火矣。

所謂肺熱還傷肺者。乃肺熱干於陰之證。此屬虛火。不可投參者也。所謂養正邪自除者。乃肺熱無干於陰分之證。此屬虛熱。可以投參者也。大都人身諸病。干於陰分者居其強半。故肺熱還傷肺之言。未可概非。至人身虛病無干於陰分而止屬陽分者雖少。亦確有之。故養正邪自除之言。間亦中的。總先明於虛熱虛火之辨而可已。參之用舍。惟血證最宜。分明仁齋云。人身之血賴氣升降。氣清則和。氣濁則亂。故凡治血逆者。莫先淸氣。又云。血遇熱則宜流。故止血多用涼藥。然亦有氣虛挾寒。陰陽不能相守。榮氣虛散。血亦錯行。所謂陽虛陰必走是也。此證必外有虛冷之狀。法當溫中。使血自歸於經絡。統繹二義。其治懸若冰炭。然同是血帥於氣。氣爲血先之義耳。所謂氣清則和者。陽得陰以爲守。則陽中之陰降。陰降而陽隨之。是之謂和。和則不逆矣。濁者陽不得陰以爲守。因僭越而上亢。是之謂亂。亂則何所不至而成逆矣。至於氣虛者。血不得其統馭之主。而亦妄行。猶所謂無主乃亂也。同是血逆。而治有不得不異者。故肺熱干於陰與無干於陰。固參用舍之分。至於血證雖有異治。然俱已傷其陰矣。又惟氣濁氣虛之分。必從主乎血者以爲治柄也。夫氣之淸濁虛實最關於血者。其義何如。曰凡人氣有營衛之分。氣之陽屬衛。陰屬營。陽先而陰從之。故衛氣先行皮膚。先充脈絡。脈絡先盛。衛氣已平。營氣乃滿。而經脈乃大盛。卽此可知陽爲陰之先。血乃氣之充。氣之淸濁虛實最與血相關也。治血證輒言引血歸經。歸經云者。何。經曰。胃者水穀氣血之海。胃之所出。氣血者。經隧也。經隧者。五臟六腑之大絡也。又曰五臟之道。皆出於經隧。以行血氣。血氣不和。百病乃生。是故守經隧焉。卽此觀之。則氣之濁氣之虛者。卽所謂血氣不和。而百病生者也。皆不得至於經而行其血氣者也。然必本於氣能化血之臟。以取責焉。蓋氣之濁與氣之虛。舉不能入心而爲血之主人。脾而爲血之統。入肝而爲血之藏。又焉能入於經隧以歸五臟六腑之大絡乎。人身之血固無處不周。然臟腑之絡繫於經絡。而經隧之能通血氣者。尤在於氣爲之。主此所以責其本而治肺也。然則歸經是其末圖。求本惟在治肺。是乃所謂善守經隧者矣。

淸、黃宮繡、本艸求眞論人參曰。人參性稟中和。不寒不燥。形狀似人。氣冠羣草。能佪肺中元氣于垂絕之鄉。功與天地並行不悖。是猶聖帝御世。撫育萬民。參贊位育。功與天地並立。此參之義所由起。而參之名所由立也。第世畏懼其參者。每以參爲助火助氣。凡遇傷寒發熱及勞役發熱等症。畏之不啻鴆毒。以爲內旣發熱。復以助火助熱之藥入而投之。不更使熱益甚乎。詎知參以補虛。非以填實。其在外感。正氣堅强。參與芪朮附桂同投。誠爲助火彌熾。若使元氣素虛。邪匿不出。正宜用參相佐。如古參蘇飲。敗毒散。小柴胡湯。白虎加人參湯。石羔竹葉湯。黃龍湯。皆用人參內入。領邪外出。矧有並非外感。止因勞役發熱。而可置參而不用乎。夫參之所以能益人者。以其力能補虛耳。果其虛而短氣。虛而泄瀉。虛而驚恐。虛而倦怠。虛而自汗。虛而眩暈。虛而飽悶食滯等症。固當用參填補。卽使虛而嗽血。虛而淋閉。虛而下血。與虛而喘滿煩躁口渴便結等症。又何不以虛治。而不用以參乎。況書有云。參與升麻同用。則可以瀉肺火。同茯苓則可以瀉腎火。同麥冬則可以生脈。同黃耆甘艸則可以退熱。是參更爲瀉火之劑。則參曷爲不用。惟在虛實二字。早于平昔分辨明確。則用自不見誤耳。潔古謂其喘嗽不用。以其痰實氣壅之故。若使腎虛氣短喘促。豈能禁而不用乎。仲景謂其肺寒而嗽勿用。以其寒束熱邪壅滯在肺之故。若使自汗惡寒而嗽。豈能禁而不用乎。東垣謂久病鬱熱在肺勿用。以其火鬱于內。不宜用補之。故若使肺虛火旺氣短汗出。豈能禁而不用乎。丹溪謂其諸痛不宜驟用。以其邪氣方銳不可用補之故。若使裏虛吐利。及久病胃弱。與虛痛喜按之類。豈可禁而不用乎。節齋謂其陰虛火旺吐血勿用。以其血虛火亢之故。若使自汗氣短。肢寒脈虛。豈可禁而不用乎。夫虛實二字宜相較。果其氣衰火熄。則參雖同附桂可投。如火旺氣促。卽參同知柏亦宜切忌。至于陰氣稍虛。陽氣更弱。而陰不受火薰蒸者。則可用參爲君。陽氣稍衰。陰氣更弱。而火稍見其盛者。則可用參爲佐。蓋陽有生陰之功。陰無益陽之理。參雖號爲補陽助氣。而亦可以滋陰血耳。是以古人補血用四物。而必兼參同用者。義實基此。非若黃芪性禀純陽。陰氣絕少。而于火盛血燥不宜。沙參甘淡性寒。功專瀉肺。而補絕少。玄參苦鹹寒滑。色黑入腎。治腎經無根之火攻于咽喉。不能有益于氣。故書載參益土生金。明目開心益智。添精助神。定驚止悸。解渴除煩。通經生脈。破積消痰。發熱自汗。多夢紛紜。嘔噦反胃。虛嗽喘促。久病滑泄。淋瀝脹滿。中暑中風一切氣虛血損之症。皆所必用。至謂參畏靈脂。而亦有與參同用以治經閉。是畏而不畏也。參惡皂莢而亦有參同用以名交泰丸。是惡而不惡也。參反藜蘆。而亦有參同用以取涌越。是蓋借此之激其怒。雖反而不反也。然非深于醫者。不能以知其奧耳。但參本溫、積溫亦能成熱。故陰虛火亢。咳嗽喘逆者爲切忌焉。

清、鄒澍、本經疏證論人參曰。凡論藥之用。有求之傷寒可通。雜證不可通者。惟人參所謂上動下靜者則無是也。因火逆上氣。咽喉不利。止逆下氣。麥虋冬湯主之。胸痺心中痞氣。氣結在胸。胸滿脅下逆搶心。人參湯亦主之。胸中大寒。痛嘔不能飲食。腹中寒上冲皮起出。見有頭足上下痛。不可觸近者。大建中湯主之。非病在上而動者乎。諸下利氣。氣利下利。膿血下利。清穀熱利。下重下利。欲飲水證。非病在下而不靜者乎。獨九痛凡治九種心疼。其病在上。不可不謂之靜。但所與共者。狼牙巴豆。皆非常用之品。則不得以常情測之。刻其方下。注云。治連年積冷流注心胸痛。并冷冲上氣。落馬墜車。血疾等。則仍不得不謂之動矣。蓋其用人參乃使跋扈者將兵。而以純厚長者監之之術也。

烏梅丸。侯氏黑散。薯蕷丸。竹葉石膏湯。溫經湯。皆有人參。但其任退在偏裨。似不得與他方竝論。然亦有可言者。烏梅圓中居君藥三之一。侯氏黑散十二之一。薯蕷凡四之一。竹葉石膏湯亦三之一。謂之偏裨可也。溫經湯仍居三之二。謂之偏裨可乎。雖然其入氣藥中。則和合而生氣。入血藥中則歸陰而化氣。入風藥中則隨所至而布氣。終不得謂之偏裨也。且烏梅丸中用寒藥爲君。竹葉石膏湯中用寒藥甚多。而溫經湯以熱藥爲君。薯蕷丸之補瀉錯雜。侯氏黑散之收散竝行。非人參則其力不齊。而互相違拘者有之矣。

【日本學者之研究】

一、藤谷功彥氏之漢藥人參藥物學之研究云。用「巴那規倫」之稀薄液。注入蛙之胸淋巴囊內。則起中樞性麻痺。蛙之心臟。漸次減少其搏動。始僅微弱。終而休止。對於器械的刺戟。或亞篤魯濱。(Atropine)皆不感應。若豫先投以亞篤魯濱。制止心臟神經。然後投以人參。其成績亦相同。故知人參顯係侵襲心臟筋肉而使之麻痺者。著者由以上試驗而下結論曰。此「巴那規倫」。實爲一種筋肉毒。侵襲心臟。尤爲强烈。類似鉀鹽。倘果如Kemmerich 之說。(鉀鹽雖爲心臟毒。但用少許。反能興奮心臟機能。因而增加脈搏。亢進血壓。)則用人參少許。或亦能興奮心臟機能。果爾。則人參於藥用上之含量。實際極微。古人用之於衰弱狀態。不能謂爲全然不能證明云。

二、湯本求眞云。古來以人參爲萬病之靈藥。病者若瀕於危篤。不問病之若何。不問證之表裏虛實。必與此藥。視爲故常。是則爲後世醫者之謬見。蓋人參斷非萬能藥也。此藥以治胃衰痞鞕。及新陳代謝機能之減衰爲主要目的。食慾不振。惡心嘔吐。消化不良。下利等證。爲次要效用。若反背之。則必有害也。

三、猪子氏之實驗云。人參爲興奮强壯藥。固爲漢醫輩所珍重。然徵諸病床上之實驗。則不甚讚賞。在病症危急時。毫無作用。唯數日至數週間。接續食之。始覺營養稍佳。其有効之成分未詳。

四、富田長壽成氏之報告云。脈微弱而易壓迫者。用之。則血壓漸增進。用脈波計。見脈波漸漸高起。然猪子氏於血行器。尙未實驗其有顯明之變化。

五、藥學士井上圓治氏之實驗報告之大要。爲研究眞正人參之階梯。先研究竹節人參。發見一種糖原質。爲「ザボニン」之屬。在藥物學上。無甚趣味。

依氏最初之意見。謂對于漢醫家所述人參功用之廣大無邊。（因父母或夫之病。賣身而購人參之孝女烈婦。明治維新前往往聞之。如著名小說家淨玻璃之作者。其著作內。反覆言人參之効力。可想見當時世人。皆信參功）非不驚愕。然自今日之學者觀之。似非重要之藥也。

此藥宜於病衰而血壓沉降之時。其禁忌在血壓高脈有力之時。卽人參之主効。在恢復沈退之血壓。旣如「ストロファンテン」。作用專於心臟。又如實芰答利斯。作用于心臟之外。更能收縮血管。所以能影響及於血壓而奏効。蓋無疑也。藥物之化學式。與効力之間。有密接之關係。此事爲識者所不疑。然則作用於心臟。增高血壓之藥物。當屬於化學上如何之部類耶。其爲糖原質歟。此氏之所容易答出者也。糖原質以外。雖有於心臟爲副作用之化合體。然主作用於心臟。增高血壓者。於糖原質之外。不知尙有他物否也。若糖原質果爲心臟要藥。則漢醫家之說爲不謬。而人參之有効成分。必爲糖原質矣。卽漢醫家代用之竹節人參。爲氏之所研究者。殆含有糖原質無疑。以糖原質製造法。爲氏之研究方針。可確定也。依其化學的試驗之成績。自竹質人參。得呈淡灰赤色之物質。雖已確定爲糖原質。然動物試驗之結果。均爲消極的。

六、牛山香月啓益氏藥籠本艸曰。本邦近世。醫多恃人參功力。以爲人命繫於一草根。謾說曰人參能生死人。世俗往往習而不察。唯此說是信矣。愚昧者謂人參價貴。則其功亦豈不大耶。驕而不論理者。謂人參價倍金。我豈輕身惜財耶。是以常自服之。以爲長壽之術。不但自服。而施與貧者。以爲傲富之驕壯。是賢於輕身惜財者。然言其害則抑一也。予每對此等人喩之曰。非人參能生死人。此自當生者。人參能使之起耳。是不予之私論。人參功力。古人所說。其言確。其旨深。然世醫鹵莽而不能詳察。其所用當否。又斟酌其分量多寡。恃其功者。用如飲食。不恃其功者、嫌如蛇蝎。妄投妄厭。徒不見利。而反見其害。嗚呼可嘆哉。夫天地間物。皆稟陰陽五行之氣而生。各異其性。獨稟純陽清和之氣具補性者。除參無他。故稱參千草之靈。百藥之長。蓋人參補人之元氣。故不問男女老少。氣血寒熱。病屬虛者。悉皆用之。補虛舍參奚用矣。如傷寒汗下後。中寒中暑。中風卒倒。痢後痘後。產後脫血。金瘡失血。吐衄亡血。癰疽潰膿諸大病。氣血枯瘁。元氣衰弱垂死者。服之則能回眞氣除虛邪。是以古人立方有獨參參附理中治中四順保眞湯等劑。是皆救急之寶筏也。觀古人用人參。皆因其人。因其病。而斟酌多寡。今人不然。不詳人虛實。不察病輕重。謾用人參。十倍于古矣。明之治世。二百有餘年。人自安佚。風俗日偸。稟賦漸漓。眞元薄弱。六氣易侵。當此時薛已出而用大料人參。活人億萬。其名鳴于中華。其書傳于本邦。舉世知人參之功矣。

本邦亦治世百有餘歲。文物盛而武事懈。沃土之民。而奉養極厚。氣體共薄。用大料人參。取驗居多、然非隨病之輕重。爲用之多寡。則不但無益。反爲其害。今閱清之醫書。用人參復倍于明。本邦醫亦祖之者。十而八九。是世之風習。或曰今世反澆末。天地氣候不如古。則人物亦從而氣性薄弱也。治其薄弱之人。以薄弱之物。必非大料。則何以取驗乎。此說雖似精細。而感世誣人之鑿論也。何則天地生物。一木一草。無不爲人用。故稻粱以爲養。菓菜以爲助。藥物以治病。若言世既及澆末。物性亦薄弱。則豈獨人參而已乎。蓋人飢則食稻粱。以遂其生。未聞澆末薄弱之人。有倍食稻粱而爲養者。且諸藥中。具補性者許多。就中黃芪其補亞人參。胡不爲大料。而獨拘拘於人參乎。是不思之甚也。蓋如東垣自古稱醫中之王道。觀其方用參二三分。或六七分。合爲一服。其分量計三錢。至四五錢爲度。治瘵疾也。莫過葛可久者。治吐血暴病。用獨參湯。其分量用人參十錢。大棗五枚以爲度。况本邦之人。視中華之人。則質弱氣薄。其藥餌亦不任濃。故方藥一服之重。起一錢半而止三錢。加參亦二三分。至六七分。從東垣之例而可也。如獨參湯。從其病勢。自一錢至五錢。自五錢至十錢而止。倣葛可久之例而可也。是予用參之定式也。如今用人參。至十錢。而元氣不蹶者。其人無魂。猶樹之無根。所謂無魂。不當治也。雖至百錢。亦何益之有。又有數人參。醫適見虛證。用人參五厘或七厘反滿悶。而其病增劇。則益數而舍之。殊不知少服則滋壅而不行。多則反宣通而不滯也。又有恃人參。醫不問方藥之補瀉。妄倍用之。見彼醫方藥一服。僅不過一錢半。而用人參六七分至一錢。是亦不知方藥中有君臣佐使也。若見危篤。則用人參二三十錢。或五六十錢。甚者至半斤。猶恐其未及。徒無益而有害耳。至其無効。則曰用人參如是而不及。是命也。奚不恥賴人參。而我工之拙乎。此二者醫人之愚偏。而不知中且無恆。而文過者。夫醫云乎。又有病虛者。加參二三分。則泥膈而不食。至六七分。則發嘔吐。至一二錢。則滿悶而病增劇者。又有雖服人參數十錢。而無泥滯之患。其病自平服者。此二者病人之性自有好否也。如其不好者。必不任其氣也。如其好者。能任其氣也。非獨人參。如地黃黃芪之類亦然。言能任其氣。則非惟補藥。如烏附黃硝亦然。如其好者臭撲鼻。則覺清爽。味下咽。則開膈鬱而快活。如其不好。近鼻則爲嘔吐。一呷則泥胸膈而滿悶。夏英公餌硫黃附子得壽。其妾父竊服數粒。發狂病而死。大原甘始食天門冬寒滑物。得三百餘齡。青牛道士服黃連五十年而飛昇。王微亦服黃連得壽百餘歲。此等皆盡誣乎。以此觀之。則如人參。亦從其人性。而利害得失自異矣。又如飲食藥餌。平日慣以爲恆。則其味雖甘美苦濇。其性雖滋補毒惡。能任其氣。而不見其利害。今見嗜烟草代茶酒者。其始也未曾有不咽戟目眩者。是不任其酷烈之烟氣也。然强慣服之。則苦而反覺爽口。况於如人參淸純中和者乎。平日慣以爲恆。則其應驗亦無以速見焉。其害亦無以深矣。凡用人參之要。雖危篤虛疾。及暴病氣血脫去而死在頃刻者。單服十錢。則必元氣甦。而其効可速也。元氣復後。不可服大料參。察其病勢而當漸減人參。節其補而可也。又雖好而能任者。單服數十錢。則未嘗不偏於補。故雖無泥滯之患。其病或四五個月而愈。或踰半歲而復。或偏于補而爲廢人。或至短折者。往往有之。所謂久而增氣。則物化之常。氣增久則夭之由也。信哉此言也。諺曰。人參能活人。能殺人者。不亦宜哉。

古聖言破痃癖堅積。先哲解之曰。眞氣不足。則不能健行。故成堅積。用之而眞陽之氣回。則何堅積之有。蓋人參味甘苦。自有餘味。千草百藥中。未曾有如此備純粹發達之氣勢者。予試譬諭言之。今有一壯夫。元氣充實。藏府強固。一旦過飽。飲食壅滯胃中。無一氣升降罅隙。脾氣爲之不運。不能上吐下瀉。脉絕手足厥冷。不省人事。死在頃刻。用參附理中湯等之類。發達一氣。則得吐瀉而元氣甦。庸醫見之。以爲補元氣故也。是病者之元氣非虛脫。惟爲穢物所抑鬱而不能運也。猶燈火雖有油有燈心、爲塵垢見抑鬱。則光耀自滅將滅者。方此時也。以引火奴發揚之。則孛然焰矣。謂其破痃癖堅積者。不亦宜乎。破之一字。有深意存焉。本邦之庸醫不達此義。可哂也。

七、齋藤系平氏。在慶應醫學上之報告。人參之試驗。用種種之法。惹起動物(兎)之血糖過多症。後用人參之注射。與內服兩途。以實驗其及於血糖過多症之關係。其結論如下。

(但人參是用人參末。與人參精兩種)。

(1)人參有制止用愛特命林。所惹血糖過多症之作用。效力猶以人參精爲著。

(2)上記之效力。不論人參劑之注射與內服。皆是同樣。但中止之。則血糖過多症亦再發。

(3)對於食餌性血糖過多症。人參亦具有制止作用、中止之。則病復來云云。

又報告其第二次之研究云。

(1)人參精之對於中樞性血糖過多症之作用。

(2)對於富羅立細性血糖過多症二項。行嚴密之實驗。其結論如下。人參之作用。不但能抑制愛特命林性。及食餌性。血糖症而已。且對於顯來項性。血糖過多症。亦具有抑制作用。對於用富羅立細所惹起實驗血糖症。人參則不能奏效云。

【成分】一、人參之有效成分。據額里克斯氏 S. Garriques, 就北美產人參研究之。發見有名「巴那規倫」Panaquilon $C_{24}H_{32}O_{18}$之成分。日本京都大學之籐谷功彥氏就朝鮮及日本產人參。從化學研究其成分。亦名之爲「巴那規倫」。據云。朝鮮產者含有〇·〇二五%。雲州產者。含有〇·〇八三%。惟對於額里克斯氏之「巴那規倫」。指爲尙非純粹物質。

二、人參之有效成分。據日本近籐平三郎。田中儀一報告。愛壽辣克脫辣脫〇六八三%中。含有人參香氣之物質爲揮發性油狀體。與不揮發性。粘稠物質之混合體構成之。美溫辣科羅珂來脫辣脫二五。六六三〇〇中。含有薩且羅斯。與一種薩波泥狀之琪珂邊。華壽來克脫辣脫四萬七七。六六二%中含有粘液及拖水炭素之混合物。據卡里苦司氏。就北美產人參。(卽西洋參)而研究其成分。發見噴那寬依龍。

三、日人籐谷功彥氏。就朝鮮產及日本產人參而研究之。亦得同樣之結果。朝鮮產。(卽別直參)含有〇三五%。雲州產。(卽東洋參)含有〇〇八三%。

四、日人朝比奈泰彥及田文太爾氏。於人參鬚中。發見撒帕凝。井上圓治氏。所研究之竹節人參。亦得一種糖原汁。爲撒帕凝之屬。以上三者之性狀。

五、卡里苦司氏。發見噴那寬依龍。其方程式。爲岸二四。氫三二。氯一八。乃黃色無晶形之粉末。易溶於水及酒精中。不溶於依的兒中。有甘艸樣子。甘味及苦味。其水溶液。遇鞣酸之溶液。卽生沉澱。遇鹹性溶液則變爲褐色。與酸類共熱時。則發岸酸氣。

六、藤谷功彦氏。發見之噴那寬依龍。爲雪白色。無晶形之粉末。味純苦。亦能溶解於水酒精。水醋酸。及偏蘇爾中。不溶於依的兒。哥羅仿。石油。阿米兒。阿爾考爾。阿米通中。其水溶液呈中性反應。振盪之。則生泡沫。光學上爲左旋。其水溶液。對反林葛氏液無還元性。加以稀鹽酸而煑沸時。則發生炭酸氣。而折出結晶性物質。生右旋性之還原性砂糖。其反泥爾屋柴從。於二百另二度。熔融本品。則於一百七十二度左右溶融。而變爲褐色物質。

七、撒帕凝之方程式。尚未確定。恐爲炭三十二。氫五十四。氯十八。爲白色或微黃色。無晶形之粉末。稍有引濕性味。初緩和。而後呈持續性之苦味。能溶解於水。及沸酒精。難溶解於冷酒精。不溶於依的兒。哥羅仿。偏蘇爾中。其水溶液。呈中性反應。强振盪之。則生許多泡沫。光學上爲左旋性。惟能破壞赤血球。以百十度乾燥者熱之。則於百九十度左右。發生泡沫。變爲黃褐色之物質。而溶融。加以稀薄之監酸。或琉酸共熱之。則分解爲砂糖。及撒帕根銀(方程式。爲炭十四。氫二十二。氧二。)又加以反林葛氏液、則生紫狀之沉澱。亦能使琉酸銅還原。

八、結論。發見噴那寬依龍者之報告。謂此藥之價値。全與甘草相同。由發見撒帕凝者報告謂在藥物學上。毫無趣味云。且其化驗。爲北美人參。(卽西洋參)朝鮮人參。(卽高麗參)雲州人參。(卽東洋參)皆非中國之野生老山人參。故其化驗之結果。無充分之成績且化驗藥物。凡含有毒質猛烈辛辣味。及芳香物與特牲異味等品。則必陳特別反應與成績。若平常淡味及甘味緩和性之補品。與滲利藥。其治病之有效成分。在化學上。雖未能顯出。然於臨床上之實驗。成績甚優。試驗實例。殆不勝枚舉矣。

【辨僞】一、形似于參　僞造者。或以形似于參之物造作亂之。如防風、沙參、薺苨、桔梗之類是也。江浙間出一種土人參。苗葉與桔梗相似。根亦如桔梗。而柔氣香。味甘美。較參稍淡。亦薺苨也。 又有野蘿蔔根。宛然似人參。以山梔甘草等次第煮味于巾。一時殊難辨別。惟色澤不甚光亮。煎之湯無香味。渣不肯爛。惟脹胖耳。也。

二、眞僞攢疊 參價日貴。奸惡之徒。巧于網利。恐以全假之貨求售。被人覷破。反羅罪戾。故或以糙接熟。或以假鑲眞。或用豎相雜以攢輳。或用層相間以節疊。做成枝椏一色。宛如無縫天衣。一時眩惑人目。難以識別 名曰金鑲玉嵌。必須細心審察。庶不受欺也。

三、愼防流弊 人參價貴。若人土人寒素者。多澹泊自甘。甯以人參爲常食之物。然或有時進以奉親。有時自需調攝。或出外旅行。擕備不時之需。則此物非常用習見。難分玉石。向有以短接長者。謂之接貨。以小併大者。謂之合貨。必先用水潮過。原汁已出。又用粉膠。粘紥蒸烘。做成其力薄而易變。固不待言。又有薄夫以參湯泡自啜。乃晾乾烘燥。做色復售。謂之湯參。眞參尚無大碍。遞年價目昂貴。漸致以僞雜售。若不辨識。眞贋不第。被欺誆財。且恐貽害非細。

四、辨參特點 今所用者皆是遼參。其高麗百濟新羅三國。皆屬於朝鮮。其參猶來中國互市。遼參連皮者黃潤色如防風。去皮者堅白如粉。僞作者皆采沙參尼薺桔梗根亂之。但沙參體虛無心。而味淡。薺苨體虛無心。桔梗體堅有心而味苦。人參體實有心而味甘。微帶苦自有餘味。此人參之特點也。

五、藥物辨僞專家之研究

甲、曹炳章曰。人參。多年生草根也。長者八九寸。短者二三寸。略似人形。故名人參。產吉林。以野參爲貴。故又謂吉林參。或曰野山參。葉似掌狀複葉。東陲遊記云、遼東人參。產甯古塔。即今吉林甯安縣地。四月發芽。草本方梗。對節生葉。葉似秋海棠。六七月開小白花。花白如韮。大者如碗。小者如鐘。八月結子。若小荳而連環。色正紅。久之則黃而扁。初生一椏。四五年兩椏。十年三椏。久者四椏。每椏五葉。莖直上。即扈從東遊日記所謂百丈杵也。高者數尺餘云。考其產處。有人工培植者。有天然野生者。如爲鳳凰城及船廠產者。種植爲多。而甯古塔產者。野生爲多。總之人參野生。歷年愈久。性愈溫和。其精力亦足。因其吸天空清靜之氣足。受地脈英靈之質厚。故效力勝也。吳滑泉云。眞野生人參。山中少出。今市肆所售。皆秧種之類。其秧種者。將山地墾成墊土。純用糞料培養之。受氣不足。故質不堅。入水煎之參渣即爛。臭之亦無香味。陰虧之證忌用。故秧種一出。而參價遂賤。而野山眞參。更不可得也。因野參採取難。且出額少。不使其年久滋養長大耳。又且產參之山險峻。多虎狼毒蛇。故走山者。常有傷生。東陲遊記又云。走山採參者。多山東山西等省人。每年三四月間。趨之若鶩。至九十月乃盡歸。其組織以五人爲伍。內推一人爲長。號曰山頭。陸行乘馬。水行駕威弧。（以獨木雕成。首尾皆銳。）沿松花江至諸尼江口。登岸隨山頭至嶺。乃分走叢林中。尋參枝及葉。其草一莖直上。獨出衆草。光與曉日相映。得則跪而刨之。日暮歸窠。各出所得。交山頭洗剔。貫以長縷。懸木晒乾。或蒸而晒之。晒乾後。有大有小。有紅有白。土人貴紅而賤白。大抵生者色白。蒸熟則帶紅色。近世以白者爲貴。名曰京參。其體實而有心。其味甘微兼苦。自有餘味。即野山眞參是也。龍江鄉土誌云。野山參。有米珠在鬚。其紋橫。秧子參多順紋。無米珠。所謂秧種者。即鳳凰城及船廠產者是也。鳳凰城之貨。形色白秀。體鬆而瘦長。皮色多縐紋。皮熟者少。味甜。因用糖汁羹過。無餘味。近人所謂白抄參。移山參。太子參。皆其類也。船廠產者。其地二百里內外。所產較鳳凰城稍堅實。且紅潤可觀。味苦微甘。其空鬆者亦多。俗所謂廠參。今俗名石渠子是也。皆不道地。人參形狀。代有變態。據近時辨之。體態宜堅白。皮宜細緊。有橫縐紋。蘆蒂宜凹陷。椏節宜多。節多。年分多也。味宜甘中兼苦。要有清香氣而有囘味。方是上品。否則皆屬側路。不可不知也。

乙、鄭肖巖曰。眞人參。以遼東產者爲勝。連皮者。色黃潤如防風。去皮者。堅白如粉。肖人形。有手足頭面畢具者。有神。故一名神草。產於地質最厚處。性微溫。味甘兼味苦。生時三椏五葉。背陽向陰。故頻見風日。則易蛀。陶貞白云。納新器中密封。可經年不壞。李言聞云。凡生用。宜㕮咀。熟用宜隔紙焙之。或醇酒潤透。㕮咀焙熟。並忌鐵器切片。月池翁。嘗著人參傳二卷。言之甚詳。不能備錄。近代貨缺價昂。假者皆以沙參薺苨桔梗采根造作亂之。考沙參。體虛無心而味淡。薺苨體虛無心而味甘。桔梗。體堅有心而味苦。而人參。體堅有心而味甘味苦。自有餘味。煎之易爛而渣少。氣味形色。原自可辨。所恨謀利之徒。僞造混售。以亂眞品。甚至因人參價貴。有以短折長者。謂之接貨。以小併大者。謂之合貨。必先用水潮過。原汁已出。又用粉膠粘紮蒸烘做成。力薄而易變。又有以湯泡參自啜。乃晒乾烘燥。做色復售。謂之湯參。江淮所出土木人參。多薺苨混充。層出不窮。欺人太甚。今欲辨眞僞。不如用蘇頌之一法。但使二人同走。一含人參。一空口。度走三五里許。其不含人參者必大喘。含者氣息自如。其人參乃眞也。然必使年歲體氣相若之人。行之方準。否則反至誤事。夫富貴人平時衛生。喜服人參。誤購贋品。雖無裨益。尙未大害。倘購假參以治大病。則害立見。匪特不能升提中氣。抑且反賊臟陰。蓋薺尼。桔梗。沙參。性皆降下。如上損下損。虛寒之體。垂危之症。服之則去生反速。吾見亦多矣。可不愼歟。

【近人學說】

一、高思潛云人參爲中藥中最著名之强壯藥。能恢復身體及神經之疲勞。且有健胃之效。其有效之成分。在化學上。雖未能顯出。然於臨床上。則實例甚多。古今關於人參治驗之案。殆不勝枚舉。

二、鄭肖岩云。神農本經。上品首列人參。漢張仲景制方。悉遵本經。傷寒論百十三方。用人參者。得一十七方。皆是因汗吐下之後。亡其陰津取其救陰。其理中湯。吳茱萸湯。以剛燥陽藥太過。故取人參。甘微寒之性。養陰配陽。以臻於中和之妙也。此專指人參而言。若高麗參。東洋參。黨參。氣味則皆甘溫。惟西洋參。氣味苦寒微甘。又不得籠統言之。而毫無區別已。奈庸淺之輩。不察虛實。但見發熱。則動手便攻。且曰傷寒無補法。是未窺仲景之堂奧也。

若夫日本明治維新以前。醫藥專重漢學。自醫學堂興。盡棄所學。而學泰西之學。其研究新理。造詣雖深。然就所試驗言之。以人參有原糖質。爲化學試驗之成績。又云。脈微弱而易壓迫者。用之則血壓漸增進。而不知血不自生。必先補氣而後血行。即彼所謂脈波漸漸高起也。不觀葛可久十藥神書。用化蕊石散。十灰散化瘀止血之後。即繼以獨參湯。正以脫血者須益其氣陽生則陰長。其義顯然。若火氣方逆。血熱妄行。則又當忌用已。其曰病危急時。毫無作用者。蓋彼第知人參有原糖質。而未知人參佐桂附等品。則實扶危之至寶。救急之靈丹矣。其曰原糖汁爲心臟之要藥。是又未知人參首補肺臟。肺爲五臟之長。百脈之宗司。清濁之運化。爲一身之橐籥。且肺主氣。益氣即以益血。陽生陰長。故五臟皆安。又豈僅爲心臟要藥云乎哉。總而言之。以化學爲體驗之的據。而棄理解之精微。是終身由之而不知其道者矣。

【配合應用】一、用黃蘗佐人參治相火乘脾。身熱而煩。氣高而喘。頭痛而渴。脈洪而大者。

二、同麥冬五味子爲生脈散。治夏月熱傷元氣。致汗大泄。欲成痿厥者。此皆補天元之眞氣。非補熱火也。

三、得升麻引用補上焦元氣。瀉肺中之火。得茯苓引用補下焦元氣。瀉腎中之火。得麥冬則生脈。得乾薑則補氣。

四、同黃耆用補表虛。同白朮用助脾胃。

五、同棗仁龍眼肉白芍甘草大棗。補脾陰。
六、同白朮茯苓炙草木瓜藿香止虛煩躁。
七、同白朮黃芪芍藥。治自汗。
八、同黃芪芍藥五味治汗多亡陽。
九、同沉香白芍。治眞氣虛。氣不歸元因而胸脅逆滿。
十、同茯苓遠志益智棗仁麥冬。治恍惚驚悸魂魄不定。
十一、同沉香茯神治心虛而邪客之作痛。
十二、同牛黃犀角天竺黃鈎藤硃砂雄黃眞珠茯神遠志。治驚癇。
十三、同附子白朮芍藥甘草茯苓。治慢驚慢脾風。
十四、同黃芪天冬五味牛膝枸杞菖蒲。治中風不語。
十五、腎氣衰陽痿以之爲君。加鹿茸巴戟蓯蓉五味菟絲山萸地黃麥冬枸杞杜仲柏子仁。爲扶衰之要劑。令人有子。
十六、同附子肉桂麥冬五味。治房勞過度脫陽欲絕下部虛冷。
十七、同附子五味子。治陽氣脫。溫腸胃中冷。
十八、同附子乾薑肉桂。治寒厥指爪青黯。便淸倦臥。
十九、同乾薑白朮炙草。治中寒泄瀉下利淸穀。甚則加肉桂附子。
廿、同白朮吳萸。治脾瀉久不止。
廿一、君五味吳萸骨脂肉蔻。治腎瀉。
廿二、同白芍炙草。治血虛心腹鼓痛。
廿三、君五味麥冬。治肺虛氣喘。夏月服之。益氣除熱。止消渴。加白朮。又治中暑傷氣倦怠。

廿四、君藿香木瓜橘紅。治胃虛嘔吐。如妊娠嘔吐。加竹茹枇杷葉。

廿五、同橘皮木瓜竹茹紫蘇白朮。治惡阻安胎。熱多者、去白朮紫蘇加麥冬。

廿六、同鹿膠杜仲續斷當歸熟地生地。治胎漏不安。去生地加蘇木。治負重努力。內傷失血

廿七、同地黃阿膠麥冬山萸五味續斷。治血崩。加牛膝大薊鹿膠。治血淋。

廿八、同乳香硃砂雞子白薑汁三匙調勻。別用當歸兩許煎濃同吞。治橫生倒養。難產神效。

廿九、同蘇木當歸童便煎服。治產後血暈。

卅、同石菖蒲蓮肉等分水煎。治產後不語。

卅一、同薑皮各兩許水煎露一宿五更溫服。治氣虛久瘧不止。

卅二、同鱉甲青皮乾漆蟞蟲肉桂牡蠣射干。消瘧母。

卅三、同黃連紅麴白芍滑石升麻。治滯下腹痛赤色。

卅四、同黃連烏梅蓮肉升麻滑石肉豆蔻。治滯下久不止。

卅五、同甘菊枸杞地黃當歸柴胡蒺藜甘草。則明目。

卅六、同黃檗黃芪白朮麥冬五味白芍木瓜薏米茯苓。治痿。

卅七、同五加皮白蘚皮石楠葉石斛秦艽木瓜薏苡萆薢牛膝沉香菖蒲二朮。治痺。

卅八、在白虎湯。治勞傷元氣人患熱病渴甚并頭疼。

卅九、在敗毒散。治氣虛人患四時不正寒氣。

【用量】三分至三錢。大量自三錢至一兩則奏效多而無弊。

【施用宜忌】一、繆氏云。人參本補五臟眞陽之氣者也。若夫虛羸尫怯饑飽勞役。努力失血。以致陽氣短乏。陷入陰分發熱。倦怠四肢無力。或中熱傷暑。無氣以動。或嘔吐泄瀉。霍亂轉筋胃弱不納。脾虛不磨。或眞陽衰少。腎氣乏絕。陽道不舉。完穀不化。下利淸水。中風失音。產後氣喘。小兒慢驚。吐瀉不止。痘後氣虛。潰瘍長肉等證。投之靡不立

效。所不利者。惟是火炎氣上。如欬嗽吐痰吐衄。勞瘵內熱。骨蒸陰虛火動之候。又有痧疹初發。斑點未形。傷寒始作。邪熱方熾。若誤投之。鮮有不誤者。

二、李月池云。凡人面白面黃面青黧悴者。皆脾肺腎氣不足。可用也。面赤面黑者。氣壯神强。不可用也。脈之浮而芤濡。虛大遲緩。無力。沉而遲濇弱細結代無力者。皆虛而不足可用也。若弦長緊實滑數有力者。皆火鬱內實。不可用也。

三、潔古謂喘嗽勿用者。痰實氣壅之喘也。若腎虛氣短喘促者。必用也。仲景肺寒而欬勿用者。寒束熱邪壅鬱在肺之欬也。若自汗惡寒而欬者。必用也。

四、東垣謂久病鬱熱。在肺勿用者。乃火鬱於內。宜發不宜補也。若肺虛火旺。氣短自汗者必用也。

五、丹溪言諸痛不可驟用者。乃邪氣方銳。宜散不宜補也。若裏虛吐利及久病胃弱虛痛喜按者。必用也。

六、節齋謂陰虛火旺勿用者。乃血虛火亢能食脈弦而數。涼之則傷胃。溫之則傷肺。不受補者也。若自汗氣短肢寒脈虛者。必用也。如此詳審則人參之可用不可用思過半矣。

【配合宜忌】畏五靈脂。惡皂莢。黑豆。及藜蘆。蘿蔔。

【修治】以其生時背陽。故不喜見風日。凡生用宜㕮咀。熟用宜隔紙焙之。或熟酒潤透。㕮咀焙熟用。並忌鐵器。

【收藏法】一、以人參藏茶葉甕中。與茶相間收之。則經久而不蛀。屢試之不違。

二、人參易於蛀壞。頻見風日則蠹生矣。惟以盛過麻油之磁瓶、泡淨、焙乾、與華陰細辛。相間納盛於中。密封經年不壞。

三、用淋過竈灰晒乾罐收。亦可。

四、光熟參皆包貯茶葉之中此法最便。

【防霉時期】人參變色。最怕黃梅時節。桂花黃後。大暑不使其傷熱。淫雨不使其受溼。溼則烘之。熱則風涼之。不時啓看。勿使虫嚙。光熟參至夏日每遍身白點。謂之起霜。當以軟布用新涼水擠溼。捻去無礙。蓋經焙則其色易老。再焙則色皆黑紫矣。

【政府專賣】民國以前。吉林滿州地方採取人參。係歸政府專利。常驅役兵丁入深山冒險搜採。其後民間之私自採取者頗多。政府幾失却專有之權。該地官憲。進獻北京宮內之人參。係用他物所徵各項稅金。購買市上所售人參以貢者云。且以市上人參年貴一年。貨質日低一日。此皆採取之勤。不使其年久滋養長大。及僞貨百出之故。昔之庫貨因貯庫年遠。故有虫蛀。清代末葉皇家鑒於民人氣體孱弱。生齒日繁。需參日衆。隨收隨發。賜臣僚而散於天下。故庫貨與市貨一樣新鮮。

【專門著述】關於人參之專門著述有三。一爲光論人參攷一卷在靈鶼閣叢書中。一爲淸季唐衡銓氏著『人參攷』一卷。叙述頗重實際。尤於南方參商名目等級搜攷詳盡。一爲近世曹炳章氏著『人參』一篇。論列尤詳。攷證極博。旁及日本學說。勝於唐作。

日本以人參爲唯一補品。所隸高麗尤以人參爲大宗出口品。故銳意研究。各家著述專論人參者有三種。一爲加藤順氏著『和漢人參攷』一卷。一爲田村玄台氏著『人參耕作記』一卷。一爲月池翁著『人參傳』二卷。據和漢藥攷載。尚有手抄本四種。曾槃著人參識一卷。田村玄臺著人參譜五卷。田村玄臺著人參類集一卷。栗本昌藏著人參辦一卷。田村玄臺著蔘製祕錄二卷是也。

——此種稿件之取材標準，排列次序，子目分配，內容增删，及一切變更事項務望　諸同志盡量指示，歡迎商兌。——

通訊處　上海天津路慈安里陳氏醫寓

古今藥學參攷書目

附近世醫藥雜誌報章藥學論文索引

周秦兩漢

神農本艸經　三卷

蔡邕本艸　七卷

子儀本艸經（中經簿載此名稱）一卷（失傳）

神農本艸經　三卷　雷公集註

（以上隨書經藉攷載此名）

胎臚藥錄　傷寒論序載此名稱　（現失傳）

魏晉

吳普本艸　六卷　吳普著（華陀門人）現失傳

本艸經談道術本艸經鈔　各一卷　（仝上）

李氏藥錄　三卷　李當之著（仝上）又

南北朝

神農本艸　五卷

神農明堂圖　一卷

陶隱居本艸　十卷

神農本艸屬物　二卷

名醫別錄　七卷　陶景宏

隋費本艸　九卷

本艸　六卷　秦承祖
本艸病源合藥要鈔　五卷　徐叔響
小兒用藥本艸　王末鈔
本艸集註　七卷　陶弘景
本艸經細行本艸經利用　各一卷　趙贊
藥艸錄　六卷
藥性藥對　各一卷
藥忌　一卷
雷公藥對　二卷　徐之才

本艸經　三卷　王季璞
四家體療雜病本艸要鈔　十卷　仝上
癰疽耳眼本艸要鈔
本艸經　趙贊
新集藥錄　四卷　徐滔
藥法　四十二卷
神農採藥經　二卷
桐君藥錄　二卷　（不傳）
雷公泡炙論　三卷　雷斅

隋

本艸　七卷　漢邕
本艸經　四卷　蔡英
本艸　二卷　徐大山
本艸經類用　三卷　姚最
本艸集錄　二卷　甘濬之
本艸雜要訣　無攷　甘濬之
本艸錄藥性　三卷　原平仲
芝艸圖　一卷
入林採藥法　二卷
四時採及合月錄　四卷

神農本艸經　三卷
本艸經略　一卷　徐大山
藥用要目　二卷　徐大山
本艸音義　三卷　姚最
本艸鈔　四卷　甘濬之
本艸要方　三卷　甘濬之
靈秀本艸圖　一卷　原平仲
以上隋志所載　散亡殆盡
太常採藥時月　一卷
藥錄　二卷　李寧

諸藥異名　八卷　行矩　諸藥要性　二卷

種植藥法　一卷

唐

唐本艸（卽唐新修本艸又名英公本艸）五十三卷李勣大尉趙國公長孫無忌及蘇恭等二十三人

新修本艸圖經　四十卷　蘇恭　收入唐本艸中

新本艸　四十卷　王方慶　蜀本艸　二十卷　韓保昇等

本艸拾遺　十卷　陳藏器　藥性本艸（又名藥性論）　四卷　甄權

本艸性事類　一卷　杜善方　南海藥譜（卽南海本艸）　六卷掌禹錫謂二卷

湖本艸　七卷　鄭虔　藥錄纂要（載千金翼）　孫思邈

千金食治　孫思邈　食療本艸　三卷　孟詵

食性本艸　十卷　陳士良　本艸音義　廿卷（一作二卷）李含光等

本艸音義　七卷　甄立言撰　四聲本艸　五卷　蕭炳

刪繁本艸　五卷　楊損之　海藥本艸　李珣

本艸經方　劉禹錫

宋

開寶新詳定本草　廿卷　馬志　嘉祐補註本草　廿卷　掌禹錫等

開寶重定新本草……（簡稱開寶本草廿一卷）　劉翰馬志等

經史證類備急本草……（簡稱證類本草）　三十二卷　唐愼微

嘉祐圖經本草　廿卷　蘇頌　大觀本草　二十卷　孫集賢

政和新修經史證類本草……………………（簡稱政和本草）……曹孝忠
重廣補註神農本草及圖經……………簡稱本草別說……廿三卷　陳承（丞）
本草衍義　二十卷　寇宗奭　日華諸家本草　二十卷日華子大明序
本草括要詩　三卷　張文懿　證類本草單方　三十五卷　王誤
本草外類　五卷　鄭辨　本草辨誤　一卷　崔源
本草會編　靳起蛟　本草補遺　龐安時

金元

珍珠囊　一卷　張元素　潔古本草　二卷　張元素
重修大觀本草　三十二卷　張存惠　用藥法象　一卷李杲（字東垣）張潔古之門人
珍珠囊指掌補遺藥性賦　四卷　李杲　東垣藥性賦　李杲
本草衍義補遺　朱丹溪　湯液本草　王好古（海藏）
本草證類　沈好問　瘰癧疽耳眼本草要鈔　王好古
本草歌括　胡仕可　日用本草　八卷　吳瑞

明

本草經疏　三十卷　繆希雍　本草品彙精要　內府孤本朱啓鈐藏
本草綱目　五十二卷　李時珍　本草乘雅半偈　十卷　盧之頤
本草述　三十二卷　劉若全　本草發揮　三卷徐彥純
丹溪藥要　一卷　趙良仁　本草集要　八卷　王綸
庚辛王册　臞仙著　本草蒙筌　二十卷　陳嘉謨

書名	卷數	著者	書名	卷數	著者
本草會編	二十卷	汪機	救荒本草	四卷	周憲王
食物本草	二卷	王穎	食鑑本草		寧原
本草證治辨明	一卷	徐彪	本草單方	八卷	王履
本草單方	八卷	繆希雍	本草單方	八卷	李時珍
本草古方講意		瞿良	藥性準繩	一卷	賀岳
藥性對答	一卷	翟良	藥性標本	十卷	吳文獻
藥性賦補遺	一卷	態宗立	藥性辨疑	一卷	姚能
藥品徵要		姚濬	藥鏡	四卷	蔣儀
本草發明纂要		劉默	本草彙言		倪朱謨
本草輯要		邢增捷	本草類方		黃良佑
本草性能		王宏翰	方藥宜忌攷	十卷	繆希雍
本草鈔	一卷	方有執			

清

書名	卷數	著者	書名	卷數	著者
校正神農本草	三卷	孫星衍	本草崇原	三卷	張隱庵志聰等
神農本草經讀	三卷	陳念祖	本草三家註	四冊	葉天士等
本草經疏輯要	十卷	吳世鎧	本經疏證	十二卷	鄒澍
本草綱目拾遺	十八卷	趙學敏	藥性元解（利濟十二種之一）	四卷	趙學敏
奇藥備攷（利濟十二種之一）	六卷	趙學敏	本草話（利濟十二種之一）	三十卷	趙學敏
本草類方	十卷	年希堯	本草萬方鍼線	八卷	蔡烈先
本經逢原（在張氏醫通中）	四卷	張潞石頑	本草備要	四卷	汪昂

本草從新　十八卷　吳儀洛
本草原始　十二卷　李正宇
本草通元　二卷　李中梓
本草求眞　十卷　黃宮繡
本草經贊　一卷　葉志詵
藥品辨義　三卷　尤　乘
本草問答　二卷　唐容川
食物新本草　一册　丁福保
要藥分劑　十卷　沈芊綠
百草鏡
本草會通　袁桂生
長沙藥解　四卷　黃元御
本草匯　十八卷　郭章宜
本草經解　葉天士
本草詩箋　四册
本草分經審治　一册
李東垣註雷公藥性賦　二册　李東垣
光論人參攷(靈鶼閣叢書中)　一册
本草衍語(三三醫書中)　一册　編者失名
本草纂要　龍方穀
本茲時義　一册　陳葆善

神農本經百種錄　一卷　徐大椿
本草便讀　一卷　黃　鈺
本草主治　二卷　黃宮繡
得宜本草　一卷　王子接
藥性賦音釋　一卷　余萍高
藥證忌宜　一卷　陳　澈
家庭新本草　一册　丁福保
化學實驗新本草　一册　丁福保
花藥小名錄
本草崇原集說　三卷　仲卽庭
本草必用　顧金壽
玉楸藥解　八卷　黃元御
本草綱目求眞　十二卷　黃宮繡
食物本草備考　二卷　何克諫
本草述鈎元　十二册　楊時泰
隨息居飲食譜　二册　王士雄
重刻人參攷　一册　唐秉鈞
本草圖解　三册　李中梓
植物名實圖攷　一巨册　吳其濬
本草新編　陳士鐸

民國

規定藥品之商榷　二冊　曹炳章
中華藥學源流考（紹興醫藥學報）
藥物學講義　二冊　秦伯未
本草正義　七冊　張山雷
英譯本草綱目藥學植物　第一卷……英人伊博思　華人劉汝强　朱启鈐序文
藥物出產辨　一冊　陳任枚
中國藥物新辭典　一冊　江忍庵
中藥大辭典　一冊　趙公尚
中外藥名對照表　一冊　萬鈞
中國醫藥問題　一冊　王一仁
中國實用藥物學　一冊　趙賢齊
藥物游記錄　一冊　李春芝
草藥圖考　四卷　裘吉生
藥物名彙　一冊　華鴻
藥性提要　一冊　秦伯未
化學實驗新本草　一冊　丁福保
新本草教本　一冊　顧子靜
藥用作物學　一冊　方堯章
本草辨錄　一冊

僞藥條辨　四卷　鄭肖岩曹炳章
中國藥物學史綱　一冊　何梅霜
中國醫學史　一冊　陳賢邦
新中藥　一冊　黃勞逸
中國醫學大辭典　二冊　謝利恆
中華藥典　一冊　衛生署
中國藥物學　一冊　季愛人
方藥攷論類編　一冊　張贊臣
藥歛啓秘　一冊　許半龍
製藥指南（又名國醫製藥學）　一冊　張仲岩
衷中參西錄（第四期藥學）　一冊　張錫純
中國藥物形態學　一冊　沈嘉徵
中國植物圖譜　二冊　中英對照
家庭新本草　一冊　丁福保
本草思辨錄　四冊　周伯度
辨藥指南　一冊　賈九如
藥物辨異　一冊
要藥選　一冊　陸晉笙

用藥禁忌書　一冊　陸晉笙
藥性輯要　一冊
藥物大成　一冊

藥物學集說　二卷　紹興醫報社
參苗大觀　一冊
黨參新研究　一冊　趙藎臣

各地中醫學校講義

藥物學講義　廣東中醫藥學校　李嘉鋶仲恆原編　盧朋著補編　四冊
藥物學綱要　蘭谿中醫學校　張山雷著　一冊
實驗藥物學講義　杭州中醫專門學校
蘇物學講義　山西中醫專門學校　時逸人編　一小冊
藥物學講義　上海國醫學院　章成之編　四冊
藥物學講義　上海中醫專門學校　丁甘仁編　二冊
藥物學講義　上海中醫專門學校　徐訪儒編註　八冊
藥物學講義　上海中醫專門學校　虞舜臣編　二冊
藥物學講義　上海中醫專門學校　沈仲圭編　一冊
藥物學講義　上海中國醫學院　盛心如編　二冊

日本之部

和漢藥考　小泉榮次郎　有中譯本改名爲『新本艸綱目』　二冊
和漢藥物學　日野五七郎　一色直太郎　二冊
民間藥及其利用法　九山房雄　一冊
漢方醫藥全書　粟原廣山　一冊

書名	著者	備註	册數
藥草與特效藥研究	藥草研究所		一册
藥草與毒草	篠田平三郎	張落霞譯	二册
重修本草綱目			四十册
藥徵	吉益東洞	有中文本二種	一册
續藥徵	村井大年氏	有中文本二種	一册
氣血水藥徵	吉益南涯氏		一册
黑燒之研究	小泉榮次郎		一册
日本草木圖說		二十卷	一册
本草啓蒙		四卷	一册
本草名疏		三卷	一册
本草和名	深根輔仁	十卷	一册
扶桑採藥輯要			一册
安南藥品攷			一册
本草圖補			一册
古方藥品圖攷			一册
高麗人參圖說			一册
毒草圖說			一册
獐麝圖說			一册
藥經太素		二卷　和氣廣世著	一册
康賴本草		二卷　丹波康賴	一册
東華本草			一册

藥治通義　十二卷　一册
一本堂藥選附錄續編　三卷　香川修德太冲和　一册
藥治通義　丹波元堅　一册
和漢藥寶典　岡本幸一郎　一册
和漢藥之常識　古木仁　一册
和漢藥良否鑑別　一色直太郎　一册
和漢藥治療要解　鵜飼禮堂　一册
皇漢醫學　湯本求眞　一册
漢藥寫眞集　二輯　中尾万三　木村康一　二册
食療本草之攷察　中尾万三　二册
藥用植物寫眞集　刈米達夫　一册
藥用植物及其用途　和漢藥研究所　一册
有毒植物及其注意　仝上　一册
本草圖譜　本岩崎常正氏　一册
藥用植物五彩圖（計單片二十四幅繪圖者無攷）　一册

近代各雜誌藥學稿件索引

俞鳳賓　癧子頸草之採訪與識別　中西醫學報九卷一號　十六年一月
俞鳳賓　肺形草之採訪與識別　中西醫學報九卷三號　十六年三月

作者	題目	出處	日期
丁名全	麻黃之研究	中西醫學報九卷三號	十六年三月
晉陵下工	大蒜之研究	中西醫學報十卷十號	十九年四月
黃退庵	藥籠小品	現代國醫雜誌第一期至第四期	二十年五月起
王錫光	瓜蒂攷	現代國醫雜誌第二期	二十年六月
中尾萬三木村康一	漢藥寫眞集成專號第一輯	自然科學研究所彙報第一卷第二號	十九年四月
中尾萬三木村康一	漢藥寫眞集成專號第二輯	自然科學研究所彙報爲一卷第五期	十九年七月
中尾萬三	食療本草之攷察	自然科學研究所彙報第一卷第三期	十九年五月
王治華	藥物研究	浙省中醫月刊第三期	
王治華	羚羊與犀角	浙省中醫月刊第三期	
張若霞	洮狠把草	浙省中醫月刊第三期	
王治華	龍齒治效之徵驗	浙省中醫月刊第四期	
蘇錦全	和漢生藥之藥理研究	浙省中醫月刊第四期	
許勤勛	鹿茸治神經衰弱之特效	浙省中醫月刊第七期	
盧用著	垂絲柳	廣東光漢醫藥月刊第一期	二十年一月
余照溥	食鹽	廣東光漢醫藥月刊第一期	二十年一月
張梅庵	藥學論文十九篇	上海中國藥報計一期	十九年四月
黃勝白	發展中國藥的入手辦法	同德醫藥學五卷五期	十一年五月
鄭訓	麝香	同德醫藥學五卷五期	十一年五月
張天放	川芎之成分	同德醫藥學六卷五期	十二年五月
袁淑範	漢藥麻黃之醫治效用	同德醫藥學六卷五期	十二年五月
倫鳳實	中國藥科分劑表	同德醫藥學五卷一期	十二年五月
趙燏黃	本草綱目今釋	同德醫藥學五卷五期起六卷一期止	
余雲岫	科學的國產藥物研究之第一步	同德醫藥學六卷三四期（又學藝雜誌二卷四期）	
趙燏黃	漢藥目錄	同德藥醫學七卷一期	
邵公佑	茯苓	同德醫藥學七卷一期	
孫祖烈	漢藥治病之成績	同德醫藥學七卷三期	

丁濟華	大蒜治瘵之成績報告	同德醫藥學七卷三期	十三年三月
秦伯未	藥物學之研究法	中醫指導錄第二卷十三期	二十年六月
程登瀛	蛤蚧與LIzARD	新嘉坡醫藥月刊第十一期	十九年十二月
羅美東	石膏功用卓著與煆煉	新嘉坡醫藥月刊第十三期	廿年二月
羅美東	石蓮子有長圓二種	新嘉坡醫藥月刊第八期	十九年九月
章存之	黨參	新嘉坡醫藥月刊第六期	十九年七月
程登瀛	羚羊山羊烏白角片之來源	新嘉坡醫藥月刊第十二期	二十年一月
程登瀛	蛙之種類及入藥部分	新嘉坡醫藥月刊第十期	十九年十一月
程登瀛	燕窩之種類	新嘉坡醫藥月刊第六期	十九年七月
程登瀛	全蠍及蛤蚧	新嘉坡醫藥月刊第十三期	廿年二月
程登瀛	談犀	新嘉坡醫藥月刊第五期	十九年六月
程登瀛	金鷄納霜截瘧應當注意的	新嘉坡醫藥月刊第四期	十九年五月
程登瀛	胃痛特效藥	新嘉坡醫藥月刊第四期	十九年五月
何心餘	辨茸	新嘉坡醫藥月刊第三期	十九年四月
程登瀛	蓀鹽土鹽之製法	新嘉坡醫藥月刊第三期	十九年四月
程登瀛	龍草之藥效問題	新嘉坡醫業月刊第三期	十九年四月
凌鎗清	芭蕉葉水萍糖新用法	新嘉坡醫藥月刊第二期	十九年三月
黎百概	石膏殑驗	新嘉坡醫藥月刊第十一期	十九年十二月
曹炳章	詩論冬虫夏草之種類及效用	紹興醫藥報	光緒戊申起
張若霞	藏紅花栽培法	紹興醫藥報	光緒戊申起
裘吉生	藥物與產地之關係	紹興醫藥報	光緒戊申起
裘吉生	蓖麻油中西異性說	紹興醫藥報	光緒戊申起
裘吉生	地頭	紹興醫藥報	光緒戊申起
張汝偉	青黛宜用土靛說	紹興醫藥報	光緒戊申起
曹炳章	肉桂之栽培及製造法	紹興醫藥報	光緒戊申起
長　青	燕窩	自然界雜誌六卷七期	二十年八月

丁智伯	人參眞僞和類別淺說	杭州三三醫報二卷二期	十三年七月
謝安之	麥門冬之研究	上海中醫世界雜誌第一年彙訂	
陸成一	論淡豆豉	新刊紹興醫藥月報三卷四期	十五年四月
鐘　廉	論薏苡仁之滋養力	舊刊紹興醫藥月報十卷十期	九年十月
朱守眞	丁香　黃連　巴戟天　薺尼		
馬叔眉	牛膝　紫貝天蔡草河車等	紹興醫藥學刊十卷十一期	九年十一月
張錫純	石膏論	上海中醫雜誌第二期	十一年三月
崔眞吾	貝母	上海中醫雜誌第二期	十一年三月
王章生	辨中藥之眞僞	上海中醫雜誌第四期	十一年九月
葉勁秋	藥品道地錄	上海中醫雜誌第七八期	十二年六月
徐子石	藥性類編	上海中醫雜誌第七期	十二年六月
高思潛	論柴胡	上海中醫雜誌第八期	十二年六月
張錫純	石膏不可煅煉用	上海中醫雜誌第九期	
祝天一	藥物之眞僞辨	上海中醫雜誌第九期	
祝天一	柴胡治瘧之我見	上海中醫雜誌第九期	
朱不華	薤白解	上海中醫雜誌第九期	
閻立隆	本草選旨	上海中醫雜誌第十一期至廿三期	
祝天一	藥物索隱	上海中醫雜誌第十一期至十九期	
王愼軒	鬱金之研究	上海中醫雜誌第十一期	
張錫純	赭石解	上海中醫雜誌第十二期	
張錫純	羚羊角解	上海中醫雜誌第十二期	
王愼軒	芍藥之研究	上海中醫雜誌第十四期	
胡彷西	本草分類詩	上海中藥雜誌第十四期	
胡彷西	本草分類詩	上海中醫雜誌第十五期	
沈仲圭	甘草說	上海中醫雜誌第十六期	
張錫純	石膏煅用即同滷水論	上海中醫雜誌第十八期	

作者	題目	刊物	日期
王陽春	牡蠣記實	上海中醫雜誌第十九期	
孫秉公	草果之功用	上海中醫雜誌第十九期	
陳亦毅	荆芥之研究	廣東醫林一諤雜誌第一期	
程登瀛	番瀉葉之研究	廣東醫林一諤雜誌第二期	
程登瀛	龍涎香之討論	廣東醫林一諤雜誌第六期	
張澤霖	石膏之研究	廣東醫林一諤雜誌第六期	
程登瀛	長圓形石蓮子不可用	廣東醫林一諤雜誌第六期	
葉橘泉	防己之研究	廣東醫林一諤雜誌第六期	
趙倚江	麻黃底討論	中醫雜誌廿九三十期	十九年九月
孫家驥	藥學研究方法	中醫雜誌廿九三十期	十九年九月
袁淑範	中國藥之研究犀角	奉天民國醫學雜誌一卷一期	十二年七月
	黃芪(二卷二期)　桔梗(二卷七期)　防風(五卷一期)　獨活(五卷二期)		
	土當歸(五卷三期)　都管草(五卷四期)　升麻(五卷五期)　苦參(五卷六期)		
	白蘚(五卷七期)　延胡索(五卷八期)　貝母(五卷九期)　山慈菇(五卷十期)		
	石蒜(五卷十一期)　水仙(五卷十二期)		
葉橘泉	中國醫藥衛生常識	醫界春秋五十四五十六五十七	
楊華亭	蝦蟆草考證	醫界春秋五十七期	
謝安之	仲景用附子之研究	醫界春秋五十七期	
張澤林	麝香之研究	醫界春秋五十七期	
楊野鶴	藥物學研究之方法	醫界春秋五十七期	
時逸人	黃連之研究	醫界春秋三十九期	十八年九月
張錫純	萆薢不可治淋	醫界春秋三十九期	十八年九月
趙式訓	牡蠣攷	醫界春秋三十九期	十八年九月
許小士	白頭翁之研究	醫界春秋三十七期	十八年七月
李健頤	阿膠之研究	醫界春秋三十七期	十八年七月
楊亭華	麻蕢攷證	醫界春秋五十六期	

作者	題目	出處	年月
張錫純	石膏治病無分南北論	醫界春秋五十六期	
楊華亭	烏頭攷證	醫界春秋五十六期	
楊華亭	山茱萸攷證	醫界春秋五十六期	
葉橘泉	黃連攷證	醫界春秋五十六期	
章次公	附子柴胡	中國醫學月刊一卷五期	十八年二月
顧紹衣	燕窩談	上海東方雜誌十五卷八號	
荊武蒙	當歸確有調經種子之功	中西醫學報十卷十期	
吳秉璋	犀牛全身多入藥	現代名醫驗案第五期	
楊百城	冬虫夏草考	山西醫學什誌三十一期	十五年六月
呂子厚	元明粉之神效治驗談	山西醫學雜誌五十九期	二十年二月
克士	峨眉山游記	自然界雜誌五卷八期	十九年九月
洛文	藥用植物	自然界雜誌五卷九期	十九年十月
張麻有	有毒植物撮要	武昌博物學會雜誌一卷一期	八年十二月
錢城	類似植物博異	武昌博物學會雜誌三卷一期	九年四月
張亨	植物目錄	武昌博物學會雜誌四卷一期	十年三月
區若平	藥學概言	廣東醫藥雜誌一卷一期	十五年四月
李仲守	生草藥之掘發	廣東醫藥學報一卷七期	
李仲守	斷腸草之研究	廣東醫藥學報一卷七期	
沈壽鵬	蠶豆壳的功用	廣東醫藥學報一卷六期	
李仲守	胡滿郎斷腸草辨	廣東醫藥學報一卷六期	
繆永禎	記金錢草治驗膀胱石三則	廣東醫藥學報一卷六期	
李仲守	金錢草與胡滿樹	廣東醫藥學報一卷六期	

康健報第一年彙訂

（陳存仁）藥物小辭典　（沈仲圭）藥物歷錄　（陳公澤）人參　（陳存仁）橄欖與蘿蔔　（楊志一）蘿蔔不解藥性　（高思潛）甲魚滋陰的原因　（李健頤）石膏非無用之藥　（宋愛人）樟腦　（玉琬）白鳳仙治傷筋

康健報第二年彙訂

(沈仲圭)杜仲　(張汝偉)用藥代替法　(高思潛)西洋參與牙痛　(謝安之)鵝不食草　(單大年)西瓜　(胡啓藩)蠶豆殼與蓮蓬殼　(張錫純)硫磺與鴉胆子　(尢學周)白槿花鳳仙花

張錫純　三七有殊異之功能　廣東杏林醫報第一卷第二期

張錫純　三七有殊異之功能　廣東杏林醫報第一卷第三期

沈玉書　龜是痔瘡的靈藥　廣東杏林醫報第一卷第九期

張錫純　䗪虫辨　廣東杏林藥報第一卷第九期

張體元　崇旋覆　廣東杏林醫報第一卷第十期

沈仲圭　巴豆　廣東杏林醫報第一卷第十期

沈仲圭　續隨子治水腫之宜忌　廣東杏林醫報第一卷第十五期

張體元　萊菔之功用　廣東杏林醫報第一卷第十五期

劉琴仙　經驗生草藥性　廣東杏林醫報第一卷第十八期

盧朋著　垂絲柳解　廣東杏林醫報第一卷第二十四期　廿年二月

康健報第三年彙訂

(沈仲圭)棕櫚皮　桑椹　千金子　(謝安之)四葉草　(沈香圃)胡麻大麻之研究　(秦枕山)關於肺形草　(周良安)黑木耳能治乾血癆　(沈萍如)馬齒莧　(張錫純)馬前子爲健胃要藥　(陳益浦)砂仁豆蔻之審　(周貴德)蛤士蟆　(秦丙乙)半夏之研究　(王西神)薏苡仁之眞價值　(佚名　麻黃之研究　(朱叔屏)斑蝥之治病爲能　(周頌堯)桃花瓣　(黃眉孫)益母草　(秦丙乙)談人乳　(陸晉笙)菰瓜能治大病　(頑鐵)杜仲之形狀及出處　(劉農伯)素心蘭　(秦丙乙)各種參類之研究

上海醫報全部彙訂

(尢學周)羊肉　(章次公)人參之研究　(余鴻孫)瘧病特效藥　(沈仲慈)車前子治癃閉之特效　(余彥怡)談橄欖　(許半龍)藥理新詮　(吳公)食米之研究　(李礫士)何首烏故事　(熊雨農)犀角羚之近效　(章次公)阿膠之研究　(朱慧身)木鼈子治久患眼病　(陳中權)　生熟附子功能比較　(沈仲圭)桑葉之研究　(王肖舫)白木耳燕窩之代用品　(虞舜臣)端陽節燒蒼朮白芷之研究　(趙明)談檸檬　(沈靜珠)枇杷叶　(陳中權)蒲黃止血之理　(王葆琦)丹砂能下死胎之研究　(羅燮元)乾餅藥　(郭受天)藥物之作用　(唐宗一)郁李仁之研究　(秦愼安)　鹿茸之製法　(莘農)土鼈蟲治吐血奇效　(虞舜臣)白頭翁之研究　(蔣去病)談金雞納霜　(章聘)棕櫚截瘧質疑　(佚名)常山之研究　(李健頤)洋瀉葉之功用　(胡成章)討論苦參止痢　(胡九功)　藥物學上三個討論　(胡麟善)善能殺虫之榧子　(章鶴年)人參生津補氣之研究　(姜烈日)蘿蔔之效用　(高思潛)藥物之研究

郭紹庭 大黃之研究 江都醫學月刊第二期

袁淑範 中國藥之研究 奉天民國醫雜誌第六卷彙訂

白芽(第一期) 龍胆(二) 細辛(三) 杜衡(四) 及己(五) 鬼督郵(六) 徐長卿(七)

白薇(八) 白前(九) 草犀 叙子君 吉利草(十) 百兩金(十一) 硃砂(十二)

袁淑範 中國藥之研究 奉天醫學雜第七卷彙訂

辟虺雷 錦地羅 紫金牛(第一期) 拳參 鐵線草 金絲草(第二期)

楊百城 論中國藥會 山西醫學雜誌第一期 民國十年七月起

趙藎臣 蓡之研究 山西醫學雜誌第三期

趙藎臣 地黃之研究 山西醫學雜誌第四期

趙藎臣 朴硝 山西醫學雜誌第四期

陳公澤 答人參問 山西醫學雜誌第四期

張錫純 辨東人參豬子氏論人參 山西醫學雜誌第五期

張錫純 石膏論 山西醫學雜誌第六期

張錫純 六氣用藥 山西醫學雜誌第八九期

葉鑑紱 塘牛黃之研究 山西醫學雜誌第十期

薄桂堂 車前草 山西醫學雜誌第十一期

相里杜 紅升白降丹之煅煉法 山西醫藥學雜誌第十二期

高思潛 人參之成分與功效 山西醫藥學雜誌第十三期

張龍芝 元寶草治血病 山西醫學雜誌第十四期

喬尚謙 三春柳之研究 山西醫學雜誌第十四期

高思潛 藥物學之研究 山西醫學雜誌第二十期

章飛仙譯 麻黃 山西醫學雜誌第十八十九二十期

王熾 高嶺土與礬石之研究 山西醫學雜誌第二十一期

徐世長 麻黃去沫之研究 山西醫學雜誌第二十一期

黃國材 防己出成分及效驗 山西醫學雜誌第二十一期

王熾 藥炭與木炭之研究 山西醫學雜誌第二十二期

劉筱雲	化州橘記	山西醫藥雜誌第二十四期
王燨	馬錢子毒質不去之研究	山西醫學雜誌第二十五期
張錫純	化橘記書後	山西醫藥雜誌第二十七期
劉前英	論大黃功用	山西醫藥雜誌第二十八期
許小士	點草考古	山西醫學雜誌第三十三期
趙意空	記蘿藦之功用	山西醫學雜誌第三十三期
米煥章	貝母半夏之研究	山西醫學雜誌第三十五期
米煥章	人參非溫補回陽藥	山西醫學雜誌第三十六期
米煥章	細辛用量之研究	山西醫學雜誌第三十六期
楊煥文	採藥雜錄	山西醫學雜誌第三十九期
米煥章	醫藥之研究	山西醫學雜誌第三十九期
張始生	藥物雜誌	神州醫學半月刊第二期
章次公	中國藥物起源	上海醫光雜誌一二期
曹炳章	人參	上海康健雜誌第九期
張錫純	山藥解	上海康健雜誌第九期
曹炳章	燕窩	上海康健雜誌第八期
曹炳章	鹿茸	上海康健雜誌第五期
曹炳章	白木耳	上海康健雜誌第五期
日人牛山香月啓益	藥籠本艸	上海中醫世界三卷十五期起

▲附識　此目所載遺漏在所不免如蒙指示補缺無論古代孤本近世雜誌報章均所歡迎

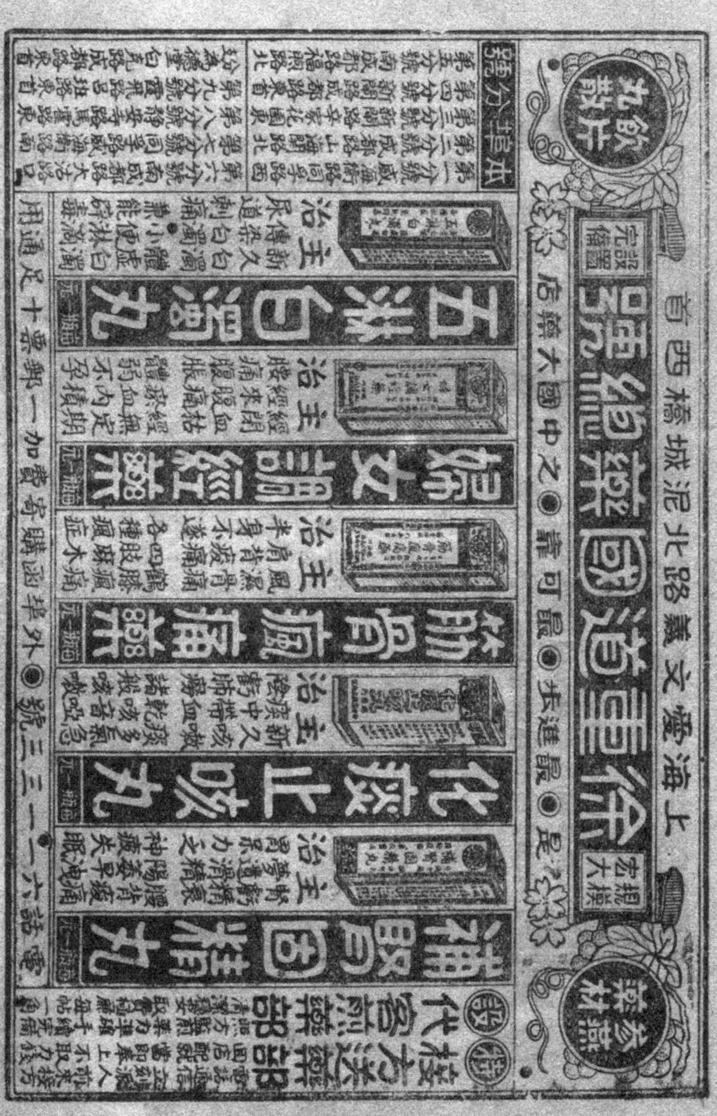
上海愛文義路北泥城橋西首
徐重道國藥總號
規模宏大
設置完備
參燕藥材
飲片丸散
是最進步最可靠之中國大藥店
特設接方送藥部
代客煎藥部
補腎固精丸
主治 腎虧精衰 腰背痠痛 夢遺滑精 陽萎早洩 胃呆力乏 神疲失眠
每瓶一元
化痰止咳丸
主治 新久咳嗽 痰多氣急 痰中帶血 乾咳音啞 陰虧肺癆 諸般咳嗽
每瓶一元
筋骨瘋痛藥
主治 風濕骨痛 鶴膝瘋痛 肩背痠痛 四肢麻木 半身不遂 各種瘋症
每瓶一元
婦女調經藥
主治 經閉血枯 經無定期 經來腹痛 瘀血內積 腰痛腹脹 體弱不孕
每瓶一元
五淋白濁丸
主治 新久白濁 體虛白濁 傳染白濁 小便淋滴 尿道刺痛 兼能辟毒
每瓶一元
本埠分號
第一分號威海衛路同孚路西
第二分號成都路山海關路北
第三分號新閘路辛家花園東
第四分號新閘路成都路東首
第五分號南成都路福煦路北
第六分號南成都路大沽路口
第七分號同孚路威海衛路南
第八分號靜安寺路馬霍路東
第九分號霞飛路呂班路東首
第十分號為德堂白克路成都路東首
電話六一一三三號 外埠函購寄費加一郵票十足通用

國民政府註冊商標
藏里雪山天生特產
金耳
是補品中之王
金耳功效四時皆宜
送禮宴客最為名貴
本公司發行之金耳業經中央衛生局化驗証明並經中西著名醫學大家所公認為養生唯一之補品也君欲惠顧極誠歡迎另售躉批特別克己外埠函購原瓶原件奉送郵費匯使靈便
本公司謹啟
經理代售 特別歡迎
本公司為推廣起見本埠外埠如有願為經理代售者請逕至本公司接洽極表歡迎
上海經理處
永安公司
先施公司
新新公司
各大參藥號均有代售
總發行所 上海華發建業公司
地址 白克路寶隆醫院對門遠民里五二七號
電話 三五一一一號
認明經理牌號以免劣貨攙混

傅氏三書

題序者

譚組庵氏　沈維賢氏
唐蔚芝氏　施今墨氏
蔡孑民氏　楊富臣氏
胡展堂氏　薛逸山氏
于右任氏　謝利恒氏
戴季陶氏　薛文元氏
陳陶遺氏　汪紹周氏
陳无咎氏　張杏蓀氏
楊杏佛氏　蔡濟平氏
黃炎培氏　王一仁氏
李夢覺氏　秦伯未氏
錢龍章氏　郁佩瑛氏
沈湘之氏　葉惠鈞氏

全書內容提要

本書爲劉河名醫傅雍言氏之尊人耐寒先生所著凡四冊

一　醫經玉屑……一冊

就內經中摘補三十七條發揮其奧旨註解五十一條以完各家未暢之旨今人能研古學者絕鮮得此可知內經中自有精粹之處特患不能悟會耳

二　醫案摘奇……二冊

此爲先生心得獨到之作險症百出獨能處置裕如從容投藥其三折肱案尤非學識並長者不能道隻字實可媲美葉氏醫案潛齋筆記不可多得之作也

三　舌胎統志……一冊

歷來辨舌之書都以胎色分部此書能獨出手眼不循尋常谿徑以舌色爲主分爲八門綱舉目張法賅用宏蓋能悟徹標本奧旨者也

全書四冊布套一函
定價二元七折

外埠加郵費一角四分

中醫書局發行

寄售處　上海市國醫公會

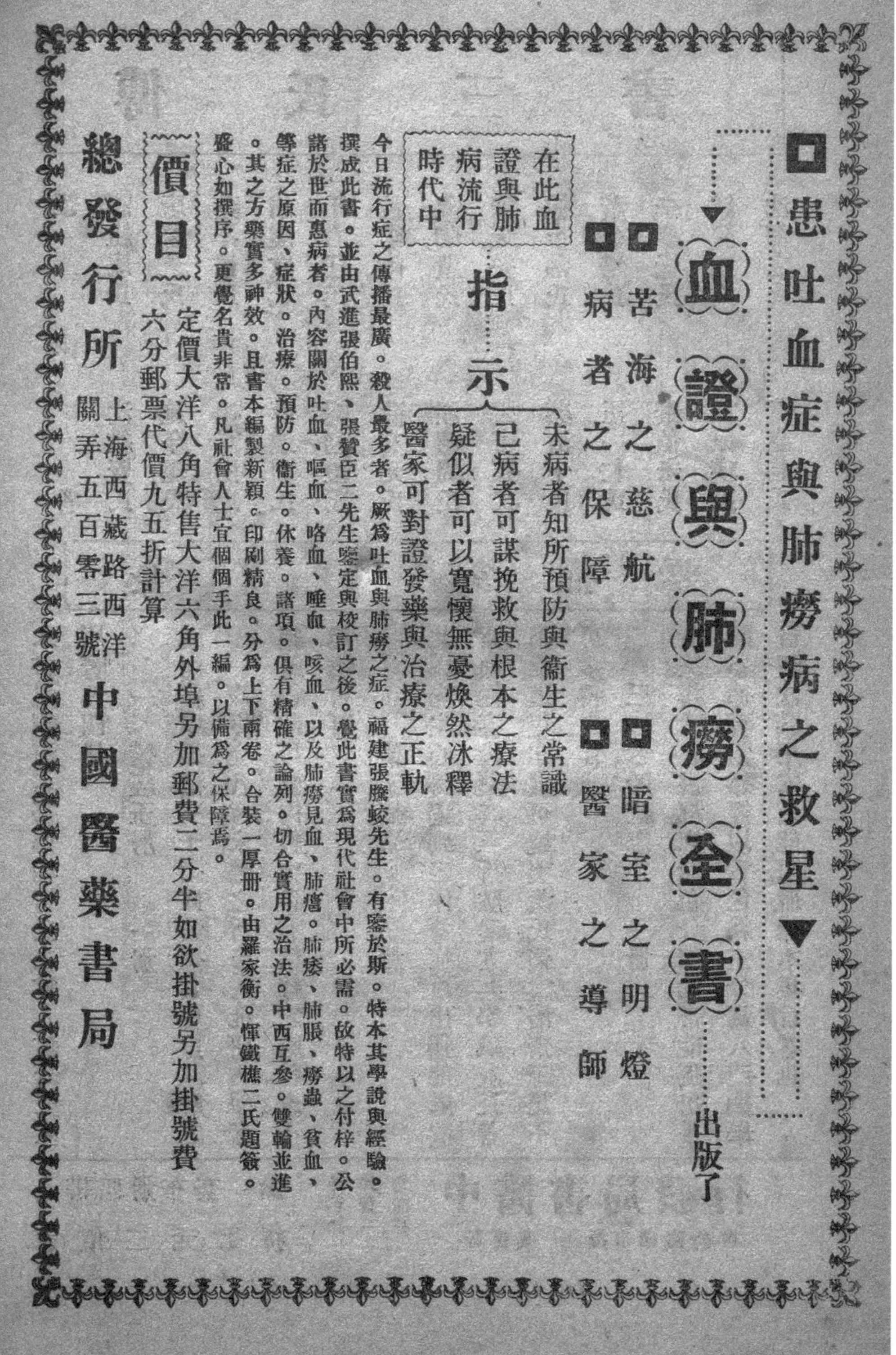
患吐血症與肺癆病之救星
血證與肺癆全書
出版了
苦海之慈航
暗室之明燈
病者之保障
醫家之導師
在此血證與肺病流行時代中
指示
未病者知所預防與衛生之常識
已病者可謀挽救與根本之療法
疑似者可以寬懷無憂煥然冰釋
醫家可對證發藥與治療之正軌
今日流行症之傳播最廣。殺人最多者。厥爲吐血與肺癆之症。福建張騰蛟先生。有鑒於斯。特本其學說與經驗。撰成此書。並由武進張伯熙、張贊臣二先生鑒定與校訂之後。覺此書實爲現代社會中所必需。故特以之付梓。公諸於世而惠病者。內容關於吐血、嘔血、咯血、唾血、咳血、以及肺癆見血、肺癰。肺痿、肺脹、癆蟲、貧血、等症之原因、症狀。治療。預防。衛生。休養。諸項。俱有精確之論列。切合實用之治法。中西互參。雙輪並進。其之方藥實多神效。且書本編製新穎。印刷精良。分爲上下兩卷。合裝一厚冊。由羅家衡。惲鐵樵二氏題簽。發心如撰序。更覺名貴非常。凡社會人士宜個個手此一編。以備爲之保障焉。
價目
定價大洋八角特售大洋六角外埠另加郵費二分半如欲掛號另加掛號費
六分郵票代價九五折計算
總發行所
上海西藏路西洋關弄五百零三號
中國醫藥書局

醫藥精華集

何以可貴

◎近代名著◎不同凡作◎內容豐富◎無所不包◎請閱目錄◎便知精采◎

醫藥精華集。何以可貴。因醫藥精華集為醫藥新聞報之材料彙成。醫藥新聞報。為全中國最偉大之醫報。全國名醫之鉅著。悉萃於此。例如指導社會醫藥常識。箴砭醫界同人。厥功非細。而關於時令疫癘。醫藥新聞報所發表治法。隨時有獨到之處。今本書既為醫藥新聞報名貴之材料彙成。故醫藥精華集即為名貴之偉著。（本書分初集二集二種）

醫藥精華集初集　係醫藥新聞第一年全年材料彙成

醫藥精華集二集　係醫藥新聞第二年全年材料彙成

■初集要目■

■苔脈門■辨舌大要，舌苔學，脈學，辨脈知壽夭，孕脈辨，男女脈辨。■痧症門■痧子（即瘄，痲，）之最妥治法，斑痧白痦治法。■婦女門■婦女病大網，陰戶奇病自療法，經病，產病，肝氣，積聚，乳房。■瘧痢門■瘧疾新論，治痢三大法，痢疾必愈，痢疾不能用利水藥辨，治瘧特法。■咽喉，咳嗽門■咳嗽特效治法，百日咳，喉症特效治法，喉症三忌，白喉與喉痧之分別，哮喘與短氣之別。■花柳門■花柳病與各方之關係，下疳便毒魚口橫痃赤濁白濁五淋陰蝨蠱癰結毒等自療法。■霍亂，腸胃門■似霍亂，寒霍亂，熱霍亂，霍亂新論，霍亂新新論，腹痛之辨別，嘔吐噦之辨別，反胃：關格；胃痛，宿食。■溫病門■溫病淺釋，溫病宜急下不宜過表，釋春溫，釋秋燥。濕溫，濕溫證治。■中風，傷寒門■中風論略，中風不能用風藥辨，釋傷寒，夾陰傷寒辨。■遺精門■遺精與種種之關係，（與環境，震動。腳踏車，搥背，被褥，沐浴，便溺，性情，飲食等）遺精之種類，異哉遺精病。外治遺精三法，脫陽急救，遺精目盲。

其他痰病，頭痛，健忘，失眠、蔘魘，肺勞，五官，推拿，剖解等門，均有名著，凡數十篇，子目繁多，限於篇幅，不能盡述，書後附有集益錄一百六十條，俱為不可多得之簡效方。

■二集要目■

■衛生門■肺臟強健法，心臟強健法，肝臟強健法，脾臟強健法，腎臟強健法，平時衛生，病時衛生，婦女衛生，小兒衛生，公共衛生，天氣突變之防範。■時症門■時症防預，關於腦膜炎之問答，腦脊髓膜炎，（按此等著作，去年刊載，萬人爭誦。）■戒烟門■戒烟必效法，戒烟善後問題。■病理門■不治自愈，非治不愈，雖治不愈，雖病不死，不病猝死，易治易愈，緩治方愈，愈後復發，傳染，潛伏，傳變，遺傳，六淫，七情、氣血的病理，我國談病理的書，可稱未曾有過，此篇洋洋數萬言，乃最新之發明，最新之傑構也。■性病門■性病之研究，遺精絕嗣，遺精之特異，遺精失血，遺精速愈。遺精白濁單方三十三條。■肺病門■名醫所述之肺病治法，肺病預防，白痰與吐血，瘀血問答，肺病驗案。■婦女門■胎成男女之研究，避孕新法（涼血，陰血離經，殺滅精蟲，精液避射，子宮填塞，交媾前洗滌，交媾後洗滌，過期交媾，風流如意帶等法。）■小兒門■小兒病十一種詳細治法。

其他如消渴，癲癇、黃疸，痔疾，眼疾，瘧痢，咳嗽，以及其他雜症治法數十門，子目不遑細述，書後附集益錄一百餘條，及急救方法五十則，搜羅齊備，堪稱全璧。

○……○特點○……○

本書之特點甚多。而尤為社會人士所稱道者。其一為避孕法之新研究。及治腦膜炎之特法。為獨得之發明。海內任何醫書。無其詳備。其二為初集二集卷末。各附有靈驗祕方一百六十條。方方不同。皆為古今名醫不傳之祕。經本館搜羅而得。名貴異乎尋常。其三為百病療法。俱重實驗。普通人得之。亦能應用。至於裝釘之精美。猶其餘事。

價目

初集金裝一大厚冊計六百面定價二元特價一元四角二集金裝一大厚冊計六百面定價二元特價一元四角（寄費加一）

贈送

本館特向生生美術公司定造福壽箋數十萬，作為贈品，凡向本館直接購書者，每購一冊，贈送福壽箋百張，多購多贈，至在代售處購買者，恕不贈送。

總發行所

上海法租界辣斐德路貝勒路東維厚里二十三號醫藥新聞報館

代售處

上海山東路十三號中醫書局

上海市國醫公會遷移會所

本會前假浙江路二七四號益衆公司二樓爲會所現因設備不週不便辦公茲已遷入南京路日昇樓後面南香粉弄八十八號門牌照常工作恐未週知特此公告

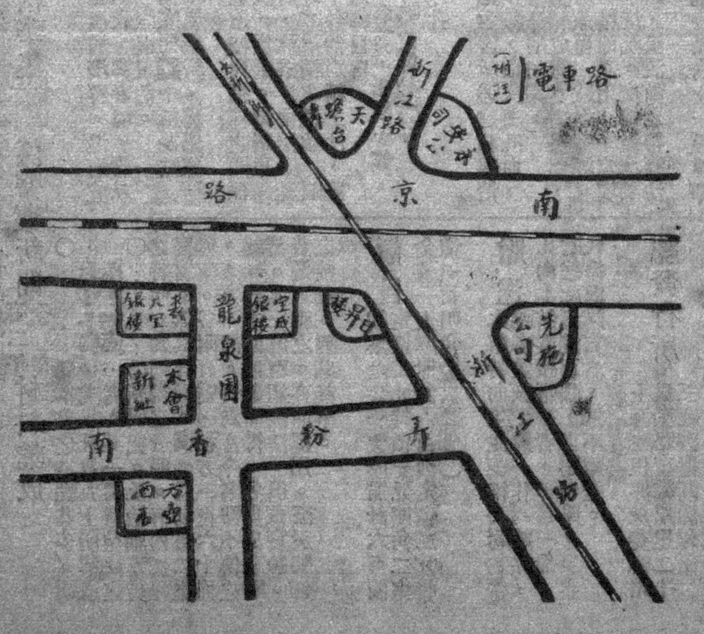

編輯委員會題名

薛文元先生
丁仲英先生
陸士諤先生
方公溥先生
陳存仁先生
陳漱庵先生
楊彥和先生
盛心如先生
嚴蒼山先生

謝利恆先生
蔣文芳先生
吳克潛先生
張贊臣先生
朱鶴皋先生
沈心九先生
秦伯未先生
包一虛先生
許半龍先生

中華民國二十年九月十五日

現代國醫

第四期　實洋二角

編輯者　編輯委員會

出版者　上海市國醫公會　上海南京路南香粉弄八十八號

發行者　上海市國醫公會

寄售處　上海中醫書局　上海山東路南帶鈎橋十三號

中國醫藥書局　上海西藏路西羊闌弄五〇三號

印刷者　華豐印刷鑄字所

▲本雜誌每月一冊。全年十二冊。
▲每期實洋二角。預定全年連郵二元。
▲凡本會會員。一律優待減半。實收一元。
▲廣告價格。全張每期二十元。一面十二元。半面八元。長期八折。

現代國醫新書

上海中醫書局出版

地址上海山東路第十三號

書名	著者	冊數	定價	折扣
讀內經記	秦伯未	一	六角	七
內經類證	秦伯未	一	六角	七
難經註疏	日本玄醫	一	八角	七
古本難經闡註	丁錦	一	六角	八
難經古義	滕萬卿	一	七角	七
金匱直解	程雲來	一	一元	七
傷寒類方辨要合刻	栗園淺田	一	六角	七
傷寒撮要	王夢祖	四	二元四角	八
傷寒六書	陶節菴	一	一元	七
影印宋本傷寒論	張仲景	四	一元四角	七
溫病賦	姜子房	一	二角	七
濕病俗辨症方歌括	錢文驥	一	三角	七
中西滙通個別醫學	卜子義	一	八角	七
醫學見能	唐容川	一	四角	七
百病通論	秦伯未	一	二角	七
燥氣總論	陳葆善	一	五角五分	七
秦批全生指迷	王眖	一	三角	七
中醫病理學	張恭文	一	三角	八
瘋癆臌膈辨	林鑾臣	一	一角	七
外科真銓	鄒五峯	二	一元四角	七
外科學大綱	許半龍	一	五角	七
傷科大成	趙竹泉	一	三角五分	七
胎產證治	王肯堂	一	二角	七
女科秘旨	釋輪應	二	一元二角	八
幼科易知錄	吳溶堂	一	五角	七
幼科秘訣	陳氏	一	三角	七
治瘄全書	葉西園	一	四角	七
中風症科學	卜惠一	一	三角	七
白喉條辨	陳葆善	一	二角	七

書名	著者	冊數	定價	折扣
疫喉淺論	夏春農	二	四角	七
藥徵全書	東洞吉益	一	一元	七
藥物形態學	沈嘉徵	一	三角	八
本草衍義	寇宗奭	二	一元二角	八
藥性提要	秦伯未	一	二角	七
中國藥物學史綱	何霜梅	一	五角	七
清代名醫醫案精華	秦伯未	四	三元	七
清代名醫醫話精華	秦伯未	四	三元	七
肘後備急方	葛洪	四	一元	七
膏方大全	秦伯未	一	三角	七
怪疾奇方	費伯雄	一	三角	七
萬有丹方治病指南	九一道人	一	六角	實
汪氏湯頭歌訣新註	李磊春	一	二角五分	七
驗方類編	秦伯未	一	二角	七
丸散易知	秦伯未	一	二角	七
診斷大綱	秦伯未	一	二角	七
辨脈平脈句	周學海	一	六角	八
辨脈指南	郭元峯	一	六角	七
歷代醫學之發明	王吉民	一	三角五分	七
國醫小史	秦伯未	一	二角	七
醫學鑑塵	王肯堂	一	四角	七
中醫學綱要	楊影廬	一	五角	八
飲食指南	秦伯未	一	二角	七
平醫小叢書	全書六輯	卅四	三元四角	七
中醫叢刊	第一輯	十	四元五角	七
家庭醫學常識叢刊	秦伯未	六	一元二角	七
影印古本醫學叢書	初二集	廿	十一一元	七
實用中醫學	秦伯未	四	二元八角	七
銅人經絡圖	赤[illegible]醫廬	四張	[illegible]元	七

外埠函購郵費加一郵票代洋九五折算

每月刊

現代國醫

第一卷第六期

中華民國二十年十月

上海市國醫公會編輯印行

發行 上海南京路南香粉弄八十八號

編者小言

（未伯）

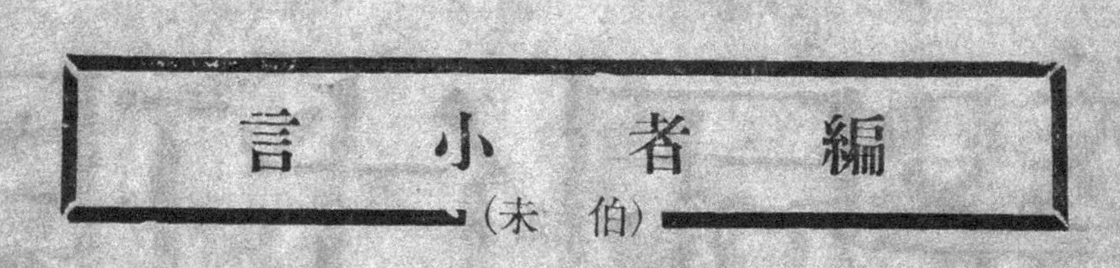

本刊出版。忽忽半載矣。在事實上是否有多量或相當之貢獻。吾且勿問。但在責任上使應負之工作。不致隕越。不無可慰諸同道耳。茲擬以六期爲第一卷。重行彙訂。深願同道竭力介紹。並於第二卷起。內容略加變更。請不吝指敎。以期完善。而造成上海市國醫界之惟一代表刊物。

今日之醫界。非昔日之醫界可比。能行道之外。當攷察各地醫界之狀況。俾得互相聯絡。共謀改進。乃自全國醫藥團體總聯合會停止後。互通聲氣之機關。遽爾消滅。各地情形。無從探問。本會近謀本市醫界之改良。遠籌全國醫界之進步。爰特闢醫訊一欄。以便各地醫界。隨時得將消息報告。互相攜手。自第二卷起並將前總聯合會徵得之醫團調查表陸續披露。俾資借鏡。

本刊擬於半年中出專號一册。俾作有系統而專一之研究。上期之藥物專號出版後。頗受同道之歡迎。茲再廣事徵求。如有長篇稿件。字數在五六萬者。請送交本會審查。認爲有價値時。當卽發印專號。並予以相當之報酬。

現代國醫第一卷第六期目次

醫事雜評
接方與送藥……秦伯未
平湖之兩控案……蔣文芳
醫生偏執之糾正……傅雍言
言論
醫學與哲科……羅瓚
改進中藥……張汝偉
專著
五法總論……丁仲英
診病奇核……松井操譯
學說
虛人汗法……馮紹蘧
婦人不孕之原因及中西治療法之比觀……奚可堦

牛痘不可廢論……嚴蒼山
治病當察天時……傅雍言
醫案
尤在涇晚年醫案……盛心如錄
澄齋醫案……謝利恆
妊娠子宮病案……盛心如
記載
會議紀錄
災民醫藥隊服務須知
醫訊
武進通訊
補白
聯絡我們的情感……沈禮同
中西醫各有學識……胡　佛

醫事雜評

接方與送藥

秦伯未

最近藥業之發展。有一日千里之勢。以本市而論。黃九芝堂徐重道王元道等。俱以大規模之設備。極雄厚之資本。相繼設立。而余認爲開藥界之新紀錄。確實賜社會以新幸福者。厥惟接方與送藥之新辦法。

接方與送藥之始創者爲徐重道。繼之者爲王元道。其接送之法。祗須病家以電話報知該號。該號卽遣人前來接方。接方之後。隨卽配藥煎熬。盛入熱水壺中。送往病家。病家不須一舉手一投足之勞。而得以安然調養。且較之自往配藥。時間更爲迅速。自行煎熬。金錢亦可低廉。竊謂本市戶口衆多。羈旅商賈。尤占大半。一旦臥病。服侍無人。卽有友朋。亦多不便今此法施行。而一切病中困難問題。完全解決實能應付社會之需要者也。

天下之事。凡不負於心而有利於人者。莫不趨之。雖有少數破壞。決不成爲事實。送方接藥。有利於人者也。有破壞之者。不過因其藥物煎熬。未經親見。防其不道地不周到而已。然而製矢者惟恐其不銳。製盾者惟恐其不堅。經商藥業者。又安肯敷衍了事以自墮其名譽。故余敢斷其在事實上所必無。特事屬初創。殊不可不十分謹愼將事耳。

平湖兩案

蔣文芳

平湖醫學會近來受理鑑定藥方案二起。一爲婦人某經停四十日。甲醫遂斷爲胎孕。既而血來如經行時。乙醫遂處活血方。又血行不止。丙醫遂認爲小產。於是病家控乙醫以藥誤傷胎罪。一爲女子某亦以經停延醫治。去後其家屬忽來責問謂渠女尙未字。何以斷其有孕。並施侮辱醫生之舉動。及視其方則僅述經停。未書懷姙也。

按此二事之發生。平湖醫會曾一再討論。但以余視之。前者之控。須知經停而能依據學理確斷其胎孕。當在三月之後。假定果係胎孕。在四十日而竟漏紅。此胎孕之不甚可靠。殊無疑義。處理活血之方。亦不能遽謂失當。乃病家不察。强控以罪。未免過分。後者紛擾。既不斷其胎孕。强以誤認胎孕相責。尤屬不經。更無討論之價值。惟推此二案之發生。難免因旁人之誤會。料其結果。醫生當然無罪。控告者當然亦無罪。然醫生之名譽。已無形受損。深願平湖醫會。予以精細之攷慮。審慎之處置。否則天下之醫將眞有寗治十男子。莫治一婦人之歎。其影響所及。寗僅平湖一縣不安耶。

醫生偏執之糾正

傅雍言

我國輻輳之廣大。爲天下冠。而國醫藥與食物同源。亦爲天下所公認。故四方風氣。有不同之處者。如所食之糧。有稻粱麥粟牲魚之分。悅口之味。有甜酸苦辣鹹淡之別。古人云。口之於味。有同嗜焉。謂其能辯精粗美惡之常。而時人喜用之魚肝油。氣味穢惡。雖善食魚腥者。每不能受。則遠不如黃魚肚綫魚膠。况有阿膠霞天膠之更勝一籌也。所以國醫之於用藥。當別其居處。明其執業。量其勝任。投其所好。例以本埠住居人民。各省俱全。知醫理者。亦都齊有。如本地人每以豆豉豆卷。桑葉牛蒡之類。爲表散。麻桂柴葛。雖用不過幾分。而長江上流者。非幾錢不汗。又以厚朴枳殼。蔞仁麻仁等爲通導。硝黃不敢用。竟有不必用。而黃河流域者。非重用不下。每見以山梔連翹。知母花粉等。爲清涼。稍用幾分黃連爲重。而在溫帶地方。非大劑石膏鮮地黃連黃芩不爲功。以木香香附砂仁豆寇爲溫暖。用幾分炮姜爲重。而在善食大椒之人。非附子肉桂吳萸乾姜。重用不見效。若不適其胃。不得運行。而萬不能奏其他之藥力也。自古云藥中甘草爲和事老。而在卑溼地如本埠醫。每有不敢用。則可知於地土風俗。人情習慣上。實有大不同者。所以歷代不同之學派發現實有不同之事實存乎中。外界不知。每欲期其一律。確乎難事。有淺見者。獵一家之學識。以爲可以横行全國。更多見其不知量也。

言論

醫藥與哲科

羅瓚

茫茫大地。芸芸衆生。其所以博衍繁殖者。醫藥之遞興也。其所以突飛猛進者。哲科之闡明也。蓋非醫藥遞興。無以促衞生之完善。非哲科闡明。無以鑄文明之進化。是故醫藥與哲科。實爲人生關鍵焉。

今之迎趨潮流者。每喜譚哲科之名。而莫明哲科之實。殆亦管窺而已。夫哲字从折从口。言能以精確之思想折衷於心。而發爲博宏之理論宣傳諸口者也。科字从禾从斗。言有物質之觀念。事實之證明。譬諸以斗量禾。定其多寡者焉。故哲之定義。明也。智也科之定義。品也。程也。書曰。濬哲文明。言有明也。傳曰。明哲保身。言其智也。至於以制策取士曰科舉。標學校功課曰科目。無非品與程之義而已。然則哲學與科學之定義維何。曰夫哲學者。謂以靈敏之腦筋。發新穎之思想。而推演宇宙間萬事萬物之原理原則者之學術也。科學者。謂以一定之對象。爲研究之範圍。而於其間求統一確實之智識證據者之學術也。蓋哲學理想也。科學實驗也。哲學神明也。科學規矩也。理想者事實之母。神明者規矩之化。故哲科互濟。則哲學爲發明家。科學爲實行家也。哲科互離。則哲學爲縹渺式。科學爲機械式也。然則哲學與科學。固不可以偏廢也。奚能輕軒於其間哉。

且夫世人徒知哲科之名詞。發明於西哲。抑知哲科之眞諦。基肇於宣聖也乎。大學曰。致知在格物。是其義也。夫格物者。謂以物質爲對象。而考格其原理者也。非卽科學之謂乎。致知者。謂以心靈爲主體。而推致其良知者也。非卽哲學之謂乎。是故從學說而言。則哲學唯心學說也。科學唯物學說也。以文明而論。則哲學精神文明也。科學物質文明也。第吾國學者。注重哲學。故曰。道成而上。藝成而下。泰西學者。崇尙科學。故曰。事實確鑿。理想虛誕。然斯二者。大過不及。率非定論也。今夫研究政治之刷新者。曰政治哲學。促進民生之改造者。曰民生哲學。考求自然之現象者。曰自然科學。實驗理化之功效者曰。理化科學。試問國家能擯棄政治民生。而專從事於自然理化者乎。則醫藥之不能廢除哲學。而專致力於科學也昭昭矣。

今之愛護國醫者。曰。中醫科學化也。嫉視國醫者。曰舊醫哲學化也。嗟乎。國醫果爲科學化乎。抑爲哲學化乎。此則吾人所當研究而加考慮者也。嘗觀西醫之診斷。檢其糞溺。聽其聲息。愛克司也。寒暑表光也。誠哉科學化矣。又聞催眠術之療病。純用精神。以施診治。良乎哲學化焉。至於國醫之治疾則不然。臨症處方。因病施治。不膠於物質。不泥於氣化。非純哲學化也。而有科學寓焉。非純科學化也。而有哲學存焉。是故陰陽勝復。標本盛衰。五運生剋。六氣浸淫。明司天在泉之機。察意志情態之變。作精神之調劑。施心理之治療者。則純乎其哲學者也。至於臟腑經絡。氣血營衛。表裏虛實。寒熱溫涼。備望聞問切之診察。審聲色臭味之狀況。制方分君臣佐使。用藥辨形質氣味。創汗和吐下之法。施清消溫補之妙。則純乎其科學者矣。是以西醫束手之疾。而國醫立起沉痾。催眠術不治之症。而國醫頃刻奏效者。以西醫偏於物質。催眠術偏於精神。而國醫能融洽物質精神。貫通哲學科學者也。民國十九年夏。第三軍參謀處長彭武歆夫人胡爾欣氏。偶患喉痛。經吾師。涂堯先生。一藥而愈。嗣避暑廬山。感冒復發。倩牯嶺西醫鄧青山診視。斷爲白喉。遽施注射。一針甫下。命喪黃泉矣。江蘇板浦鹽務緝私處。英文祕書李仲元之夫人。客居九江。產後血虛。瞳人散大。求治於婦幼醫院。該院認爲無治。且謂從此失明。後邀吾師診視。斷爲肝腎兩虧。採用磁硃圓加減。調治數劑。霍然病已。此皆予所親見。事實確鑿者也。至於催眠術不治之病。而經國醫治療者。無煩予之縷述焉。嗟乎。人之有疾。猶國之有盜也。醫之用藥。猶將之用兵也。盜之迫於饑寒者。可撫而已。此催眠術哲學療法所以見效也。盜之野心勃發者。非剿莫除。此西醫科學療法所以奏功也。其或盜衆複雜。份子不齊。有迫於饑寒者。有野心勃發者。則非撫之所可已。剿之所能除。必也。恩威並用。撫剿兼施。而後始能掃蕩羣魔。肅清塵氛焉。則非國醫之哲科並採。攻補兼用者。其曷能克此乎。故予謂國醫之治疾。較諸其他療法者。實勝萬萬也。

雖然。世界進化。瞬息千里。醫藥更新。頃刻萬變。國醫雖有優良成績。其可如斯而已乎。彼催眠術之專於精神治療。非吾儕研究之範圍者。姑弗論矣。至若西醫之學理。固有精粹可採者。如顯微鑑別之細菌。藥物實驗之化學。皆可供吾人之參考。補國醫之不逮者也。原夫病之初起。不外六淫七情。及其醞釀漸久。腐穢潛蓄。而細菌生焉。藥之主治。統納形質氣味。然欲析其成分。明其特效。則非化學莫爲功也。舉斯二者。其餘可類推矣。惟是西醫以藥爲主體。常以藥而合病。法多呆滯。國醫以病爲目標。每因病而施藥。方盡圓變。則當發揮先哲之奧祕。而不可盲從西醫之窒礙焉。何也。如咳嗽一證也。國醫有五臟六腑之治療。西醫則統治以杏仁精而已。氣喘一證也。國醫分內傷外感之異治。西醫則統治以愛佛特靈而已。似此孰精孰麤。孰明孰晦。不待智者而知矣。然則欲求國醫之進步。烏可不貫通古今。融洽新舊。揮探驪鈎玄之手腕，展擷精萃華之方略乎哉。

抑予尤有不能已於言者。實行國醫革命。固當中西匯參。哲科並採。始能發揚光大也。而不可以無擇焉。如病理也。診斷也。則當以國醫爲經。西醫爲緯。細菌也。解剖也。則當以科學爲主。哲學爲輔。他如治療。當以傷寒金匱爲依歸。藥物。當用化學提煉爲炮製。若生理。若衞生。當中西而互參。若物理。若處方。當哲科而並採。而且科學所不能分析者。則哲學以演繹之。哲學所不能考證者。則科學以實驗之。國醫典籍所缺者。不妨求之於西醫，古人學說不完者，不妨採之於今人。不滯於有質。不忽於無形。如是。則國醫前途。庶有改造進化。登巔造項之望乎。是

則予所日夕馨香禱祝。而冀醫界諸公。積極進行。迅速實現者也。（轉載醫界春秋月刊）

改進中藥

張汝偉

居今之世。非有改進。不足以圖存。夫人而知之矣。然偏于急躁。或盲目以從人。或削足而就屨。自翊爲獨得。爲改進。充其極。舊之未明。新亦未得。善哉，孔子曰。溫故而知新。可以爲師矣。誠以舊卽新之過去。完全廢舊而談新。則正合皮之不存。毛將焉附之理。偉業司命之職。二十年于茲矣。戰戰兢兢。以愈病爲天職。胸中素無中西新舊之城廓。惟對于用藥。每感西藥竣急。效速而滋變頗多。中藥迂緩。效遲而流弊絕少。二十年中。偉對于喉科吹藥。略有心得。合成應用。頗著功績。且收效極速。絕無流弊。因鑒于喉症之來也速。窮鄉僻壤。不及醫治。非備有良好之吹藥。何能救急于囘生。而市上之吹藥。非失之于過涼。卽失之于過散。爰合就吹藥保喉散一種。標明張製。統治七十二種喉症。功能去腐退腫。止痛解毒。滌痰順氣。幷無毒質。嚥下無妨。初則試用于病家。得十全之譽，繼則轉輾介紹。購去應用。無不藥到病除。特是偉非注重藥業。是以從未登報宣傳。知者尚少。因之而良藥未能普徧。以救同胞。頗爲憾事。竊思國醫公會。爲當今醫界維一之職業團體。而現代國醫之刊行。尤爲當今國醫維一之結晶。偉願以此二十年中之結晶品。貢獻于全國醫界試用。倘得證明有十全之益者。方再推銷。以爲改進之提倡。如騐製之半夏。趙製之瘋草。全活民衆于萬萬。偉之願也。今急欲附告者。偉製吹藥。質料完全國貨。製法略參西化。裝飾不事美觀。含量亦並不多。然用以吹輕微之喉症。一合可愈四人。卽極重之症。一合亦足。且保存于不泄氣不潮濕之地。永久的不疰不腐不走性也。偉思全國國醫。不下數十萬。倘能每一醫士。發明一藥。互相試用。去腐存精。則十年之後。行見國醫藥之澎湃力。必將遍全球而佔優越地位矣。諸同志以爲然否。

專著

五法總論（續）

丁仲英

脈法

左寸（心小腸）關（肝胆）尺（腎膀胱）右寸（肺大腸）關（脾胃）尺（命門三焦）

浮爲在表。浮而有力。則爲傷寒。浮而無力。則爲傷風。沉爲在裏。沉而有力。則爲傳經裏證。沉而無力。則爲直中裏證。遲爲寒。主病在臟。數爲熱。主病在腑。人迎大者爲外感。氣口大者爲內傷。脈大爲病進。爲邪氣盛。脈緩爲病退。爲正氣復。寸脈遲弱者不可汗。尺脈細弱者不可下。脈浮數。表證悉具。不能飲食者。傷寒也。能飲食者。腫毒也。寸口。關上。尺中。脈偏勝者病也。邪氣進也。脈同等者和也。邪氣退也。

發狂譫語。脈沉細者死。厥逆踡臥。脈浮洪者生。汗後脈如前狀。表證仍在者重汗之。下後脈如前實。裏證仍在者重下之。發熱脈浮洪者生。沉細者死。發汗後脈平靜者生。躁亂者死。脈浮數當發熱而灑淅惡寒。若有痛處。飲食如常者。蓄積有膿也。（註）浮數之脈。主邪在經。當發熱而灑淅惡寒。一身盡痛。不欲飲食者。傷寒也。雖是惡寒發熱。而痛偏着一處。蓋寒則不能飲食。今飲食如常者。即非傷寒。是邪氣鬱結於經絡之間。血氣壅遏而不通。欲蓄積成癰疽也。（雜病惡寒發熱。類傷寒而實非傷寒者頗多。此特舉一以談。其餘。學者須推廣之。）凡脈大、浮、數、重、動、滑、此名陽也。脈沉、濇、弱、弦、微、此名陰也。凡陰病見陽脈者生。陽病見陰脈者死。

脉有陽結陰結。其脉浮而數。能食不大便者。此爲實。名曰陽結也。期十七日當劇。其脉沉而遲。不能食身體重。大便反鞕。名曰陰結也。期十四日當劇。陰陽相離以爲和。不相離則爲結。陰病見陰脉則當下利。今大便鞕者。爲陰氣固結耳。寸口脉微。名曰陽不足。陰氣上入陽中。則灑淅悪寒也。尺脉弱。名曰陰不足。陽氣下陷入陰中。則發熱也。其脉沉而身冷發熱者。榮氣微也。其脉浮而汗出如珠者。衛氣衰也。脉藹藹如車蓋者。名曰陽結也。脉纍纍如循長竹竿者。名曰陰結也。脉瞥瞥如羹上肥者。陽氣微也。脉縈縈如蜘蛛絲者。陽氣衰也。脉來緩。時一止復來者。名曰結。脉來數。時一止復來者。名曰促。陽盛則促。陰盛則結。此皆病脈。脉弦而大。弦則爲減。大則爲芤。弦大相搏。此名爲革。婦人則半產漏下。男子則亡血失精。脉浮而大。心下反鞕。有熱屬臟者攻之。不令發汗。屬腑者不令溲數。溲數則大便鞕。汗多則熱愈甚。汗少則便難。脉遲尚未可攻。寸口脉浮大。而醫反下之。此爲大逆。浮則無血。大則爲寒。寒氣相搏。則爲腸鳴。乃不知而反飲冷水。令汗大出。水得寒氣。冷必相搏。其人卽䭇。脉浮而遲。面熱赤而戰惕者。六七日當汗出而解。反發熱者差遲。遲爲無陽。不能作汗。其身必癢也。脉有殘賊。弦、緊、浮、滑、沈、濇此六者。名曰殘賊。能爲諸脉作病也。緊脉從何而來。假令亡汗若吐。以肺裏寒。故令脉緊也。欬者坐飲冷水。故令脉緊也。下利以胃中虛冷。故令脉緊也。浮而大者。浮爲風虛。大爲氣強。風氣相搏。必成癮疹。身體爲癢。癢者名泄三風。久久則爲痂癩。趺陽脉不出。脾不上下。身冷膚鞕。寸口脉微。尺脉緊。其人虛損多汗。知陰常在。絕不見陽也。寸口諸微亡陽。諸濡亡血。諸弱發熱。諸緊爲寒。諸乘寒者則爲厥。鬱冒不仁。以胃無穀氣。脾濇不通。口急不能言。戰而慄也。脉浮緊者。身痛頭痛。宜以汗解之。假令尺中遲者。不可發汗。何以知之。榮氣不足。血少故也。

脉浮者病在表。可發汗。宜麻黃湯。註浮爲輕手得之。以候皮膚之氣。內經曰。其在皮者。汗而發之。一脉浮而數者。可發汗。宜麻黃湯。註浮則傷衛。數則傷榮。榮衛受邪爲病在表。故當汗散。

太陽病下之。其脉促不結胸者。此爲顯解也。浮者必結胸也。脉緊者。必咽痛。脉弦者。必兩脇拘急。脉細數者。頭痛未止。脉沉緊者。必欲嘔。脉沉滑者。協熱下利。脉浮滑者。必下血。脉浮而緊、若復下之。緊反入裏。則作痞。按之自濡。但氣痞耳。

傷寒脉結代。心動悸者。炙甘草湯主之。

傷寒四五日。脉沉而喘滿。沉爲在裏。而反發其汗。津液越出。大便爲難。表虛裏實。久則譫語。若脉數不解。而下不止。必協熱而便膿血也。註下後脉數不解。而不大便者。是熱不得泄。蓄血於下。爲瘀血也。若下後脉數不解。而下利不止。爲熱得下泄。迫血下行，必便膿血。

少陰病。下利脉微者。與白通湯。利不止。厥逆無脉。乾嘔煩者。白通加猪胆汁湯主之。服湯後脉暴出者死。微續者生。

下利脉數有微熱。汗出當自愈。設復緊。爲未解。註下利陰病也。脉數陽脉也。陰病見陽脉生。微熱汗出。陽氣得通也。利必自愈。諸緊爲寒。設脉緊。陰氣猶勝。故云未解。

下利脉沉弦者。下重也。脉大者。爲未止。脉微弱數者。爲欲自止。雖發熱不死。沉爲在裏。弦爲拘急。裏氣不足。是主下重。大則病進。故利未止。脉微弱數者。邪氣微而陽氣伏。爲欲自止。雖發熱。皆爲陽勝。非大逆也。

下利脉數而浮（一作渴）者。令自愈。設不差。必圊膿血。以有熱故也。下利後。脉絕。手足厥冷。晬時脉還。手足溫者生。脉不還者死。吐利發汗後。脉平心煩者。以新虛不勝穀氣故也。夫病脉浮大。問病者言。但便鞕耳。設利者爲大逆。鞕爲實。汗出而解。何以故。脉浮當以汗解。

下利脉大者。虛也。以其强下之故也。設脉當革。因爾腸鳴者。當歸四逆湯主之。下利三部脉皆平。按之心下鞕者。急下之。宜大承氣湯。

下利脉遲而滑者。內實也。利未欲止。當下之。

診病奇侅

松井操譯

醫之手心熱者。診無熱人。猶有熱。(△操按診無熱人猶有熱句恐診有微熱者猶無熱誤)須自知之。以手背察其熱。(東郭)使病人仰臥。兩脚齊伸。兩手直垂。醫就其左邊。(是常法也病者難移動者從其便)臍下集氣。兩膝微開。右膝臏當。其肩髃。以右手覆按其心上。稍息須臾。而徐徐移轉。候虛里及心胸之動悸。名之謂覆手壓按法。次以食中無名三指頭。從缺盆至肋骨。逐次探按。名之謂三指探按法。(是乃候胸中虛實緩急之法也指頭毫有凝則留指按之問其痛否凡凝結在上部者宜探按兩乳上缺盆及兩肘肩之際必痛其痛甚者皆血脈凝結也)遂沿蔽骨下鳩尾。一淺一深。以診心下之虛實。沿季肋至章門。却又從上腕至劑下。及小腹左右中數回探按。(從任脈始二行三行及兩脅下章門下行幾回按察)傍及髀骨之際。氣衝之脈。復以覆手法。從心下壓按至臍下。(是時醫之身臨前而集力于右手)其間指頭有障礙者。須審其形狀。凡有正按而不痛。斜按而痛者。(芎歸膠芥湯之腹證是也)有淺按而應手者。(心下臍下之悸等是也)有深按而徹散者。(腹底之動或堅塊等是也)其緩急大小。滑濇堅脆寒溫。須細細按摸。不可倉卒。(和久田○此說雖必從唯有一二可取者故姑存)

平人腹形

診腹之法。先要知平人之腹象。要知平人之腹象。須從鳩尾至臍。以指撫之。中央直道小凹。而小腹膨脹者是也。按撫之間。零有妙旨。非練熟則不得。後世作圖立論者。皆誤也。(玄悅)平人之腹象者。下張如布袋。和尚之腹。不弱不虛。內外充實。陽氣深溫潤而不粗。內氣外張。應手隱然有力。呼吸不偏勝。上下有順序。此之謂平人之腹象。(白竹)全腹無一凝障。靜實而堅固。章門天樞膨脹。鳩尾虛。而丹田氣海實。如按囊枕者。是爲平人之腹象。能知此則疾病之候。思過半矣。(南溟)平人之腹如蟬肚。三腕平(謂無凸凹也)而無動者。是爲胃和。(節飲食者)又腹皮堅實廓大。或柔輭而有力。(藏府而肥充實者也上低下豐。而劑四入。任脈低而兩傍高。謂腎之兩枚壯盛也即指小腹無塊及動者爲無病。台州原文能診得平人之腹。則病候自可知矣。腹形下脹如蟬肚者。爲平腹。胃氣通利而腎氣實也。夫腹之強弱。由脂膜多少。脂膜者。能養藏腑。故脂膜少者。其腹弱。脂膜多者。其腹強。如仁王之腹者。爲壯實。按之彭然滑者佳也。否則不佳。肋膚之蒻毛有潤澤者血氣實也。三脘平者中蕉無病也。按之放手則直起脹者實也。其起脹遲者虛也。捻皮。皮肉附着者。血氣盛也。皮肉相離。如按鼠皮者衰也。老年之人。往往如此同上

凡腹皮上部厚下部薄爲同上

凡診腹之法。人有體之肥瘠。氣之虛實。皮膚之潤燥。肚腹之大小。男女老少之異。不可不知。其診之法。明陰陽爲難。陰陽何也。蓋人之腹狀有二。大低皮膚周密不粗。宗筋端正。細理條長。胃經兩行隱起作堤。左右均分。下及劑傍。任脈微窪至臍。按之有力。推之不拘攣。小腹充實。肥膩如凝脂。溫潤如撫玉，肢肉敦敦。血色潔淨。不肥不瘦。清陽布揚。濁陰歸府者。爲陽腹。其如是者。形與氣相任，體與象相應。無疾而壽。卽是丈夫之腹也。公豐按。嬰兒乳皮廣而腹象橫廣任中窪而腹小理者亦其候也陰腹撫之緩緩。按之如囊。形狀橫廣。坦坦平衍。兩行不起。筋理不端正。臍邊輭弱。便便無力。摩之皮薄著手者是也。但在女子則爲常。固無妨。公豐按。大抵丈夫陰腹。飲酒過多。得病則爲難治。故或類中之證。屬陰腹者多。經所謂心腎之病腹滿脹大是也。經曰。太陰之人。少陰之人。太陽之人。少陽之人。陰陽和平之人。皆有血氣多少之別。腹象亦然。公豐按。經曰。五藏有大小高下。堅脆端正偏傾。又曰。六腑有小大長短厚薄。結直緩急。各不同。蓋腹者藏腑之外郭。其稟受不同者。藏腑亦不同。腹象亦因有異也。〇陽山△原文

經曰。清陽實四肢。濁陰歸六府。故手足屬氣陽也。藏府屬血陰也。是以腹候之要。四肢充實。肚腹小理者良。卽上所謂陽腹之候。無病之人也。公豐按。此平人壯年之腹候也。中年之人。平和溫潤。皺文稀少。臍下實者。亦佳候也。〇同上△原文

經曰。形與氣相任則壽。相任卽相合也不相任則夭。蓋肥膩之人。氣血充實。皮膚固密。氣象必快活優長。其腹寬大也。是乃形體與氣血相應者。無病之人也。公豐按。此條言雖類陰腹之象。形氣齊則能壽。又陽腹之屬也。又按。有假實之人。體肥而腹象

似實者。其氣弱也。此非稟受之實。而飲酒膏粱之所致。陰血凝結。生濕痰。能塞陽氣之運行。使人虛肥也。若此人或發癰疽。或爲下血。瘻瘤脚弱頑痺中風諸症。或稟受不剛。骨髓細小。肌肉輭緩。皮膚薄澤。或腹象屬陰。腹寬大者。是乃陽虛之人也。雖顏色淸爽。氣無鬱滯。一失調護。則病至不救焉。或面浮色青。大府每瀉。小府帶臭。腹屬陰。部位不正者。經謂之離絕。菀結憂恐喜怒。五藏空虛。血氣離守所致。必爲虛候。○同上△原文

瘦人氣急，黑瘦人氣實。氣勝形也。屬陽腹者居多。公豊按。黑瘦人亦有氣弱者。蓋氣血俱不足。津液澁滯。榮衛不暢。皮膚無滑澤。腠理疎而不耐風寒。或腹有動。或食物難消化。或下脘穀，或便常祕。溺赤澁者。腹象多屬陰。最爲凶候。○同上△原文

夫腹者陰之部位。而以陽氣爲良。故貴陽腹。陽者。丈夫之腹象。陰者。女子之腹象。卽是所見氣象之各別。蓋法天之常也。同上△原文

少壯之人。上虛下實爲常。老人下虛上實爲常。然其稟賦素强壯。雖老。腹小理而皺文少。平和溫潤。上下有神氣應于手者。是盡天壽而無邪僻之病。又其上也。同上△原文

臍下軟弱。下焦之虛 臍上堅强。積聚氣滯少人反常者也 少人爲變。老人爲常。臍上軟弱。臍下堅强。老人有壽。少人無妨。同上△原文

凡腹按之有力。而左强于右者爲常。左者。肝部屬木。木氣者發生充實。右者。肺部屬金。金氣淸虛也。△操按。左肋骨下。當胃之上口。故强於右爲常。肝木肺金之說。恐屬附會。反之者爲變。中虛

（陰腹陽腹）診腹之要。須先知無病之腹。腹有陰陽二象。不問老幼肥瘠强弱。病與不病。及腹之大小虛實猶藏有陽藏陰藏。凡陽腹者。多於實。多於陽人。多於壯歲之人。其象肌肉解利而細長。皮膚緻密而不弛縱。任脈實而分明爲渠。臍之四方。窩而如新開梅花。臍下充實。宗筋正。是陽勝於陰之象也。其陽腹而壯年者。則經肉山立如馬脊。推之無形。其剛强者。則如列小石。如力瘤△操按。伸手用力。掌向前屈曲則後腕肉起。俗曰力瘤。其乳子者。則腹形横廣。亦山立。凡陰腹者。多於大。多於虛。多於陰人。多於稟弱之人。其象緩漫而横廣。皮膚不緻密弛縱。有文爲一字形。任脈不分明。臍之四方不窩。是陰陽平定之象也。△操按。陰陽平定之象也。恐陰勝於陽之象也誤。中年以後猶可。老耄而陽藏者。壽而壯健之相也。對時○南溟引古傳同

（氣象之別）腹者。臟腑之外郭。而人之臟腑。稟受不同。則氣質不同。腹象亦隨異。其大概氣質和緩者。腹亦和緩。剛强者腹亦堅實。氣豁者腹亦豁。氣滯者腹亦滯。氣大者腹亦大。氣小者腹亦小。氣弱者腹亦弱。其他可以類推焉。若相反者爲病腹。此察陽腹陰腹之變也。同上

（壯老）稟弱者。自幼至二十歲左右腹疾多。△操按。一本。腹痰上有胸張字 而任脈不分。部位亦不正，或勞咳。或精虛。是臟腑未堅固也。〇中年後。腹象異於壯歲。大小虛實。無可名狀。平和溫潤而無皺文。小腹實者佳也。中年以後。醫者須察其津液之潤燥。隨漸老兩脅緩柔。兩脅膈下曲骨上。皆空虛處。壯時實而今不然。身重。腹皮縱軟張出。或垂瘦。是皆陽氣衰陰氣勝之象也。六十以上。陰陽俱衰。腹萎弱。食減少。上中二焦△操按。上中二焦即上中二脘也。按之如無力。而下焦猶實者。亦佳也。若二焦實者。病腹也。同上

（肥瘦）肥膩之人氣血充實。則腹象亦實而寬大。若肥滿而形氣不齊者。有病也。肥體有氣實而腹弱者。△操按。氣實而腹弱者。腹象彭脹而無力之謂。腹以下必枯瘦爲佳。凡肥滿之人。難以腹象察虛實。察形氣之盛衰。皮膚之潤燥。經肉之實否。此其要也。肥體有腹實而氣弱者。△操按。腹實而氣弱者。腹象堅而不彭脹之謂。是非其稟受之氣血充實。陰血凝結。或濕痰內蓄。陽氣運行不健之所使然也。俗呼曰武也計肥。△操按。武也計肥。即脆肥也。瘦人者。丹溪所謂黑瘦也。氣實者。腹堅實。雖無餘饒。亦無惡狀。則陽腹也 〇黑瘦氣弱者。陰腹而皮漫有動氣也。同上。

肥人之腹形。有彭然高於胸肋。至下腹益大且軟者。又有心下空軟。下腹大者爲佳。瘦人之腹。至小腹一般。低於胸肋。按之軟者。亦佳。以上三腹皆腹皮厚。與肉不相離。有潤澤而動氣也。

南陽

部位

凡腹鳩尾下至小腹。皆屬脾胃。臍下屬腎。宜細分別。烏集。

腹診部位

脾部　腹筋　腎通　左腎　大腸
上脘　中脘　水分　△元氣　下焦
脾部　腹筋　腎通　右腎
小腸

二　五　八　十一
三　六　△九
一　四　七　十

氣部脾部者。在第二行。大小腸者。天樞之外。大橫之處也。東郭。

諸塊部位

吉益流
。食塊　。血塊　。血塊
。風塊　△　。水塊
。氣塊　。燥屎　。妊娠
吉益流

。宿食　。　。燥屎
臍上二寸
。心下動氣　。　△　。
胃虛動
。留飲　。血塊

同上。今按水塊妊娠。宜易本部位。

第一第二位。卽兩脇也。患疫者。本位與兩乳間。熱殊甚。按之手掌如燒。診本位與虛里。皆用指掌。他則用食中二指。虛里動高者。由虛陽上冲。或穀氣上冲。○第三位卽心下也。積氣衝者以大指强按之則愈。○第四位。按之水鳴者。留飲也。水留滯於此之故。○第五位。食滯者察於此。甚者及第三位本位。與第三四位。按之堅如石者。食養不節也。此證多於大商家之小僮。又小兒之時疫。或咳嗽失治。而有此候者宜平胃散。○第六位。按之痛者。中焦虛也。○第七位。自本位至第九位者血塊也。○第八位。有燥屎。按之輕猶痛。本位與第七位。陽明胃部也。本位攣急者宜建中湯。○第九位。臍下也。如溝者虛腎也。如綿者爲難治。或有治者。○第十位。疝

塊者。第第十一位筋急如挾棍。二位之證皆不爲大害。〇第十二十三位卽章門也。按之如綿者氣虛也。虛勞瘵疾而如綿者不治。台州

以上三說。互有異同。姑併存之。

不問左右脾先之膜聚。而其氣結者。食鬱也。肺先之膜聚。而其氣結者。食鬱也。肺先之膜聚。而其氣結者痰也。心先之膜聚。而其氣結者。食痰也。荻原〇別本東郭亦有此圖說。久野都位圖亦同。俱無所據。然以下諸條。有心先脾先等之語。姑舉其概略云。

通腹形證

按腹有六診之要務。何則。大概按診腹部。可以辨人之强弱也。凡按之腹皮厚。腹部廓大。柔而有力。上低下豐。臍凹入。任脈低。兩傍高。無塊物。無動氣。此爲無病之人。病者身甚强。亦有此數項。爲易治。凡按之腹皮薄。腹部隘狹無力。或堅硬。上高脹。下低鬆。臍淸露。任脉高。兩傍低。多塊物。有動氣。筋攣急。虛里動高。此爲弱。若病人之腹。在病中凡有此數項。爲難治。此其大略也。其餘有微深意旨。但可以口傳。不可以書示。非敢秘也。秀庵△原文

凡腹裏之癥及疝。上下左右及中。大小長短。圓扁硬軟。手一按可知。邪熱肌熱可辨別。臚脹可搜知。潤澤枯索。滿堆低減。肥瘦張弛。皆可候察虛里。可候動氣。上下左右及中。應掌品覺。姙胎血塊。可試胸骨之瘦。可循而知。此按腹之所以不可不重。而有大益于治事也。同上△原文

凡腹甚堅硬者難治。甚軟鬆者亦難治。同上△原文

(虛實)凡實者謂無病腹象。而穩然有力。東垣先生曰。脉貴有神。有神者有力也。是形容胃氣之脉者也。今診腹要辨察無力有力。無神有神。然初學不易辨焉。故古説腹有力。譬之於水上浮板輕按有漲出之力。而重按則不牢固蟠根。四邊不撓。△操按。蟠根四邊不撓。蓋左右不移之謂乎。卽和氣自然之力。是壯歲之實也。〇凡和者。謂虛實難名狀也。譬之猶新製棉衣。之如無力。而穩然有漲出之力。是稟弱及老人婦女之象也。〇凡虛者謂無腹力也。譬之猶水上浮紙。按之不應。重按則似可摸脊骨是也。〇有如虛如實者。按撫之間。表軟而裏堅。或表實而裏虛是也。有假虛假實者。邪聚於胸膈則上焦爲假實。邪湊其氣必虛之類。中氣併於上中虛爲假虛。故久病經雜治者。與乍得病者。不可倉卒斷定其虛實。〇陰實陽虛之腹。輕手診表則無力。而重手診裏則有力。陽實陰虛之腹。輕手診表則有力。而重手診裏則無力。對時

腹皮溫厚和柔而有力。腹裏無塊無動。上低下豐。是爲無病平氣焉。若夫反之腹皮薄虛軟。或堅硬有塊有動。上高脹。下低狹。任脈高起。皮肉如離。臍淺露。臍下無力。是爲病腹。有病則難愈矣。黄山△原文

陽實陰虛之人。按其腹。外牢堅脹急。而內軟弱無神者。其人必死。禍雖未及。是游魂行屍之類。形骸獨居。已爲將死之兆也。或其人素來快活優長者。倘有可治。若心氣鬱結。則又不免矣。或其表和。腹皮薄而有澤。按其中脘。牢且痛者。陰實陽虛之候也。亦爲凶兆。公按。此條所載之形狀。皆是屬嵗豐下大過病少愈。後其腹象有如證者也。或醫施汗吐客邪猶在之所致也。若腹象不復而更爲變。則此者。則係正氣未復〇急澄頓發。命期一同於前證也。〇陽山△原文

陰實陽虛之腹。按撫之間。表柔軟而裏有力。裏有力者。非硬之謂也。不宜補藥用之。易泥戀也。宜正氣散或平胃散。是之謂腹之可者。其尤者佳〇則陰陽俱有力。表裏調和也。陽實陰虛之腹。表有力而裏無力。以爲惡候。平人且有病。况於既病者乎。往往就死矣。若用鍼鍼灸之。應表分有力。而至裏部則無力。猶刺豆腐者。宜補脾之劑。若血燥者。如調血之品。久野。

皮肉相離者候。衞虛之氣也。衞氣不足則皮肉相離。猶老人之腹。皮肉離。則其氣不能養肌肉。肌肉不得養。故皮肉亦離也。衞氣有餘者。皮肉俱厚也。皮肉厚者。則相附着也。皮肉相附故衞氣亦實也。同上

凡人下腹彭脹而強。鳩尾之下。上脘之處。柔而動悸靜。臍上不脹滿者為佳。然氣聚於上。臍下弱，按之無力。臍上痞入左右肋下。或其痞如囊中容石。而腹象偏歪。動悸甚。或動悸靜。及腹象偏歪者曰變實。皆為惡候凡多病人之腹象。往往氣聚於臍上。若病眩暈頭痛或疝者。是皆腹候不善也。凡痞不問左右。輕手按之。隨浮沈者。不為大害。痞之為大害者見於肋下條。然右痞可慮於左痞。腹痞按之不甚痛者。胃氣存也。苟按之痛甚者胃氣弱也。胃氣弱者為可慮。然與食傷腹痛。手不可近者。自異焉。食毒瘀血等。溜滯而為痛者。非今所論之痛也。今所論之痛者。內傷久病之痞也。世人十之七八有痞者。皆曰疝。是一種之痞。大概臍左傍痞入左肋下。有動悸。入胸內。必及左乳或經委中下股。其人臍傍筋攣。或引陰囊或有塊如拳者。出沒浮沈。故人以為疝。皆誤也。良務

無病人之腹。彭脹而溫和若外脹而內弱者。為惡候腹位佳者。胸前空軟。漸至下彭脹者為上。女之腹則和而弱者為上。男得女腹為虛逆。女得男腹為逆。有凹凸而動氣強者。亦不可凡病人呼吸達臍下者可治。大概呼吸盡於胸內。平人須使呼吸達臍下中虛

腹肉脫落。皮薄着脊。鳩尾兩肋下。按之有如積聚者。皮膚薄而藏府直應手也。是元氣虛脫也。中虛

凡病人自中脘至臍下。按之無根底者難治。又腹筋攣急。如按簧而虛極亦難治。又腹脹滿。皮膚緊急。有光彩者。死候也。壽按。三伯同

腹肉脫落皮薄着背。按之猶和緩者可治。如板上掩葛衣堅牢者。脾胃大虛也。鳥巢

凝結之腹。一處脫。一處必實。猶有山而有谷。則其脫亦可。同實。上而操按。中風半身不遂者腹象一半而一半虛。是為惡候。與本候自異議。

人有病而腹象變者。變於陽易治。變於陰難治。對時

診腹右柔而左攣急者。醫宜問其右苦否。病者必曰苦。宜熟察。是腹底必有攣急者。着背故也。又外表特現佳候者。終不佳。最宜留心察。東郭

拘攣雖同以分別其部位爲要。須習熟焉。又其拘攣在皮表。在皮肉間。在肉中肉下。均須細診一一分別。同上

凡病人平素有疝積塊。而今其所在他移者。甚惡候也。若左方平常有宿癖而堅。今移右方。而左方柔軟者。須細察焉。同上

腹中如無物。腹皮着背者。脾胃之元陽虛也難治。傷寒時疫之裏證。而如此者。萬無一生同上

凡腹皮膩滑而有精彩者。爲血氣盛。其枯燥者。爲血虛。若血熱。其皮裏有水氣也。腹皮堅厚如胭肉。不可跳起者爲實。非薄而可跳起者，爲血氣衰。又腹中虛軟。如循爛瓜者。爲藏氣衰。台州

原文 腹筋見。（按。腹筋見。腹皮筋攣之謂。非如鼓脹之腹。見青筋之謂也。）一般堅如撫板者難治。此腹後必爲水腫。就死者多。腹皮厚。猶牛皮之厚。與肉附着者。佳腹也。縱得大病長病。可治也玄仙

平素多病者。或將得長病者。其腹皮薄。而與肉不相緊束也。遇初病之人。有此腹候者。不可輕忽。宜細察。或有陷大患者也同上

上腹大而堅。下腹瘦弱而無力。朝夕胸膈腹上有動。顏色蒼着者。是虛腹也。見證雖輕。其病甚重。不可輕忽療治。南陽同。玄仙

虛人汗法

慈谿馮紹蘧

語曰。致中和。則天地位焉。萬物育焉。故醫者救偏之學也。扶正抑强。不使過與不及。至於平而已。是以仲聖急下曰存陰。發汗曰解表。託邪曰和解。攻而不曰攻。斯非致於平者乎。經曰。善治者治皮膚。杜邪於先入之路。不致傳變爲害。故汗吐下三法。而首重汗法。職是故也。然汗法殊難言之矣。當散而不散者。謂之失汗。不當散而散者。謂之誤汗。當散而屢散不休者。謂之過汗。當散而散之太峻者。謂之亡陽。虛人夾感。亦非表不解。而表之更易有誤汗過汗亡陽之險。然則如何而可。陽虛者宜補中發散。陰虛者宜補陰發散。挾熱者宜清涼發散。挾寒者宜溫經發散。傷食者宜消導發散。感重而體實者。散之當重。宜麻桂之屬也。感輕體虛者。散之當輕。宜參蘇散之屬也。斷不可以麻桂九味羌活等方。奉爲圭臬。概施之於虛人也。此中庸化裁之道也。

虛人發汗須顧正氣

柯韻伯曰。邪之所湊。其氣必虛。故治風者。不患無以驅之。而患無以禦之。不畏風之不去。而畏風之復來。何則。發散太過。玄府不閉故也！故虛人用散。宜固裏以壯正氣。然後托表之也。如單行攻表。有虛虛之戒焉。

虛人發汗須注意陰虛陽虛

東垣內外傷辨。有饑飽勞役發熱等症。俱是內傷。悉類外感。切戒汗下。內傷多外感少者。祇須溫補。不必發散。外感多內傷少者。溫補中少加發散之品。以補中益氣爲主。此治陽虛用散之法也。趙養葵以六味地黃湯。治大熱面赤口渴煩躁并有外感者輒效。此治陰虛托散之法也。因陰陽一復。雖有小感。正勝而邪自散矣。虛人易犯陰虛陽虛。宜辨其眞諦。然后施治焉。

虛人發汗須明白邪正消長之理

正氣者。禦外之戰具也。正氣盛。雖病無害。正氣虛者。不能勝邪。邪乘虛深入。害莫大焉。語曰。傷寒偏打下虛人。經曰。陽病見陰脉者死。正以陰脉。即正氣虛也。是以虛人發汗。必先洞悉邪正消長之理。按人施方　庶不僨事。凡脉見微弱浮空。舉按無力者。雖有外感。切勿專行發散。否則汗雖出。不過強逼肌膚之汗。而必非營衛通達之所化。則中氣竭而危亡立待。故對於虛人發汗。遇半虛者。必用補爲主。而兼以發散。大虛者。即有外感。全不可治邪。宜顧其本，元氣漸復。必能戰汗而解。此法中之法也。景岳每用斯法。而常獲奇效。殊可法也。虛人發汗。既知禁忌。爰將各法。條陳於后。并希有以政之。

(一)和法

少陽主半標半裏。故邪在少陽。不從標本。從乎中也。是以既不宜汗，又不宜下。惟有和解一法耳。況寒熱往來。邪正角逐之象甚顯。斯方中所以用人參甘棗。補正托邪。則虛人有少陽之症者。服之不但不有中虛之變。且外邪從此托解。小柴一方。實托補兼散之方也。

小柴胡湯

柴胡　黃芩　人參　甘草炙　半夏　生薑　大棗

(二)稼穡作甘法

汗出於心。而生於穀。當屢汗而表不解。汗不出者。是徒知發汗。而不知生汗之源所致也。但表不解。其邪不去。欲解其表。不能得汗。際斯進退維谷之時。惟有小建中一方。增芪歸而重加飴糖。取稼穡作甘之義。生汗之源。心液得養。必沛然大汗。是不可不知也。

小建中湯

桂枝　白芍　炙草　生薑　大棗　飴糖

加黃芪當歸

(三)安內攘外法

中氣不足。營衛必不充肌膚。腠理必不密。若但知驅散外邪。而不知禦之之法。外邪終不能除。是以欲解其表。必先安內。則是法尚矣。

補中益氣湯

人參三分　白朮五分　黃芪錢半　當歸　炙草　陳皮　升麻　柴胡各五分　姜棗煎

參蘇散

人參　蘇葉　前胡　半夏　茯苓　陳皮　炙草　枳殼　桔梗　木香　生薑　大棗

玉屏風散

防風　高芪　白朮等分

(四)扶正敵邪法

經曰。氣主煦之。血之濡之。吾人用汗藥。亦必得氣煦血濡。營衛和諧。方有營衛所化之汗焉。傷寒桂枝證。有營衛不諧之句。可證也。故氣血偏虛者。不能作營衛所化之汗。若强發其汗。汗出而邪不解也。而氣血大虛者。又非偏補不可。為醫者。應知神化也。

再造散(治陽虛不能作汗)

人參　黃芪　桂枝　甘草　附子　細辛　羌活　防風　川芎　生姜　大棗

大溫中陰(陰虛不能作汗)

地黃　白朮　當歸　人參　甘草　柴胡　麻黃　肉桂　乾姜

補陰益氣煎(治陰氣不足。虛邪外侵。)

人參一錢 當歸一錢 熟地錢半 山藥一錢 甘草五分 陳皮五分 升麻柴胡各三分 姜棗煎

歸柴飲(營虛不能作汗。及眞陰不足。外感寒邪難解。)

當歸 柴胡 甘草 加姜三片(一加陳皮一加人參)

理陰煎(溫補陰分。托解表邪。使陰漸充。則邪從陰達。不攻而自散矣。)

熟地三五錢一二兩 當歸三七錢 甘草一二錢 乾姜一二三錢

六味地黃湯(陰虛甚而夾感。陰復而表自解矣。)

地黃 山藥 山萸肉 丹皮 茯苓 澤瀉

金水六君湯(陰虛血氣不足。外受風寒。咳嗽嘔噁。多痰等症。)

當歸二錢 熟地三錢 陳皮錢半 半夏二錢 茯苓二錢 甘草一錢 生姜三片 表邪甚者加柴胡葱頭

(五)解托之法

凡本體素虛。雖用傷寒及各家之汗法者。因體虛不能峻行解表。而必須兼托。方能解也。一方面顧其元氣。元氣一旺。雖輕輕解散。外邪必漸漸托出。不爭而自退矣。然遇虛甚者。尙歉過峻。宜用後之補托法焉。

柴陳解托湯(治外感之症。寒熱往來。寒重熱輕。有似虛勞寒熱者。)

柴胡 乾葛 半夏 厚朴 澤瀉各六分 甘草三分 秦艽 藿香各六分 陳皮五分 生姜 大棗 山查八分

如外邪盛者。加防風荆芥七分。營虛者。加當歸八分。氣陷加升麻五分。脾胃熱或瀉者。加白朮八分。腹中痛。加芍藥八分。甘草五分。有汗加桂枝五分。氣滯加香附六分

柴芩解托湯(治外感之症。寒熱往來。熱重寒輕。有似虛勞寒熱者。)

柴胡 黃芩 乾葛各一錢 陳皮八分 山查 澤瀉各一錢 甘草五分 赤苓八分

如內熱甚者。加連翹七分。外邪甚者。加防風一錢。痰甚者。加貝母橘紅六分。兼風熱者加

玉竹一錢。小便不利者。加車前子一錢。

和中解托湯（治外感之症。手足厥冷。惡寒淅瀝。肢節疼痛。有似陽微者。口渴欲飲。舌上微胎。有似陰弱者。此方主之。）

柴胡　乾葛　山查　澤瀉各一錢　陳皮八分　甘草三分　生姜　大棗

如頭痛者加川芎八分。如嘔惡者。加半夏五分。如兼寒滯不散者。加桂枝防風。如胸腹有微滯加厚朴八分。

清裏解托湯（治外感之邪。蒸蒸煩熱。躁悶喘渴。有似陽虛內熱者。）

桔梗　麥冬　乾葛　柴胡　瓜蔞仁　澤瀉　車前各一錢　黃芩一錢五分　生甘草三分

如陰不足而邪不解者。加生地一錢。如外邪甚者。加防風秦艽各一錢。熱甚者。加連翹六分。虛熱者。加玉竹貝母各七分。

葛根解托湯（治正氣內虛。客邪外逼。有似虛勞各症）

乾葛　柴胡　前胡各八分　防風六分　陳皮　半夏　澤瀉各一息　生甘草三分　生姜　大棗

如寒氣勝者。加當歸七分。肉桂五分。陰氣不足者。者加熟地一錢。若元氣大虛。正不勝邪。兼用補托之法。如頭痛者。加川芎白芷各七分。氣逆多嗽者。加杏仁一錢。痞滿氣滯者。加白芥子五七分。

升柴拔陷湯（治外感客邪。日輕夜重。有似陰虛者。）

升麻　柴胡　前胡　葛根　陳皮　半夏　枳殼　山查　澤瀉　車前子　生姜　大棗

(六)補托之法

凡大虛之人。攻散有虛虛之戒。專事和解。而邪不聽命。用上解托之法。亦歉其峻而太過矣。必以固城禦寇之法而治之。庶不致有投鼠忌器之險。是補托一法。濟解托之不逮也。

益營內托散（治陰虛不足。不能托邪外出者。此方主之。）

柴胡七分　乾葛一錢　熟地一錢　當歸八分　人參五分　甘草三分　秦艽八分　續斷八分　生姜　大棗

若陰勝之時。外感寒邪者。去秦艽續斷。加細辛附子五六分。若火盛陰虛。而邪有不能解者。加人參五分。若脾腎二虛而痰多者。加茯苓八分。白芥子五分。若泄瀉者。加山藥扁豆一錢。若腰腹痛。加杜仲枸杞一錢。

助衞內托散(治陽虛不足。不能托邪外出者。此方主之。)

柴胡八分　乾葛一錢　黃芪一錢　白朮一錢　人參五分　甘草三分　茯神八分　當歸六分　生姜　大棗

若氣滯者。加藿香砂仁六分。外邪盛者。加羌活防風各六七分。咳嗽者。加佛耳草款冬花八分。兼痰者加貝母橘紅八分。腹痛或瀉者。加炮薑木香五分。氣虛甚者參芪加至一二錢。

雙補內托散(治陰陽兩虛不能托邪外出者。此方主之。)

人參五分　黃芪一錢　熟地一錢　當歸八分　柴胡八分　乾葛八分　白朮八分　秦艽七分　川芎六分　甘草三分　生姜　大棗

如寒甚陽虛者。加製附子七八分。表邪甚者加羌活防風七八分。頭痛者。加蔓荊子八分。陽氣虛陷者。加升麻三分。

寧志內托散(治外感客邪。內傷情志。憂思抑鬱。矜持恐怖。神情不暢。意興不揚。惡寒發熱。身脹頭痛者。此方主之。

柴胡八分　茯神六分　葛根一錢　人參五分　當歸八分　棗仁六分　遠志六分　橘紅六分　貝母八分　益智仁五分　生姜　大棗

如陽分虛者。加黃耆白朮一錢。陰分虛者。加熟地白朮一錢。氣滯者加木香二五分。虛火加丹皮梔子七分。肝脾二虛者。加首烏龍眼肉。

補眞內托散(治房勞過度。耗散眞元。外挾容邪者。此方主之。)

柴胡八分　乾葛八分　人參五分　黃芪一錢　熟地一錢　當歸八分　茯神八分　棗仁六分　麥冬七分

如虛火上泛。或吐衄血者。加澤瀉六分。茜根八分。丹皮八分。如血不止者。加牛膝丹參一錢。咳嗽痰多加貝母阿膠天冬各七八分。脾胃弱加山藥扁豆一錢。

寧神內托散（治食少事煩。勞心過度。兼感外邪。寒熱交作者。此方主之。）

丹參一錢　茯神八分　棗仁六分　人參五分　甘草三分　當歸八分　續斷一錢　柴胡八分　乾葛六分　遠志　生姜　大棗

若用心太過者。加丹參一錢。柏子仁一錢。兼用力太過者。加秦艽續斷一錢。食少心煩者。加蓮肉扁豆穀芽一錢。心虛不眠多汗者。加五味子三分。邪甚不能解散。加秦艽羌活五七分。

理勞神功散（治傷筋動骨。勞苦太過。損氣耗血。而邪有不能外出者。此方主之。）

秦艽一錢　續斷一錢　杜仲一錢　香附七分　當歸八分　骨碎補一錢　陳皮七分　甘草三分　五加皮八分　金毛脊八分　柴胡八分　葛根八分　生姜　大棗

若發熱加柴胡七分。乾葛八分。若咳嗽加白前桔梗六分。久嗽加紫苑百部八分。腰痛加破故紙一錢。骨蒸夜熱。加地骨皮青蒿鱉甲八分。胸滿加砂仁木香六分。

麻黃人參芍藥湯（治外感甚重。吐血嘔血兼陰虛者。）

麻黃　桂枝　麥冬　五味子　人參　黃芪　當歸　白芍　甘草

婦人不孕原因及中西治療法之比較

奚可階

嘗讀內經上古天眞論曰。女子二十而天癸至。任脈通。太衝脈盛。月事以時下。故有子。考衝任督三脈。皆起於胞中。一源而三歧。胞居大腸之前。膀胱之後。中間一個膈室。是名胞宮。男子謂之丹田。女子謂之血室。此三脈在人身最爲關鍵。經曰。任脈爲病。男子內結七疝。七疝者。寒、水、筋、血、氣、狐、㿗也。女子帶下瘕聚。「帶下瘕聚即婦人之疝」衝脈爲病。逆氣裏急．督脈爲病。脊强反折。少腹氣上衝心而痛。不得前後。「前後大小便也」爲衝疝。在女子不孕。膿痔。遺溺。嗌乾。此段經文。不過統言男女受病之所。而未明言致病之源。余再當單述婦人不孕之因於後。聖濟總錄曰。婦人所以無子者。由衝任不足。腎氣虛寒故也。繆仲淳曰。女子繫胞於腎及心包絡。皆陰臟也。虛則風寒來襲子宮。則絕孕無子。非得溫煖藥。則無以去風寒而資化育之妙。惟辛溫劑加引經至下焦走腎。及心胞。散風寒。煖子宮爲要也。朱丹溪曰。婦人久無子者。衝任脉中伏熱也。夫不孕由於血少。血少則熱。其原必起於眞陰不足。不足則陽勝而內熱。內熱則榮血枯。故不孕。益陰除熱。則血旺易孕矣。脉訣曰。血旺易胎。氣旺難孕是也。又曰人之胎育。陽精之施也。陰血能攝之。精成其子。血成其胎。胎孕乃成。今婦人無子。率由血少不足以攝精也。血少固非一端。然欲得子者。必須補其精血。使無虧欠。乃可成胎孕。若泛用秦桂丹之劑。薰蒸臟腑。血氣沸騰。禍不旋踵矣。又曰瘦弱婦人。性躁多火。經水不調。不能成胎。以子宮乾澀無血。不能攝受精血故也。益水養陰。宜大五補丸增損。三才丸加減。以養血主之。東垣有六味丸。補婦人陰不足。無子服之能胎孕。又曰。婦人肥盛者。多不能孕育。以身中有脂膜閉塞子宮。致經事不行。瘦弱婦人不能孕育。以子宮無血。精氣不聚故也。肥人無子。宜先服二陳湯。四物去生地。加香附。久服之。用丸更妙。又曰。肥盛婦人。稟受其厚。恣於酒食。經水不調。不能成孕。以軀脂滿溢。濕痰閉塞子宮故也。宜燥濕去痰行氣。二陳加木香。二朮香附芎歸。或導痰湯。陳良甫曰。婦人有全不產育。及二三十年斷絕者。盪胎湯主之。日三服。夜一服。溫覆汗。必下積血。及冷赤膿。如豆汁。力弱大困者。一二服止。按以上數條。有虛寒。風寒。有伏熱。火旺。有血少。有脂膜。有濕痰。積血等症。可見致病之因。旣非一端。而施治之法。豈庸執一。當因症施治。庶無流弊。否則其害立見。奈何今之西醫。治婦人不孕之病。動輒解剖檢驗。以爲婦人之能否受孕。完全以子宮之啓閉爲其關鍵。檢驗之後。不曰子宮歪斜。卽曰子宮腫閉。但知其有形。而不知其無形。有形之病。或可用以手術。無形之病。豈刀割所能治耶。卽有形之病。亦當審其寒熱虛實不可混同拖治。卽或手術一時獲効。而移時復發如前者。又如何將耶。況人是氣血生成。非與鐵石一般。豈能任其屢割。而不慮其耗衰乎。噫。此誠所謂舍本逐末之法。揠苗助長之道也。然則中醫治此症。將何法以治之。曰。是有法以治之。譬如中風門。有口眼歪斜。舌強言蹇等症。審其症。察其脈。分其中絡中腑中臟。當攻則攻。當補卽補。舒其經。活其血。調其臟腑。輕者無不立愈。重者亦可遷延歲月。以此例彼。則子宮之病。亦不難以藥之治至于腫閉則消之易易耳。或者以爲中醫無檢驗之法。何以知其腫閉歪斜乎。不知有諸內必形諸外。既有此病。腹中必有拘急疼痛不舒之狀。可以問而知之。無須檢驗也，然則中醫無括骨宛腸之病。而有起死回生之術。此中西治法之孰優孰劣。不待智者而知之矣。雖然。我謂此言。非仇視西醫。爲病家計。實有不能已于言者。知我罪我。不遑計也。

牛痘不可廢論

嚴蒼山

種牛痘能防免天花。早爲世界所公認。月前見新聞報載最近世界新聞社根據醫藥家的論斷。忽發表一篇反對種牛痘的文字。世界醫藥界及社會。均異常注意。僕對此道。略有研究。特草此篇。投諸現代國醫。與海內賢哲一商榷之。

考天花之起源。多謂由後漢馬援征武陵蠻。士卒皆患瘡。呼爲虜瘡。此爲濫觴。此後人民之厄於天痘者。甚如洪水猛獸。死亡率極可怕。至宋眞宗時峩嵋山。有神人出爲丞相王旦之子種痘而愈。其法遂傳於世。是謂人痘。其種法有四。曰漿苗。曰衣苗。曰旱苗。曰水苗。四者之中。以水苗爲上。此爲吾國固有之種痘史也。人民藉以全活者頗衆。然尙時有危險發生。迨乎有清乾隆卅五年至四十五年間。英人占那氏出。乃發明牛痘之法。初得之於村婦畜牛者。云染牛痘。不出天花。於是研究此事。再十六年。至嘉慶元年。始告成功。種牛痘法遂徧傳歐亞矣。嘉慶十年。英商多林文攜牛種由小呂宋至澳門。南海邱浩川先試之。遂習其術。此爲吾國布種牛痘之始。邱氏著有引痘略一書。藉文字宣傳。各省仿效。僉稱萬全。而吾國曩時種痘法。遂漸次歸於天演淘汰矣。

天花有人痘可以補救。已覺進步。近世牛痘發明。則更覺萬全矣。故無論人種痘牛痘。其痘可預種。而較天花自出爲善。已無可諱言。今倫敦衞生季刊忽反對種牛痘。謂嬰兒死於牛痘者。比天花爲多。未免形容過甚。雖現在種牛痘而復出天花者。確實頗多。惟只可責之種痘者不得其法。未可根本推翻牛痘爲完全有損無益也。牛痘雖發明於西洋。而中國本艸中早開其端。本艸綱目白牛蝨小兒服之。預解痘毒。可知牛蝨可以解痘毒。則牛痘自可以引種痘毒矣。因牛痘爲牛之病。可以活人病之痘。猶之牛黃爲牛之病。亦可治人之病。此牛之生理氣化不同於人之生理氣化。適可爲人治病。匪可以科學證明也。故痘之應種。幷牛與人之關係。已如上述。今種痘後復出天花。吾責種法之不善。不爲過矣。蓋痘無論中外。人人難免。其毒稟於先天。深藏於腎。故種牛痘務使腎藏伏毒。盡量發泄於外。則毒淨不至於復發。否則毒有遺留。必至於再發。或再而三也。邱氏引痘略一書。種痘取兩臂之清冷淵消鑠二穴。甚有深意。蓋二穴屬手少陽經之三焦。有氣無形。足少陰之腎氣相通。內經云。少陽主腎所生病。又云少陽屬腎是也。痘漿一從少陽經點入。卽能直入腎經。引深藏之毒。盡從少陽經穴而出。卽不至於復發也。今人種痘雖按穴道。此其失一也。又前人種痘。專司其術。謹按穴道之外。兩手上下臂膊。俱爲佈種。一次不下十數顆。種痘之後。顆顆皆出毒。已盡量發泄。故痘亦不再種。種之亦不再出。如僕之兄弟朋友一輩。皆係如此種法。無一再出。天痘卽再種。亦無一出者。可爲左證也。詎今人種痘多西醫操之。徒講究外觀消毒等法。而種時不按穴道。小兒初次種痘。概種一臂。多則二粒。少則一粒。先後卽種二三次。一共亦不過五六顆而已。夫以先天伏毒。有輕重。輕者或可不發。重者毒有遺留。一遇天花之年。必致傳染。此其失二也。有此二失。種痘於社會漸失信仰。而醫者不知研究。反發怪論。欲推翻此已成立之醫術。不亦傎乎。吾故云。牛痘切不可廢。須按穴道幷兩臂多種顆數。盍試之覘其後。惟西洋不信所謂伏毒。不知所謂穴道。此根本學術不同。難以削足就履。惟希望於小兒第一次種痘。須兩手上下臂都種。愈多愈妙。亦改良方法之一決有效也。

治病當察天時

傅雍言

內經云。歲有常位。而氣無必也。曾憶前二十餘年。六月初三日。劉河施醫局開幕之期。余往應診。穿夾衣不見熱。以爲生平難得之奇遇。不意今年大暑。竟有數日奇寒。且夾雨濕。所見之症。非特香薷黃連青蒿豆卷不合用。必須羌活獨活茅朮浮萍之類。間或投以麻桂姜附而愈者。故曰。天以六氣生萬物。人爲萬物之靈。當必有以處之。所謂順時者吉。逆則凶。設或不克勝任。被其侵襲於身。卽曰六淫病。淫者侵淫過度之謂。故經云。寒者熱之。熱者寒之。燥者濕之。濕者燥之等。補偏救弊。是爲正治。若現代之矯揉造作。冬令過暖。都成冬溫。苟不卽病。至春不救『如全國醫藥總會。常務委員。藥界導師。張公始生。氣體素豐。去冬在南京。日間進行國醫館事。奔走於冰雪之際。夜寓中央飯店。臥於暖室之中。寒溫交迫。而爲咳喘。內積痰涎。成支飲症。雖連連開去血水。柰未及立夏何』每見冬令之中煤毒者。果不少。而有傷於暖室者未之知也。如夏令過涼。而爲陰暑。偶或疑忌立能至死。『如余在臨診時。見先君治海門營協鎭丁公。夏不耐暑。過夜於碧紗橱而病。用麻桂各一錢。彼又以兩劑併煎。外加火爐於浴室。得汗卽愈。先君駭其加倍而服。彼云曾親見伏天。用各三錢而愈者。乃問既在夏令。其寒何來。彼曰善哉問。其人亦如我之肥大。坐於竹椅。四面用繩。懸之井中而受涼故也。』所以見夏令之飲冰堪虞。而處於冷氣間者。則更爲之懼也。至於病之起伏不常。又値氣候變遷。因而復加更屬難辯。『如去夏陪薛逸山先生。治建築工程師。陸南初君。時溫傷寒。勞復者二。食復者再。至腸出血。邀鄭邦彥君同治。平而未痊。適遇風潮之涼。已第七復而病劇。再延余雲岫君。斷以回歸熱。故時盛時衰。然其所開方。則非絕對藥。翌日請其用特效藥方。答曰必須有證據方可。及取血欲驗。已土曜日下午五時日曜與月曜不驗。必火曜日方能驗出。嗚呼。病已劇。能待四日者乎。故於金曜日始。連用香薷飲法。與葛根黃芩湯。及青蒿蟬衣等。至火曜日見驗單曰。螺旋菌招不到。已熱衰痞見而退。』是則爲西醫者。用藥要證據。斷症須化驗。不若國醫之全憑三指皮。兩肉眼。而靈心也。又有客旅往來無定。隨處氣候不同。因而雜感。勢須複方。『如前廣西省政府祕書長。一黃劍鳴君。在去年初夏。半月之間。由申至北平。旋轉香港。既感盛暑。又染流行性之風邪。坐輪回申。夜間熱悶。窗開三面而臥。醒時風雨大作。寒濕交侵。乃病惡寒骨痛。途中進阿斯必林五服。抵寓複棉被四條。燒以火盆。蒸於浴室。皆不得汗。余至悉知其情。診得脈數且疾。氣粗而喘。乃用羌活獨活蘇葉桂枝香薷藿香防風桑葉等。祛濕散寒消暑疏風。合一大劑。汗出十時。而風寒暑熱盡去。惟濕獨留。再以清燥滲化而愈。』蓋現代之交通瞬息千里。寒暑同感一時者。能不從權達變隨證施治耶。以上乃余個人之經驗如此。不識我同志有道諸君。更見甚於此者乎。乞明以教我。

聯絡我們的情感

沈禮同

諸君：

我覺得現在我們醫生與醫生之間，缺乏一種同道的情感，致演成了彼此的隔膜。尤其是像我們鄉村的醫生們，因爲缺少集會的機會，換一句話，就是彼此缺少接近。我們缺少接近以後，各人的心靈中就對於同道的感情，像煙霧一般的散漫起來，因此把「切磋」二個字就無幸的拋在九霄雲外去了，你們想可惜不可惜！？並且更覺傷心的還有一般敗類，不單是把大好的「切磋」不求，而還去幹那足以自亡的嫉忌，自矜，這不是自相摧殘嗎。這眞所謂「甘自沉落」和「自暴自棄」。

現在我用最眞摯最忠懇，最熱烈的態度來祈望我同道的是：

聯絡我們純潔的情感！

研究我們固有的學術！

醫案

尤在涇晚年醫案

盛心如錄

▲痰

痰氣阻滯。

半夏　紫苑　鬱金　香附　川朴　杏仁　廣皮　蘇梗

痰多血少。氣虛火實。

半夏　茯苓　歸身　炙艸　川斛　蘇子　廣皮　麥冬　枇杷葉

脉濡而躁。食入艱運。神志倦怠。痰多氣促。其病在脾與腎。治宜健養中氣。

焦朮　枳實　益智　半夏　茯苓　橘紅　神麯　石菖蒲

痰熱阻隘。咽隘時噓惡。此症利在清降。失治則成噎膈。

半夏　枇杷葉　旋覆花　竹茹　茯苓　麥冬　橘紅　生姜

風熱成痰。

薄荷　連翹　貝母　花粉　杏仁　黃芩　橘紅　甘艸

厥陰陽明痰熱相激之症。宜清肝和胃法。

羚羊角　茯苓　廣皮　白風末　半夏　鈎鈎　枇杷葉　蘆根

補虛化痰。

生地　半夏　橘紅　天麻　牡蠣　白芍　茯苓　牛膝　丹皮

痰稠口乾胸滿。宜清潤。不宜濕燥。

旋覆花　茯苓　姜霜　甘艸　麥冬　橘紅　貝母　蛤粉

嘈雜得食則已。此痰火內動。心胃陰氣不足。

生地　山梔　半夏　麥冬　茯苓　丹皮　竹茹　炎艸

痰鬱心包。神明遂閉。所見所言。皆是妄耳。宜從下奪。痰出則愈。

妙應丸姜湯下

暑濕所結之痰。先心胃而後遍經絡。宜其中滿不舒。而肢體動顫不止也。

溫胆湯加胆星

▲痰飲

肺飲

紫苑　半夏　桑皮　白前　杏仁　黃芩

飲氣後逆。

桂枝　灸艸　乾姜　五味　杏仁

時邪挾飲。

藿香　乾姜　半夏　枇杷葉　陳皮　厚朴　黃芩　蘆根

飲氣射肺爲欬。

半夏　茯苓　杏仁　乾姜　五味　灸艸　桂枝

肝氣上逆。肺氣遂閉。喘急胸滿。所由乘也。裏氣未平。更感客邪。舌白發熱。欲嘔挾痰飲。病氣不爲多矣。

半夏　杏仁　通艸　廣皮　薄荷　鬱金

又方。

金鈴子　當歸　木通　茯苓　木瓜　查肉　橘核　川楝子

又方。

人參　川楝子　查肉　橘核　歸身　半夏　茯苓

久欬痰多。氣逆口不渴。而咽中窒。屬肺飲。宜理上焦。

紫苑　杏仁　半夏　桑皮　茯苓　炙艸

寒飲閉熱於肺。

荊芥　杏仁　桔梗　連翹　牛蒡　炙艸　薄荷　元參

風溫挾痰飲交結膈胃。發則寒熱欲嘔。脘悶。治在表裏分清。惟是足冷面油。正氣不固。不宜過行攻發耳。

半夏　黃芩　薄荷　廣皮　白蔻仁　通艸

陰分素虧。後感時邪。未經清解。襲入肺中。與津液結爲痰飲。嗽之所由來也。茲症脈數口乾脅痛。將成虛損。

阿膠　貝母　甘艸　糯米　兜鈴　杏仁　牛蒡

久遺下虛。秋冬欬甚。氣衝於夜。上逆欲坐。不能安臥。形寒足冷。顯然水泛爲痰沫。當從內飲門治，若用肺藥則謬矣。

桂枝　茯苓　五味　炙艸　白芍　淡干姜

飲氣充塞。中外皆寒。炎氣不守。殊足慮也。

白朮　苓茯　白芍　乾姜　五味　淡川附

積飲上逆。則眩且噦。旁攻則四肢肌骨痛。痛雖分。脈尚滑大。非風寒痿痺之比。

濕胆湯加　枇杷葉　生姜

素有積飲。加以客邪。外在肌膚。內連脾肺。和理中上。自可漸安。愼勿誤作虛勞治。

欬逆上氣。多從飲治。但動脉帶數。恐趨虛損之途。

鬱金　杏仁　茯苓　骨皮　桑叶　炙草　粳米

紫苑　杏仁　半夏　白前　茯苓　炙草　五味

▲鬱

血鬱氣阻。病在肝脾。

鬱金　赤芍　丹皮　桃仁　炙草　小薊炭

氣鬱不化。食入則脹。宜六鬱湯。

香附　蒡朮　川芎　山梔　穀芽　神麯　茯苓　青皮

此血鬱也。得之情志。其來有漸。其去亦未易也。

旋覆　薤白　代赭　鬱金　紅花　桃仁

寒熱無期。中脘小腹遲痛。此肝藏之鬱也。鬱極則發爲寒熱。頭不痛。非外感也。以逍遙散治之。逍遙散

鬱痰結氣。凝聚咽間。呑不下。吐不出。梅核之漸也。

半夏　茯苓　厚朴　旋覆　蘇梗　枇杷叶

丸方

半夏二兩　當歸二兩　廣皮一兩五錢　白朮二兩　茯苓一兩五錢　旋覆一兩五錢　製烏四兩　炙草七錢

枇杷叶一兩五錢

氣逆痰阻。咽隘不利。中脘不運。病關情志鬱勃。宜早圖之。否則漸有噎膈反胃之虞。

半夏　旋覆　厚朴　茯苓　鬱金　香附　橘紅　蘇梗　烏藥

腎之陰不足。肺肝多鬱。上有凝聚之痰。下無閉固之能。

製首烏　生牡蠣　茯苓　丹皮　貝母　甘草　夏枯草　爲末水泛丸

寒熱往來。色青。巓項及小腹痛。此其證也。泄厥陰之實。顧陽明之虛。此其治也。

人參　柴胡　川連　陳皮茯苓　半夏　黃芩　吳萸　炙草

▲肝火

中下二氣虛衰。陽氣不得斂於下。而反游於上。故顯齒疼頭脹口乾咽痛等症。此非可以寒涼淸降治之者。早服楊氏加減八味丸。晚服歸脾湯丸。此薛立齋法也。

黃芪　焦朮　遠志肉　炙艸　廣皮　茯神　白芍　當歸　酸棗仁丸方。

六味加杞子　五味　沙苑　巴戟

肝火挾痰上逆。爲厥巓疾。

半夏　鈎鈎　茯苓　枳實　廣皮　羚羊角　竹茹　鬱金

口乾火升。便燥溺赤。此陰不足而陽有餘也。

羚羊角　丹皮　茯苓　麥冬　白芍　生地　川石斛　知母　甘艸　山梔

又脉靜神安。宜從滋補。

生地　麥冬　茯神　丹皮　元參　石斛　甘艸

六味加牛膝　杞子　蓯蓉　五味　杜仲　菟絲　蜜丸服五錢丸方。

肝火衝逆犯胃。

川楝　當歸　木瓜　白芍　茯苓　延胡　査核　橘紅

心熱足冷。口渴。陰上陽下。水火背馳。非小恙也，

又生地　丹皮　牛膝　石斛　陳皮　白芍　茯苓　牡蠣　黑豆皮

脈弦動。氣逆口乾苦。病在肝之逆也。

香附　川芎　山梔　陳皮　枳壳　丹皮　神麯

又脉弦入尺澤。

羚羊角　丹皮　山梔　鈎鈎　玉金　枳壳

脉動面油。精氣外越。必須省煩靜養爲佳。不爾恐其暈厥踵至。

生地　知母　甘艸　蔗漿　石斛　花粉　麥冬　蘆根

絡血脅痛。項下有核。脉數惡熱。咽痛便溏。此肝火乘脾症。反能食者。脾求助於食。而又不能勝之。則疼脹耳。治在制肝益脾。

白芍　茯苓　川連　牡蠣　炙艸　木瓜　益智　阿膠

陰虛於下，陽浮於上。服八味不效。附子走竄。不能降納。宜楊氏加減法。

桂都氣丸

肝陽盛。肝陰虛。汲引於腎。腎亦傷實。益肝體。損肝用。滋養腎陰。水火相榮。病當自愈。

生地　白芍　小薊　赤苓　蒡根　當歸　丹皮　阿膠　甘艸

左關獨火。下侵入尺。肝陽亢甚。下汲腎氣。陰愈虧則陽益汚矣。滋水清肝。實正法也。

六味加知母　黃柏　天冬　龜板　杞子

陰不足者。陽必上亢而內燔。欲陽之降。必滋其陰、徒博寒涼。無益也。

元參　知母　甘艸　山梔　麥冬　生地　丹皮　骨皮

上熱下寒。手足心熱。陰虛陽浮。法必補導。

六味湯加肉桂　五味

腎精不足。肝火乘之。故有筋氣骨痿。耳竅或二陰氣出等症。先肝火宜洩。而腎精宜秘。於一方之中。兼通補之法。庶幾合理。然非旦夕可以奏効也。

生土　川楝　茯苓　阿膠　丹皮　女貞

肝火衝逆。

羚羊角　鈎鈎　茯苓　橘紅　半夏　生姜　竹茹　天麻

肝火脾熱。

羚羊角　夏杜艸　茯苓　菊花　丹皮　香附子　白夕利

肝陰不足。陽火獨旺傷肺則欬。自傷則脅痛。

阿膠　兜鈴　炙艸　貝母　歸身　白芍　玉竹　川斛

氣鬱成火。

川楝子　當歸　木瓜　香附　茯苓　枳壳　延胡索　查核

▲不寐

心陰虛則煩燥不寐。腎陰虛則火升欬嗆。補虛養陰。久服見功。

生地　丹皮　麥冬　炙艸　白芍　柏子仁　茯神　黃芩　棗仁　紫石英

心虛血少。痰火擾之。神不得歸。故煩燥不寐。宜溫胆法。

柏仁　茯神　枳實　橘紅　炙艸　半夏　竹茹

凡人夜不得臥。則肝熱而不藏。況天令炎熱。又足以助之。宜其背熱而血溢也。

生地　生扁豆　甘艸　小薊炭　赤苓　竹叶　藕汁

心悸不得寐。口乾不欲飲。有痰熱在肝胆也。

茯神　半夏　麥冬　陳皮　棗仁　炙艸　竹茹　丹參

左尺獨浮。餘脉安和。時有夢泄體倦小睡。先天陰弱不足之病。

熟地　山藥　芡實　蓮肉　黃肉　茯神　兎絲　五味

▲瘧痢

間日寒熱瘧。

柴胡　半夏　桔梗　炙艸　枳殼　黃芩　陳皮　花粉　生姜

又方。

半夏　廣皮　川朴　茯苓　炙艸　生姜　穀芽

瘧轉日作。心膈稍舒。宜助正逐邪。

人參　柴胡　炙艸　牡蠣　鱉甲　淡芩　半夏　白芍　青皮　桂枝　生姜

寒熱頭痛。胸滿腰脅痛。邪入少陰之經。內連四陰之絡。瘧邪之精源者也。

半夏　黃芩　枳殼　白夕利　陳皮　桑寄生　荷梗

暑風成瘧。惡心胸滿。和解則愈。

半夏　厚朴　黃芩　竹叶　茯苓　陳皮　知母　生姜

暑濕合邪。胸痞寒熱。病在少陽太陰。

香薷　厚朴　半夏　茯苓　陳皮　六一散

時邪發瘧。胸滿舌白。身痛。飲入則嘔。兼挾怒氣故耳。宜苦辛涼藥治之。

薄荷　厚朴　杏仁　秦艽　半夏　廣皮　黃芩　通艸

又嘔止停熱。胸膈尙滿。身痛未已。

半夏　厚朴　廣皮　白蔻　杏仁　滑石　通艸　竹叶

暑風相搏。發爲時瘧。胸滿作噦。汗不足。邪氣尙未盡解。法當苦辛溫治之。

藿香　厚朴　杏仁　通艸　半夏　廣皮　竹叶　荷梗

瘧疾頭痛四汗。

柴胡　黃芩　知母　炙艸　半夏　陳皮　川芎　生姜

瘧頭痛。口乾無汗。脉小便溏。

柴胡　黃芩　乾葛　陳皮　炙艸

瘧發而血上下溢。責之中虛而邪復擾之也。血去既多。而瘧邪復熾。中原之擾猶未已也。誰能必其血之不復來耶。謹按古法中虛血脁之症。從無獨任血藥之理。而瘧病經久。亦必先固中氣。玆擬理中一法。止血在是。正瘧亦在是，惟高明裁之。

暑風成瘧。汗多膚冷。脉虛。宜濕而解之。

人參　白朮　炮姜　炙艸

暑濕成瘧。但濕多於暑。故有頭面浮足腫囊腫之候。濕多必以苦溫治之。

括萎根　桂枝　白芍　甘艸　生姜　大棗

瘧久中虛不運。便溏腹滿口乾。

芽朮　茯苓　陳皮　通艸　厚朴　香茹　防已　椒目

瘧久傷陰。

白朮　厚朴　茯苓　草果　烏梅　廣皮　鱉甲　靑皮

久瘧便溏。

製生烏　鱉甲　丹皮　廣皮　麥冬　知母　地骨皮

三瘧。

白朮　茯苓　柴胡　鱉甲　炙艸　丹皮　白芍

三瘧色黃。脉濡。發則腰痛。濕邪留滯脾腎之間。

半夏　黃芩　蜀漆　炙艸　生姜　柴胡　桂枝　牡蠣　厚朴

瘧發三陰。口不乾渴。多吐寒痰。小便黃赤。小腹拘急。此溫疫伏暑。兩相蒸鬱。而伏處最深。猝難清理。玆就來方。更爲增核。諸維撙節自愛爲佳。

白朮　茯苓　廣皮　炙草　半夏　蜀漆　牡蠣　鱉甲

製首烏　柴胡　知母　鱉甲　芽朮　茯苓　廣陳皮　炙草

三日瘧是邪伏陰分而發。非和解可效。久發不止。補劑必以升陽。引伏邪至陽分乃愈。

人參，當歸　鹿角霜　茯苓　附子　炒紗苑　鹿茸　黑梔子

三陰瘧脉弦數。口乾溺赤而悪寒自汗。陽外陰內。宜和營衛。

柴胡　黃芩　知母　甘草　生姜　桂枝　白芍　大棗

瘧久邪恆入絡絡主血。邪結血分。則爲瘧母。仲景鱉甲煎丸耑以升降通瘀治肝。蓋寒熱必不離四陽。久必入肝。肝藏血左。脅爲肝募俞也。攻病固當如是。但久有遺精食少不化諸恙。若一於攻邪。未能却病。莫如養正。正旺邪自除矣。

早服妙香散　人參一錢　益智仁一錢　龍骨五分　茯苓五分　茯神五分　遠志九分　炙草二分　硃砂二分

良才加射香一分　木香二分

晚服阿魏丸　神麯二兩　川貝二兩　瓜蔞一兩　川連五錢　菔子一兩　皮硝一兩　麥芽二兩　連翹一兩

食鹽五錢　半夏一兩　南星五錢　阿魏一兩　每服一錢　服後食胡桃肉

熱病繼瘧。交冬已止。今食物難化。大便溏泄。左脅已成瘧母。喉咽欲墮。神疲無力。病從腥酒太早。致濕緊氣阻。治宜疎補脾胃。忌食滯濁油膩閉氣等物。

生於朮　茯苓　澤瀉　厚朴　益知　猪苓　茵陳

瘧三日乃發。是邪伏在陰。經年雖止。正陽難復。衛氣外泄。汗出神疲。治宜甘溫益氣。五旬氣血漸衰。當節勞愛養爲佳。

養榮丸

煨姜　南棗製汁泛丸

瘧病寸已。遂當脾約。約未已復增厥痛。心腹時滿時減。或得身痛汗出則痛滿立止。明仔瘧邪內陷太陰陽明之間。氣爲之聚。液爲之凝。樞機窒籥。盡失其常故也。是必邪氣仍法四陽外達。則不治痛而痛自止。不治脹而脹自消矣。所謂病自外之內而盛於內者。先治其外而後調其內也。

青蒿　花粉　甘草　茯苓　知母　薄荷　廣皮　麥冬

暑風痰飲，相合爲瘧。發則嘔吐肢麻。病在太陰陽明。

　半夏　廣皮　茯苓　厚朴　白蔻仁　生姜

時初作瘧。脉虛色悴有邪正不敵之勢。法當輔正逐邪。

　人參　茯苓　陳皮　生姜　半夏　黄芩　炙草　薄荷

又邪少虛多。宜七補三陰。正氣得立則愈。

　人參　當歸　炙草　白芍　竹葉　茯神　丹參　廣皮　荷梗

瘧邪已退。宜和養中氣。

　半夏　廣皮　川斛　木通　茯苓　炙草　穀芽　竹葉

瘧後惡風。食入則脹。宜理中焦。兼調營衞。

　桂枝　半夏　炙草　廣皮　白芍　厚朴　生姜

先瀉後痢。今又將作瘧矣。

　白芍　柴胡　滑石　黄芩　炙草　厚朴　木通　陳皮

又熱痢並止。胃氣不開。

　川解　茯苓　廣皮　木瓜　穀芽　白芍　木通　黄芩　炙草

暑濕傷脾下痢氣急。非輕症也。

　香薷　赤苓　陳皮　查炭　厚朴　查通　滑石

久痢腹痛脉清。

　當歸　厚朴　通草　炙草　白芍　黄芩　陳皮　扁豆

又方。

　白芍　扁豆　木通　陳皮　川朴　炙草　滑石　紅紬　黄芩

久痢傷陰。

又方 金匱腎氣丸

邪滔太陰厥陰之藏。腰痛自痢。形瘦食少。治之非易。

人參 桂枝 炙艸 廣皮 澤瀉 白芍 川朴 黃芩 乾姜

久痢藏虛。陰陽並傷。樞機失運。不可淸利。惟宜治下。

腎氣丸三錢

久痢脉數。

又方 厚朴 銀花 白芍 炙艸 黃芩 廣皮 茯苓 木香

餘邪內陷。下痢欲嘔。胸腹滿痛。脉得濡弱。有陰陽氣脫之慮。當遵仲景收陰泄熱法。

人參 茯苓 生姜 半夏 黃芩 白芍 炙艸

下痢黃赤。腹不痛。

焦朮 炙艸 澤瀉 廣皮 白芍 地榆 乾葛 黃芩

時邪侵入太陰爲痢。

乾葛 藿梗 廣皮 甘草 木瓜 厚朴 滑石 木通

先瀉後痢。腰膝痛軟。病已一載。脉弱形瘦。此謂從脾而至腎爲賊邪。治在下焦。

腎氣丸二服

煎方

白芍 陳皮 茯苓 木香 扁豆。石蓮 當歸 炙艸

厥利戴陽。喘悶熱陽。邪氣深入。溫淸俱礙。仲景四逆散。

柴胡 白芍 炙艸 枳實

又方。

竹叶　花粉　石斛　木通　甘艸　麥冬

轉痢轉瘧。皆邪氣內攻外達之機。但成痢則不可。成瘧則可。

黃芩　白芍　陳皮　木通　赤苓　厚朴　滑石　枳壳

溫熱內鬱。風寒外來。瘧痢並作口乾腹痛。胸滿。不行通利。反行兜清。邪氣愈深。脉數而勁。於法爲逆。

製軍　柴胡　黃芩　白芍　厚朴　炙草

下痢小腹及腰痠痛。不獨在脾陽矣。

桂枝　炙草　當歸　木瓜　白芍　黃芩　吳萸　茯苓

久痢腹中尚痛。色滯而脉沉。眞氣固虛。邪滯未盡。溫補之中。必兼流行。斂濇凝滯。緩投可也。

人參　川椒　白芍　茯苓　川附　烏梅　炙草　陳皮

下痢裏急。痢後暫定。而復急臍復覺熱。口乾作甜。此腸中有積熱不去也。

製軍　黃芩　赤苓　枳壳　白芍　炙草　歸身

素體陰虧。暑邪發瘧。邪入厥陰。溺血莖痛。陰復傷矣。脉弦而動。中痞食少。法宜清中養陰。

川斛　甘草　陳皮　竹叶　丹皮　茯苓　生地

素有血症。茲夏感於暑濕。發爲之瘧。血症乘之復來。且增欬嗆。甚則嘔吐。診得三部俱弦。關脉尤甚。知肝陰不足。陽火衝逆。至肺則欬。逆胃則嘔也。是外感而兼內傷。不當獨治其外矣。養肝陰。和胃陽。兼解容暑。庶幾合法。

首烏　青蒿　茯苓　麥冬　知母　丹皮　鱉甲　炙草　陳皮

但寒無熱。而舌色如絳。口乾無液。其爲邪蘊不達可知。腹滿便溏。溺少。慮恃爲滯下。殊非輕候。

柴胡　蜀漆　知母　橘紅　竹叶　木通

瘧後脅下積癖作痛。夜熱口乾溺赤。陰虧邪伏。宜鱉甲煎。

首烏　白芍　青皮　鱉甲　丹皮　柴胡　甘草　知母

瘧後脅下痞積不消。下連小腹作脹。此肝邪也。以法和解之。

人參　柴胡　青皮　桃仁　茯苓　半夏　甘草　牡蠣　淡芩　生姜

表裏受邪。而氣復不周。是以寒熱而喘。腹痛而自利也。宜小柴胡合黃芩湯治之。

柴胡　黃芩　白芍　甘草　半夏　枳實

經先期三日。寒多熱少。脉左弦大。血分偏熱。宜治厥陰。

鱉甲　桃仁　桑叶　炒丹皮　青蒿　川貝

澄齋醫案（續前）

武進謝觀利恒著

曾四十七　熱退而咳不除。再與肅降。

炒蘇子三錢　光杏仁三錢打　赤茯苓三錢　鷄蘇散四錢包　嫩前胡三錢　大貝母二錢　大腹絨二錢　天花粉三錢　熟牛蒡二錢　萊菔子三錢　猴薑五錢　枇杷葉三片去毛包

王十七　浮腫漸消。咳嗽胸脇掣痛。脈弦數。防延喘變。

炒蘇子二錢炒　生紫苑一錢五分　法半夏一錢五分　雲茯苓二錢　光杏仁三錢打　款冬花二錢　橘白洛一錢　大丹參二錢　川貝母一錢五分　苦射干八分　枇杷叶三片去毛包　淡竹茹一錢五分

王右　五十六　肺風爲欬。喉嗌。痰鳴。胸悶。主以通降之治。

炒蘇子三錢　嫩白前一錢五分　生紫苑二錢　白芥子一錢五分　嫩前胡二錢　苦桔梗一錢　款冬花三錢　製川朴一錢　苦射干一錢　炙桑皮二錢　萊菔英　炙百部三錢　荸薺五枚　生姜一片

曹右　四十九　咳吐臭痰。肝肺同病也。

光杏仁三錢 旋覆花二錢包 生蛤殼九錢 地骨皮一錢 益知母三錢 代赭石三錢 粉丹皮二錢

碧玉散四錢包 炙桑葉二錢 海浮石三錢 荸薺五枚

王四十二 水寒射肺。咳嗽痰多。主以辛溫苦降。

炙麻黃五分 炙細地三分 炙甘艸八分 苦杏仁三錢打 川桂枝一錢 淡乾姜五分 炒蘇子三錢

炙桑皮二錢 焦白芍二錢 北五味五分 款冬花三錢 姜夏三錢 白果肉十粒

高四十六 肺風化火。欬劇于夜。胸次煩熱。痰吐牽絲。右脈滑數。淸火保金主治。

南沙參五錢 嫩前胡一錢 川貝母一錢五分 炙桑葉二錢 大麥冬三錢 炙蘇子三錢 款冬花三錢

益智母二錢 川百合四錢 甜杏仁三錢打 紫苑茸二錢 天花粉三錢 生草一錢 枇杷葉三錢去毛包

楊右三十二 肺風爲欬。氣逆難臥。形寒身熱。自汗胸悶。脈濡。先與輕疎。

蘇子梗三錢二錢 嫩前胡二錢 粉桔梗一錢 紫苑茸二錢 薄荷尖五分 嫩白前一錢五分 光杏仁三錢打 款冬花三錢 荊芥穗一錢五分 苦射干一錢五分 大貝母二錢 化橘紅五分 生姜二片

炙艸一炙

陳右三十六 咳嗆無痰。內熱腰痛。虛火上升。續進降氣之劑。以和養潤肺。

炙蘇子一錢五分 甜杏仁三錢打 炙桑皮一錢五分 當歸鬚二錢 旋覆花一錢五分 大貝母二錢 淡條芩一錢五分 炒白芍二錢 黃鬱金一錢五分 炒枳殼五分 地骨皮三錢 川續斷三錢 紫石英五分

紫衣核桃肉五枚

高四十三 脈大而弦滑。舌色光紅。欬甚於寅卯。體倦好眠。脛部腫浮。肺背俱傷。防成喘腫重症。愼之。

南沙參四錢 大貝母二錢 二泉膠一錢五分 大白芍二錢 大麥冬二錢 法半夏二錢 川百合四錢

川續斷四錢 五味子一錢 海浮石三錢 生蛤殼五錢打 茯苓皮四錢 甜杏仁三錢打炙桑皮一錢五分

田右三十四 乾咳無痰。嘔吐酸水。體瘦腹痛 形神消奪。脈細數無神。漸怯途慮難治療。

蜜蘇子五錢 甜杏仁三錢打 法半夏一錢五分 海浮石一錢五分 炙桑皮二錢 大貝母二錢 左金丸二錢包 生蛤殼三錢 馬兜鈴二錢五分 紫苑茸一錢五分 淡酒芩一錢五分 焦白芍三錢 功勞子三錢 川續斷四錢

楊右五十三 病後勞熱。熱鬱咳迭上氣。內熱胸悶溲赤。脈鬱。肝肺俱傷矣。

南沙參五錢 炒蘇子三錢 黑山枝一錢五分 一泉膠一錢五分 大麥冬二錢 旋覆花二錢包 炙桑皮二錢 利蒺藜三錢 川百合四錢 廣鬱金一錢五分 大白芍二錢 生苡米八錢 枇杷葉三錢去毛包

錢三十九 欬咳氣急。痰白成塊。喉有水鷄聲。過勞則發。久病難期速愈。

炙桑皮一錢五分 甜杏仁三錢打 紫苑茸一錢五分 川續斷五錢 炒蘇子一錢五分 海浮石三錢 苦射干八分 骨碎補二錢 萊菔英一錢五分 化橘紅五分 全當歸二錢 荸薺五枚

顧四十六 久病欬嗽氣逆。內熱乾渴腰疼。脈滑、肺腎俱傷矣。

北沙參三錢 甜杏仁三錢打 嫩白薇一錢五分 川續斷四錢 大麥冬二錢 大貝母二錢 炒白芍二錢 補骨脂二錢 北五味五分 法半夏一錢 一泉膠一錢五分 紫衣合桃肉三枚

張四十二 欬久不已。面色浮黃。脈濡無力。愼防黃瘅。治在肝脾。

南沙參五錢 全當歸二錢 紫苑茸二錢 建澤瀉三錢 炒蘇子二錢 生白芍三錢 廣陳皮一錢 生苡米八錢 炙桑皮一錢五分 苦杏仁三錢打 赤茯苓三錢 綿茵陳三錢 方通艸五分

徐右三十六 懷孕六月。因上冬傷風起病。欬蘇氣撑。延今不已。內熱頭疼。心煩口渴。脈來濡滑。舌苔黃膩。形神消爍。愼防轉劇。

南沙參三錢 炒蘇子五分 香白薇一錢五分 大貝母三錢 肥玉竹三錢 炙桑皮一錢五分 淡酒芩一錢五分 廣玉金一錢五分 旋覆花二錢包 地骨皮三錢 大白芍二錢 炒歸身二錢 款冬花三錢炙

沙四十二 欬逆喘急。痰鳴面浮。舌光尖澤。脈凝形脘腎氣竭矣。可危之至。亟投肅上納下之劑。

二泉膠二錢蛤粉炒

或冀挽回目前。

大生地八錢　旋覆花一錢五分包　懷牛膝二錢　靈磁石三錢　南沙參四錢　紫石英四錢　海浮石三錢　左牡蠣五錢　炙蘇子一錢五分　法半夏一錢五分　甜杏仁三錢打　潼沙苑四錢　鎊沉香五分　紫衣合桃肉三個

吳右　四十二　欬喘多年。腎不攝納。發則足冷。汗流如雨。腰背如打。病甚于夜。脈象沉弦。亟爲攝納下元。佐以清上。

潞黨參三錢　旋覆花一錢五分包　當歸身一錢五分　懷牛膝三錢　大麥冬一錢五分　紫石英四錢　炙草五分　煨訶子一錢　川續斷五錢　青鉛一兩　金毛脊四錢　法半夏一錢　金匱腎氣丸四錢包　衣紫合桃肉三枚　北五味一錢

妊娠子宮病案

盛心如

病者　余姓。妊娠八月。住楊樹浦潤玉里。六月二十三日初診。

證狀　自背脊發熱。漸上至於頭面。還入胸腹。心胸煩懊作痛。引及腹部。甚則肢痲而厥。飢不欲食。食則泛嘔。

脈象　六部虛數

診斷　此係督任衝三奇經脈之爲病。三經之脈。皆起於胞宮。簡言之。實子宮病也。難經曰。督脈爲病。脊强而厥。(此幸不致於强耳)又曰。衝脈爲病。逆氣而裏急。脈經曰。任脈苦腹中氣如指上搶心。不得俯仰拘急。素問曰。督脈生疾。從小腹上衝心而痛。不得前後。諸如此類。病狀雖微有區別。總之不離乎三經。但督脈屬於太陽。任脈屬於少陰。衝脈屬於陽明。不妨從兩感病治例。兼顧陽明。

處方　左秦艽錢半　川獨活五分　炙龜版四錢　天狗脊三錢　美川連四分　炒條芩錢半　杭白芍錢半

硃茯神四錢　生棗仁三錢　淡遠志錢半　淡竹茹錢半

二診　六月二十四日

證狀　病無變動。轉有頭眩口渴。舌苔薄黃。

脉象　虛數帶促

診斷　病者因余斷爲子宮病。而脘腹作痛頗劇。恐其動胎。因於是日上午。赴婦孺醫院勘驗。對於背脊胸前發熱。究屬何病。未曾辨別。謂子宮無病。不致動胎。而脘痛實係胃病云云。余想該西醫之意。背脊與胸前發熱。頗有似於脊膜炎與腹膜炎。而證狀又各有區別。故不能確斷。胎未動。當然胞宮無病。所謂胃病者。乃受病之處。以病灶而命名。其病原則不得而知也。但服前藥而不效。轉見頭眩口渴。則仍是衝氣上逆而秉燥。因想前方所用芩連。芩固屬子宮病之專藥。而子宮實不發熱。連雖清心泄熱而性味皆苦。苦先入心。反從火化。故口渴。而仲景有腹痛去芩之訓。此實用藥。猶未能入扣。但督任又均屬於腎。腎主骨。此種發熱。應從骨蒸例治也。

處方　左秦艽錢半　川獨活五分　地骨皮三錢　青蒿硃(炒)錢半　原麥冬三錢　川百合四錢　天花粉三錢
金鈴子三錢　杭白芍錢半　明天麻八分　硃茯神四錢　淡遠志錢半　青橘葉八分

三診　六月二十五日

證狀　熱漸輕。腹痛止。脘痛轉劇。惟時間則短矣。不思納穀悸汗少寐。舌黃已退。

脉象　虛軟仍帶促

診斷　藥既見效。則上述病理。可見發源於子宮。而脘痛轉劇。則仍是衝氣之逆也。悸汗少寐。任熱而心液外越。陽浮而神明不安。抑亦陽蹻盛。不得入於陰之故也。

處方　左秦艽錢半　川獨活五分　地骨皮三錢　川百合四錢　原麥冬三錢　杭白芍錢半　金鈴子三錢
烏拺草八分　煅瓦楞(打)五錢　硃茯神四錢　生棗仁四錢　浮小麥四錢(包)　白檀香八分

四診　六月二十六日

證狀　熱退未淨。脘痛已減。胃納較開。惟夜寐不寧。驚悸多汗。煩渴引飲。大便溏泄。

脉象　濡緩。促象已和。間有五至半。

診斷　熱則耗陰。虛陽不潛。津液內傷。大便溏泄。則熱邪下滲於腸。亦腐穢當去之例也。

處方　淡金斛先煎錢半　生扁衣三錢　杭白芍錢半　地骨皮三錢　川百合四錢　蒼龍齒三錢　煅牡蠣四錢　硃茯神四錢　生棗仁四錢　川楝子三錢　烏辣草八分　浮小麥（包）四錢

五診　六月二十七日

證狀　熱已清。脘痛時作時止。納穀又減。臥寐較安。悸汗仍多。口渴。

脉象　緩左關獨浮

診斷　此時則與督任無關。胃脘爲氣衝。痛極傷中。中虛而肝木乘之。但肝與衝同主血室。畢竟仍發源於子宮也。

處方　原金斛先煎錢半　生淮山四錢　杭白芍三錢　川百合四錢　硃茯神四錢　生棗仁四錢　煅（瓦楞牡蠣）各四錢　穭黃根一錢　浮小麥（包）四錢　金鈴子三錢　白檀香八分　青橘葉八分

（附註）連服三劑全愈。此種病案。並非固奇其名。以炫世俗。特以此種診斷。乃吾中醫生理學上之特長。實不足爲奇。而西醫對於此種發熱及其證象。用寒暑表所不能探。機械所不能察。愛克司光所不能照。聽筒所不能覺。籠統而斷爲胃病。又豈能有合於病機也哉。竊以爲此種證象。雖非子宮局部之病。而實發源於子宮。謂之曰子宮病。固亦無不可也。吾道同志。其以爲然耶否耶。

紀載

會議紀錄

九月十八日下午八時舉行臨時執監聯席會議

出席委員 蔣文芳 薛文元 朱南山 任農軒 沈建候 嚴蒼山 張贊臣 吳克潛 朱少南 朱鶴皋 傅雍言 丁濟華 包天白 張鴻遠 包識生 盛心如 朱少武 黃寶忠 夏重光 江仲亮

列席者 楊彥和

主席 薛文元 傅雍言 紀錄 蔣文芳

行禮如儀

提案

一件 張鴻遠提議言語不通應如何設法案

議決 醫士與病人間有言語不通挑選災民服務

一件 嚴蒼山提議調度方面應何如注意案議決由醫士詳爲指示

一件 收容災民辦事處函請中國醫院療治潮洲五邑山莊災民應如何辦理案

議決 由中國醫院負責辦理經費由本會負責並函知第一收容所設法集中

一件 黃寶忠提議王元道担任給藥七天至多延期二天應如何繼續案

議決 已經與國藥同業公會接洽妥當

一件　蔣文芳提議災民自開方藥爲同類療治應否禁止案

議決　應請辦事處禁止

一件　災民醫藥用費應如何籌劃案

議決　通函會員隨意補助

九月十日第十七次執監聯席會議

出席委員　蔣文芳　秦伯未　薛文元　朱鶴皋　黃寶忠　吳克潛　盛心如　嚴蒼山　唐亮臣　傅雍言　徐志千　張贊臣　丁濟華　任農軒　陳湫庵　沈心九　郭柏良　朱南山　朱少南　丁仲英　夏重光　沈建候　丁濟萬　包天白　包識生　朱少武

列席者　翁天生　許壽彭　胡　佛

主　席　朱南山　郭柏良　紀錄　蔣文芳

行禮如儀

討論

一件　南京市國醫公會函一件應如何答復案

議決　本會尚未接到是項訓令倘接到後即行擬具不能立予更改之理呈復上級應將此意答復該會

一件　報載到滬災民疾病堪憐各會員紛請本會服務應如何辦理案

議決　組織醫藥隊甲乙二隊

甲隊　朱南山　胡　佛　許壽彭　郭柏良　夏重光　翁天生　陳湫庵　任農軒　張鴻遠

乙隊　丁仲英　張贊臣　楊彥和　吳克潛　傅雍言　嚴蒼山　沈石頑　黃器周　包天白

（一）備函陳報收容所辦事處及衛生股

（二）要求國藥界熱心份子於明晚到會共商

（三）定明晚開醫藥隊會議

八月二十五日下午八時第十六次執監聯席會議

出席委員　蔣文芳　薛文元　朱南山　黃寶忠　傅雍言　朱少南　朱鶴皋　沈心九　沈建候　徐志千　唐亮臣　任農軒　夏重光　包識生　盛心如

主席　傅雍言　包識生　紀錄　蔣候芳

（甲）報告

一件　中國醫學院校友會函一件

乙件　會員楊彥和函乙件

乙件　執委秦伯未函乙件

（乙）討論

一件　中國醫學院校友會來函業由常務委員會簽注意見請爲通過答復案

議決　通過

一件　各省水災急賑會送來募捐簿二十册本會應如何辦理案

議決　本會業已登報通告會員直接送至收款處未便再募如會員願託本會代繳者亦可照辦

八月二十日下午八時舉行臨時執監聯會暨中國醫學院院董會議

出席委員　蔣文芳　任農軒　沈建候　盛心如　沈心九　唐亮臣　謝利恆　吳克潛　江伸亮　郭伯良　丁仲英　薛文元　傅雍言　秦伯未　嚴蒼山　陳湫庵　張贊臣　黃寶忠　張鴻遠　丁濟華　丁濟萬　包識生　包天白

主席　謝利恆　包識生　報告兼紀錄　蔣文芳

行禮如儀

（甲）報告

一件 漢口市國醫分館函一件

一件 浦東分事務所函一件

一件 中國醫學院包院長函一件

（乙）提案

一件 丁仲英郭伯良提議各省水災奇重待賑孔急本會應否竭力襄助案

議決 辦法四項如左

（一）登報通告全市國醫界盡力捐助賑款直接送至本市籌募各省水災急賑會收款處如中國交通中央金城等銀行

（二）待水災公債發行時本會盡力勸募

（三）由本會印就勸募水災賑款文字五十萬份分發各會員轉致病家盡力捐助

（四）懇請全國醫藥二界本救災卹憐之義共同負責一致進行

一件 中國醫學院包院長提議聘請秦伯未君担任教務主任案

議決 通過

八月十日下午八時第十五次執監聯席會議

出席委員 薛文元 蔣文芳 唐亮臣 盛心如 徐志千 丁仲英 沈建候 陳漱庵 傅雍言 張贊臣 張鴻遠 任農軒 陸士諤 夏重光 沈心九 包天白

主席 薛文元 傅雍言 報告蔣文芳 紀錄 繆曙初

行禮如儀

（甲）報告

一件 七月份要求加入本會者有嚴仲文柴穀周殷筱鵬胡子宣秦上谷阮晉康孫海仙王子明等八人

一件 福爾摩斯小報登載衛生局生財有道新聞一則虛搆事實破壞會務侮辱官廳案業已分別具實呈

報市政府社會局核辦

(乙)討論

一件　執委兼財政科主任朱鶴皋因病辭職案

議決　一致挽留

一件　法工部局徵收醫生衛生捐應如何解決案

議決　致函法工部局分條陳明理由要求取消是項附捐

一件　本會職員茶役膳宿除由會供給外俸給照生活所需應予酌加案

議決　通過

(丙)提案

一件　蔣文芳提議中國醫院原爲學生實習而設顧現在求診者日衆然尙缺一常川駐院負責醫生應如何辦理案

議決　請包識生物色薪俸由會暫墊常務委員負責歸還

一件　黃寶忠提議中國大醫院籌備如何支出案

議決　暫緩討論

九月十一日下午八時舉行醫藥隊第一次會議

議決案如左

(一)收容災民辦事處衛生股已有復函歡迎本會担任醫療

(二)南市收容所已歸併到閘北柳營路一處收容

(三)本會聘定施星六邵春橋爲常駐醫士

(四)本會推定之醫員平分六組每組四人連往三日以補常駐醫士之不及

(五)方臒用國醫公會信箋但診療人須印銜章以資識別

附錄　玆規定每組醫員如下

第一組	第二組	第三組
朱南山	夏重光	翁天生
胡　佛	陳漱庵	丁仲英
郭柏良	任農軒	張贊臣
許壽彭	張鴻遠	楊彥和
第四組	第五組	第六組
沈石頑	傅雍言	蔣文芳
黃器周	嚴蒼山	楊伯芳
包天白	黃寶忠	謝利恆
吳克潛	舒而安	聞若應

事務員　蔣有成　丁濟華

常駐醫員　施星六　邵春喬

國醫公會災民醫藥隊服務須知

(一)本隊慈善為懷以療治災民疾苦為宗旨其他問題應置度外

(二)來診病人應以掛號單為憑無單應令補請

(三)病人來診應先問渠曾否已經西醫醫治如已經西醫醫治應先徵求西醫之同意彼方亦然

(四)初次診察應將其險要病狀盡量寫出

(五)病人來診察其病情可用藥丸藥粉應盡量先用藥丸藥粉以期簡便而免空誤應服湯藥者之時間與機會

(六)對于同道無論中西應抱合作精神
(七)對于病人應以至誠至忠之態度爲之服務
(八)義務醫員于辦事手續上有不明瞭處應詳問常駐醫員

九月十二日下午八時舉行醫藥隊第二次會議

(一)昨日所議第六條診療人蓋印改爲簽名
(二)義務醫員每日于五時以前隨時到所
(三)添請舒嘯先生爲常駐辦事員
(四)星期一(十四日)開始工作即于是日下午二時之前全體醫員到會準二時出發同至柳營路以便認識路徑
(五)請中國醫學院調實習生四人到所照科
(六)第一組服務日期爲十四五六三日以下順遞
(七)給藥事宜已蒙王元道慨允煎施七天外並已函請國藥同業公會協助

中西醫各有學識

胡佛

謂醫道難耶。而何以行醫者比比也。謂醫道易耶。而何以精醫者寥寥也。夫人亦幸而無病耳。苟不幸而有病。則不能不就醫。中醫耶西醫耶。吾烏乎從之。要知治內病。宜中醫。治外病宜西醫。蓋中醫以望聞問切爲主。西醫以解剖試驗爲主。中醫西醫各有短長也。苟因所病而就治焉。治而愈。即爲良醫。治而不愈。即爲庸醫。然而良醫少。庸醫多。往往病者。誤死於庸醫之手。而猶諉之於醫病不醫命之說。豈不冤哉。

各地醫藥界消息

▲武進通訊

中醫公會之成立——

武進縣醫界。原有中醫學會之組織。爲學術團體性質。自縣支會解散後。鑒於對外及維護同道職業。不能無相當團體爲之代表。經全體之決議。改組爲武進中醫公會。得黨部許可。縣政府備案。於六月十四日成立。選舉錢同高。高伯英。謝景安。張撲松。朱履安。屠博淵。錢同琦。巢銘山。徐杏生。陳益生。朱安穀。屠貢先。金奎伯。錢文淦。須文卿等十五人爲執行委員。馬仲藩。吳近安。屠士初。承槐卿。楊博良。朱季安。須次先。繆寶儒。等九人爲監察委員。互選高伯英。張撲松。屠貢先。謝景安。朱履安。爲執行常務委員。朱履安常務主席。屠士初當選監察常務委員。並蒙武進縣政府刊發圖記一顆。於七月十九日正式啓用。開始辦公。並經執監第一次聯席會議議決推朱安担任秘書處。張撲松担任組織科。高伯英担任經濟科。謝景安担任調查科。屠貢先担任幹事科云。

醫藥研究會之發起——

醫之與藥。唇齒相關。自來習慣分道揚鑣。實於發展有礙。去年本邑醫藥兩界。聯合組織縣支會。頗顯合作精神。如組織特種委員會。辦理審查丸散。較準方劑分量。擬立圖書舘等。自全國醫藥總會撤消。縣支會基礎動搖。遂致停頓。最近中醫公會及藥業同業公會。經幾度之接洽。提議組織學術團體：定名謂醫藥研究會。藉以鞏固醫藥情感。並繼續前辦工作。業由醫界推出朱履安。張撲松。高伯英。謝景安。屠貢先等。藥界推出李滌雲。童杏生。曹鑑初。徐懷遜等。籌備進行云。

傅氏三書

題序者

譚組庵氏　沈維賢氏
唐蔚芝氏　施今墨氏
蔡孑民氏　楊富臣氏
胡展堂氏　薛逸山氏
于右任氏　謝利恒氏
戴季陶氏　薛文元氏
陳陶遺氏　汪紹周氏
陳无咎氏　張杏蓀氏
楊杏佛氏　蔡濟平氏
黃炎培氏　王一仁氏
李夢覺氏　秦伯未氏
錢龍章氏　郁佩瑛氏
沈湘之氏　葉惠鈞氏

全書內容提要

本書爲劉河名醫傅雍言氏之尊人耐寒先生所著凡四册

一　醫經玉屑……一册

就內經中摘補三十七條發揮其奥旨註解五十一條以完各家未暢之旨今人能研古學者絕鮮得此可知內經中自有精粹之處特患不能悟會耳

二　醫案摘奇……二册

此爲先生心得獨到之作險症百出獨能處置裕如從容投藥其三折肱案尤非學識並長者不能道隻字實可媲美葉氏醫案潛齋筆記不可多得之作也

三　舌胎統志……一册

歷來辨舌之書都以胎色分部此書能獨出手眼不循尋常谿徑以舌色爲主分爲八門綱舉目張法賅用宏蓋能悟徹標本奥旨者也

全書四册布套一函　定價二元七折

外埠加郵費一角四分

中醫書局發行

寄售處　上海市國醫公會

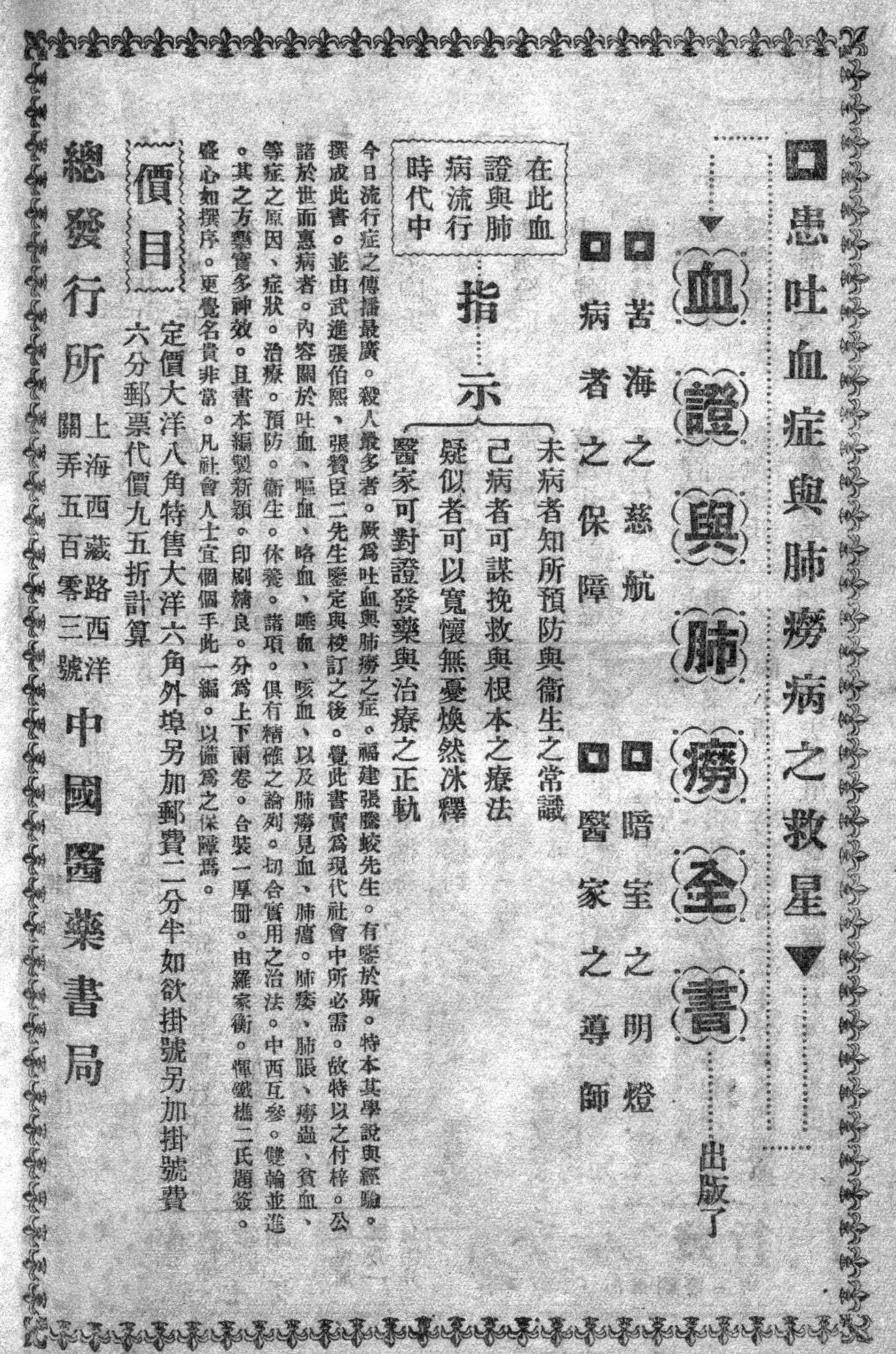
患吐血症與肺癆病之救星
血證與肺癆全書
出版了
苦海之慈航
暗室之明燈
病者之保障
醫家之導師
在此血證與肺病流行時代中
指示
未病者知所預防與衞生之常識
已病者可謀挽救與根本之療法
疑似者可以寬懷無憂煥然冰釋
醫家可對證發藥與治療之正軌
今日流行症之傳播最廣。殺人最多者。厥爲吐血與肺癆之症。福建張膽蛟先生。有鑒於斯。特本其學說與經驗。撰成此書。並由武進張伯熙、張贊臣二先生鑒定與校訂之後。覺此書實爲現代社會中所必需。故特以之付梓。公諸於世而惠病者。內容關於吐血、嘔血、咯血、唾血、咳血、以及肺癆見血、肺癰。肺痿、肺脹、癆蟲、貧血、等症之原因、症狀。治療。預防。衞生。休養。諸項。俱有精確之論列。切合實用之治法。中西互參。雙輪並進。其之方藥實多神效。且書本編製新穎。印刷精良。分爲上下兩卷。合裝一厚冊。由羅家衡。惲鐵樵二氏題簽。盛心如撰序。更覺名貴非常。凡社會人士宜個個手此一編。以備爲之保障焉。
價目
定價大洋八角特售大洋六角外埠另加郵費二分半如欲掛號另加掛號費
六分郵票代價九五折計算
總發行所
上海西藏路西洋關弄五百零三號
中國醫藥書局

醫藥精華集

◎近代名著◎ ◎不同凡作◎ ◎內容豐富◎ ◎無所不包◎ ◎請閱目錄◎ ◎便知精采◎

何以可貴

醫藥精華集。何以可貴。因醫藥精華集爲醫藥新聞報之材料彙成。醫藥新聞報。爲全中國最偉大之醫報。全國名醫之鉅著。悉萃於此。例如指導社會醫藥常識。救濟醫界同人。厥功非細。而關於時令疫癘。醫藥新聞報所發表治法。隨時有獨到之處。今本書既爲醫藥新聞報名貴之材料彙成。故醫藥精華集即爲名貴之偉著。（本書分初集二集二種）

醫藥精華集初集　係醫藥新聞第一年全年材料彙成

醫藥精華集二集　係醫藥新聞第二年全年材料彙成

初集要目

■苔脈門■辨舌大要，舌苔學，脈學，辨脈知壽夭，孕脈辨，男女脈辨。■痧症門■痧子（即痦，痳，）之最妥治法，斑疹白痦治法。■婦女門■婦女病大網，陰戶奇病自療法，經病，產病，肝氣，積聚，乳房。■瘧痢門■瘧疾新論，治痢三大法，痢疾必愈，痢疾不能用利水藥辨，治瘧特法。■咽喉，咳嗽門■咳嗽特效治法，百日咳，喉症特效治法，喉症三忌，白喉與喉痧之分別，哮喘與短氣之別。■花柳門■花柳病與各方之關係，脫鼻重生法，陽物復長法，下疳便毒魚口橫痃赤濁白濁，五淋陰蝨囊癰結毒等自療法。■霍亂，腸胃門■似霍亂，寒霍亂，熱霍亂，霍亂新論，霍亂新新論，腹痛之辨別，嘔吐噦之辨別，反胃：關格，胃痛，宿食。■溫病門■溫病淺釋，溫病宜急下不宜過表，釋春溫，釋秋燥。濕溫，濕溫證治。■中風，傷寒門■中風論略，中風不能用風藥辨，釋傷寒，夾陰傷寒辨。■遺精門■遺精與種種之關係，（與環境，震動。脚踏車，撻背，褻褥，沐浴，便溺，性情，飲食等）遺精之種類，異哉遺精病。外治遺精三法，脫陽急救，遺精目盲。其他痰病，頭痛，健忘，失眠，夢魘，肺勞，五官，推拿，剖解等門，均有名著，凡數十篇，子目繁多，限於篇幅，不能盡述，書後附有集益錄一百六十條，俱爲不可多得之簡效方。

二集要目

■衛生門■肺臟強健法，心臟強健法，肝臟強健法，脾臟強健法，腎臟強健法，平時衛生，病時衛生，婦女衛生，小兒衛生，公共衛生，天氣突變之防範。■時症門■時症防預，關於腦膜炎之問答，腦脊髓膜炎，（按此等著作，法年刊載，萬人爭誦。）■戒烟門■戒烟必效法：戒烟善後問題。■病理門■不治自愈，非治不愈，雖治不愈，雖病不死，不病猝死，易治易愈：緩治方愈，愈後復發，傳染，灑伏，傳變，遺傳，六淫，七情、氣血的病理，我國談病理的書，可稱未會有過，此篇洋洋數萬言，乃最新之發明，最新之傑構也。■性病門■性病之研究，遺精絕編，遺精之特異，遺精失血，遺精速愈。遺精白濁單方三十三條。■肺病門■名醫所述之肺病治法，肺病預防，白痰與吐血，痰血問答，肺病驗案。■婦女門■胎成男女之研究，避孕新法（涼血，陰血離經，殺滅精蟲，精液避射，子宮塡塞，交媾前洗滌，交媾後洗滌，過期交媾，風流如意帶等法。）■小兒門■小兒病十一種詳細治法。其他如消渴，癲癇，黃疸，痔疾，眼疾，瘧痢，咳嗽，以及其他雜症治法數十門，子目不違細述，書後附集益錄一百餘條，及急救方法五十則，搜羅齊悉，堪稱全璧。

特點

本書之特點甚多。而尤爲社會人士所稱道者。其一爲避孕法之新研究。及治腦膜炎之特法。爲獨得之發明。海內任何醫書。無其詳備。其二爲初集二集卷末。各附有靈驗祕方一百六十條。方方不同。皆爲古今名醫不傳之祕。經本館搜羅而得。名貴異乎尋常。其三爲百病療法。俱可寶驗。普通人得之。亦能應用。至於裝釘之精美。猶其餘事。

價目

初集金裝一大厚冊計六百面定價二元特價一元四角二集金裝一大厚冊計六百面定價二元特價一元四角（寄費加一）

贈送

本館特向生生美術公司定造福壽箋數十萬，作爲贈品，凡向本館直接購書者，每購一冊，贈送福壽箋百張，多購多贈，至在代售處購買者，恕不贈送。

總發行所

上海法租界辣斐德路貝勒路東維厚里二十三號醫藥新聞報館

代售處

上海山東路十三號中醫書局

編輯委員會題名

中華民國二十年十月十五日

現代國醫

第六期　實洋二角

編輯者　編輯委員會

出版者　上海市國醫公會　上海南京路南香粉弄八十八號

發行者　上海市國醫公會

寄售處　上海中醫書局　上海山東路南帶鈎橋十二號

中國醫藥書局　上海西藏路西羊關弄五〇三號

印刷者　華豐印刷鑄字所

▲本雜誌每月一冊。全年十二冊。

▲每期實洋二角。預定全年連郵二元。

▲凡本會會員。一律優待減半。實收一元。

▲廣告價格。全張每期二十元。一面十二元。半面八元。長期八折。

每月刊

現代國醫

第二卷　第二期

中國醫學院專號

中華民國二十年十二月

上海市國醫公會編輯印行

發行　上海南京路香粉弄八十八號

中國醫學院第二屆畢業典禮
二十年六月廿一日

現代國醫第二卷第八期目次

—中國醫學院專號—

教職員雜著

痢疾之經驗談……郭伯良講 錢公玄記
國難與國醫……蔣文芳講 朱殿記
從抗日救國說到國醫藥界……張梅庵講 章鶴年記
國醫應有之態度和經驗……朱鶴皋講 王世開記
中西醫藥匯通之步驟……嚴蒼山
朝鮮人之國醫觀……吳克潛
蜘蛛散之疑義……程次明
伏氣明辨……盛心如
四時皆有濕溫症說……莊虞卿
論婦人血枯經閉……賈筱芳
痢疾之原因與治法……陳時芳
談談腫脹病之治法……景芸芳
謙齋近案……秦伯未著 何松寅錄

校友作品

膈病症治之大略……李筱亭
河豚毒之研究……何松寅譯
談砂眼……楊興祖
女子鬼胎說……陳穎貞
論濕溫病治法……姚汝元

氣喘論治……傅永昌
脚氣概要……胡樹百
治氣血病之淺觀……朱天祚
藥物之研究法……張慶奎
流注流痰論……傅永昌
狐惑病新解……沈逢介
腦疽證治概說……劉壽康
小兒鎖喉風與斷臍之關係……方逢道
金匱痰飲病一症二方之原理……辛元凱
痧疹論……程金麟
幼科之我見……陳承謨
痢疾治法概要……季鷹朋
風傷衛寒傷營風寒兩傷營衛論……舒榮鏡
小柴胡湯逍遙散合論……朱殿
陰病見陽脈者生陽病見陰脈者死新解……史敏言
傷寒脈浮滑此表有熱裏有寒白虎湯主之義……糜鶴鳴
葛根黃芩黃連湯方論……陳家陣
乳兒心理之發達談……劉達志
陽虛生外寒陰虛生內熱辨……王世開
桂枝加芍小建中合論……錢公玄
冬令補品中之一頁……馮伯賢
烟癮杜根方……鄭春風

雜俎

書麟筆記……方毓麒
臨證一得……史學海
求融室醫談……唐景熙
診治芻言……賴達五

教職員雜著

痢疾之經驗談

院董郭伯良先生講　錢公玄紀

諸位同學。鄙人今天列席演講。因爲事前一無預備。所以只得把平日治病上得到的一些小經驗。約略提些出來。和諸位談談。我現在且把痢疾一症。略加討論。痢疾這一個病。病原不一。從漢唐以下的醫家。大都抱着痢無止法的一句話。以消導攻下爲不二法門。但是。據鄙人的經驗上看來。凡是因於食積而成的痢疾。固然可以用這個法子。其他各種痢疾。是不可以一概用木香檳榔枳實導滯這一類東西去敷衍的。我常見有因爲攻伐過度的。以致正氣大虛。弄到後來。發熱不退啊。胃呆啊。神疲啊。這許多逆症雜見。就此不救。這眞是庸醫的誤人。現在我略爲和諸位談二種痢疾。

有一種痢疾。起先大便下利。而且兼有頭痛發熱惡寒這一類表症的。在這個時期。應當用人參敗毒散治他。倘然初期失治。或者因爲施了攻下之法。以致表症全除。完全成了泄痢無度的裏症後。在這個時候。尤其不可以攻下消導。廣東人有二味極簡單的藥。可以治好。這二味藥。是廣東人治痢疾所常服的。非常之靈驗。研竟是什麼東西呢。一味是銀花。一味是山查炭。但是我們用起來。分量必須很重。才有效驗。鄙人曾經用過銀花六錢山查炭五錢。治好過一個人。是一劑取效的。現在我們可以根據這二味藥。加以擴充。製成一張方紙。加入黃連枳殼木香陳皮半夏赤苓這一類東西。去治普通一般的腹痛下利症。但是必定要重用木香同查炭二味木香起碼用二錢。查炭大概也要用到五六錢。因爲木香可以導氣滯。山查可以淸腸胃這二味眞是痢疾的要藥啊。

又有一次。鄙人治過一個陽明下利症。照例應當用白頭翁湯的。但是這人少腹劇痛無已時。所以吃了白頭翁湯。下利雖則減些。少腹作痛依然如故。診他的脈象弦數。口渴欲飲。鄙人知道他是有濕熱蘊釀於厥陰。就加了金鈴子元胡索二味。叫他再吃一劑。果然得效。所以治病必須要隨機應變。不可泥執成法。譬如你用這張方紙去治這個病。吃下去應當要好的。倘然無效。你就要轉轉念頭了。再拿他的脈證仔細辨別。是否是你的診斷有差誤。這樣。你的醫術才有長足的進步。

還有一次。有一個小孩患了痢症。鄙人第一次去診視了一張很普通的痢疾方紙。吃了不效。這病家非凡之心急第二天一連請了三個醫生。反而把心思弄亂了。不知吃那一張方紙好。第三天也請了二個醫生。吃了一服藥。這樣遷延了二天。到第四天又到鄙人這裏來診視。那小孩子邪已化熱了。於是替他用一張葛根黃芩黃連湯。用小川連五分葛根三錢。因爲他非常口渴。葛根是辛涼之品。可以生津止渴大清肌熱。故而重用。黃芩止用了三分。這因爲黃芩是苦泄之品。病人泄痢無度。再用苦泄之品。病勢一定有增無已。這張方紙。吃了果然獲效。這個病。因爲病家心急的緣故。才弄出了一場風波。所以心急是最不好的。非但病家如此。就是我們醫生。也是切忌心急。有許多病。並不是一帖就可以吃好的。像一般的調理病都是這個樣子。你若因爲吃了一二劑沒有效。就此更方。那就沒有看好這病的希望了

國難與國醫

院董蔣文芳先生講　朱殿紀

各位同學。今天鄙人和諸位聚一堂。確是一件很欣幸的事。要說是醫界名人演講。那萬萬不敢當。名人兩字。尤其不敢接受。只好算和諸位談談罷了。

最近使得我們痛心疾首的一回事。。就是日本侵略遼東幾省。殘酷的手段。野獸的行爲。諸位在報紙上。早已明瞭。這次事出意外。喪失了幾十里的土地。固然是犧牲在不抵抗主義上。但是最大的成分。還是因爲國內二十年來互相訌鬨。不能眞眞統一。所以得到今天瀋陽同胞流血的代價

。現今中國處在這可憐可悲的境遇中。也好像我們國醫的地位。同是受着强憐侵略。環境壓迫。有什麼兩樣呢。中國民族。在歷史上講。過去可算是一强大的民族。經過了幾次變遷。到現今民族地位不平等。經濟地位落伍。竟成了被列强壓迫一個弱小民族。最重大的原因。事實告訴我們。政見不同。互相殘殺。民氣渙散。不能團結。以致河山破碎。國事蜩螗。和我們國醫的地位，差不多一樣。中醫有幾年千年的歷史。高深的技術。在社會上很得着民衆的信仰。自從歐風東漸之後。西方醫學。輸入中國。一般自命科學化的西醫們。採西方的學說。拿來治療中土的民衆。於是眩耀新奇。喧賓奪主。中醫的地位。因此受着重大的打擊。中醫界同志處在這危急的環境中。應當要怎樣的團結。怎樣的努力。以發揚我們固有的文化。鞏固我們。原有的地位。可是痛心的說一句。依舊一盤散沙。在心理上。實際上。非但不能一致團結。還要互相傾軋。互相妬忌。互相攻訐。幾乎視同仇敵。祗要看在造成中醫界永遠不忘的三一七那天。會場之中。慷慨激昂。悲壯淋漓。當時論到經濟問題。一致主張。全國中醫每人把一天的診金。充作一切交涉經費。會議的時候。人人贊成。到後來能實行那條議決案的。寥寥無幾。從這一點上看來。中醫界同志。簡直不能披肝瀝血作眞誠的團結。無怪要處在這萎靡不振的田地。還有一種誇大性的人。意爲我們中醫學說。是神妙的。高尙的。神聖不可侵犯的。根深蒂固。決不能消滅。這一類的人也很多。要曉得無論什麼事。不進則退。何況環境在那裏壓迫你。潮流在那裏傾軋你。你再不把原有的學說發揚光大。現在的地位已受侵畧。恐怕不久的將來。更形痛苦哩。

這並不是我過言。我們中醫界。應當人人有這種觀念。自相警惕。才可以避免將來的危機。日本這次暴佔東北。並不是一刻兒的陰謀。東省危急。也並不是最近發現——雙方都有了很久的仇恨——我國在這民族存亡關頭。能夠恍然覺悟。全國團結起來。未必不能戰勝日奴。換一句說。我們中醫界。倘能眞眞的團結。開誠布公的聯絡起來。也未必不能辦大規模的事業。腳踏實地的振興學術。現在要救國。必先從自身做起。國醫的地位能擴大。也就是救國。最近西醫某在時事新報上大肆攻擊中醫。和陸士諤先生在鑽報上遙遙對罵。無非說中醫學說是舊的。他們是合於科學的。什麼舊的新的。鬧個不休。老實說。科學越發達。人民越是痛苦。試問愛克司光等。貧苦的人民。能否享受治療。祗要看科學發達的國家。生產的技術方面。多以機器替代人工。生產雖得了空前的發展。然而同時却釀成很嚴重的社會問題。因爲人工爲機器所替代。所以生出許多失業的工人。鬧成重大的經濟恐慌。所以物質文明愈發達。人民愈痛苦。這句話。誰都不能否認的。我們知道國醫界的四週。險象環生。要在理論上求發展。心理上求團結。才可以抵抗强暴的侵畧。杜絕重大的漏卮。在這國難中。確是我們應有的努力。應有的奮鬥啊。諸位。都是有志青年。未來的醫者。在求學時代。應抱着振興醫術的志願。在醫學上多用工夫。不誇大。不妬忌。養成博愛和平的精神才是。

完了

從抗日救國說到國醫藥界

院董張梅庵先生講　章鶴年記

諸位同學。梅菴與本學院關係。至爲密切。然與諸位晤談的機會都很少。前天承本學院包院長及嚴教務主任。敦促兄弟今天來演講。可是當此國難日亟。殊無心爲學術之演講。而且梅菴只是一個商人。也不配談學術。茲就救國方面。與諸同學作一商榷。

自暴日出兵侵略。東省被佔。噩耗傳來。薄海同憤。現在國勢非常危急。大家都知道。一致起來抗日救國。犧牲多少錢和力。去向民衆宣傳。抵制日貨。向政府請願。出兵抵抗。而日本仍繼續不斷地用武。以滿牠獸慾的目的。我們要想抗日。不能專恃幾句口號。今日開會。明日請願。就算了事。這些治標之外。還要顧到治本。從實際做起。例如醫藥兩界。盡所負之天職。以威武不屈之精神。發揚國粹。便是救國。不一定要拿着槍桿子用武力到前線去衝鋒。才算救國。

講到武力的話。我國政府這次採取鎮靜態度不用武力去抵抗暴日使全國民衆呼籲不已。尤其是愛國的青年學生。激於義憤。更爲熱烈。但是政府也有一種苦衷。我們應有相當諒解。其最大原因。就是中國兵力不能統一。贛之匪。粵之爭。此其一例。又且十六省之水災。人民餓餒流離。內憂未除。軍力財政不充實。還能與作殊死戰嗎。況瀋變事件。係屬暴發。我國事前既無準備。亦屬出世界公理意料之外。

抵制日貨。回想過去的成績。實等於零。像這次抵制。日商大受打擊。已經得到相當效果。我們大家從今天起。誓死不用日本貨。自然能制日人死命。然我們現在對日本僑民。只抱不合作主義。在未斷絕國交之前。仍舊應保持文明國的態度。切勿效尤他們的野蠻式。輕易與日本僑民發生惡感。致引起誤會而爲其藉口。要知此次出兵。乃日本軍閥之專權。非日本全國國民之公意。這幾天報紙上都有專載。大概爲諸君所共見。不必細說。

抗日救國。我們國醫藥界。不僅負愛國的一分責任。且各負極重大之使命。茲分述如下。

醫的方面。無論將來中國與日本戰與不戰。我們都要準備。所準備的。便是職責所在的醫。要積極組織救護隊。以備政府一旦下總動員令與日本作戰。我們便可隨軍出發。担任救護工作。但是中醫療病的手續。非常繁瑣。不若西醫簡單靈便。諸位既負改進中醫使命。復丁茲國難臨頭。大家都應負起責任來。對於治療救急方面。加緊作一個深切的研究。並應採訪西醫簡便方法來改良中醫。使之若何能便利以適應軍隊救護之用。將來護能收極大功效。這便是諸位所應負之使命和責任。

關於藥的方面。應積極以科學方法提煉製造。如何改良能使輕便適應軍隊救護之需要。如何改良能使藥少而功宏。法簡而效捷。以便利於醫者。這均是刻不容緩的工作。

抗日救國。國醫藥界既負有相當使命。然其職務。根本是一貫的。則醫藥兩界自應有互相聯絡。共同研究以應救國工作之必要與義務。積極的便是趕緊商籌適應救護需要之改良藥品方法。消極的繼續整理闡揚國醫國藥以保存國粹。

諸位熱心救國工作。組織抗日會以及義勇軍。鄙人極端贊成。非常欽佩。不過另有希望於諸君者。要知教育爲國家元氣。抱定讀書不忘救國。救國不忘讀書的宗旨。在昔普魯士侵法。而法仍弦歌不輟。我們不能再因噎廢食。喪失國家元氣。——這話雖然與抗日救國不相連接。諸位試想一回。和抗日救國間接也很有關係的。

國醫應有之態度和經驗

院董朱鶴皋先生講　王世開記

現代國醫界內。份子複雜。良莠不齊。影響國醫前途的黑暗。病者慾望的失敗。關係很大。尤其是諸位學子。都是我們國醫界未來的主人翁。基本的生力軍。在現在應如何修養。如何研究。而得到將來的光明興旺。壓倒自豪科學化的西醫。就這樣觀察下來。諸位的使命。如何重大。如何緊要。所以兄弟就十數年經驗所得。與我們國醫應有之態度。和諸位隨便談談。使諸位將來站立到社會戰線上。不致爲一般不良份子所感化。爲改變固有之人生觀。墮落於不兢的地步。那末我國醫的前途。恐怕更加危險了。所以希望諸位。除了努力學業。尤須十二分注意到……

(一)醫者態度　我們知道醫生的態度好壞。與本身營業興盛。和得人重視敬仰。都很有關係。假使病者嚕囌。問長問短。目的是望醫生細微指點。使他的病早一天好罷了。倘使醫生以爲診務忙錄。叱之不答。質之惡煩。或厲聲相對。大擺架子。那末病者走到他的門外。必定要懷恨不休。因爲來求爲醫治。沒有達到他的目的。因此連藥也不大相信。這樣一來。固然失掉了他以前的信仰。並且還要告訴別的人知道。這醫生的行爲。你道這醫生的營業。有沒有損失呢。所以醫者的態度。第一要和靄悅色。舉止從容。談詞爽朗。病者有問。醫者必婉言爲之細微解答。於是病者信仰心益堅。這種心理。是我們可以推測知道。一定無疑的。

(二)醫者品行　人的品行善良。關係他的人格高下。假使品行不正。人家一定疑其卑陋。那怕他的學問高深。也恐怕人家不敢請教。那末我們醫生最重的是名譽道德。如果一個醫生。就是他的名望遠震。門診勇躍。進入豐富。倘然因此恣意放縱。嫖堂子。吃花酒。吸鴉片。打麻雀。種種放淚的習氣。日以爲常。知者宣傳力速。人人批評。其醫今非昔比。不務正業。耗費太重。不免由信仰而轉爲懷疑。由懷疑而偵探其劣點。于是有些宣傳家。就舉說他心不在焉。治病不應。輕病醫重。重病醫死。以後强敲病家竹槓。以供其揮霍。這種種敗名的頭銜。對于他的營業。有沒有影響。我們可以想到他失敗的結果。是不是由于他的品行不端所致的因呢。

(三)醫者不兼副業　醫生唯一的專責。是替病家減除痛苦。恢復病家康健。那末我們應如何深究他的病源。病理。症象。以及應用何種方藥。使其就痊。始得病家信仰。卽是發揚國醫光輝。不應兼有副業。分繞意志。散漫心神。一旦給病家看出破綻。必致懷疑。此醫生視人命爲兒戲。病者當然不敢請敎。這種心理。也是一定的吧。曾有某醫生。本來診務很忙。因爲利心太重。兼做交易所賣買。每每診病時。常有交易所電話傳來消息。談盤時價。日必數次。使病者耳聞目睹。當然知其心神分亂。診病怎麼會有把握。這種消息傳出。診務日漸減失。後來交易所又謨利失敗大虧。結果是一事無成。落得兩袖淸風。可想一個人。不問做一件什麼事業。都應當專一意志。況醫生治病。重關生命危亡。精神不專。能得病家的信仰嗎。

(四)醫者互相批評的惡習　國家不能一統。政治不能振興。始有外國人來侵略。吾國醫界不能團結。醫學不肯改格深究。反自家在營業上妬忌。在在毁謗他人的名譽。所以有今日西醫的摧殘排斥。把數千年歷史的國醫。弄得暮氣沉沉。不能發揚光大。眞是令人痛心。所以今天提出這一點。希望諸位同志。將來絕對不要感染了這一種惡習。專門孳孳爲利。卽是對于母校名譽。也很有關係。同時更要徹底認淸了自己所負的使命重大。不可稍爲疏忽放棄。是我們唯一的目標。常見社會上一般醫生。專喜在病者面前好誇大。善道己之長。言人之短，倘遇到病家已經請過甲醫診治。見其方藥。不問是否錯誤。卽大加批評。說他吃壞。本來這病只要二天可好。現在非兩星期不可。或者弄得不好。說不定。有性命危險。爲什麼不早來請我。這般吹牛皮。沒良心的言詞。說得病家胆戰心驚。正是顯出他的本領。但是在無知識的人。固然惱恨甲醫。同時也少不了。自誨認錯醫生。在有知識的人。或見你過甚其詞。這種批評。是無人格妬忌。反足以失了他的信仰。即是無識的人。一時信了你的胡話。倘使你也不能治好他的病。那末你良心上。將何以對其病家。與同業呢。再就理論方面解說。病家倘然已知道甲醫果眞壞了他的病。所以失了他的信仰。始來請你醫治。更何須你再加其罪名呢。像這種頭腦頑固的障碍物。不但希望諸位將來不要受其同化。並且協力勸戒。這些敗類的害羣之馬。或鏟除他。才是道理。

(五)診脈時不宜大意　診脈的目的。在得其脈象。而推測其病因。在事實上。也決非短少時間。所能得到脈的眞象。就是病家見了醫生。愼重細切他的脈象。若以醫生盡悉他的病症。于是信仰益深。倘醫生隨意按了一按。就此處方。也未必準確應手。所以診脈時間。至少要三分鐘左右。決不〻過短及隨便。而使病家不能信認。及治病不能準確啊。

(六)醫者宜與病家詳談病症　病家每多試驗醫生。診脈能否知道他的病情。以定他的信仰。如不能診出他的病情。或不能道出他的病詳。那末病者多半要調換醫生診治。如果能診其脈。觀其苔。望其色。聞其聲。便知道他的病症。能原原本本頭頭是道。說得中聽閱耳。使得病家連連點頭道是。佩服得五體投地。即是服藥後。病增不減。他一定要自己安慰自己是病重加劇的原故。還是不以醫生的方案藥吃壞。而失他的信仰。譬如一種症候。經兩醫生診治。一由甲醫口中詳詳說出病情。一由病家口中說出。同時皆能治好其病。或甲醫竟醫壞其病。但是他的信仰。仍佈服甲醫的本領靈驗。乙醫終歸是靠不處的。你道氣死不氣死。所以要適合病家的心理。必定要注重臨症。就不難辨別症候了。

(七)醫者要有責任心和救濟心　病者生命存亡。全托負醫生手裏。所以辨症處方。都負有切實重大的責任。不可以視若兒戲。施案處方。固要切合。分量尤要準確。適當。如果要用重藥。或服藥後。病體上有什麼反應。必須預告病家。庶幾不受人批評。和病家責問。並且醫生不應求利心太重。對于病家。有意爲難。或擺架子。遇貧些〻的或惡性病症。故意延遲。都不是吾國醫應有的態度。絕對要抱救濟心。和平等觀念。貧富病家。一律待遇。急症先治。後來者後治。遇疑難症候。無把握的。必須推荐他醫生診治。遇主顧病家。更務要加倍負責。結果必定得病家敬佩。而名望更外遠震。

(八)醫者診病首重經驗　醫生的經驗深淺。全在做學生時代。臨症上用的功夫如何。來做他的對象。那末醫生的經驗。純從臨症得來。醫生的學識。純從書本得來。諸位現在書本上。固然要努力用功。但是臨症方面。也不能稍爲忽略。談到臨症。也不是跟着醫生機械式的抄幾張方子。而能得到眞正的效果。必定要從書本上所學得的。拿來仔細研究。某種病症。脉象怎樣。舌苔怎樣。應該適合某種法子。用某種方藥。爲對症。單讀死書。不能化用。是沒有用的。譬如脉來浮的。知有風邪在表。舌苔應薄白。症見頭痛。咳嗽。身熱。無汗或有汗。辛溫辛涼。皆可應症而用。脉浮而數的。知有風熱。舌苔應黃。或燥。症見頭痛而昏。熱多寒少。或汗多咳嗽。目赤。治以辛涼解表。如脉來浮緊。知有寒邪客表。症見頭痛無汗。身疼寒熱。治宜辛溫解表。脉浮而滑。知有風溼濕。症見頭痛。發熱。惡風。骨節煩疼。體重而腫。小便欠利。治宜解表滲濕。如女子面現苦色。脉見細濇。知有肝胃氣病。或面紅而赤。知爲肝陽頭痛。又小兒面青必腹痛。或食積有滯。凡此種種。全在醫生臨症推測。變化應付的啊。上面說了許多話。現在把他總括起來說。(一)學術與經驗的重要。(二)醫生的態度和品行。(三)醫生要明瞭病家心理適應環境。就是這一點意見。拿來貢獻諸位。別的也沒有什麽話講。今天時間怱促。沒有充分預備。以後有機會。我們再談吧。

中西醫藥匯通之步驟

教務主任　嚴蒼山先生

鄙人担任中國醫學院教職有年。近因醫藥競趨時髦。中西醫藥匯通之說。高唱入雲。學生意志淺薄。易爲謠惑。特作是篇以闢之。

自西醫東漸以來。我國醫界之虛心求益。以期去已之短。採人之長。而倡中西醫學匯通者衆矣。然膚淺之輩。不解匯通之步驟。爲如何困難。徒竊彼此之皮毛糟粕。輒自詡爲中西一貫。妄加瑕瑜。眞非驢非馬。不中不西。以之治病攻疾。必致徘徊歧路。無所適從。反不若專一者之爲得矣。夫醫道湛深。無論中西。各有至理存焉。豈淺嘗者所可武斷。且醫道尤在乎實驗。若徒恃學理。譬之閉門造車。其不能出而合轍。可斷言也。故欲匯通中西醫。必先將中醫數千年之學理。上及軒歧。下逮近古各家。一一精求深討。參透幾微。以期在中醫一派之下。先收容融會貫通之功。更益以積久之實驗。證出中醫之學。何者爲長。何者爲短。何者爲確實不易之理。何者爲渺茫無據之說。有如兵家臨陣。百戰疆場。舉凡戎機之眞假虛實。無不知此知彼。洞悉幽隱。到此地步。然後再致力於西醫。其功夫與學中醫等。先入本國西醫學校。求其根底。而後負笈出洋。務期入室登堂之後。亦加以數年實驗。勘出西醫之孰長孰短。亦瞭若指掌。然後著書立說。將彼此之學術。在同治一病之下。條分縷晰。兩兩印證。然後本其學驗所得。去短取長。作一歸納。例如生理學。其編次須分爲中醫之生理學。西醫之生理學。最後下以論斷云。中西生理學之匯通。又如傷寒學亦分爲中醫之傷寒學。西醫之傷寒學。中西傷寒學之匯通。舉凡此例。皆須逐科編輯。其絕對不能匯通之處。亦必平心靜氣。詳加解釋。務以學術爲前途。無入主出奴之弊。夫如是中西醫學始有眞正匯通之一日。唯茲事體大。倘精於中而不精於西。精於西而不精於中。其匯通便不能澈底。若中西醫學理固俱精矣。倘皆無實驗。或有實驗之一端。則如西醫某氏者。先學中醫而無實驗。不知中醫之精華所在。後再學西醫。反取中醫之糟粕。藉爲攻訐之口實。趾高氣揚。自鳴得意。實識者所不值一笑也。因無中醫之實驗。輒致偏信西醫。匯通難望。且尤必須有絕頂好學之士。能下十載中醫。十載西醫。十載著述之功夫。方可與言匯通。故余甚希望中醫界中將來得有出類拔萃之人才。於中醫一道。已爲三折肱能手。并素負有中西匯通大志者。出而任此艱巨。爲全世界醫術。集大成也。

朝鮮人之國醫觀

教授 吳克潛先生

周封箕子於朝鮮。朝鮮之附庸於我。由來蓋數千年矣。文化禮教。胥傳自我國。明清之季。蔚爲大盛。然自被日滅亡以後。移風易俗。盡用其極。不數十年。鮮人日化者比比矣。而吾國文化。至此乃不絕如縷。今我追憶朝鮮。乃憶及鮮人某君對於國醫之觀念。紀其談話。彌足感慨。想爲關心國醫者所樂知歟。鮮人韓君。忘其名。余於辦醫藥新聞之翌年。踵門來訪。備道傾慕之忱。並謂國醫學理。超出一切。進而深造。誠世界醫也。叩以鮮醫近況若何。韓君喟然。似謂已皆由日醫奪其席矣。其碩果僅存者。則以國醫醫術。治病之神。民衆猶堅信勿失。而日人亦有深信者。其江湖日下者。淘汰至於盡絕矣。其論國醫之精妙者。則曰。吾鮮人治病。先分其病者爲四種人。然後配以四種藥。余曰。若是其簡乎。曰。明此理者。治病百發百中。遊刃而有餘也。其分四種人也。曰太陽之人。少陽之人。太陰之人。少陰之人。其分四種藥也。則太陽之人病。宜用寒涼。少陽之人病。宜用請潤。太陰之人病。宜用大溫。少陰之人病。宜用溫補。無論百病之生也。以此四種藥。治此四種人之病。苟診其人之體質爲不誤。厥疾未有不瘳者。彼之祖爲名醫。治病然。彼之父爲名醫。治病然。彼雖僑居上海不爲醫。亦篤信此說而勿失。間爲人治病亦然。無不効者。彼言全世界中。太陽之人不多覯。如中國者。周公爲太陽之人。孔子爲太陽之人。餘者少陽之人。最多者少陰之人。言畢。欲以此說介紹於我國。余聞此言。始則幾欲發聲而笑。退而思其言。理有可信。奧有可採。所缺者。無乃太簡耳。終而痛。我國國粹。其爲亡國餘黎之所保存者。雖片段猶珍守。歷世不改。回顧我國。果能自珍其國粹者有幾。實心研究者又有幾。後進者又如何。能不令人刺心耶。嗚呼。我國雖爲獨立之國家。然就各方之侵略言之。較亡國已相差不遠。國醫所受者。東西醫之兩重壓迫。已如雷霆萬鈞之力而不易自拔。將來我國醫藥將自滅耶。將如朝鮮之片段珍守耶。將奮發有爲耶。將爲世界醫而征服東西耶。往者已矣。是所望於後進之青年。

(克潛按)我國古說。確有四種人之分。就體質性情言也。太陽之人。居處于于。好言大事。無能而虛說。志發於四野。舉措不顧是非。爲事如常。自用。其狀軒軒儲儲。多陽而少陰。少陽之人。諟諟好自貴。有小小官。則高自宜。好爲外交而不內附。其狀立則好仰。行則好搖。經小而絡大。太陰之人。其人貪而不仁。下齊湛湛。好內而惡出。心利而不發。其狀黮黮然黑色。多陰而少陽。其陰血濁。緩筋而厚皮。少陰之人。小貪而害心。見人有亡。常若有得。好傷好害。見人有榮。乃反慍怒。心疾而無恩。其狀清然竊然。小胃而大腸。是我國醫治病。本應斟酌其人之體格。且根據土地之高下。厚薄氣候之溫煖濕燥。鮮醫所言者。其一鱗片爪也。

我國分藥。本有十劑。所謂宣通補瀉輕重滑澀燥濕十種是也。且以十劑治病。尤須視其人之平素或忌表或畏補。或喜瀉或惡濕等等而審愼用之。是鮮人所謂四種藥治四種病者。正本乎此。惜彼被人統治。只有失傳。無從發揮。於是十劑者。僅賅括爲四劑。曷勝浩歎。吾輩能不知警惕哉。

鮮人所得我國之一鱗片爪。用之得當。治病已覺應付咸宜。則國醫學理之充分。國藥效用之特効。可想見也。吾國人果能力進不懈。加以不斷之研究。何患東西醫之壓迫。是東西醫壓迫之來。正我自召之也。吾輩能不自奮勵哉。

蜘蛛散之疑義

教授 程次明先生

金匱『陰狐疝氣者。偏有小大。時時上下。蜘蛛散主之。』名狐者言其出入無定也。睪丸。偏有小大。時上時下。或墜下則囊大。收上則囊縮。常見有手揉始收者。有臥復得溫煖始收去。可知是寒也。攷蜘蛛散一方。祇有蜘蛛桂枝二味。杵爲散。取八分。飲和服。只限八分。其藥性之峻悍可知。洄溯昔年上海中醫雜誌內。載有一人。（忘其姓氏）因病狐疝。以活蜘蛛煆煉合桂。照原方服之。胸腹大脹。疝病仍然。後來求醫調治。馴至百計千方。始獲安全。殆亦焦頭爛額之客矣。然則經方誤人耶。非也。或今人不諳煆煉之製法。或今人不識蜘蛛爲何物。非古方之誤人也。實今人自誤之耳。仲聖爲立方之祖。不過示人以法。後人儘可化而裁之。活蜘蛛一物。秉燥金之氣。性能定風。能制風木。腹內飽藏黏韌絲質。中含大毒。絲亦屬金。年久其腹中絲質可結珠胎。彥云定風珠。其腹膨大。其氣甚盛。故腹中之絲有飛射能力。於空中飛絲着物。即能翔網。其網象佈八卦之形式。於網上能墜能收能行。捕食飛虫。亦動物之靈。雖經煆煉。毒性尚存。故服之反脹滿。益覺不安。其性可知矣。然則蜘蛛散之蜘蛛。究係動物之蜘蛛。抑係草木之蜘蛛。無從稽攷。曾見南洋本草備要繪圖中。有蜘蛛香一味。形如蜘蛛。此草木之蜘蛛香也。詢之藥肆。鮮有知者。余一日偶見八角茴香。覆而觀之。其形宛如蜘蛛。形象畢肖。始恍然覺悟蜘蛛香。莫非即八角茴香也。維先哲治疝。總以辛香流氣爲主旨。丹溪云疝不外乎厥陰。氣行則疝退。八角茴香。正合辛香流氣之旨。其性溫。能祛寒。和桂芳香辛熱以流氣驅寒。不妨以肉桂易桂枝。其方更大。能入下焦。以逐寒。合之辛香流氣以治疝。此爲穩妥之變法。有利而無弊也。蠡測之見。未識當否。尙希海內博雅君子。有以教正焉。

伏氣明辨

教授 盛心如先生

歷來於伏邪成溫之說。皆主潛伏於少陰。殊不知少陰腎藏。爲人性命之原。豈有腎藏爲邪所干。而形體尙無恙者。此說可不攻而自破。何況經文明言四時皆有伏氣。安能取其一而遺其三。縱謂寒邪伏於少陰。其餘風暑與濕之邪。究伏於何處。恐亦無從確指其處矣。是說也。與西醫所謂潛伏時期者相同。在現代之潮流。國醫與西醫。正處於短兵相接之時。如此等空泛受擊。不切於病理之學說。凡負有革新國醫界之責任者。不得不急起而明辨之也。竊於此理。固未敢云有獨得之見。仍根據於經文之所明以昭我者。演繹於下。尙希現代明哲。有以進而敎之。則亦國醫界前途之幸也。

彼春之暖。爲夏之暑。彼秋之忿。爲冬之怒。故風寒暑濕燥火之六氣。分佈於四時。春令主風。而寒濕與火。三者兼焉。夏令主暑。而風寒濕火。四者兼焉。秋令主燥。而濕火風寒。亦四者兼焉。冬令主寒。而風與火二者兼焉。是故內經有冬傷於寒。春傷於風。夏傷於暑。秋傷於溼之說。秋不言燥者。以秋令當長夏之後。猶有溼之餘氣。不言主氣。而言兼氣也。風雨寒熱。不得虛邪。不能獨傷人。卒然逢疾風暴雨而不病者。蓋無虛。此必因虛邪之風。與其身形。參以虛實。大病乃成。今傷於邪。在當時不病。其無虛也明矣。何以過時而反致病溫與飧泄。痎瘧與欬嗽也哉。曰。所以爲病者。原因其身形之虛也。故又發冬不藏精。春必病溫。及藏於精者。春不病溫之旨。是所謂冬者。包括四時而言也。所謂精者。包括精氣神而言也。明言其原因身形之虛而致病也。然風寒之中人也。使人毫毛畢直。既傷於邪。復因身形之虛。斷無當時不病之理。胡能延至數月之後。又安知數月之後。其所以爲病者。非當時所傷之邪。而斷其爲以前所傷之邪。由內伏而外發。此則所大惑不解者也。曰。四時之氣。正氣也。非時之氣。邪氣也。邪氣之發於天地間也。其氣也暴。中於人則人病。中於物則物病。卽身體壯實。亦或不能免焉。正氣之氤氳於天地間也。其氣也和。本足以長養萬物。所謂風能生萬物。風能害萬物者。卽此義也。卽在身形之虛。而感其氣者。其中人也淺。在當時不過微覺不適。則亦如無其事而已。若在形體壯實之人。其本身之正氣。足以抵禦外邪。卽偶感於邪。亦足以漸消於無形。惟因身形之虛。遂致爲其氣所傷。而伏留不去。既已伏留於內。又有時令之氣相引觸發。其能免於病乎。所謂壯者氣行則已。怯者則着而爲病。氣虛之處。卽留邪之處。此則所以有可伏之理也。然則究伏於何處。且病之始生也。必先於皮毛。邪中之則腠理開。開則入於絡脈。絡脈滿則注於經脈。經脈滿則入舍於藏府。其果伏於皮毛乎。伏於腠理絡脈間乎。抑伏於經脈藏府間乎。更不論其伏於何處。有病痛者。有病痺者。有病風者。有病腫脹者。有病瘧疽者。在經文中。亦不勝枚舉。又何以必病溫與飧泄。痎瘧與欬嗽。卽逆其四時之氣。而春爲痿厥。夏爲寒變。秋爲痎瘧。冬爲餐泄。四時之病。而又不必盡同。此則更爲大惑不解者矣。曰邪氣之中人也。本無有常。中於陰則溜於府。中於陽則溜於經。中於面則下陽明。中於項則下太陽。中於頰則下少陽。中於膺背兩脅。亦中於其經。中於陰者。常從胻臂始。故邪之伏也。亦無定處。然氣有定舍。則因處而爲名。此則可以定其伏於何處。更可以明其所以患必然之病焉。太陽之上。寒氣治之。而寒氣通於膀胱。膀胱與肺相通。肺主通調水道。下輸膀胱。其路道全在三焦油膜中。膀胱與肺同主皮毛。三焦者。腠理毫毛是其應。則所傷寒氣。可以斷其由皮毛而入伏於腠理矣。厥陰之上。風氣治之。而風氣通於肝。肝與大腸相通。肝居膈膜。下走血室。前連膀胱。後連大腸。其脈繞行於肛門。而膈膜本發原於三焦。則所傷風氣。可以斷其由腠理而入伏於隔膜中矣。少陽之上。火氣治之。而內經以少陽主暑。故暑氣通於三焦。則可知所傷暑氣。亦無非伏於腠理。膈膜之間矣。太陰之上。溼氣治之。而溼氣通於脾。脾脈絡於胃。而肺脈還循胃口。所謂輸精於脾。上歸於肺者。則其路道。仍在於三焦膈膜之中。從可知所傷濕氣。容非從腠理而入伏於三焦膈膜中乎。所謂血氣與邪氣。并客於分腠之間。及留而不去。傳舍於腸胃之外。膜原之間。內經固確指其所伏之處也。仲景亦根據此理。故於金匱之首。卽言不遺形體有衰。病則無由入其腠理。腠者。是三焦通會元眞之處。理者。是皮膚藏府之文理。故吾以爲不論風寒暑濕之氣。感而不卽病者。無非伏於三焦腠理膈膜之間。若深入於內。則邪氣淫泆。而不可勝論矣。邪干腠理。藏府元眞。雖未能通暢。而血氣與邪氣并客於分腠之間。固流行而無阻也。而三焦爲中瀆之府。膜原爲空隙之處。固亦與血氣之流行無阻也。此非邪氣之所以有可伏之理。抑非可以斷然而無疑者歟。因其氣有定舍。因處而爲名。於是有必然之病發生焉。邪既伏而終不可留。況又有時令之氣相引觸發。其欲出也。非從外而達。卽從內而去。譬之溝澮之中。本爲藏垢納污之所。或遇風雨。則泄於內。或遇潮汐。則溢於外。此原屬中陰溜府，中陽溜經之義也。故傷於寒。則從太陽還出於表而爲溫病。傷於風。則從厥陰下溜於府而爲飧泄。傷於暑。仍鬱遏於募原中而爲痎瘧。傷於濕則由膈膜上出於肺而爲欬嗽。此必然之爲病。原有其相通之路道在焉。則所謂伏氣之說。從此可以明瞭而大白於天下乎。

四時皆有濕溫症說

教授 莊虞卿先生

濕溫之證。議論紛紛。尙解折衷。有言溫病復感乎濕。名曰濕溫。有言素傷於濕。因而中暑。名曰濕溫。有言長夏初秋。溼中生熱。卽暑之偏于溫者。名曰濕溫。綜三說而觀之。似謂濕溫之症。惟春夏秋三時看之。而冬令則無此病。殊不知水流溼。冬月寒水司令。水濕同體。尤易致病。況土寄旺於四季之末。冬月有濕土寄旺之日。卽不得謂無感冒濕氣之病也。且濕得陽氣而發。朱子謂。將大雨雪。必先微溫。蓋溫則陰氣通。陽氣通。則濕行。濕行而雨雪成。由是觀之。濕溫爲四時皆有之病。不亦信而有徵哉。惟春夏秋濕氣較重。其爲病較多。冬日溼氣較輕。其爲病較少耳。所有前言溫病復感乎濕。當云溫病夾溼。素傷於濕因而中暑。當云中暑夾濕。長夏初秋。溼中生熱。當云濕熱。皆不可以濕溫名之。考溼溫之見症。首如裹而作痛。身重疼而惡寒。苔膩不渴。脉弦而濡。胸悶不飢。面色淡黃。午後身熱。狀若陰虛。病難速已。見此現象。不論何時。皆可名爲濕溫。蓋溼者土之濁氣也。首爲諸陽之會。其位高。其氣淸。其體虛。故聰明係焉。濁氣薰蒸。淸道不通。沈重不利。似乎有物蒙之。故首如裹。頭痛惡寒。身熱疼痛。有似傷寒。脉弦濡則非傷寒矣。苔膩不渴。面色淡黃。則非傷暑之偏於火者矣。胸悶不飢。溼閉淸竅道路也。午後身熱。狀若陰虛者。溼爲陰邪。陰邪自旺於陰分也。故與陰虛同一身熱也。且其性氤氳粘膩。非若寒邪之一汗卽解。濕熱之一涼卽退。故難速已，倘以傷寒發表攻裏之法施之。發表則誅伐無過之表陽傷而成痙。攻裏則脾胃之陽傷而成洞瀉寒中。見其午後身熱以爲陰虛。而用柔藥潤之。溼爲膠滯陰邪。再加柔潤陰藥。二陰相合。同氣相求。遂有錮結而不可解之勢。故治此症者。當辨明溼與溫之孰輕孰重。濕重於溫者。淡滲劑中。加苦辛之品以利肺氣。蓋肺主一身之氣。氣化則濕亦化也。溫重於溼者。宜蒼朮白虎湯加減。蓋蒼朮祛太陰之濕邪。石羔知母清陽明之溫熱。適合其臟腑之宜。矯其一偏之性而已。至若白㾦一症。係由溼鬱於肌肉毛竅。醞釀而成。伏暑有是症。濕溫亦有是症。白如水晶者。可以甘寒淡滲之品治之。大忌辛散。白如枯骨者。此氣液已竭。百無一生也。濕邪踞於氣分。醞釀成溫。尚未化熱。故名曰溼溫。此病變症多端。殊難罄述。臨證時。細心詳辨。隨機應變可耳。

論婦人血枯經閉

教授 賈筱芳先生

潔古東垣治婦人血枯經閉之法。皆主于補血得火。補血用四物之屬。得大東垣分上中下三焦。如火在上。則得于勞心。治以芩連及三和之類。火在中則善食消渴。治以開胃承氣之類。火在下則大小便難。治以玉燭之類。玉燭四物與開胃承氣是也。三和四物與涼隔是也。

濟陰綱目按東垣之論。當有四證。如胃熱胞絡熱勞心熱。三證皆有餘。宜得大養血是矣。所言脾胃久虛。致經水斷絕一證。又當補脾胃爲之。豈得捨而勿論。蓋水入于經。其血乃生。穀入于胃。脉道乃行。水去榮散。穀消衞亡。况脾統諸經之血。而以久虛之脾胃。致氣血俱衰者。可不爲之補益乎。即此以分虛實。明是四證無疑。全善乃遺。補虛之一證何也。

經閉主于得心火。論本潔古。而東垣則以熱結。分上中下三焦。是月水不下。專當以火熱爲病。藥用玉燭三和爲例。夫此方治勞心。心火上行。致胞脉閉塞。月事不來。是實熱也。若心虛而熱數于內。與心虛而土衰者。二方又未可妄用也。大約婦人經閉由于陰虛火旺。日漸煎熬。津液乾涸。以致血枯經閉。當從趙養葵滋水補肝之法。純用三和玉燭。殊未盡善。若東垣三證。首言脾胃久虛一段。已見經水斷流。俱從脾胃受病。濟陰綱目譏全書之失。尤爲有見。

已上一條。序婦人經閉屬火邪熱結。而經不行也。經閉有寒有熱。金匱三條主于風冷積寒。東垣潔古主與火熱實。結是皆指有餘之客邪爲病也。但寒熱之證。宜分內傷外感處治。如心火不下降。而三焦熱結。此是血衰火旺。陰不足以配陽。故心氣不通熱結三焦而經不下。當益陰滋水以培化源。若用硝黃芩連則失矣。如積冷血寒凝結胞門。衝任脈寒而血泣不下。是風冷客邪乘虛襲入。宜溫經散寒。以大辛熱之藥導血下行。後用養榮之劑。爲當也。

痢疾之原因與治法

敎授 陳時芳先生

痢者古名滯下。以其積滯不行故也。人日受飲食之積。留滯于內。濕熱薰蒸。伏而不作。偶然將息失宜。復感酷熱之氣。一至秋天。陽氣則收。火氣則降。而滯下之病作。更有醉之以酒。勞之以色。游行冒暑。奔馳忍饑。塵事關心。冗言生惱。七情六慾。日夜交攻。以致氣血俱傷。積久而化爲穢濁。夫足太陰脾經之病。傳于手陽明大腸。大腸爲肺之腑。肺主清化。脾土受病不能生金。而肺失清化之令。臟不受病。而病其腑。故大腸受之。大腸于五行爲金。于時令爲秋。故痢發於秋。此痢疾之原因也。論及治法。初起時。先服消血化積之藥。次服下劑。後爲調補。以收全功。然須分氣血。白者傷氣。赤者傷血。赤白相兼者。氣血俱傷。如黃色者。以食積治。後重者以火治。散血者以傷治。總之初痢屬于熱。宜涼解。久痢屬於寒。宜溫補。經年累月。時發時止者。名休息痢。宜調胃補氣。此治痢之大法也。夫痢疾之症。有輕有重。有易治。有不治。患痢身不熱者輕。身體熱者重。能食者易治。不能食者難治。絕食者死。發嘔者死。直腸自下者死。久痢忽大下結糞者死。小兒痘後發痢者死。婦人新產發痢者死。凡業醫者。不可不知也。

談談腫脹病之治法

敎授 一屆畢業 景芸芳先生

何以謂之腫。曰腫者。水濕不行。泛濫肌膝。皮膚浮腫也。又云有陰水陽水之別。此其肺氣不降。水濕不行。或溼熱濁滯蘊積而成。謂之陽水。脾腎兩虧。陽虛不能化水。謂之陰水。以虛實表裏而定其病名也。故曰。腫病之來。其標在肺。其本在脾腎。總不出乎此三臟。更攷諸金匱四水。皮水風水。爲肺病。治宜解表。正水石水爲腎病。治用溫化。而石水可兼下法。又前賢云。先腫而後喘者。病在腎。先喘而後腫者。病在肺。然無不及于脾也。故仲景杏子湯。麻黃甘艸湯。治肺脾同病。其意用麻黃杏子治肺。甘艸治脾。若加附子則溫腎利水。爲三臟同病之治。此前賢治水之大法也。

惟諸法均偏於祛寒。對於肺脾病腎同病則宜之。若由肺而及脾胃。則當作熱水治。投越脾湯。用麻黃開肺。石羔清胃。兼及脾者。加白朮。爲越脾加朮湯。此係病未及腎也。至其症象。如先喘而復腫。無汗惡風。目下如臥蠶。面色光澤。唇紅有大熱者。越脾湯主之。小便自利。口渴者。加白朮。此爲治熱水之大法。若手足冷。喜重衾。脉沉細。苔白。下腫甚於上者。宜用附子溫之。兼及開表。體虛者。可用麻黃甘艸附子湯。表虛水腫。症見汗出身腫。惡風脉浮。無喘咳。不胸痞者。治宜防已黃芪湯。及茯苓防已湯加減。祇有身腫喘咳等肺家之象。可用麻黃加朮湯。陰虛而致水腫者。其舌光絳。脉細數。身腫口渴。小便短少。宜六君丸合川石斛連皮參之類。以養陰利水。舌淡紅而小便清白。四肢冷身腫。乃陰陽俱虛所致。宜金匱腎氣丸。或濟生腎氣丸輩。此外又有石水。集凝結於肝腎。腫如堅石。脉沉小便不利。腹痛不喘。爲陽虛陰結之石水症。宜肝腎並治。可用溫陽通利之劑。故治水腫病不外溫陽。化溼。發汗。利水。健脾。理氣。清熱。養陰。等法。

脹者。胸膈氣阻。大腹痕滿。經云。三陰一陽發病善脹。是言脾胃爲病。如飲食不節。停滯中焦。或惡血內積。氣不得行。爲實脹。中氣不運。或情志操勞。酒色過度。或病後氣虛。散而不收。爲虛脹。至其症象。如便閉腹脹拒按。香酸噯氣。惡聞食臭。得食則益甚。此飲食內傷。可下之。用枳實導滯丸加穀芽山查之類。所謂中滿者瀉之於內也。若兩脅及少腹脹滿。或痛。脉弦口苦。劇則氣逆泛嘔。此怒動肝火。氣失暢達。用左金丸及廣鬱金玄胡索金鈴子之類。理氣開鬱也。熱甚於裏。口渴便閉。投以枳壳剉散。理氣滌熱也。

此外又有寒脹。其症有二。一爲寒氣襲表。而脹於外。經云。膚脹者。寒氣客於皮膚。鼕鼕然不堅。腹大身盡腫。以手按其腹。窅而不起。色不變者是。二寒氣入裏。而脹於內。由陰氣凝聚。久而不散。內攻腸胃。則爲寒脹泄利。經謂。中寒生滿病是。在表者。溫而散之。用溫胃湯。在裏者。溫而行之。用木香塌氣丸。以其病因不一。故治亦各異也。

要在辨其虛實。知其表裏。抑爲實而用攻。抑爲虛而用補。抑爲寒而用溫。抑爲熱而用寒。惟理氣之品。無虛無實。均當兼用。又有下氣虛乏。脾胃不運。三焦痞塞。是爲氣虛中滿。脉來細軟。面無華色。溏泄腸鳴。經云。足太陰虛則病鼓脹。散滿則益虛其下。補下則滿甚於中。當以健脾理氣爲主。使中焦氣運。壅滯疏通。中滿自消。下虛自實。乃塞因塞用之法也。徐靈胎曰。脹滿症以邪實者居多。卽遇正虛。亦當愼用補法。以其頭緒頗多。首辨有形無形。無形則輕劑宣通。有形則重劑攻伐。毫釐千里。不可不審。此治脹滿之大法也。

水腫先起於腹。後散四肢者易治。先起於四肢。後歸於腹者難治。脹病氣實者易治。氣虛者難治。此又昔人心法之可傳者也。

謙齋近案

院董 秦伯未先生著　何松寅錄

▲小便不禁

蕭左　年逾六旬。病經半載。小溲不禁。輪泄無力。手足淸冷。飲食呆鈍。脈沉微。苔薄膩。命門虛寒。不能溫脾而助其健運。下元衰弱。失於藏令而廢其固攝。治以溫下扶中。

潞黨參三錢　炒白朮三錢　原附塊錢半　菟絲子錢半　甘杞子三錢　覆盆子錢半　厚杜仲三錢

山萸肉二錢　縮泉丸三錢

（何按）此方服三劑而病愈大半。接擬膏方調理）

▲頭痛

郝右　巔頂劇痛如針。眩暈難持欲仆。此厥陽上升也。得之猝然。宜單刀直入以制之。

羚羊片二分　杭菊花二錢　生白芍二錢　生石决八錢　冬桑葉錢半　嫩鈎藤三錢　左牡蠣八錢

▲濕溫

陳左　身熱三日。不爲汗解。頭痛口渴。胸痞泛噁。大便艱難。小溲短熱。脈濡而數。舌紅而垢。風邪鬱於表而化熱。濕氛滯於中而不解。如膠漸結。欲作濕溫矣。亟予表裏雙解。非清宣所能奏效。

荆芥穗錢半　薄荷葉八分　藿香梗錢半　省頭草錢半　淡黃芩錢半　生川軍錢半　江枳實錢半玄明粉同炒　梗通草八分

二診　大便暢下。身熱遽低。惟舌紅苔垢。尚未見退。胸悶口渴。依然不撤。胃中積熱。脾中蘊濕。勢難一鼓而平也。接投清而能降。化而能順。仍不離乎前法。

藿香梗錢半　省頭草錢半　全瓜蔞三錢　梗通草八分　福澤瀉三錢　淡黃芩錢半　炒枳殼三錢竹茹同炒　淨連翹三錢　乾蘆根五

(何按)秦師嘗云。濕溫病信以清化爲主。但遇舌質紅。大便閉者。應先清下。使腸胃通暢。邪有出路。然後再用清化。其愈期自速。若如薛生白濕熱病篇所云。必至用牛黃至寶不應。再驗大便閉。始用承氣。是焦頭爛額。延爲上賓矣。此法惟傳雍言先生研究獨精。而他人鮮敢試用。並謂濕溫病本挨時日。切戒重劑。惜哉。謹誌之。以爲諸同學借鏡。

▲月經先期色紫

顧右　經事二旬一行。色紫挾滓。腰腹痠墜。勞動乏力。脈形細輭。肝脾之氣不舒。衝任之脈不充。宜溫補以實其下。理氣以暢其中。作血熱治。誤矣。

炒當歸錢半　炮薑炭八分　酒白芍錢半　炒白朮二錢　艾絨炙錢半　厚杜仲三錢　川斷肉二錢

白蒺藜三錢　製香附錢半　玄胡索錢半　黑歸脾丸三錢

二診　一劑而血滓化。二劑而血色紅。惟腰仍痠。心覺悸。腹未暢。納尙呆。衝任之虛寒漸復。肝脾之鬱結難散。再宜舒肝和脾。調氣理血。却病在是。求嗣亦在是。

炒當歸錢半　炒白芍錢半　炒白朮錢半　炒棗仁三錢　川斷肉三錢　紫石英三錢　縮砂仁八分

玄胡索錢半　逍遙丸三錢

(何按)此方囑服五劑。越一月後來。已經期準。血色正。爲開膏方。欣然持去。蓋此病已半載餘。歷經西醫治無效。而望子之心。隨之切甚也。

▲痢下

汪左　腹痛痢下赤白。經一月有餘。今腹不痛，赤不見。而日仍三四行。脈象濡軟。舌苔薄膩。腸中濁垢將楚。中氣隨之下陷。宜和中益氣。奈何尙與消導成法耶。

炒黨參錢半　焦白朮錢半　炒當歸錢半　炙雞金三錢　大腹皮三錢　大炒仁八分　炒穀芽三錢

炙升麻五分

▲頭風

奚右　虛寒達於極點。沉痾延及多時。頭痛集中巔頂。惡風不避夏暑。炎令戴帽。初秋衣棉。脈沉細微。舌淡無華。督脈之陽。不能上達。太陽之陽。不能外衛。爲擬大劑溫經。以覘變動。

鹿角霜三錢　大熟地三錢　生麻黃五分　潞黨參三錢　北細辛三分　煨藁本一錢　葱白頭三個

炙黃芪(三錢)防風炒　大川芎一錢　明天麻錢半

(何按)此方連服十三劑。爲製膏方再服。秦師處時有遠道慕名來者。沉痾宿恙。奇病怪疾。頗足增廣見聞。而秦師遇此。必潛心研討。不肯敷衍。故往往建立奇功。

▲自汗

陳右　自汗爲陽虛衞氣不固。得之產後服疎散之劑而起。天寒排泄益甚。其爲陽虛顯然。然服固表藥。理應見效。所以不效者。汗爲心液。汗出過多。營陰大損。陰傷虛熱內擾。斯外不能固。內不能守。進固氣藥。適助其燄也。卽從前醫方。參入和陰之品治之。

綿芪皮四錢　炒歸身錢半　炒白芍二錢　酸棗仁三錢　煅牡蠣六錢　女貞子三錢　沙苑子三錢

北五味四分　浮小麥三錢

▲腹痛

杜左　臍以下腹痛。啖飯及硬物必發。偶染感冒則益甚。延經多時。肌肉日削。夫以部位言。屬於小腸。以病理言。屬於消化不良。內經云。小腸者受盛之官。化物出焉。受盛者承受胃中之物而盛之。化物者消化所盛之物而出之。消化之機頓滯。則聚而爲痛。得寒則氣緩而加劇。所謂不通則痛也。宜助其機能。以符腸者暢也之旨。

白朮炭錢半　炒枳實錢半　柏子仁三錢　山查炭三錢　炙雞金三錢　台烏藥錢半　青木香五分

穀麥芽各三錢

▲肉瞤

王左　半年來。常覺周身經脈。或手臂。或背脊。忽爾跳動。一日二三發。無所痛癢。此筋惕肉瞤之候也。在傷寒歸於亡陽。在雜病責之血虛。蓋全體筋肉。全賴血液之營養。血不充分。筋肉痿縮。遂起抽躍之狀。不能制止。與亡陽之由於傷津液而致。理復相通也。擬養血柔劑。未知當否。

生首烏三錢　炒阿膠錢半　炒歸身錢半　炒白芍錢半　桑寄生三錢　潼沙苑三錢　黑穭豆三錢

忍冬藤三錢

▲白帶

吳右　白帶多年。腰痠頭暈。脈形濡弱。脾氣下陷。帶脈不固。宜傅青主法。非清化能了事。

潞黨參三錢　炒白朮三錢　雲茯苓三錢　炒山藥三錢　山萸肉錢半　大芡實三錢　炙升麻五分

厚杜仲三錢
（何按）服三劑即減少矣。秦師於女科。服膺傅青主。加減變化。不守成法。而無不合其要旨。亦神乎技哉。